CW00401022

La prophétie de Golgotha

Du même auteur
aux Éditions J'ai lu

LE SECRET DE CHAMPOLLION
N° 7922

L'INSOUMISE DU ROI-SOLEIL
N° 8289

JEAN-MICHEL

RIOU

La prophétie de Golgotha

ROMAN

À la seconde qui vient,
où tout ce qui suit pourrait arriver.

« Nous autres, civilisations, nous savons maintenant que nous sommes mortelles. »

Paul Valéry

Première partie
L'ESPRIT DU MAL

PRINCIPE DE GOLGOTHA

Rapport du Neuvième Décemvirat
Paragraphe 1

Pendant plus de soixante années, j'ai beaucoup changé de nom. Je me suis fait appeler Richard Kessler, Erich Bauer, William Allright, Antonio De Palmya, Pierre-Jean Sedan, Abdelaziz Walshaby, Christopher Powell, Abel Pereire. Par moments, je peine à retrouver celui que je portais à la naissance. Je l'écris ici et une seule fois pour ne jamais plus en parler : Roberto Fiorelli. Encore que ce détail n'ait guère d'importance. La date où je naquis, je m'en souviens. C'était le 12 juin 1890. Je sais également, avec certitude, que je vis le jour à Rome, en Italie. Du reste de moi, je ne rapporterai que ce qui concerne la part de mon histoire au cœur de Golgotha. C'est l'usage dans notre Communauté.

Quand vient le jour de partir, et quel qu'en soit le motif, les faits marquants et les agissements des Dix Magistrats du Très Haut Collège du Décemvirat sont consignés dans un rapport qui viendra s'ajouter aux autres, à ceux qui les ont précédés, chacun servant à nourrir le Principe de Golgotha. Et c'est ainsi depuis combien de temps ? Des siècles, peut-être, bien que je n'en aie aucune idée, et cela aussi est sans importance, eu égard à ce que je sais, comme peu d'hommes et, en réalité, comme seuls peuvent le raconter ceux qui siègent au sommet de Golgotha.

Le 17 mars 1914, jour de mon entrée dans Golgotha – j'allais avoir vingt-quatre ans –, l'homme qui me recevait parla du rapport qu'il me faudrait établir à la fin : « Retenez, me prévint-il, tout ce qui a trait à votre action, mais sans jamais rien consigner. Puis, le moment venu, vous reporterez ce que vous aurez produit, exécuté, accompli. Ce sera comme un testament. En fait, la seule trace de votre passage. Les Très Hauts Magistrats qui formeront alors le Collège du Décemvirat en prendront connaissance, puis vous, ou celui qui vous succédera, devrez le détruire. Aussi, pensez dès aujourd'hui à cet ouvrage à la fois éphémère, et cependant capital, mais sans céder à l'orgueil et sans rien omettre de vos faiblesses ou du pire que vous auriez commis ou connu. Cela n'a rien à voir avec la morale, le bien ou le mal, étant donné que nous ne cédons pas à ces croyances capricieuses. Pensez-y à la manière d'une chronique rigoureuse qui viendra nourrir l'édifice de Golgotha. Ce ne sera que cela. Pourtant, il s'agira d'une contribution primordiale, un caillou blanc sur le chemin de la Vérité, puisque nous sommes les seuls à savoir ce qu'il en est vraiment de l'Histoire, et ce, depuis très longtemps. »

Ce conseil, je l'ai scrupuleusement appliqué. Chaque événement auquel j'ai participé, ou dont j'ai été informé, je l'ai noté au fond de mon cerveau, éliminant les souvenirs secondaires, les satisfactions éphémères, les regrets, les remords, le plaisir de la possession, les émotions physiques et mentales, et même les corps des créatures que j'ai aimées. J'ai effacé jusqu'au passé de mon enfance, de ma famille, de mes origines pour ne retenir que l'essentiel, ce qui a trait au Vingtième Siècle dont je fus un témoin objectif et froid, un acteur détaché que l'immensité des hommes communs jugerait, dans l'hypothèse improbable où mon récit viendrait à être révélé, comme un être exécrable, un criminel non amnistiable.

Au cours de ma vie, pour préparer ce moment attendu où je peux enfin confier mon expérience à ceux qui me suivront, je me suis exercé sans relâche, classant dans ma mémoire, répétant inlassablement les faits, les dates, les lieux, les noms qui nourrirent le principal de ma vie. Je parle des événements où se mêlent les actions formidables qui ont trait à la barbarie humaine; à ce que le vulgum pecus appelle la guerre et dont je fus ce qu'ici, à Golgotha, on nomme un tiers privilégié.

Ce dernier terme désigne ceux qui, à mon exemple, ont eu accès à des informations dont l'opinion n'aura jamais connaissance. Je parle de vérités insupportables qui révolteraient la masse et provoqueraient les plus incroyables désordres si l'on découvrait combien la folie meurtrière de l'homme ne cache en réalité aucun mystère. J'ai appris à démonter et remonter l'étrange mécano qui déchaînerait par hasard l'instinct bestial, ce déclic inexplicable qui pousserait les peuples, les religions, parfois des civilisations entières, à se détruire, reproduisant ainsi et irrévocablement les mêmes erreurs. Et ce n'est pas, Golgotha le sait, parce que notre espèce, hargneuse et supérieure, manquerait de mémoire.

Pour que la mienne, de mémoire, ne fasse pas défaut, pour être à la fois le plus juste et le plus sincère, je vais, je l'ai déjà écrit, rejeter la part personnelle enfouie au fond de moi. Je ne fais que suivre l'enseignement de l'envoyé de Golgotha, un homme mystérieux qui m'a reçu, le 17 mars 1914, au dernier étage d'un immeuble austère situé dans le quartier d'affaires de la ville d'Anvers. « Votre passé, c'est-à-dire ce qui précède cette rencontre, oubliez-le », m'a-t-il conseillé. Son costume était sévère, couleur passe muraille, précisément un dark suit d'une facture soignée. L'étoffe de soie et de cachemire venait sans doute d'un tailleur de la City. Pour me faire comprendre que je devais tourner la page, il m'invita à choisir un pseudonyme. « Ce sera pour toujours, précisa-t-il. Ceux de Golgotha le connaîtront. Rien qu'eux. Choisissez quelque chose de simple. Court, ce serait idéal. Apprenez à être efficace. Ce nom ne sera pas de ceux que l'on trouve dans les romans, mais le signal d'un nouveau départ, une nouvelle appellation que l'on doit comprendre dans les *coins les plus reculés du monde. De Delhi à Vladivostok, de Bangui à Bakou, de Lima à Pretoria», ajouta-t-il, pour le cas où je n'aurais pas encore compris que Golgotha était planétaire. Et universelle. À moins qu'il n'ait voulu m'impressionner en évoquant la puissance infinie de ceux que je rejoignais.*

Peut-être pour me venir en aide, mon recruteur me donna le sien, de nom : Archange. «Décidez», ajouta-t-il soudainement sur un ton sec. Cela me rendit nerveux. Il ne fallait pas commettre de faute. L'épreuve – car je l'envisageais ainsi – suffirait à me juger. Avais-je du répondant, de l'à-propos, et du sang-froid? Par une troublante association d'idées, où se mêlaient Golgotha et l'Ange de l'Apocalypse, il me revint à l'esprit ce passage de la Bible qui mettait en scène la destruction divine de Babel, symbole de l'orgueil et de la mésalliance des hommes. J'y voyais l'expression même du projet de Golgotha. Les créatures de Dieu étaient manipulables, et, comme la fourmi, infatigables et corvéables à merci. On détruisait, elles reconstruisaient, sans jamais désenchanter – car l'instinct de survie semblait effacer les pires atrocités qu'elles subissaient depuis la nuit des temps. Moi, je savais déjà que le destin des hommes n'était qu'une question d'organisation. La fatalité n'y jouait aucun rôle. Le sort labyrinthique de notre race s'étudiait et se calculait. Et pour cela, il existait Golgotha – la colline du Crâne – un nom et un lieu évoquant la mort de Jésus de Nazareth, là où le Christ vécut un calvaire, symbole même, selon moi, du désespoir éternel attaché à cet insupportable état terrestre qui ne réservait aucun bonheur, aucune évolution, car ce monde-ci était défini et fini, sans promesses, simplement animé d'actions et de soubresauts qui agissaient pour le seul triomphe du prédateur le plus fort. Ainsi, tous les efforts et toutes les gesticulations de l'homme pour atteindre un monde meilleur ne formaient qu'une rêverie, un songe pour endormir les enfants. Chimère que tout cela. Et j'ai répété ce mot : «Chimère». Le nom que je venais de choisir.

L'Archange sembla satisfait. Puis, sans détour, il me parla enfin de mon affectation. Ce serait Paris. Là-bas, il y avait du travail. Et c'est ainsi qu'en changeant de nom, je suis enfin né à la vraie vie.

1

Paris. 16 mars 1914, peu après 17 heures.

Le chauffeur vient de ranger sa voiture soigneusement lustrée face à l'immeuble du *Figaro*, situé au numéro vingt-six de la rue Drouot. En cette fin de journée, la gouaille des ramoneurs, des vitriers, des rémouleurs chante le génie des petits métiers de Paris et se mêle au défilé des hommes d'affaires, aux pas pressés des femmes aisées rejoignant leur foyer, aux coursiers, aux reporters, aux journalistes qui jaillissent du *Figaro*. Pourtant, la passagère ignore ce ballet, où se mêlent également les calèches livrant bataille contre l'automobile, invention bruyante et malodorante qui, chaque jour, conquiert un peu plus la chaussée. De même, elle ne prête pas attention à son chauffeur qui ne sait s'il doit laisser tourner le moteur, ou descendre pour lui ouvrir la portière – en n'oubliant pas d'ôter la casquette bleue qu'il porte fièrement. Henriette reste un long moment inerte, plongée dans ses pensées et il faut attendre les vociférations d'un charretier qui réclame le passage pour qu'elle se décide à tourner la tête vers l'entrée du *Figaro*.

Elle n'a pas lâché un mot pendant le trajet, ce qui est nouveau et même étrange, s'inquiète Maurice. D'habitude, madame aime babiller avec lui, parlant des petites choses de la vie, des cancans de la rue. Pourquoi a-t-elle seulement ouvert la bouche pour le sommer d'ôter la cocarde qui orne le pare-brise de l'automobile noire ? Et que penser de cette allure sombre, de ce visage sans couleurs, du tremblement de ses mains qu'elle dissimule vaille que vaille dans un gros manchon d'hermine posé sur ses genoux ?

— Madame, lance-t-il d'un ton gêné. Vous voilà arrivée.

Maurice est un Breton de Lorient monté depuis peu à la capitale, un mécanicien, habile de ses doigts, détaché du ministère des Finances où officie son maître et dont se sert monsieur, ou parfois madame, quand celle-ci baguenaude en ville, dans les magasins, et revient en riant à pleine gorge, les bras chargés de paquets, de bibelots, de vêtements soyeux qu'elle porte si bien, cette belle femme de quarante ans. Dieu, qu'il la trouve séduisante et aime la scruter, mais sans jamais penser à mal, lorsqu'il la promène sur les grands boulevards !

— Ne m'attendez pas, murmure-t-elle.

Elle ouvre la portière, descend vivement, s'enfonce dans la cohue. Maintenant, elle traverse d'un pas décidé et va pour entrer dans l'immeuble du *Figaro*, ce journal qui crée tant d'ennuis à ses patrons. Maurice ne sait pas trop lire, mais il a de l'oreille et entend parfois ce que disent ces derniers quand ils rentrent de l'Opéra, en oubliant qu'ils ne sont pas seuls. Il est question de lettres de monsieur ou de madame que *Le Figaro* publie dans ses pages. Avant leur mariage, ils s'échangeaient des mots d'amour. Quel crime peut-il y avoir à écrire qu'on se plaît ? Maurice pense simplement et sainement, mais ce n'est pas le cas de certaines des personnes importantes qui dirigent la France.

— Nom de nom ! grogne le chauffeur en voyant que le crachin tourne en giboulée et que, depuis son poste, coincé dans cette carcasse de métal dont les petites vitres se couvrent de buée, ce maudit temps va compliquer son observation. À moins de sortir et de salir son uniforme et ses bottes de cuir.

Il attrape le chiffon dont il use pour décrasser ses mains quand il s'emploie à la manivelle. Mais il y a de l'huile, et le gras va barbouiller le pare-brise. Maurice peste, s'énerve, mais, pour l'heure, il suit encore la silhouette de madame qui file entre les gens, tête baissée, les mains enfouies dans son manchon. Ces étrangetés et cet air malheureux sentent à plein nez le malheur. La pluie redouble, la vue se trouble. Chiennerie de temps ! Il se signe, comme on le fait dans son pays, car il ressent comme un mauvais présage. Et cela a suffi pour qu'il la perde des yeux.

2

Henriette s'est glissée dans le flot continu qui entre et sort du *Figaro*. Maintenant, elle fait face à l'appariteur aux cheveux blancs trônant dans le hall. On le laisse là, bien qu'il soit âgé ; et il semble qu'il ait toujours occupé ce poste. Du journaliste stagiaire au directeur, M. Calmette, tout le monde le salue, et lui connaît les habitudes de chacun. Son travail consiste à filtrer le flot des visiteurs et attendre ainsi que la journée passe. Rarement, il doit repousser un agité venu demander réparation pour un article publié dans le quotidien. Son allure de géant et sa mâchoire carrée suffisent à calmer les esprits révoltés. Eugène Malenchon sait aussi rouler et chalouper l'épaule comme à vingt ans, mais ce n'est qu'une apparence. À soixante-six ans, la jambe droite de ce vieil homme garde le souvenir d'un obus creux de la guerre de 1870 : il y a laissé l'os de la rotule et c'est un miracle si on ne l'a pas amputé sur-le-champ pour tuer la gangrène. En retour, il a dit adieu à son ancien métier de fort des Halles de Paris, quand il était gamin et portait son quintal de tonneau à vin sur une seule épaule. Depuis, il vit dans ses souvenirs, en laissant faire les heures et en jetant un regard sur ceux qui arrivent. Eugène garde l'entrée du *Figaro* et, ce 16 mars 1914, ne se plaint de rien. Dans peu de temps, il terminera son service.

— Où allez-vous ? demande-t-il d'une voix prudente à la femme bien habillée qui vient d'apparaître.

— Je veux voir Calmette, votre directeur.

Est-ce l'allure ou la détermination de la visiteuse qui l'incite à la prudence ? Eugène Malenchon sait qu'il faut user de diplomatie. On ne lui dit pas tout, et souvent des visiteurs se présentent sans crier gare, mais ce n'est pas pour autant qu'ils sont indésirables. Les plus importants, les plus attendus ne procèdent qu'ainsi. Ils entrent comme chez eux. Eugène détaille les vêtements de l'inconnue : un chapeau orné de plumes, une jupe sobre taillée dans un tissu de qualité, une veste brodée et un manchon en fourrure. Le cas demande d'agir avec doigté.

— Monsieur le directeur n'est pas rentré.

Bien que visiblement déçue, la femme ne bouge pas.

— Je vais l'attendre dans son bureau.

Sans même consulter le vigile qui ne sait comment réagir, elle s'avance vers l'escalier. Eugène est obligé d'appuyer sur la jambe qui lui fait mal pour la devancer et lui barrer le passage. Mais l'audacieuse jauge ce gaillard qui la domine de deux têtes et ne se montre en aucune manière impressionnée.

— Je suis madame Caillaux, dit-elle en sortant une main de son manchon.

Elle lui tend une carte de visite. Et le morceau de bristol paraît un passe-droit à ses yeux.

Eugène connaît tous les visages des personnes habituées à entrer au *Figaro*. Caillaux ? C'est le nom d'un ministre important, mais il croit aussi se souvenir que Calmette ne le porte pas dans son cœur. À moins qu'il ne s'agisse du contraire ? Il convient d'éviter la bévue. L'installer en haut ou la faire attendre en bas ? Ah ! Tudieu, c'était plus simple de transporter des barriques de vin.

— C'est interdit et je dois appliquer les ordres, lâche-t-il d'une voix hésitante. Installez-vous ici. M. Calmette ne va pas tarder.

La visiteuse n'insiste pas et prend le siège qu'on lui propose. Mais ce calme apparent cache une étrange nervosité, devine le vigile. D'un coup d'œil en coin, il consulte l'horloge qui trône dans l'entrée et maudit ces minutes qui tournent trop lentement. Que lui a dit Calmette ? Quand doit-il rentrer ? Est-ce bien 18 heures ?

3

Chez Eugène, le malaise grandit. Il ne cesse de scruter la rue, quand, enfin, il reconnaît l'écrivain Paul Bourget[1]. À ses côtés, les yeux plantés dans le sol, marche Gaston Calmette. Le vigile tire aussitôt sur sa jambe pour se précipiter vers l'entrée : il veut informer le patron, être certain qu'il n'a pas commis d'erreur, lui tendre la carte de visite. En découvrant qu'il s'agit de Mme Caillaux, le directeur s'assombrit.

— Je passe devant, glisse-t-il. Attendez une minute. Puis faites-la monter dans mon bureau.

— J'aurais dû le faire avant ? s'inquiète timidement le géant.

Calmette lui sourit, mais son visage reste grave :

— Non, vous avez bien agi, Eugène. Hélas, les tracasseries sont là, et il faut les traiter, grince-t-il.

Sans un regard pour Henriette Caillaux, le journaliste escalade les marches à vive allure, abandonnant Bourget à qui il a expliqué qu'il en avait pour peu de temps.

Dix fois qu'Eugène interroge l'horloge. Il fera monter la visiteuse, et s'en ira. Ce soir, il retrouvera ses vieux amis des Halles. Et ils referont le monde d'avant.

---

1. Poète, romancier, critique, Paul Bourget a été élu à l'Académie le 31 mai 1894. En 1914, il publie *Le Démon de midi.*

Et parleront peut-être de cette nouvelle guerre contre le Boche, puisqu'on raconte qu'elle ne va pas tarder à éclater. Et il oubliera cette dame énigmatique et importante venue voir le grand patron.

4

Marguerite appartient au secrétariat de rédaction du *Figaro*. Dans l'escalier, elle croise la femme élégante qui emprunte gravement le chemin conduisant au bureau du directeur. Leurs épaules se touchent. Pourtant, la visiteuse ne semble pas s'en rendre compte. Elle avance, le regard tendu vers le palier du premier étage, ignorant le monde qui l'entoure. À Marguerite, quand elle se tourne vers cette ombre, vient l'image du fantôme. Quelle mouche l'a piquée ? Pas un instant, elle ne suppose la tragédie à venir, et qui, depuis, peuple ses nuits de cris, de bruits fracassants et de sang.

Marguerite se souviendra qu'elle n'eut que le temps de descendre dans le hall et d'échanger quelques mots avec Eugène, et qu'à dix-huit heures passées d'un quart, elle s'étonnait de son zèle, et lui disait :

— Pourquoi traîner ? Cherchez-vous à obtenir une augmentation ?

Eugène avait souri et s'était emparé de son manteau de laine en marmonnant qu'il partait sur-le-champ, mais il avait encore demandé à Marguerite d'avoir la gentillesse de prévenir M. Bourget dès que la dame un peu étrange en aurait fini avec le patron. Et il désignait l'écrivain qui patientait dans le hall en jetant un œil distrait sur l'édition du matin lorsque le premier coup de feu avait retenti.

5

Le bruit, épouvantable, rebondit sur les murs. Eugène, en vieux soldat, comprend que l'on tire à plusieurs reprises. Trois, quatre, cinq. Bon Dieu ! Cela vient de chez Calmette. Bourget se lève, avance vers l'escalier, mais l'appariteur lui barre déjà la route.

— Laissez-moi faire, gronde-t-il en attrapant la rampe d'une poigne puissante.

Sa main conserve la vigueur qu'il ne possède plus dans ses jambes. Il s'accroche, grimpe aussi vite que possible ces maudites marches qui n'en finissent pas.

*

* *

Si la guerre de 1870 est loin, Eugène n'a pas oublié le fumet de la poudre incrustée dans sa chair brûlée et cuirassée d'une croûte sous laquelle bouillonnait un mauvais jus. Ce soir, la même odeur piquante de mort envahit l'étage, entre dans sa gorge et sèche ses poumons. Par un étrange effet, la douleur de sa blessure s'est d'ailleurs réveillée. C'est la mémoire du corps, et elle fait aussi mal que ce jour de septembre où il avait hurlé comme le Gévaudan. Mais Eugène a du courage. Il fonce sur la porte, l'ouvre d'un coup d'épaule.

D'abord, il voit Calmette, effondré dans son fauteuil. Le torse ensanglanté, il gémit, appelle au secours. Il est donc vivant. L'appariteur va pour se précipiter, mais se refrène : la femme est là et pointe toujours son pistolet. Prudemment, le vigile fait deux pas et prend l'arme dont le canon est encore brûlant. La visiteuse, sous le choc, ne s'oppose pas. Hagarde, elle regarde fixement sa victime. Eugène tente alors de la faire asseoir, mais, d'un coup, elle se ressaisit, toise son cicérone avec dédain et refuse d'obéir. Eugène s'affole, envisage d'user de la force, mais hésite. Pourtant, il le faudrait, car le directeur du *Figaro* tousse et se tient la poitrine. Sa chemise se teinte de pourpre et une pâleur mortelle gagne son visage. Gaston Calmette respire à grand-peine. Eugène range l'arme dans sa poche. Il avance vers le blessé. Tant pis si cette folle en profite pour s'échapper.

— Je vais mal, Eugène, murmure Calmette. Ne tardez plus.

Déjà, la bousculade est à son comble. On hurle dans l'escalier, on tente d'entrer dans ce bureau soudain trop petit. Il faut repousser la foule des journalistes, des typographes, des secrétaires, des correcteurs, des clavistes, et de toutes les corporations qui se pressent pour savoir ce qui s'est passé.

— Je suis médecin ! hurle un barbu. Laissez-moi entrer...

D'où vient-il ? De la rue, de dehors, du flot continu des badauds accourus qui se transmettent cette nouvelle sensationnelle : un coup de feu au *Figaro*. Calmette est blessé, victime d'un attentat. Va-t-il mourir ? Et qui a tiré ? Les bruits les plus insensés commencent à circuler. On jure déjà qu'il s'agit d'un anarchiste. « Circulez ! » hurle alors un agent venu sur les lieux, sans être obéi. Une ambulance s'arrête devant l'immeuble. Les brancardiers se bousculent, braillent que l'escalier est trop étroit, frottent contre les murs en chargeant le fardeau et bringuebalent dans la descente. Calmette, ballotté, râle, se tient le ventre pour arrêter la mort qui entre dans ses entrailles. Du sang s'écoule entre ses mains. On pose une couverture sur le martyr que l'on suit à la trace. Des gouttes écarlates s'écrasent sur le sol, comme un chemin de croix que l'escorte piétine sans y prendre garde. Calmette, dans un sursaut, veut se redresser, parler ; on le supplie de demeurer tranquille. Il secoue la tête, murmure qu'il a agi en journaliste en publiant les lettres, puisque c'est bien à cause d'elles que la femme du ministre est venue l'assassiner, mais il s'effondre. Trop de douleur. Une femme s'évanouit. Trop d'émotion. Le médecin décide de transporter le blessé à la clinique de Neuilly. Quand l'ambulance part, Calmette vit. Bourget s'est penché pour lui parler.

Maurice, le chauffeur des Caillaux, qui a vu tout ce tohu-bohu depuis son poste d'observation, jaillit de la voiture, sans oser s'avancer. Où peut bien être madame ?

*

* *

Calmette s'accroche à la vie. La nouvelle cavale dans les étages du *Figaro*, entre dans le bureau où trois journalistes encadrent Henriette Caillaux qui, en entendant ces mots, relève la tête et se dit soulagée. Peut-être imagine-t-elle qu'elle s'en sortira ? Tant qu'il est vivant, le crime n'est pas formellement perpétré. Et n'est-ce pas un accident ? C'est aussi grâce à son rang – elle est l'épouse d'un ministre important – que les policiers qui surgissent agissent avec prudence. L'affaire, en effet, exige du tact. Au cours de l'interrogatoire qui suit, on ose à peine lui demander si elle a tiré sciemment.

— Oui, répond-elle pourtant sans faiblir.

— Pourquoi ? murmure un policier qui voudrait oublier cet aveu incroyable.

— Mais je n'ai pas voulu le tuer, reprend-elle d'une voix apeurée.

Quatre balles dans le torse, songe l'officier. La belle tromperie...

— J'ai rendu la justice, ajoute-t-elle encore comme pour s'excuser.

— La justice ? ne peut s'empêcher de reprendre quelqu'un.

— Oui, la justice ! J'étais bafouée. J'ai vengé mon honneur, jette-t-elle fièrement.

Fait-elle allusion à ces lettres que publie *Le Figaro* et dont Paris se moque ? Pour l'heure, le policier griffonne des notes. Se rendre justice ? Le fonctionnaire se dit qu'avec un tel mobile, cette femme joue sa tête.

6

La rue s'est chargée de renseigner Maurice. Une femme a tiré sur Calmette et le nom de Joseph Caillaux, le ministre des Finances, circule de bouche en bouche.

En la voyant sortir du *Figaro*, entourée de policiers, le chauffeur s'avance, mais madame ne le regarde pas. Elle se laisse conduire, docile et soumise, alors que la foule se fait menaçante. On la siffle, la conspue. On la traite de sorcière, de forcenée. On hurle que son mari est un affairiste vendu aux Boches, un pacifiste ayant pactisé avec le diable teuton.

Une seule idée vient à Maurice : prévenir monsieur. Le cœur battant, il ouvre la portière, monte dans la voiture, dont il a pris soin de laisser tourner le moteur, et organise sa retraite. La mécanique grince. L'huile chauffe. Il va caler. Il faut sortir de la souricière avant qu'un badaud ne reconnaisse l'automobile du ministre.

En jetant un coup d'œil pour voir si on a deviné ce qu'il faisait là, il repère un homme élégant, habillé de noir, qui n'agit pas comme les autres. Un homme qui se désintéresse de l'action principale et ne regarde que lui, le chauffeur de maître. Il est calme, détaché, comme si rien de la scène ne l'étonnait. Pour un peu, on imaginerait qu'il prend du plaisir à ce spectacle macabre où des vies sont en train de basculer. Un curieux qui se croit au théâtre ?

Maurice délaisse cette ombre et se concentre sur la manœuvre. Les mains agrippées au volant, il arrive enfin à décoller du trottoir, mais un fiacre vient à passer. On vocifère, on jure. Le cocher retient l'attelage. L'accident est évité. Maurice fait le dos rond et file sans un mot. Il veut se faire oublier.

L'inconnu, lui, n'a rien perdu de la scène. Il détourne seulement le regard quand la voiture du ministre disparaît dans la cohue de la rue Drouot. C'est alors qu'il porte calmement la main droite au revers de sa veste, là où est épinglée une sorte de décoration, un signe qui pourrait indiquer qu'il s'agit d'un notable ou d'un homme important. Il semble jouer avec, le caresse deux ou trois fois avant de laisser retomber sa main. Puis, tourne les talons, un étrange sourire aux lèvres.

PRINCIPE DE GOLGOTHA

Rapport du Neuvième Décemvirat
Paragraphe 2

Le terrain n'a jamais été ma force. En revanche, j'affirme sans fierté que mon agilité à manier les dogmes complexes sert Golgotha. « La doctrine, c'est pour cela que nous vous avons choisi et que nous ferons souvent appel à vous », m'avait expliqué l'Archange. Il est vrai que mon expérience passée permettait de lire en moi à cœur ouvert.

À vingt-quatre ans, j'avais fait le tour des philosophes et choisi mon camp. En Italie, où je vivais, l'enseignement des maîtres anarchistes Andrea Costa et Errico Malatesta m'avait persuadé du caractère illusoire, au mieux éphémère, des sociétés et des civilisations. J'adhérais à leur mot d'ordre : par le fait même de sa naissance, chaque être avait le droit de vivre et d'être heureux. Tout ce qui détruisait l'asservissement social et politique, tout ce qui donnait à l'homme conscience de ses droits et de sa force et le persuadait d'en user, tout ce qui provoquait la haine contre l'oppression nous rapprochait du but. Je rêvais d'un monde sans liens, sans attaches, jusqu'à vouloir l'éradication brutale de toute forme d'État, hydre arbitraire et scélérate qui maintenait l'homme sous le joug de l'esclavage. L'État, il fallait le détruire, et je m'y employais. Je n'étais pas Jules Bonnot, mais je me sentais proche de ce Français et de sa bande dont on parlait beaucoup en Italie et qui, entre décembre 1911 et avril 1912, avaient sacrifié à leurs convictions, l'amour, la possession des biens matériels, le vin, le tabac, le jeu – et leur vie. J'étais comme eux, illégaliste, car je ne supportais pas la loi, instrument de domination confiscatoire de droits et créateur de devoirs. J'affirmais que la finalité de la loi, injuste et imparfaite, était de contrôler les hommes, de domestiquer leur licence. Elle ne servait que les intérêts personnels de castes complices des sociétés organisées dont le seul credo tenait dans la tyrannie, l'asservissement, le mensonge. Ainsi, je prêchais l'élimination de l'État corrompu dont l'arme talée était, du moins dans la France républicaine haïe par Bonnot, ce slogan hypocrite enseigné aux enfants et fixé au fronton des monuments : Liberté, Égalité, Fraternité. Je crachais sur ces mots. Je voulais abattre la société, fière d'elle, de sa raison et de sa supposée réussite morale et je me sentais courageux. Mais je n'étais qu'un doctrinaire. En aucun cas, un homme d'action.

Mon premier attentat, une bombe artisanale qui visait un modeste commissariat de quartier situé près de la gare de Rome, mit fin à mon destin de terroriste. La bombe s'enflamma alors que le camarade Alberto Galenda, partisan proche des nihilistes russes, la déposait. L'explosion fut brutale, soudaine, terrifiante. Je me trouvais en retrait. Ma mission était de « couvrir Alberto », expression lyrique empruntée au vocabulaire militaire puisque nous nous voulions soldats. Je fus soufflé par la déflagration et je tombai en arrière. J'ai dû rouler comme le boulet. Du métal incandescent me frappa au visage, et un morceau de fonte brûlante transperça ma veste à hauteur des côtes. La douleur m'enseigna que j'étais vivant, mais ce fut le corps déchiré d'Alberto qui me sauva. Il me servit de bouclier. Comme me l'apprit plus tard un combattant de la Grande Guerre, le corps est une masse à la fois molle et formidablement solide. Un miracle d'intelligence, inventé, selon lui, par la Création. Son inertie – du moins, celle du mort – forme un rempart bien plus efficace que les sacs de sable réglementaires fournis par l'armée en temps de guerre. En 1916, lors de la campagne de Verdun, certains fantassins apprirent à se servir des morts pour se protéger. Ils récupéraient les cadavres, puis les débitaient afin d'obtenir des ballots de viande enfermés ensuite dans une solide toile de jute cousue. Alors, ils partaient à l'assaut, sac sur l'épaule, les restes des compagnons faisant barrage et digérant la mitraille. L'hiver, la durée de vie de l'armure des trépassés était longue. Le froid conservait ces tas de graisse et de muscles broyés. Mais, au printemps, ils pourrissaient vite. Parfois, ils saignaient bien après leur mort. Et c'était le cas d'Alberto Galenda.

L'explosion l'avait projeté sur moi. Son visage était collé au mien. Ses yeux ouverts me regardaient. Son crâne était fendu, sa cervelle se vidait. Un liquide blanchâtre et tiède coulait sur ma joue gauche puisque nous étions ainsi, soudés comme jamais et que ce temps dura, et que je ne pourrais dire pourquoi et comment je réussis à me détacher du mort, lui laissant ma peur et ma sueur, fuyant avec mon désir de vivre, hurlant comme un damné, courant droit devant pour me terrer sur la rive gauche du Tibre. Je suis resté ainsi une nuit, sans pouvoir ouvrir la bouche, sans bouger, même si les rats venaient à moi, attirés par le sang et la chair qui séchaient. Et, ce soir, plus de soixante ans se sont écoulés, mais je sens encore l'odeur des restes du cadavre d'Alberto.

Trois jours après cette épreuve, le 17 septembre 1913, j'ai réussi à passer la frontière pour me cacher en France. J'y ai trouvé des appuis auprès d'un groupe d'anarchistes que l'attentat raté du commissariat de Rome impressionnait. On me nourrit, on me logea. En échange, j'écrivais des articles doctrinaires sur le pourrissement des États démocratiques. Je vivais dans la clandestinité et j'aurais dû finir ainsi, arrêté ou tué par les forces policières, pendu ou rendu à l'Italie. Mais j'ai rencontré Golgotha.

Du moins, c'est vous, Magistrats du Décemvirat, qui m'avez trouvé.

À Paris, j'avais écrit dans des opuscules clandestins, plein de rage, que ni les conventions, ni la vertu, ni le bien ou le mal ne pouvaient contrarier le droit à vivre sans contraintes. À nouveau, je défendais l'idée que la vie ne devait être soumise à aucune pression. L'État et sa morale représentaient un ennemi formidable qu'il fallait détruire. En doctrinaire, je sondais l'histoire des civilisations. Leur autorité se fondait sur la loi qui, paradoxalement, expliquait leur fin. Je décrivais la mort du peuple maya ravagé par les guerres intestines; celle du Viking Erik le Rouge battu par les Inuits, et j'accusais les lois conçues par ces sociétés impérieuses. Ainsi, plus un système s'organisait, plus il renonçait au génie anarchique, et plus il s'autodétruisait. La loi, c'était le danger, et, d'une plume impuissante, j'affirmais que la classe dirigeante concevait toutes sortes de règles dans le seul dessein de confisquer les droits essentiels des hommes à son profit et de protéger ses intérêts. La loi se montrait donc aberrante et antisociale, puisque la société l'était par définition. Dès lors, l'État, clef de voûte d'un système opprimant, était une invention abjecte trafiquant le réel, créant ordres et contrordres liberticides. En somme, je maniais des mots qui plaisaient à ceux qui me cachaient, mais qui aggravaient mon cas. Je changeais souvent d'abri. Terré dans des caves, je partageais mes nuits avec les rats qui appelaient le souvenir d'Alberto Galenda, feu mon frère d'armes. Et j'aurais dû finir ainsi, arrêté et pendu. Mais j'ai rencontré Golgotha.

Le chemin du recrutement est affaire de prudence. Je fus contacté à Paris par un homme qui avait vérifié la sincérité de mes convictions. Mon passé, mon errance, ma peur d'être arrêté, il connaissait tout. « Ne soyez pas inquiet, disait-il d'une voix douce. Un ennemi ne se présenterait pas à vous sans défense. Comme vous, je n'aime ni l'État ni ses lois. J'ai lu vos écrits. Je les apprécie. » Il ajoutait que d'autres que lui, dont je ne soupçonnais pas la puissance, comprenaient mes rêves et désiraient les encourager. Pour cela, je devais les rencontrer. Il était richement vêtu et ne manquait jamais d'argent. En dogmatique, j'y voyais un signe négatif. Pour moi, l'anarchie se conjuguait avec l'apparence et l'homme n'affichait aucun de ses attributs. Ce raisonnement sommaire l'amusait. « De l'argent, il en faut, souriait-il. C'est une arme comme une autre. »

Un jour, il vint me retrouver dans l'endroit misérable où je croupissais. Il haussa les épaules avant de se poser sur un méchant tabouret et détailla la chemise usée que je portais depuis plusieurs jours. Je puais, c'était certain. « Croyez-vous que l'on puisse réussir sans moyens ? » Il porta la main à un insigne fixé au revers de la veste et le caressa. « Je sais pour l'attentat de Rome et la mort de Galenda. Je sais, répéta-t-il, que cette histoire vous hante. Vous vous sentez en sursis. Vous n'imaginez pas de futur. Mais je peux vous apporter la preuve que votre avenir est immense. » Il sortit de sa poche une liasse d'argent et des papiers au nom de Richard Kessler. « Tenez. C'est à vous. » Mais je devais tendre la main. « Utilisez ces moyens pour vous habiller. Choisissez les vêtements que portent vos ennemis. C'est en vous fondant dans la norme que vous deviendrez invisible. Puis, circulez librement en ville car, désormais, vous êtes Richard Kessler, et vous ne risquez plus rien. Demain, retrouvez-moi devant Le Figaro. *Vous verrez combien je ne mens pas. L'argent n'est qu'une arme, répéta-t-il. Tout dépend vers qui on la tourne. »*

Le 16 mars 1914, je me trouvais rue Drouot, devant l'entrée du Figaro. *Je portais des habits neufs. J'avais le ventre plein. Je m'appelais Richard Kessler et pour la première fois depuis l'attentat de Rome, je me sentais libre et en sécurité. J'ai vu l'attroupement des badauds, la course folle des journalistes, l'arrivée des policiers, le départ de Calmette sur la civière. Ce n'est qu'ensuite que mon recruteur m'a rejoint. Il portait ce même insigne au revers de sa veste. J'ai posé les yeux dessus, détaillant le dessin d'une étoile à dix branches en or. Était-ce cette marque qui lui apportait tant d'assurance? «On vient de tirer sur Calmette, le directeur du* Figaro, *souffla-t-il calmement. Je ne pense pas qu'il compte parmi vos amis. L'arme était tenue par l'épouse de Caillaux, un éminent ministre d'un État que vous exécrez. Mais désirez-vous apprendre pourquoi cela s'est produit et pourquoi je le savais hier?» Malgré le désordre de la rue, il semblait serein. D'un signe de la tête, j'ai donné mon accord. «Ensuite, me croirez-vous?» J'ai acquiescé en silence. Alors, il parla d'un rendez-vous où je connaîtrais tout. «Si vous le voulez, il aura lieu demain. Loin d'ici, vous pouvez rencontrer un homme qui vous expliquera que l'immunité est à votre portée, monsieur Kessler. Et pourquoi vous allez réussir.»*

Le 17 mars 1914, à Anvers, ce que m'apprit l'Archange suffit à me convaincre. L'affaire Caillaux était un des aspects d'un plan dont la découverte me remplissait d'espoir. Ailleurs, dans un monde dont personne n'imaginait l'existence, se préparaient des événements auxquels j'adhérais par Principe, par Action et par Finalité. Et, pour ajouter à ma chance, l'Archange, au nom de Golgotha, m'invitait à ses Exploits.

7

Paris. 16 mars 1914, peu après 18 heures.

Quand Joseph Caillaux pénètre dans le commissariat du faubourg Montmartre où est gardée son épouse, son entrée ressemble à une bourrasque. Il s'en prend d'abord à un planton qui ne claque pas des talons à sa vue, puis interpelle le procureur à qui il soutient que sa femme est incapable de commettre un crime. D'ailleurs, comment le pourrait-elle, puisqu'elle ne possède pas d'arme ? Alors, d'où vient le pistolet ? Qui l'a fourni ? lance un Caillaux vociférant et livrant ses propres réponses. C'est une machination, assène-t-il ensuite avec aplomb, un coup de ses ennemis politiques pour le faire chuter. On baisse la tête, on ne répond pas. Le ministre est connu pour ne jamais se démonter. Personne n'ose affronter son ton cassant et son allure redoutable.

— Il faut trouver qui est derrière ! ordonne-t-il d'un air assuré, en replaçant le monocle légendaire dont on devine qu'il lui sert en premier à renforcer son autorité.

On imagine qu'il prépare sa défense. Il fabule, croit-on, il invente pour sauver l'épouse. Et qui se risquerait à penser que ce *diable d'homme* ne va pas, une fois encore, s'en sortir ? Mais Louis Malvy, le jeune ministre de l'Intérieur, accourt au commissariat, porteur d'une nouvelle dramatique : Calmette s'est éteint. Abasourdi, assommé même, Caillaux marque alors le coup. Il demande un siège, de l'eau fraîche. Il semble perdu. Malvy tente de raisonner le ministre des Finances. Un peu maladroitement, il promet tout d'abord de réserver à sa femme une cellule agréable à la prison Saint-Lazare. En retour, Joseph Caillaux ne fait que grimacer. Il secoue la tête, il refuse encore de céder, même s'il vient de comprendre que la nasse se referme.

— Monsieur le ministre, murmure Malvy. Il le faut.

Caillaux toise, se mesure à ce vis-à-vis, mais les présents devinent qu'il perd de sa superbe. À l'instant, il ôte son monocle, et c'est un peu comme si le masque tombait. Baissant les yeux, il s'abîme dans ses pensées. Lui, battu ? Pour la première fois, il y songe.

En s'opposant au célèbre Caillaux, le ministre de l'Intérieur fait preuve de courage, mais, à moins de quarante ans, il n'a pas encore la couenne des vieux brisquards de la politique. Le désespoir du tribun l'a ému. Il s'avance vers lui et tente de le lui venir en aide en cherchant des arguments objectifs :

— Si votre épouse n'est pas arrêtée, *Le Figaro* ne vous lâchera plus. Il faut montrer à l'opinion que vous ne bénéficiez d'aucune faveur. Sinon, ce sera la curée. Laissons faire le temps...

Joseph Caillaux contient son émotion. Malvy a raison, et il le sait. L'essentiel est de sauver Henriette.

— C'est entendu, lance-t-il d'une voix glaciale. En républicain, je me plie évidemment au droit commun.

On soupire. On croit la partie gagnée.

— Mais à une seule condition, ajoute-t-il en se levant.

Malvy se tend et, d'un geste sec, l'invite à s'exprimer.

— J'exige de voir mon épouse. Je veux lui parler. Maintenant.

Malvy consulte le procureur qui signifie son accord en fermant les yeux. Le ministre bondit déjà dans le couloir. Il se fait montrer le chemin, avance à pas rapides, impose de nouveau sa méthode. On déverrouille une porte, on l'ouvre. Henriette est là. Et se jette dans les bras de son mari.

— Pardonne-moi, gémit-elle en fondant en larmes. Joseph, je t'en supplie, crois-moi. Je n'ai agi que pour toi.

— Je le sais, répond-il doucement. Courage, je vais te sortir de là.

Il l'embrasse, caresse sa chevelure blonde et prend son visage dans ses mains :

— Réfléchis, ma chérie. C'est important. Qui t'a donné l'arme ?

Sans hésiter, Henriette confie l'avoir achetée chez un armurier. Caillaux serre les dents. Mauvais point. Pas de complice, pas d'influence, acte délibéré. On l'accusera de préméditation. Il est proche de renoncer quand son épouse ajoute d'une voix innocente :

— C'est Anastasia qui m'a fourni l'adresse de l'armurier.

Dans la tête de Joseph Caillaux, le sang afflue brusquement.

— La comtesse Ivérovitch ?

Henriette acquiesce en silence.

— C'est elle qui t'a conseillée ? insiste-t-il.

Henriette hoche la tête. La femme dont elle vient de parler, Joseph s'en méfie depuis toujours. Amie ou complice ? Mais de qui ? Protectrice ou traîtresse ? Mais alors, agissant pour qui ? Cette belle Russe, proche du tsar, raconte-t-on, est-elle venue au secours d'Henriette ou agissait-elle pour l'abuser ? Il imagine, échafaude, puisque tant d'ennemis veulent sa peau, et pour sauver son épouse, il espère, s'accroche à toutes les hypothèses.

— Raconte-moi exactement ce qu'elle a fait pour toi, reprend-il d'une voix qu'il tente d'assagir. Souviens-toi des moindres détails.

8

En sortant de la pièce où se trouve sa femme, Caillaux redevient lui-même. Droit et raide comme un I, il tance l'uniforme en faction qui, cette fois, n'oublie pas de prendre la pose réglementaire.

— Veillez sur elle, souffle-t-il, glacial. Vous en répondrez devant moi.

Ce sursaut de fierté ne dure pas. En retrouvant Malvy, il écoute distraitement le secrétaire d'État qui tente de le rassurer. En fait, le ministre s'impatiente. Il veut partir sur-le-champ, et c'est à peine s'il salue les présents en sortant précipitamment du commissariat. On y voit comme une fuite. Les premiers commentaires ne tardent pas à fuser. On parle prudemment de découragement, mais à présent on ajoute que ce politique-là a un genou en terre. Bientôt, on spécule sur son avenir. Quelques secondes s'écoulent et le tableau s'achève. Il est noir comme l'enfer. Au point qu'en citant Caillaux, on en est venu à employer l'imparfait.

Dehors, Maurice fait les cent pas pour se réchauffer. Il n'a pas le temps d'ouvrir la portière que le patron s'est déjà installé. Le Breton observe cet homme terriblement marqué qui se montre sans artifice. Maurice, comme les autres, imagine que ce teint gris, ces épaules rentrées sont dus à la femme de monsieur, celle qui a tué. Maurice ne peut savoir que, pour sauver Henriette, son patron vient de prendre la décision la plus importante de sa vie. Il l'annoncera demain et elle fera l'effet d'une bombe. Bien sûr, on imaginera toutes sortes d'hypothèses. Amis et ennemis iront de leurs commentaires. La presse glosera. Lui sait ce que tous ignorent. Il cédera au chantage, renoncera à ses nobles idées où se conjuguent le progrès et la paix universelle, car il s'en convainc, ce n'est ni son épouse ni lui que l'on vise, mais ce qu'il défend envers et contre tout, et ce qu'il croit bon pour le monde.

— Roulez, Maurice. Nous allons au ministère.

Voilà les seuls mots qui sortiront de sa bouche durant le trajet.

*

* *

Entre larmes et soupirs, Henriette a expliqué à son époux comment ce coup de feu a été pensé et organisé. Et désormais, cet homme brillant en sait assez pour imaginer ce qui pourrait se jouer. Rumeurs délictueuses, chausse-trapes tordues, depuis des mois, les opposants s'acharnent sur lui. On veut qu'il tombe. Ce dernier coup, cette manœuvre – il cherche à s'en convaincre –, s'ajoutent-ils aux accusations abjectes qu'il supportait jusque-là sans faiblir ? Et si oui, qu'on se serve de celle qu'il chérit pourrait-il le faire céder à la lassitude et renoncer à tout ? Pourtant, Caillaux, le confident des milieux d'affaires, le négociateur sulfureux, le financier de la France, connaît la valeur des idées qu'il soutient et qu'il devine, à présent, menacées. Ainsi, l'affaire Calmette détruira d'abord sa vie privée, mais après, quel autre drame se profilera, quel autre piège lui tendra-t-on ?

S'il s'agit de ce que l'on chuchote dans les allées du pouvoir, son cas devient secondaire. Il faut encore se battre ! Ne jamais renoncer. Mais il a croisé le regard de cette femme. Aura-t-il assez de courage pour la sacrifier sur l'autel de ses convictions ? A-t-il seulement raison d'envisager le pire puisqu'il ne possède aucune preuve, juste des bribes d'informations, des soupçons fondés sur des paroles imprudentes lâchées au cœur des réseaux ténébreux qu'il fréquente ? Comment savoir si ce qu'il croit comprendre est possible – simplement concevable ? Mais ce nez pour sentir le danger, comme on le dit de lui familièrement, cette capacité acquise au prix d'années épuisantes passées au sommet de l'État à veiller, à anticiper, à ne rien lâcher, l'ont mis en alerte. Lui faut-il faire confiance à cet instinct que l'on prête à l'homme de pouvoir, capable de foudroyer sa proie quand il se sait en danger ? Brusquement, la fatigue pèse sur ses épaules. Son intuition lui murmure que le vent a tourné. Il est entré dans le carré maudit des victimes.

On veut l'éliminer ? Qu'il disparaisse de la scène publique pour laisser le champ aux chiens, aux vautours contre qui il se bat depuis trop longtemps ? C'est peut-être à ce prix qu'il pourrait sauver sa propre vie et connaître enfin la paix. Ce dernier mot lui arrache un rictus. La paix, il s'agit d'elle. L'amertume le gagne. C'est déjà le signe de sa capitulation.

— Ne crains rien, Henriette. Nous nous en sortirons.

Le ministre a prononcé cette belle promesse d'une voix assurée, puisque l'art de la politique lui a enseigné les mérites du mensonge par omission. Bien sûr, il a décidé qu'elle ne verra rien de ses craintes. Alors, il l'a embrassée une dernière fois et a promis de revenir le lendemain matin.

— Ne parle à personne de cela, d'Anastasia, de l'arme, de mes questions, de ce que tu m'as confié. À personne, a-t-il glissé en s'arrachant à elle avec peine.

*

* *

Ce 16 mars 1914, alors que la nuit tombe, le ministre des Finances roule dans Paris où se montrent à chaque instant les mille plaisirs qu'offre la Ville lumière. Son regard s'attarde sur les noms des buvettes qui fleurissent et se multiplient comme autant de promesses et d'espoirs confiés au futur. Il lit *Bar du Progrès, Brasserie du Vingtième Siècle, Café de l'Avenir*... Demain, ces mots auront-ils un sens ? Il quitte la Madeleine, passe au large de *Maxim's*. On s'y presse. Un jour, retrouvera-t-il le tohu-bohu du bar de l'Impériale, situé au premier étage du restaurant de la rue Royale ?

Ce soir, il oublie la *Belle Époque*. Il ne songe qu'à ce qu'il doit entreprendre dans l'urgence. D'abord, passer à son bureau, y prendre un dossier, puis brûler quelques feuilles. Effacer les preuves qui pourraient lui nuire. Mettre à l'abri les pièces dont il compte se servir. Mais, pour l'heure, et afin de sauver Henriette, il doit garder pour lui ses soupçons sur l'origine du malheur dont il est la victime et qui repose, il en est pratiquement convaincu, sur une seule cause, murmurée à lui seul : la guerre. Cette guerre contre laquelle il se bat, alors que certains l'appellent de leurs vœux comme une nécessité qu'ils comparent au calvaire du Christ à Golgotha. *Golgotha* ? Caillaux cherche celui qui lui a livré ce mot. Il reprendra ses notes, étudiera les rapports qu'il établit secrètement après chaque entretien. Il se promet de trouver la clef de cette tragédie qui ne représente encore qu'un nom sans visage.

PRINCIPE DE GOLGOTHA

Rapport du Neuvième Décemvirat
Paragraphe 3

À l'inverse du Principe de Golgotha, les doctrines religieuses ou politiques reposent sur des dogmes prétendument infaillibles. On présente l'existence de Dieu ou la lutte des classes comme des vérités, mais rien ne prouve que ces postulats soient avérés. Pourtant, grâce à eux, on bâtit des théories dont le seul miracle est d'éradiquer tout dialogue, d'interdire la critique, et même la simple contestation. Ainsi, le triste usage du dogme est d'imposer par la force la pensée dictatoriale. Être pour revient à abandonner sa liberté d'agir, de penser. Être contre, c'est se condamner. L'Inquisition, les procès arbitraires, les exécutions massives, les goulags, les génocides, les déportations, les crimes contre l'humanité découlent de cet esprit d'intolérance, de ces croyances qu'on ne peut discuter – encore moins attaquer. Elles déclenchent les haines irraisonnables, la barbarie. Elles attisent le désir de supériorité. Elles comptent pour beaucoup dans l'origine de la guerre, cette créature enfantée par les dogmes tyranniques que nous combattons.

Notre pensée à nous ne croit pas au bonheur illusoire, n'affirme pas que, demain, le monde sera meilleur, ne parle jamais d'Éden réservé dans l'Au-delà à une poignée d'élus soumis sur terre à la loi de Dieu dont les guides mystiques de chapelles obscures s'autoproclament les porte-parole. Notre pensée se fonde sur un fait objectif : depuis la nuit des temps, les hommes entretiennent de constants rapports de force avec leur environnement. Car c'est l'esprit du dominant. Notre espèce règne pour la seule raison qu'elle est plus forte que les animaux, que les minéraux, que les végétaux. Rien ne lui survit, rien ne lui résiste, à l'exception de sa propre inclination à vouloir s'éliminer elle-même. Voilà le seul défaut du roi des prédateurs. Son désir de destruction est si puissant qu'il s'exerce aussi à son égard. Et l'histoire prouve qu'il n'y a aucun mensonge dans cette constatation. Ainsi, la barbarie et la guerre sont attachées à la fois à l'homme et aux dogmes qu'il invente et dont il se sert comme instrument de domination. Dès lors, pour détruire les dogmes, source de toutes les violences, il faut utiliser ce qu'il y a de plus violent et de plus naturel chez l'homme : la guerre, la sauvagerie. En somme, il faut combattre le feu par le feu. C'est en maniant ce paradoxe que l'on lutte efficacement contre la tyrannie. Mais, cela étant dit, est-il moral de vouloir la guerre ?

Cette question ne se pose pas puisque Golgotha ne croit pas en une quelconque morale. Sur terre, l'affrontement est permanent. La seule constante est l'élimination. Voilà pourquoi les lois orchestrées par l'État imposent son éthique aux soumis. Le code est précis. Il explique dans tous les domaines et dans les moindres détails qu'il faut faire comme ceci, et pas comme cela. Et surtout obéir, martèle l'État, en jurant que ses édits ne visent qu'à combattre l'instinct grégaire.

En revanche, les édiles parlent moins de l'oscillation des vertus et des valeurs selon les époques, les civilisations et, souvent, selon les États. Posséder, par exemple, s'entend-il pareillement chez l'homme et chez la femme ? Dominer, le sens est-il le même pour un pauvre et un riche ? Créer, s'agit-il d'inventer ou d'imiter, selon que l'on pense en italien ou en chinois ? Se montrer à visage découvert, est-ce une expression que l'on peut employer communément selon que l'on naît persan ou indien ?

L'État, sujet que je connais puisque je m'en suis occupé pendant soixante années, est la preuve absolue de cette tentation de la domination de l'esprit et du corps. C'est pourquoi l'État est condamné par le Principe de Golgotha. L'État fixe des lois dans le seul dessein d'asseoir l'autorité du Prince, qu'il s'agisse d'un homme, d'une caste, du peuple. Et tous les systèmes politiques cherchent à légitimer leur souveraineté absurde par l'édification d'un ordre moral qui serait meilleur que le précédent. En réalité, tous désirent instaurer la pensée tyrannique d'un seul ou du plus grand nombre. C'est pourquoi nous luttons contre l'État, instrument de domination bâti sur des dogmes dont les enfants naturels, ai-je écrit, sont les guerres et la barbarie, et dont il faut maîtriser parfaitement les effets et les causes si l'on veut y survivre.

À nouveau, je vous entends gémir, Frères de Golgotha, et vous interroger, et parfois même douter. Est-il absolument nécessaire d'exalter la guerre pour se défaire des tyrannies ? Écoutez ma réponse. La guerre étant inévitable et tragiquement fatale, n'en soyez jamais les esclaves. Ne la subissez pas, mais servez-vous-en pour lutter contre ces États qui, par l'ineptie de leurs dogmes, la reproduiront immanquablement. Ainsi, moi, Chimère, Magistrat du Très Haut Collège du Neuvième Décemvirat de Golgotha, si, une fois dans ma vie, je devais désigner une seule chose de bien dans ce monde, je choisirais, à ce jour, la guerre, et le ferais aussi paisiblement que si je taillais un arbre pour qu'il me donne ses fruits.

À Anvers, le 17 mars 1914, l'Archange avait pris son temps pour m'expliquer en quoi la guerre était aussi un instrument de lutte contre la barbarie des États puisqu'on accélérait ainsi leur autodestruction. Et je fus aussitôt séduit par ce raisonnement qui se jouait des contradictions et flattait la dialectique. Mes réactions enthousiastes tirèrent un sourire à l'Archange : « À propos de l'argent, vous changerez aussi d'avis. » Et il avait raison. Cette manne, qui ne nous a jamais manqué, j'ai appris à l'aimer, non pour le plaisir exécrable de la possession, mais pour le pouvoir qu'elle délivre.

Notre richesse est immense. Cependant, n'oubliez jamais que l'or, les devises, les actions que nous possédons ne sont que des outils. Je les ai utilisés comme les générations précédentes, en me jouant des faiblesses de ceux que nous combattons, démontrant ainsi combien nous avions raison d'utiliser les hommes pour combattre leur inhumanité. Aussi, chers Frères de Golgotha, nous n'avons rien à craindre, et rien à regretter puisque le passé nous enseigne que notre cause est juste. Pas une époque ne passe sans qu'elle soit plus meurtrière que la précédente. Ce Vingtième Siècle a produit à lui seul plus d'atrocités et de morts que toute l'Histoire du monde. Au cours de ces soixante ans, j'ai vu se déchirer et disparaître les Empires immenses de l'Est et de l'Ouest. J'ai vu sombrer les États les plus puissants. Et ceux qui ont survécu ont perdu la foi en l'avenir.

Le Vingt et Unième siècle s'ouvrira bientôt. Je ne le connaîtrais pas du fait de mon âge, mais je vous assure qu'il vous offrira de belles espérances. Il reste à frapper au cœur les dernières nations orgueilleuses, et qu'elles souffrent encore pour ne plus espérer en leur renaissance.

Mais je mesure vos doutes. Notre promesse est si fascinante, si exaltante, et l'espoir paraît si grand que l'on craint pour sa réalisation. Moi-même, à Anvers, j'avais été séduit par l'Archange, mais je n'y croyais pas. J'adhérais à ses mots, j'aimais la violence. L'attentat raté de Rome en était la preuve. Pourtant, je n'imaginais pas l'existence d'une organisation assez puissante pour viser une telle ambition. Oui, je manquais d'appétit. Sans doute, par peur du souvenir d'Alberto Galenda, car sa mort m'étouffait encore.

« L'argent ne suffit pas, ai-je répondu brutalement. Votre utopie, je la partage, ai-je ajouté d'un ton plus calme, mais je sais ce qu'il faut mettre en œuvre pour qu'elle devienne seulement possible. Les moyens, par exemple, les moyens humains ? » J'ai toisé l'Archange qui

a souri : « Nous sommes peu nombreux. Êtes-vous déçu ? » Je n'ai pas osé lui avouer que j'avais imaginé une armée. L'Archange eut raison de ne pas parler du Décemvirat. Dix Très Hauts Magistrats pour la totalité du monde ! En l'apprenant, j'aurais tourné les talons. « Mais combien sont-ils à la tête des États ? ajouta-t-il. Combien sont-ils à posséder une réelle influence, un véritable pouvoir de décision ? Croyez-moi, sur ce point, nous sommes à égalité. »

L'Archange semblait sûr de lui. Mais moi, j'avais été témoin de l'attentat contre Calmette, le directeur du Figaro. *Si Golgotha en était l'inventeur, il fallait des complices, des exécutants, des hommes de main. « Nous en recrutons autant qu'il le faut, rétorqua-t-il, mais ces pions ne comptent pas. » J'ai insisté : « Caillaux. Un allié ? C'est impossible. »*

L'Archange ne semblait pas gêné par mes interventions de plus en plus directes. « C'est un ennemi », me répondit-il sans hésiter. Sans me laisser le temps de réagir, il ajouta : « Et vous cherchez comment son épouse a pu commettre ce crime dont d'ailleurs vous ne soupçonnez pas l'intérêt pour notre cause... » Il sortit une cigarette et il prit le temps de l'allumer. Moi, je ne fumais pas. Il expira lentement un nuage grisâtre : « Nous avons utilisé une femme. Une seule a suffi. Le paradoxe est qu'elle appartient à la classe, au monde de celui à qui elle a nui. Dès lors, qui s'en méfierait ? Oisive, fortunée et proche d'un puissant, qui la soupçonnerait d'être mêlée à une entreprise criminelle ? Elle-même mesure-t-elle la gravité et l'importance de ses actes ? J'en doute, sachant ce qui la motive. » Il écrasa lentement sa cigarette, me laissant le temps d'admirer ses mains fines. « C'est un de nos Frères Enrôleurs, le Léviathan de Job, qui l'a repérée, reprit-il. Il a deviné qu'elle ferait un bon outil ; de ceux dont on se sert pour édifier. Elle n'est qu'un rouage, une ouvrière dans cet immense projet dont je dois à présent vous parler. »

9

Paris, le 16 mars 1914. Une heure avant le coup de feu contre Calmette.

En amie fidèle et dévouée, la comtesse Anastasia Ivérovitch avait tout dit, tout expliqué à Henriette, jusqu'à gouverner la façon de s'habiller.

— Le plus naturellement du monde, insistait-elle en fouillant dans la garde-robe.

Elle avait mis fin au débat en choisissant une jupe écrue sobrement taillée. Une tenue discrète et idéale pour ce rendez-vous crucial.

— Prenez l'air d'une bourgeoise, soutenait-elle sur un ton léger, en forçant cet accent slave qui plaisait tant aux hommes de Paris.

Pour soulager la gravité de ces moments, la comtesse s'évertuait à paraître sûre d'elle, mais une sourde pâleur empoisonnait le beau visage de cette femme de trente ans. Ses traits étaient tirés, ses lèvres desséchées et d'infimes rides naissaient à la lisière de ses yeux bleus. Pourtant, il lui fallait tenir, ne rien montrer de son émotion.

Anastasia Ivérovitch avait volontairement employé le terme de bourgeoise puisque Mme Caillaux adorait qu'on la considère pour ce qu'elle s'évertuait à montrer : une épouse établie au sommet de la société depuis son union avec Joseph Caillaux, le célèbre homme politique et probable futur président du Conseil de la République française. Un ultime effort, et elle se tiendrait au bras du chef du gouvernement. Ses rêves les plus incroyables s'exauçaient. Mais à quarante ans, et par la faute d'une canaille qui la faisait chanter, tout risquait de basculer.

Ces maudites lettres, écrites dans une vie ancienne, pourquoi fallait-il qu'on les ait retrouvées ?

10

L'affaire avait débuté le 5 janvier 1914. Des lignes et des lignes recopiées avec exactitude dans *Le Figaro*. Des confessions oubliées et que l'on croyait enterrées à jamais. Des phrases assassines, accablantes parce qu'elles étaient sincères et sans retenue. Des mots que l'on offrait en pâture à une opinion grivoise excitée par ces secrets qui, chaque jour davantage, écorchaient et mettaient à nu les Caillaux.

Selon un plan parfaitement réglé, on avait d'abord reproduit des lettres écrites par Joseph sur lesquelles planait le parfum corrompu du scandale politique. Les affaires d'argent, il s'agissait de cela, mais malgré l'ampleur, la répétition et la dureté des coups, l'indéfectible ministre des Finances tenait bon. La campagne s'épuisait. Le lecteur en réclamait plus.

L'obscénité constituait le deuxième volet du projet de destruction. Après avoir assassiné le mari, on s'en prendrait à l'épouse qui, elle aussi, avait écrit. *Mon amour, mon aimé*... Ces expressions qui brûlaient encore sur ses lèvres, combien elle les regrettait, car elles venaient d'un temps où ils étaient amants, et Caillaux, l'infidèle, toujours marié. Une situation qui écorchait un peu plus l'image de l'homme public. Mais qu'en serait-il, quand on publierait ses tirades ardentes dans lesquelles elle avouait à son adoré qu'elle se consumait sans lui, le corps alangui, en souvenir des heures dédiées aux délices charnelles ? En ces temps de pudibonderie hypocrite, quels mots émouvants et sincères avait-elle encore conçus sous le feu brûlant de la passion ? De simples vérités, se rongeait-elle, qui, manipulées par des plumitifs cyniques, deviendraient aussitôt vulgaires, abjectes, destructrices.

*
* *

Comment arrêter cette cabale, ce piège vertigineux, alors qu'elle osait à peine se montrer encore en public ? Bientôt, s'inquiétait-elle, il lui faudrait renoncer à cette vie dont elle espérait tant. En somme, il s'agissait bien de considérations bourgeoises, même si cette inclination déplaisait à la comtesse Anastasia Ivérovitch, sa confidente et sa conseillère.

Selon cette dernière, on était noble ou rien, même si elle plaçait le moujik un peu au-dessus de ce rien. Au moins, le paysan dévoué avait son utilité. À l'inverse, elle ne ressentait aucune attirance et mieux, aucune sympathie pour la classe des nantis fraîchement enrichis par le commerce, les colonies, l'industrie de l'acier et des chemins de fer ou la spéculation boursière – un monde affamé et cupide dont les époux Caillaux étaient d'illustres représentants. La comtesse russe éprouvait même pour cette caste d'épargnants des sentiments proches du mépris et, pour lui déplaire fortement, il suffisait d'un rictus moqueur à propos de ce fameux emprunt russe dont la France avait apporté le plus gros. Anastasia ne supportait pas que son pays ait pu demander l'obole à un peuple qui avait décapité son roi. Pourtant, elle se gardait de révéler ses idées. Si bien que personne à Paris, pas même son amie Henriette, ne pouvait en imaginer la teneur.

— En bourgeoise, répéta-t-elle, en sachant que ces mots sonnaient juste. C'est ainsi que vous apparaîtrez et que ce monsieur Calmette se méfiera le moins. Vous ressemblerez alors à ce que vous êtes vraiment. Une épouse distinguée, mais offensée, et qui vient demander réparation.

La comtesse Ivérovitch ne détestait pas l'idée de se servir de cette vertu bourgeoise pour décider Henriette à agir. Il se pouvait même qu'elle retire du plaisir à utiliser ce qu'elle abhorrait. Car mentir ou séduire, était-ce différent ? À jouer la comédie, elle éprouvait de nouvelles sensations qu'elle comparait aux émotions puisées chez ses amants. Pour un esprit libre et slave, le piment de la vie exigeait l'acceptation de certains risques et jusqu'à ce moment, Anastasia avait aimé se glisser dans la peau d'une aventurière.

— Le temps presse. Essayez vite cette jupe, Henriette. Et cessez d'envisager le pire. Vous verrez que Calmette vous entendra.

Elle se força à rire :

— Croyez-moi quand je vous répète que les hommes manquent de courage. En le menaçant de votre arme, il cédera à votre supplique. Et l'affaire sera jouée.

*
* *

Mme Caillaux restait assise, prostrée sur le lit recouvert d'une couverture de coton moelleux, chamarré de bleu et de gris. Ce tissu, elle l'avait acheté à l'automne au marché de Montmartre. Il s'harmonisait si bien au tapis de soie et de laine où reposaient ses pieds nus qu'elle frottait l'un contre l'autre dans l'espoir de les réchauffer. Mais ce jour-là, rien ne pouvait la réconforter. Henriette souffla lourdement, espérant soulager la chape qui l'empêchait de respirer. Pourquoi son bonheur s'effondrait-il ? Elle dodelina de la tête, s'accrochant à ce décor familier qu'elle ne voulait pas quitter. Dans son petit paradis de la rue Alphonse-de-Neuville, aménagé selon son goût, elle se sentait à l'abri du péril qui la menaçait. Soudain, elle se mit à gémir – et c'était la plainte d'une enfant. Fallait-il vraiment aller au bout de son projet et abandonner ce qui formait sa vie ?

Elle voulait encore tout voir, tout détailler de son intérieur, comme le font ceux que l'huissier vient dépouiller. Ce tableau, par exemple, fixé au-dessus de son lit, elle l'avait négocié joyeusement à un antiquaire de la rue du Louvre. Joseph l'accompagnait, et il riait de voir cette femme si entêtée. Puis, il avait sorti le portefeuille en cuir dont il ne se séparait jamais et dans lequel dormait une photo d'eux prise au bois de Boulogne un dimanche d'été à bord d'une barque louée pour la journée. Ensuite, il avait tendu au marchand une liasse de ces billets qu'il avait à profusion et, sans négocier plus avant, avait payé et offert la peinture à sa maîtresse.

Ce souvenir fut trop fort. Les larmes vinrent. Mme Caillaux pleurait sur elle et sur son passé, cherchant dans chaque détail de la pièce de quoi nourrir ses souvenirs. Elle s'attarda sur les murs de sa chambre, tapissés de toile de Jouy. Elle ne regrettait pas d'avoir choisi ces scènes bucoliques où se montraient toutes sortes d'images naïves dont Anastasia se moquait gentiment, mais qui confortaient chez la femme du ministre des Finances l'illusion d'une vie jusqu'alors prometteuse et tranquille.

Sa peur de tout perdre redoubla et épuisa le peu d'énergie qui demeurait. Il faisait bon ici, chez elle, chez les Caillaux. Dehors, il y avait la ville, ses dangers et ce méchant rendez-vous. Pourquoi quitter son nid ? Henriette allait renoncer et Anastasia Ivérovitch le devina. Pourtant, ce ne pouvait être qu'aujourd'hui. Tant d'efforts, de discussions, d'hésitations qu'il avait fallu surmonter. L'occasion ne se présenterait pas une seconde fois. Aussi, elle se décida à intervenir :

— Peut-on dire en français que cette jupe vous ira comme un gant ? lança Anastasia d'un air joyeux, dans l'espoir d'obtenir une réaction.

Le silence pour toute réponse. Mme Caillaux lui échappait.

— Si l'arme ne suffit pas, servez-vous de votre charme, reprit-elle avec fermeté. Maintenant, Henriette, il faut arrêter de vous apitoyer sur vous. Prenez cette tenue. Habillez-vous, de grâce !

Sans répondre, Mme Caillaux avait tendu la main dans le vide, en se forçant à regarder celle qui lui parlait. Puisque c'était le choix de son amie Anastasia, elle se soumettrait. Cette jupe ou une autre, elle s'en moquait.

*

* *

Le vêtement reposait à présent sur le bord du lit, à côté d'un immense chapeau orné d'une poignée de plumes d'autruche. Cet accessoire achevait une composition dont chaque détail paraissait avoir été étudié, pesé, analysé dans un dessein précis. Henriette observait ces effets-là comme des choses étrangères. Les avait-elle seulement possédés avant ce jour maudit ? Ainsi, elle s'interrogeait sur tout, espérant retarder l'inévitable.

Son regard s'échappa par la fenêtre. Le ciel échancré de bleu et combattant le gris annonçait le printemps. Elle fit un effort pour se souvenir de la date : le 16 mars 1914. Dehors, le jour déclinait déjà et il devait faire froid. Elle prendrait un manchon dans lequel elle glisserait ses mains. Et aussi ce pistolet aussi noir que glacial qu'Anastasia lui avait recommandé d'acheter. L'arme, où se trouvait-elle ? Ses pensées s'entremêlaient, s'échappaient. Elle se sentait comme ivre, portée par la voix envoûtante de la comtesse Ivérovitch qui ne lui laissait plus le temps de réfléchir.

11

Sa rencontre avec la Russe datait de janvier 1913. Du 21 janvier exactement, date anniversaire de la mort de Louis XVI. Le président Poincaré avait choisi ce jour pour charger Aristide Briand de constituer le gouvernement. Le président du Conseil avait un cap, une mission : la Défense nationale. En clair, il s'agissait de préparer la guerre contre l'Allemagne en commençant par prolonger le service militaire d'un an. Puisqu'on manquait d'armes et de munitions, il ferait appel à la chair. Jaurès, le socialiste, et Caillaux, le radical, s'y opposaient farouchement. En retour, on les traitait de lâches, de pacifistes, d'ennemis de l'intérieur. Autant dire que pour un temps, ces deux-là étaient hors course, écartés du pouvoir. Pourtant, Joseph Caillaux n'en éprouvait aucune amertume et puisait même dans le statut provisoire d'opposant une vitalité physique et morale qui subjuguait son épouse. Elle ne redoutait rien quand cet homme affirmait d'une voix vibrante qu'il ne se compromettrait jamais avec la clique des revanchards, partisans exaltés d'une campagne contre l'empire de Guillaume II. Combien buvait-elle les paroles de cet orateur cinglant quand celui-ci, du haut d'une tribune, suait sang et eau pour défendre ses convictions ! Alors, dominant la mêlée, il mettait fin d'un revers de la main aux lazzis de ses détracteurs et

Henriette ne voyait que lui, solide comme le roc, ne doutant pas qu'il viendrait à triompher, retrouvant un jour le devant de la scène et la présidence du Conseil de la France.

Selon Anastasia Ivérovitch, cet acharnement à vouloir atteindre les plus hautes sphères de la société était l'illustration d'un esprit bourgeois, mais Mme Caillaux se sentait au-dessus de ces considérations et avait foi en ce qu'elle représentait. À cette époque, alors que *Le Figaro* n'avait pas lancé sa campagne, elle était en confiance – un état dont l'être humain ne mesure la valeur qu'à l'instant où il se met à douter.

Ainsi avançait-elle, parée de ses certitudes, alors même que ses anciens amis lui tournaient lâchement le dos par faute de l'ostracisme politique qui touchait son mari.

*
* *

Ce soir-là – donc, le 21 janvier 1913 –, les Caillaux se trouvaient au théâtre de la Renaissance où se jouait *Ruy Blas*, le drame romantique de Hugo. Pas un regard ne s'était tourné vers eux alors qu'ils gravissaient l'escalier, lui, arborant fièrement un monocle et elle, se serrant contre son époux. À l'entracte, pas une main n'avait saisi celle du déchu et Mme Caillaux aurait pu y voir les signes avant-coureurs de la vie des parias, doutant enfin de son avenir, quand ses yeux avaient croisé ceux d'une femme merveilleusement belle qui lui souriait sans retenue. Elle s'imagina qu'elle comptait encore pour quelqu'un et se sentit attirée par cette silhouette à qui elle rendit un sourire. Ce fut assez pour qu'Anastasia Ivérovitch délaisse le groupe d'hommes affables qui se pressaient autour d'elle, et s'approche.

L'entracte fut trop court pour qu'elles puissent faire connaissance, d'autant que la Russe ne cessait d'être entourée d'attentions. Sa coupe de champagne réclamait d'être remplie, son châle s'échappait de son épaule, se plaignait-elle de la chaleur, souhaitait-elle s'éventer, avait-elle égaré le programme, après le spectacle, voulait-elle souper et danser chez Maxime Gaillard[1] ? Une table l'attendait à l'Omnibus[2]. Il suffisait qu'elle tourne la tête pour qu'un chevalier servant se presse à ses côtés. Et ses moindres désirs semblaient des ordres que l'on se hâtait d'exécuter comme s'il s'agissait de la quête sacrée du Graal. Sans doute s'adressa-t-on par la suite à Mme Caillaux pour la seule raison qu'Anastasia avait décidé de lui parler.

Dédaignant ces faussetés, les deux femmes s'étaient écartées pour faire connaissance et, à présent, elles riaient aux éclats, si bien que l'on crut à une ancienne complicité, tant la scène se montrait charmante. De retour dans sa loge, Henriette suivit d'un œil distrait les affres de *Ruy Blas* et l'intrigue audacieuse du drame romantique de Hugo. Elle ne songeait qu'à cette invitation lancée par la comtesse à se revoir dès le lendemain.

1. Le fameux *Maxim's* qui tire son nom du prénom de son fondateur.
2. Toujours chez *Maxim's*, l'Omnibus se trouve au rez-de-chaussée. On y dîne face à des miroirs pour voir et se montrer.

12

Anastasia Ivérovitch s'était glissée sans difficulté dans l'intimité des Caillaux. Avec finesse, elle avait longtemps refusé de se rendre chez Henriette et elle gardait depuis une prudente réserve vis-à-vis de son mari. C'est à peine si elle demandait de ses nouvelles, montrant ainsi son peu d'intérêt pour les sujets politiques. Ce détachement, parfois hautain, mais jamais moqueur, s'expliquait, en conclurent les Caillaux, par ses origines. La comtesse russe affirmait ne rien comprendre aux sujets touchant à la République. Pour elle, le tsar Nicolas II, autocrate de toutes les Russies, représentait la somme absolue du pouvoir. Le sujet semblait clos, car il y avait assez à s'occuper avec les méandres des sentiments humains. Ainsi comprenait-on cette réserve prudente, quasi diplomatique vis-à-vis de la France, cher pays d'accueil dont la belle étrangère aimait le vin de Champagne, l'ivresse qui l'accompagne, les paysages du Sud, la culture, l'Opéra, Paris et la langue maîtrisée parfaitement, jusque dans les nuances charmantes d'un accent ondoyant et limpide.

Bientôt, il devint évident que celle qui troublait tant les hommes n'avait conçu, en s'approchant de Mme Caillaux, aucun dessein particulier – dont le plus grave eût été de s'en prendre à ce couple parfait. Bien au contraire, elle ne cessait de bénir cette union solide, et saluait la fidélité des deux êtres dont le plus grand bonheur avait été de se trouver. L'amour constituait donc le seul sujet digne d'intérêt pour cette comtesse, riche à foison, voyageuse indolente et bohème dans l'âme.

*
* *

Pour compléter le tableau, ou en lisser les aspérités qui auraient pu conduire à s'interroger sur elle, Anastasia avait attendri Henriette en lui confiant la partie immergée d'une vie profondément meurtrie, illustrant ainsi la fraction abyssale de l'âme slave dont le plus grand malheur était de se dissoudre dans l'extrême. Son passé et celui de sa famille ressemblaient à ces romans émouvants dans lesquels le génie des écrivains russes exaltait la fatalité de la douleur humaine. En l'écoutant, on se prenait à croire à la malédiction attachée à un clan et l'on s'apitoyait sur sa mélancolie quand elle racontait, les yeux baignés de larmes, la fin tragique de ses parents. Fille unique du comte Ivérovitch, elle avait vingt ans quand son père et sa mère furent emportés dans l'attentat fomenté à Moscou, le 4 février 1905, par le révolutionnaire Kaliayev et qui visait le grand-duc Serge Alexandrovitch. Mais ils étaient là, eux aussi, sortant du palais du Kremlin du grand-duc. La bombe explosa près de la porte Nikolski. Ce fut un carnage. La fatalité ? Kaliayev expliqua qu'il avait choisi ce jour, car contrairement à la veille, le grand-duc n'était pas entouré de sa femme et de ses enfants. « Que le Seigneur te bénisse et vienne à ton secours », écrivit le tsar à Anastasia. Celle-ci ne lui répondit pas que sa seule prière aurait été de connaître une vie simplement heureuse. De même, elle ne mentait pas quand elle assurait à Mme Caillaux que, dans ses rêves comme dans ses cauchemars, elle courait encore rejoindre les siens et qu'elle baisait la terre du vaste domaine moscovite et familial dont elle parlait la gorge nouée dans de rares moments de relâchement. Car si elle aimait la France, son cœur était pour toujours attaché à la Russie éternelle. Et, au moins, cette part de son histoire était vraie.

*
* *

Henriette Caillaux fut bercée par ces accents touchants de vérité. En quelques mois, les deux femmes devinrent inséparables et l'absence d'Anastasia, qui repartit en Russie durant l'été 1913, fut vécue comme un moment pénible par la Française. Les lettres ne purent remplacer la présence de la Russe. Henriette s'en plaignait, s'impatientait, d'autant qu'il lui coûtait de ne pouvoir parler librement d'événements merveilleux qui allaient se produire et dont son mari profiterait sûrement. En réponse, Anastasia ne demanda aucune explication, évoquant un retour à Paris à la fin de l'été, si d'aventure, elle ne rejoignait pas le Cap-Ferrat pour profiter des lueurs de l'automne. Cette sorte d'indifférence, de distance, rassura Mme Caillaux et augmenta son envie, son impatience, de se confier. Oubliant la prudence, elle finit par avouer son beau secret. C'était plus qu'un bruit, sans doute une quasi-certitude, et elle comptait sur la discrétion de son amie pour ne jamais en faire état. D'ailleurs, elle n'en pouvait plus de ne pas lui raconter ce qui allait se produire et, maudissant les raisons pour lesquelles elle s'attardait loin de Paris – sans doute pour se nicher dans les bras d'un amant – elle lui confiait un bonheur trop lourd à porter : « Si notre affaire se déroule comme prévu, je serai bientôt l'épouse du président du Conseil. De grâce, gardez la nouvelle pour vous. Joseph m'a interdit d'en parler. »

Anastasia reçut cette lettre le 30 août 1913 et dès le 12 septembre, elle se présentait à Paris, expliquant ce brutal changement d'humeur par le dépit amoureux. Henriette en conclut que les affres de l'âme slave lui rendaient une amie devenue indispensable et ne chercha pas d'autres explications, trop heureuse de ce rendez-vous pris dans le salon de thé huppé qu'elles avaient choisi pour siège de leur royaume intime, sans imaginer un instant que la Russe puisse interpréter un double jeu.

Dans ce salon, un havre de paix situé près de l'Élysée, Henriette se laissait aller au charme de la comtesse qui lui paraissait délicieusement dangereux et plus terriblement attirant que le serpent de l'Éden. Les lieux participaient pour beaucoup à l'envoûtement de ces heures exquises. La femme du ministre entrait et se sentait aussitôt chez elle, admirant, sans jamais se lasser, les fauteuils de cuir, le plafond sculpté foisonnant de peintures et de fresques dorées, les lustres chargés de bronze et même les chariots en argent massif qu'un personnel obséquieux faisait glisser en silence sur l'épaisse moquette, présentant à chaque table les gourmandises sucrées du jour. À cet étalage baroque, s'ajoutaient sur les murs des représentations mettant en scène des femmes au bord de la mer. Les unes descendaient d'un canot, quand d'autres posaient, allongées sur la plage, ou marchaient pieds nus le long de l'eau. Elles étaient longilignes et brunes, s'habillaient de robes droites et claires et, suprême émotion, leurs épaules étaient dénudées. Ici, le temps feignait de s'être arrêté pour se joindre à l'éternité.

Outre une adoration presque physique pour les lieux, Henriette ressentait une exaltation troublante à s'afficher avec la Russe, en tout point son contraire, qui attirait les regards chargés de jalousie et de désir rentré.

Le jour où les deux femmes se retrouvèrent, Anastasia portait un tailleur dont la veste cintrée sous la poitrine mettait en valeur la sensualité quasi palpable d'un corps auquel la nature offrait tous ses dons. Le dessin des hanches et des cuisses se lovait dans les plis d'une jupe taillée dans un délicat tissu de soie rose. La finesse des chevilles se montrait et se cachait à chacun de ses pas, légers comme l'effluve d'un parfum. Le haut de son chemisier n'était pas attaché, esquissant les vallons d'une gorge dont la peau douce et lisse accueillait en son cœur un collier d'or et d'argent scintillant de pierres précieuses. Sans doute, imagina Henriette, le cadeau d'un homme fou d'amour dont Anastasia se moquait.

— Ne me demandez pas son nom, expliqua la Russe en découvrant le coup d'œil sur le bijou. Je l'ai rencontré à Moscou, lors d'une soirée donnée par le tsar en son palais de Peterhof.

Excitée par ce détail qui annonçait d'autres découvertes, Mme Caillaux bougea dans son fauteuil. Anastasia lui avait déjà chanté la beauté de ce palais, bâti par Pierre le Grand non loin de Saint-Pétersbourg, et que l'on comparait à Versailles pour ses jardins et ses fontaines.

— Au moins, racontez-moi ce que vous fîtes à Peterhof ! supplia d'une voix douce la Française.

— Seriez-vous en manque d'émoi ? se moqua la comtesse.

— Il y a si longtemps que je ne vous ai vue, gémit Henriette. Et nous avons tant à nous dire !

Elles se parlaient et se taquinaient comme si elles s'étaient quittées la veille. Le cœur de Mme Caillaux se gonfla de plaisir. Dieu, que son amie lui avait manqué et combien elle s'était sentie seule sans elle !

— Quoi raconter sans trahir de secret ? murmura Anastasia en ôtant son chapeau. N'est-il pas dangereux de parler à l'épouse du futur président du Conseil ?

Henriette se tendit. Peut-être avait-elle eu tort de se livrer. Mais Anastasia se pencha vers elle en plissant les yeux :

— Car je mourrais sous la torture plutôt que de trahir une amie.

C'était tout l'esprit de la comtesse que de taquiner Henriette. Bien sûr, se reprit cette dernière, sa confidente n'avait rien dit à propos de la probable nomination de Joseph.

— Allons, concéda Anastasia en faisant mine de réfléchir. Il y a au moins deux ou trois choses que je peux vous avouer.

Elle regarda autour d'elle et baissa la voix en prenant des allures d'espionne :

— Tenez, par exemple. Derrière la cascade des jardins de Peterhof niche une grotte.

Elle caressa le bijou niché entre ses seins :

— Je n'ai pas résisté au plaisir d'en percer les secrets.

— Avec celui qui vous offrit ce collier ?

Elle porta un doigt sur ses lèvres :

— Appelons-le Orphée puisque l'endroit où nous nous dirigions était noir comme l'enfer.

— Il est donc si beau ?

— Tant, que j'ai cédé sur-le-champ.

Elle ôta de sa veste une poussière imaginaire et fit la moue comme si tout cela l'agaçait ou n'avait plus guère d'importance.

— Puis, lâcha-t-elle d'un ton sec, nous avons quitté la Russie dans l'idée de rejoindre le Cap-Ferrat, où je l'ai délaissé très vite pour mieux l'oublier.

Henriette restait sur sa faim. Anastasia amorça enfin une grimace :

— Que voulez-vous. Il parlait de se tuer si je ne l'épousais pas.

— Mon Dieu, soupira Mme Caillaux en caressant la paume de ses mains, une étrange moiteur courant depuis peu sur sa peau.

— Rassurez-vous. En quittant ce jeune homme, je lui ai conseillé de confier son ardeur à l'armée qui, me dit-on, manque d'officiers exaltés...

Fascinée, Henriette s'accrocha à ce regard intrépide et sensuel. Elle y lisait l'audace séditieuse d'une femme libre à qui rien ne résistait.

*
* *

— Je vous fais rêver, n'est-ce pas ?

Anastasia s'était avancée jusqu'à saisir le poignet de la Française.

— Je ne désire rien de ce que vous vivez, asséna Henriette en se dégageant brusquement. Je n'aime pas l'aventure, j'ai peur de l'inconnu. Pour rien au monde, je ne renoncerais à ce que je suis.

La comtesse se redressa dans son fauteuil, le visage soudain grave :

— C'est donc que vous ignorez combien cette vie que vous adorez sera en danger quand votre beau secret se réalisera.

Henriette fut surprise par ce ton soudain menaçant.

— Que cherchez-vous à m'apprendre ?

La Slave retrouva son doux sourire :

— Je parle pour vous aider et vous mettre en garde. En gagnant les cimes, vous ferez des envieux. Jalousie, trahison, médisance... On voudra vous nuire. Êtes-vous prête à endurer le pire ?

Mme Caillaux haussa brusquement le ton :

— Vous méconnaissez les qualités de Joseph. Il a résisté aux actions les plus détestables. Il est au-dessus des autres !

— Alors, c'est vous que l'on visera.

*
* *

L'assurance de la comtesse taraudait Henriette. Comment pouvait-elle si bien connaître les noirceurs et turpitudes de l'âme humaine ? Mais n'avait-elle pas raison, elle qui avait déjà subi le pire en enterrant sa mère et son père ? Il lui fallait savoir d'où venaient ces certitudes, d'autant que les siennes commençaient à faiblir :

— Que savez-vous ? Pourquoi parlez-vous ainsi ?

Anastasia resta silencieuse un long moment. Elle paraissait hésiter à révéler ce qu'elle redoutait.

— Si vous tenez à moi, vous devez m'aider, insista la femme du ministre.

— Je n'aime guère me mêler des affaires qui touchent la France, répondit-elle en baissant la voix pour la première fois.

— Vos paroles sont obscures et m'effrayent plus encore.

La comtesse se plongea dans l'observation des quelques boiseries cernées de cuivre du salon de thé. Elle flottait, indécise, calculant son effet. Elle s'échappait. Se taire ou raconter ? Henriette se pencha et s'accrocha à la manche de son chemisier :

— Ne suis-je plus votre amie ? l'implora-t-elle.

Soudain, Anastasia se leva et vint s'asseoir à ses côtés :

— Vous êtes plus chère à mon cœur que vous ne l'imaginez. C'est pourquoi j'ai peur de vous inquiéter inutilement.

Elle hocha la tête et ce geste sembla la décider :

— Mais enfin, il me faut vous relater les nouvelles qui expliquent en partie mon retour si rapide à Paris.

Le visage de Mme Caillaux se mit à trembler :

— Par pitié, de quoi êtes-vous informée ?

— Des bruits, sans doute. Parfois, on parle devant moi sans détour. Je suis femme et l'on me croit légère... On ne se méfie pas du sexe faible.

— Qu'avez-vous entendu ? Était-ce à propos de moi et de Joseph ?

La comtesse soupira lourdement et son visage devint blanc. Jamais elle n'avait montré autant de gravité :

— J'étais au Cap-Ferrat, ayant déjà reçu la lettre dans laquelle vous m'informiez de la possible nomination de votre époux au poste de président du Conseil.

— Vous en avez parlé ? coupa Henriette.

La Russe s'écarta, brusquement furieuse :

— Me croyez-vous capable d'une telle bassesse ?

— J'ai confiance en vous, balbutia la Française. Mais je me sens si menacée...

— Méfiez-vous de votre manque de flegme, il pourrait vous jouer des tours, menaça la comtesse.

Henriette hocha la tête. Elle se trouvait si fragile :

— Pardonnez ma maladresse. Je vous en prie, continuez.

Anastasia accepta enfin de lui sourire :

— Le soir même de mon arrivée au Cap-Ferrat, nous eûmes un dîner où l'on parla de votre mari. Voyez comme j'ai raison de croire à la fatalité !

— Qui y avait-il ? rugit Mme Caillaux.

La comtesse haussa les épaules :

— Des gens tristes et sans doute importants qui prenaient au sérieux chacune de leurs paroles. Des noms ? Allons ! Je connais à peine celui du président de votre République. Poincaré, je crois. Mais les autres ? Disons qu'ils se serraient les coudes mais qu'ils ne portèrent aucun toast à Joseph Caillaux. Moi, je n'ai fait qu'écouter et je l'ai fait pour vous.

— Il y a tant d'ennemis, souffla Henriette. Aussi, qu'il est bon de vous savoir avec nous...

Anastasia Ivérovitch leva une main :

— Je crains que vous n'ayez pas à vous féliciter de mes services quand vous saurez que ces hommes déguisés en queue-de-pie, fumant le cigare et buvant fort, se mirent à évoquer une campagne infamante tournée contre votre mari. Il y était question de faire connaître au public ses positions favorables envers l'Allemagne et aussi de publier les preuves des intérêts qu'il entretiendrait avec l'industrie germanique.

— Est-ce là tout ? soupira Mme Caillaux.

— N'est-ce pas bien assez pour vous faire chuter ?

— Détrompez-vous, répondit-elle d'une voix soulagée. Ce n'est pas la première fois que l'on s'en prend ainsi à Joseph, surtout sur de tels sujets. Il saura résister à cette nouvelle attaque.

— Ils avaient l'air si décidés, insista la comtesse.

— Des lâches, des manipulateurs ! Les amis serviles de Poincaré, de Briand, de Barthou, lança-t-elle sans méfiance. Je n'ai pas besoin de noms pour deviner d'où viennent ces menaces.

Elle sourit à la Russe :

— Merci pour votre soutien, Anastasia. Je ne l'oublierai jamais.

— De tout mon cœur, je souhaite que vous n'en ayez jamais besoin, car je ne retire rien de ce que j'avançais à propos de cette vie dont vous espérez et craignez tout à la fois. Parfois, je me demande si vous êtes assez forte pour faire face aux dangers qui menacent ceux qui s'élèvent.

— Parlez-vous encore de cet état d'esprit bourgeois qui me rendrait craintive et incapable de défendre ma place ?

— Je vous crois peu armée pour lutter contre les vautours.

— Méfiez-vous ! fit-elle fièrement. Je suis tenace et décidée...

— Assez pour combattre ? osa la comtesse d'une voix sombre.

— Si, comme vous le pensez, je suis hantée par la peur de perdre ce à quoi j'aspire, je trouverai en moi le sursaut de courage qui me poussera à protéger avec rage ce que j'aime.

— Prions pour que le Ciel ne vous fasse jamais subir cette épreuve.

Sa voix contenait une part de tristesse et d'inquiétude qu'Henriette Caillaux mit sur le compte de cette mélancolie propre à ses origines. Mais quand, quatre mois plus tard, *Le Figaro* publia les premières lettres, elle repensa aux paroles prémonitoires de la Russe et se demanda si elle avait eu raison de lui répondre avec autant d'aplomb.

Mme Caillaux espérait le meilleur du fruit que lui promettait le pouvoir, mais avait oublié ce qu'il contient d'amertume, et parfois même de poison.

13

La campagne destructrice du *Figaro* avait donc débuté le 5 janvier 1914. Depuis, elle ne cessait plus. « Vous avez tort de croire en ceux qui composent votre monde. Ils vous détruiront », avait soutenu la comtesse Ivérovitch. Et plus le temps passait, plus Henriette vérifiait cette prédiction.

Pourtant, quelques jours avant les terribles événements du 16 mars 1914, Caillaux espérait encore devenir président du Conseil. Qu'avait-il dit à son épouse la semaine précédant le drame ? La scène se déroulait au petit déjeuner. Huit heures allaient sonner. Maurice attendait, mais Joseph avait pris le temps de rassurer son épouse. Il avait évoqué, se souvenait-elle, une réunion avec ses alliés politiques qui se tiendrait l'après-midi. Il s'arrangerait pour glisser dans la conversation le sujet de sa nomination en cas de victoire de son camp aux prochaines élections. Poincaré accepterait. Il y serait forcé malgré la cabale orchestrée par Calmette. C'était une question d'habiles arrangements chuchotés et conclus dans les couloirs de la Chambre des députés. Le ministre se frottait les mains, comptait ses alliés et rêvait d'en découdre avec Briand.

La voie semblait tracée pour construire l'ère Caillaux, l'habile politique, et, en poursuivant ses chimères, rien ne l'empêchait de rêver à un gouvernement d'union nationale, prônant la paix avec l'Allemagne de Guillaume II. Un front où Jaurès viendrait lui prêter main-forte ? Caillaux y réfléchissait en allumant son premier cigare de la journée quand, soudain, son visage s'était assombri. Il fallait se méfier. De quoi disposait encore Calmette, ami de Briand et patron d'un peloton de scribouillards qui gâtaient sa vie et mettaient en péril son élévation ?

*

* *

Henriette se souvenait. Malgré l'assurance feinte de son époux, les lettres publiées dans *Le Figaro* sapaient la réputation du couple et l'assassinaient plus sûrement que la lame aiguisée de l'épée. L'efficacité du venin distillé jour après jour tenait dans la qualité du dénonciateur, Berthe Gueydan, la première épouse de Joseph. Et cette femme se vengeait en informant Calmette, qui n'aurait pu trouver meilleure alliée que ce cœur venimeux dévoré de haine et qui possédait une quantité impressionnante de missives qu'un mari imprudent avait oubliées dans un tiroir où auraient pu dormir, jusqu'à la fin des temps, les secrets de sa vie. L'amour ? Beau sujet pour les ligues morales. Mais on y trouvait aussi la politique, les affaires, les accords, les négociations. En somme, une existence bien remplie. Et de quoi tenir assez longtemps pour détruire une ambition. *L'intermède comique* de M. Calmette contre ce « ploutocrate démagogue », ainsi qu'il surnommait sa victime, n'en finissait plus. Usant de notes manuscrites rédigées par le ministre, il multipliait les attaques assassines : « l'argent d'après M. Caillaux », « l'arrogance de M. Caillaux », « les combinaisons secrètes de M. Caillaux »... La campagne de « salubrité pour tarir la caisse secrète de M. Caillaux et débarrasser le pays de sa politique » plastronnait à la une du *Figaro*. Ainsi, au cours de l'hiver 1914, Jo, comme l'appelait Henriette dans l'intimité, assistait impuissant à sa mise à mort politique et morale car du soupçon, on en arrivait à la preuve, puisque c'était écrit. Et de la main même de l'accusé.

Avait-il exercé le plus déplorable abus de confiance[1] en cherchant à influencer la justice et à retarder le procès de M. Rochette, un financier véreux ayant ruiné des milliers d'épargnants ? Était-ce parce que s'y mêlaient ses propres intérêts ? Pour ses ennemis, la réponse éclatait comme une évidence. L'odeur de l'argent sale, fruit d'un insupportable donnant-donnant, corrompait le futur de Caillaux qui haussait les épaules et se forçait à railler la rumeur. Mais il y avait aussi ces incroyables accusations mettant en scène un pacte secret avec les milieux financiers d'outre-Rhin. La crise d'Agadir, on en parlait ainsi, remontait à 1911. Caillaux, alors au gouvernement, avait fait face aux menaces de Guillaume II qui, au prétexte de défendre les intérêts économiques allemands au Maroc, avait placé devant Agadir la canonnière *Panther*. Le différend concernait l'influence de la France au Maroc et le rôle de l'Allemagne au Congo. Un sujet redoutable qui portait en lui-même les risques d'un conflit et qui fut évité en échange de modestes concessions territoriales au Congo. Ainsi, Caillaux parvint, d'une part, à éviter la guerre et, d'autre part, obtint, dans un traité signé le 4 novembre 1911 à Berlin, la mainmise politique de la France sur le Maroc. Une grave crise s'acheva. Mais le succès de Caillaux avait nécessité le recours à des pourparlers secrets avec l'Allemagne transitant par les pragmatiques milieux des affaires et des finances. Pourquoi user de tels moyens ? Pour réussir, répondit Caillaux. Mais n'était-ce pas aussi dans l'outrageux dessein de nuire à la France en s'enrichissant sur son dos ? L'accusé se

---

1. Termes tirés d'une commission parlementaire dirigée par Jean Jaurès qui ne mènera pas plus d'investigations. Ainsi, Joseph Caillaux ne sera pas accusé de corruption et de forfaiture.

défendait en toisant les opposants du haut de son monocle, et malgré toute attente, il tenait bon.

Henriette s'était laissé porter, bercée par le puissant caractère de son mari, et elle avait cru à ce miracle jusqu'au jour où Jo l'avait informée que, dans un jour ou deux, son nom apparaîtrait à son tour dans les colonnes du *Figaro*.

Et pour la première fois, elle vit cet homme touché, blessé et prêt à capituler.

Depuis, les paroles d'Anastasia Ivérovitch ne la quittaient plus. Pour briser son rêve, pour l'abattre, affirmait-elle, ses ennemis iraient jusqu'à commettre l'exécrable. Alors, pourrait-elle y survivre ? La Russe l'avait mise en garde parce qu'elle la connaissait et devinait ses faiblesses. Elle était donc la seule, en conclut Henriette, qui pouvait l'aider.

14

Le 16 mars 1914, trois heures avant le drame, soit à quinze heures, Maurice avait déposé madame devant le salon de thé où elle retrouverait Anastasia Ivérovitch. Contrairement à l'habitude, elle ne s'intéressa pas à ce lieu qui lui plaisait tant. Elle ne pensait qu'aux lettres qui souilleraient son honneur et accéléreraient la chute de la maison Caillaux. Elle passait et repassait les images du déjeuner, alors que Jo, le visage ravagé, lui murmurait qu'un « document foudroyant » serait publié le lendemain dans *Le Figaro*. Au moins, se venger ! Étouffer l'affront ! Et peut-être trouver le moyen de mettre fin à ce calvaire qui blessait plus que tout son mari. Ou alors renoncer ? Il fallait qu'elle se calme, qu'elle entende les paroles de son amie. Pour cela, elle devait patienter. Elle sonda l'horloge en bronze qui trônait au milieu du salon de thé. Pourquoi sa seule alliée avait-elle choisi ce jour-là pour la faire attendre ?

*
* *

— Enfin vous !

Mme Caillaux n'avait pu s'empêcher de crier. L'horloge allait sonner la demi-heure de retard. Le calvaire durait depuis trop longtemps. Mais Henriette n'ajouta rien. Anastasia se présentait différente des autres fois. Elle ne cherchait pas à marquer son passage d'une empreinte et toute son allure paraissait frappée de gravité.

— Je me présente à vous porteuse de mauvaises nouvelles, chuchota-t-elle en se posant aux côtés de son amie.

— Rien ne peut être pire que ce que je vais vous apprendre, gémit Mme Caillaux.

— Auriez-vous plus grave que ce que j'ai entendu pas plus tard qu'à l'heure du déjeuner et dont vous fîtes l'essentiel ?

— Sarcasmes, diffamations, vilenies, je m'en moque.

Elle fondit en larmes :

— Anastasia, cette fois je touche le fond.

— Y aurait-il un rapport avec *Le Figaro* ? demanda doucement la Russe.

Henriette se jeta en arrière, les yeux exorbités :

— Dieu du ciel, comment le savez-vous ?

— C'est exactement le thème de la conversation qui se tenait chez *Bofinger*[1], une table à côté de la mienne. Des propos auxquels je me suis subitement intéressée en entendant votre nom.

— Ainsi, c'est vrai, puisqu'on en parle déjà dans Paris.

Mme Caillaux cachait son visage entre ses mains. Anastasia la prit aussitôt dans ses bras :

— Reprenez-vous ! ordonna-t-elle d'une voix terriblement froide.

Sur le coup, Henriette se redressa et vit comme une colère dans les yeux de la comtesse. Et quand elle parla, il n'y avait ni grâce ni volonté de plaire :

— Ne vous montrez jamais ainsi ! Ils n'espèrent que cela : vous voir mourir de honte. N'accordez pas ce

1. Restaurant situé rue de la Bastille, couru par les milieux politiques de gauche, et fief d'Édouard Herriot, chef du Parti radical et maire de Lyon. Bien plus tard, fréquenté par François Mitterrand.

plaisir à ces lâches. Sinon, ils vous lapideront. Soyez ce que vous avez voulu être : une femme digne, une grande bourgeoise. Et qu'au moins, ce que vous admirez tant vous soit enfin utile !

— Que dois-je faire pour sauver mon honneur ? murmura Henriette en séchant ses larmes. Joseph a sondé Monier, le président du tribunal de la Seine. Sa réponse est claire : Calmette fait son travail. Il est dans son droit. On ne peut l'empêcher de publier ces courriers.

— Dans ce cas, je vous réponds qu'il... qu'il est aussi légitime de se venger en montrant à ce monsieur Calmette combien il a tort de s'en prendre à vous. Car, si l'on peut admettre qu'il s'attaque à votre mari, puisqu'il est son ennemi, il est ignoble, inacceptable, injuste de vous choisir pour cible. Ce monsieur a besoin d'une leçon et nous la lui donnerons.

Ces quelques mots suffirent pour que Mme Caillaux retrouve un peu confiance. Elle écouterait Anastasia qui saurait la conseiller. Oui, elle lui dirait sûrement comment se venger – et de belle manière ! –, des goujateries de ce triste sire qui osait salir la face intouchable et sacrée de sa vie privée.

— Croyez-moi ! Je suis décidée à commettre le pire, gronda-t-elle, les yeux fixés sur une ligne infiniment lointaine.

Mais ne s'agissait-il pas de la colère passagère d'une bourgeoise offensée dont les paroles dépassaient la pensée ?

— Iriez-vous jusqu'à souffler ce mufle ? s'esclaffa Anastasia.

Son ton paraissait léger, mais son regard tendu ne la lâchait plus. Elle cherchait dans les profondeurs de son âme la force exacte de sa motivation.

— Une simple paire de claques ?

Henriette haussa les épaules :

— Je vous imaginais plus audacieuse, Anastasia. Ce n'est pas un si petit camouflet qui arrêtera ce monstre. Moi, je vous parle d'audace.

Anastasia Ivérovitch avait saisi la balle au bond :

— En Russie, nous connaissons cette vertu. Mais serez-vous prête à accepter ce qu'elle exige de sacrifice ?

— Tout, cria Mme Caillaux. Tout, pour mettre fin à ce tourment.

— Alors, suivez-moi, et je vous montrerai comment vous venger.

Y avait-il un piège ? Un témoin aurait pu jurer que la Russe était venue au secours de son amie et qu'elle n'avait rien suggéré, simplement parlé de courage en écho à l'audace dont voulait faire preuve la Française. Comme dans une tragédie, la comtesse avait laissé Henriette choisir son destin. Elle ne faisait que l'accompagner. Ce qui soulageait sa conscience car son plan se mettait en place selon les vœux même de celle qui en était désormais la victime.

PRINCIPE DE GOLGOTHA

Rapport du Neuvième Décemvirat
Paragraphe 4

Le principe d'un État est de détruire tout ressort individuel. C'est même son ultime objectif. Ainsi, quand la collectivité prend le pas sur les personnes, quand chacun plie et se soumet à sa loi, l'État devient parfait. C'est si vrai que l'État atteint toujours son apogée en période de guerre puisque le sort de chacun s'efface au profit de la communauté. Sacrifice, exactions, privation de liberté, tribunal d'exception, censure, instauration de lois martiales, tout est permis à l'État. De même, les citoyens ne sont jamais aussi solidaires qu'en faisant face à un conflit. Ils craignent, donc ils se réunissent autour de l'État, expression collective d'un patriotisme qui n'avoue pas son nom : la peur. On parle alors d'union sacrée, comme le troupeau de moutons serrant les rangs face au danger. Chez l'humain, qui représente cette menace ? Un État ennemi qui, par opposition, est haï. Dès lors, on comprend que l'État ne trouve son sens qu'en étant confronté à un autre que lui – mais pareil en tout genre. Et si aucun des deux n'existait, y aurait-il désordre ?

L'État répond que oui, affirmant que sa légitimité vient du fait qu'il garantit la sécurité. C'est même sa mission royale. C'est donc que l'État n'existe qu'en prévision des conflits et de l'insécurité qui suit. Ainsi, l'État a intérêt à maintenir un climat d'anxiété, à se trouver des ennemis, à prévoir la guerre puisque, sans elle, il n'aurait aucune raison, aucun sens. Pas même une once de bien-fondé.

Frères de Golgotha, vous devinez ma conclusion : sans les États, il n'y aurait pas de guerre. Mais sans la guerre, on ne peut détruire ces États. Dès lors, et puisque la guerre semble inévitable, il vaut mieux décider de celles qui servent nos intérêts et nuisent à ces États prétendant défendre l'homme en imposant leurs lois et leur vision du bien et du mal.

À l'inverse, le Principe de Golgotha imagine que l'homme peut se libérer de la morale et de ses contraintes s'il n'a plus de compte à rendre à l'État. Un homme s'épanouissant grâce à ce qu'il a d'unique et d'original, c'est l'essence de notre projet. C'est pourquoi nous nous servons de ce ressort, individuel et personnel, inscrit au fond de chacun d'entre nous et que l'État cherche à inhiber.

Tout être, jusqu'au plus soumis, possède un désir d'anarchie et de révolte dont les effets sont redoutables si on sait les activer. Le fanatisme, le terrorisme, l'extrémisme nés de la rancœur et de la colère, de la peur et de l'injustice sont les ressorts et les filières de recrutement que vous, Frères de Golgotha, vous devez exploiter. Un homme, à lui seul, peut infliger d'incroyables dégâts aux États prisonniers de leurs lourdeurs, car l'action individuelle se fonde sur la souplesse, la rapidité de décision. Elle ne s'embarrasse pas de points de vue communs et de discussions dont le résultat est le consensus, plaie des démocraties.

L'action individuelle n'est parfois qu'un geste, une parole ou un coup de feu qui lui-même donne un coup de pouce au destin et devient le premier maillon d'une chaîne aux effets destructeurs.

Nos Frères Enrôleurs le savent. Chaque personne, dans ce qu'elle a d'authentiquement différent, est en puissance un soldat de Golgotha. Ses désirs, sa souffrance, son histoire sont autant de leviers redoutables dont il faut exciter les mécanismes.

Une poignée d'hommes peut-elle réussir le projet titanesque de Golgotha ? C'était la première question que j'avais posée à L'Archange. Il avait répondu en parlant des ouvriers recrutés selon leurs compétences, et qui tous ignoraient le vrai sens de leur travail. Parfois, leur nombre était élevé, parfois, un seul suffisait. Pour contrôler un pan de l'industrie, l'ouvrier désigné comme le dirigeant remplissait docilement ses fonctions en échange de revenus, d'un statut supérieur, d'un usage immodéré des signes extérieurs de sa puissance. Et puisque l'Archange m'intéressait au cas de la France, où le Neuvième Décemvirat œuvrait, comme ailleurs, pour éliminer les derniers éléments nuisibles au développement de notre cause, il m'avait livré ce nom : Anastasia Ivérovitch. Un pion qui venait à servir Golgotha parce que le Frère Enrôleur, le Léviathan de Job, avait compris – et pouvait contrôler – le talent et les qualités individuelles de cette femme.

Un pion pour contrer une pièce maîtresse de l'échiquier français ; un seul être pour nuire à un ministre puissant, un chef de parti qui faisait barrage, et sans que Golgotha n'apparaisse ? L'Archange me fit la démonstration de ce Principe, et son exposé se révéla particulièrement convaincant.

15

La vie nonchalante d'Anastasia Ivérovitch avait basculé le 6 août 1912. La veille, simplement l'heure d'avant, elle vivait à mille lieues d'un monde dont elle ignorait tout. Elle s'étourdissait de vin et de fêtes dans la demeure du prince Poutiatine, située sur les bords du golfe de Finlande, non loin de Saint-Pétersbourg. Midi sonnait et l'on suppliait la comtesse de rejoindre le pique-nique organisé dans les jardins du palais. La chaleur accablante la poussa à refuser. Elle préféra se retirer dans sa chambre où l'on avait pris soin de tirer les rideaux dans l'espoir d'emprisonner un peu de la fraîcheur de l'aube. C'est en montant les escaliers qu'un valet lui tendit un pli. Elle crut à la lettre d'un empressé. Le cœur plutôt amusé, elle gravit les escaliers en décachetant l'enveloppe, cherchant le nom de ce prétendant et déchiffra cette signature : Igor Kasparovitch. Un inconnu.

L'étrangeté augmenta quand elle lut qu'il s'agissait d'un rendez-vous fixé au lendemain matin, au palais de Tsarskoïe Selo, la résidence d'été des tsars située à l'écart de Saint-Pétersbourg. Elle ne douta plus de l'authenticité du message en découvrant le sceau de Nicolas II.

Aux premiers rayons de soleil, les façades du palais de Tsarskoïe Selo, bâti par Catherine II, étincelaient de lumière, et ses dômes accrochés au ciel et recouverts d'or fin forçaient le visiteur à baisser les yeux. Ainsi, au premier regard, Tsarskoïe Selo obligeait à incliner la tête, condamnant les visiteurs à la plus primitive des soumissions. Mais en s'exécutant, l'on découvrait aussi la beauté spectaculaire des lieux situés en contrebas. Au pied d'immenses terrasses taillées dans le marbre, des jardins, délicats et multiples, ciselés et brodés à la française, multipliaient les tableaux bucoliques et invitaient le spectateur à contempler les fastueux labyrinthes de buis. En détaillant les allées, on apercevait alors les contours fragiles et éphémères des blasons de l'empire, dessinés dans le gravier rose et blanc sur lequel, du lever au coucher du soleil, s'échinait une armée de jardiniers, remodelant ces scènes héraldiques dont l'harmonie se brisait à chaque instant sous la botte du passant. Puis, on entrait enfin, défiant une succession de salles qui magnifiaient le gigantisme du baroque. Tableaux, tapisseries et draperies, ornements des plafonds, statues, bronzes, cuivres, marbres, dorures, corridors, galeries et passages, la visite semblait devoir ne jamais finir.

Anastasia éprouvait peu d'attirance pour ce style exprimant la grandeur, la puissance de l'empire et du tsar. Ce rendez-vous mystérieux la poussait davantage à presser le pas, ignorant même les tableaux des maîtres italiens vantant l'exploit des Antiques. Et pour avoir marché la tête baissée, elle percuta un colosse qui, lui, était de chair. Et ses larges épaules témoignaient qu'il pouvait se montrer redoutable. La raideur de son allure fit penser à Anastasia qu'elle faisait face à un dignitaire de haut rang. Et c'était le cas.

— Je suis Kasparovitch. Je vous attendais.

Le boyard n'en dit pas plus. Il pivota sur ses talons et s'engagea dans le dédale du palais. Anastasia s'accrochait à sa démarche lourde et puissante.

*
* *

Dans un bureau qui tranchait par sa simplicité avec le faste des salles officielles, Kasparovitch précisa tout d'abord qu'il parlait au nom du tsar. Puis d'un ton solennel, il ajouta qu'aucun mot prononcé dans cette pièce ne devrait jamais en sortir.

— Ma mission est officielle.

Il se gratta la gorge :

— Autant dire, impériale.

Il se leva pour se placer derrière Anastasia Ivérovitch. Ainsi fait, il lui expliqua ce que l'on attendait d'elle. Puisque la comtesse aimait Paris et fréquentait ceux qui y comptent, il lui serait facile, primo, d'approcher Henriette Caillaux, l'épouse d'un puissant homme politique français et de s'en faire une amie. Secundo, d'en apprendre le plus possible à son sujet. Tertio, de lui rendre compte. Son rôle se limiterait à cela. Et, pour la rassurer, Igor Kasparovitch lui apprit qu'un grand nombre d'aristocrates italiens, russes, allemands, et même britanniques, comblaient leur oisiveté en exerçant cette activité dans d'autres capitales européennes. C'était donc une sorte de noble tradition à laquelle le tsar voulait également qu'on se pliât, et qui lui permettait d'être en permanence informé de tout.

Une soumission en échange d'une vie luxueuse et sans contraintes, songea la comtesse Ivérovitch.

Désormais, le boyard lui faisait face :

— Vos qualités sont appréciables, la flatta-t-il. Vous parlez français remarquablement, et vous vous déplacez souvent dans ce pays où vous comptez déjà de nombreux amis. Il n'y a rien d'étonnant à ce que vous y résidiez régulièrement. Quant aux Caillaux, il semblera évident pour tous les observateurs qu'une femme de votre condition fréquente le salon de ce couple connu.

— Devrai-je renoncer à la Russie ? s'inquiéta-t-elle.

— Bien sûr que non ! D'ailleurs, vous demeurerez en France ni plus ni moins que par le passé. De l'automne au printemps, puisque c'est déjà ainsi que vous vivez.

Kasparovitch était bien renseigné. Que savait-il encore ? Le nom de ses amants, peut-être...

— De plus, ajouta-t-il, je pense que vous apprécierez l'expérience. Vous avez le caractère qui convient et, ce qui est important, vous êtes une femme célibataire.

Sans qu'Anastasia sache si ce geste était volontaire, il porta la main à la décoration inconnue qu'il portait à la veste et la caressa d'un geste machinal :

— Je veux dire, sans véritables attaches.

Allait-il ajouter qu'elle n'avait ni père ni mère, et qu'ainsi personne ne craindrait pour elle ?

— En somme, je dois comprendre que vous composez pour moi le portrait idéal de l'espionne, dit-elle en toisant le boyard.

— Je ne crois pas qu'il faille voir les choses ainsi, répondit-il après l'avoir observée à son tour un long moment. Je vous demande d'entrer dans l'intimité de cette Française, mais sans jamais prendre de risques. Approchez-vous d'elle. Devenez intimes, partagez les mêmes goûts et, à chaque occasion, recueillez des informations sur les projets de son époux.

— C'est donc le mari qu'il faut surveiller ?

— Oui, concéda Kasparovitch en marquant son impatience. Mais sans jamais poser de questions directes. Laissez venir Mme Caillaux. Si vous gagnez sa confiance, elle succombera aux confidences. Elles seront souvent anodines, mais tout peut nous servir.

— Au moins, dites-moi sur quoi je dois tendre l'oreille ?

Kasparovitch approcha un fauteuil et s'installa face à elle :

— Ce qui a trait à l'avenir politique de Joseph Caillaux, lâcha-t-il.

— Est-ce un ennemi de la Russie ? s'inquiéta Anastasia Ivérovitch.

Le conseiller du tsar hésita avant de répondre :

— C'est justement ce que nous voulons savoir.

Puis, il s'était levé, marquant ainsi la fin de l'entretien.

Anastasia Ivérovitch se demanda si le boyard lui accordait au moins la liberté de refuser ou d'accepter.

*

* *

Au dernier moment, et sans doute pour la décider, Kasparovitch lui avait donné une lettre du tsar dans laquelle il rappelait les liens unissant la famille Ivérovitch à la Russie. Nicolas II citait le grand-duc Michel, le prince Vladimir Paley[1], la princesse Yourievski[2], familiers ou proches du clan d'Anastasia par le jeu des alliances. Habilement, le tsar se référait aux membres d'une même classe dont le souverain commandement était de s'entraider. Les missions dont lui parlerait Igor Kasparovitch visaient à soutenir les intérêts du tsar et de l'empire et à combattre aussi les ennemis de l'extérieur, plus terribles encore que ceux de l'intérieur. Cette précision renvoyait volontairement à l'assassinat des parents d'Anastasia Ivérovitch qui comprit sur le coup qu'il s'agissait de faire appel à son honneur. Pour finir, Nicolas la bénissait et la remerciait d'accepter ce qu'il considérait comme un devoir – et la marque de sa confiance.

En somme, l'empereur autocrate ne doutait pas de sa réaction.

*

* *

1. Membres de la famille ou de l'entourage de la famille impériale.
2. Catherine Yourievski, fille d'Alexandre II et de son épouse morganatique issue de la famille Dolgorouki et elle-même prénommée Catherine.

Le boyard l'avait laissée lire cette lettre. Puis, alors qu'elle relevait la tête, il n'avait prononcé que ces mots :

— Quelle réponse dois-je transmettre au tsar ?

Et Anastasia avait accepté, puisqu'elle n'avait d'autre choix.

— Au moins, pouvez-vous me donner un peu plus de détails sur la façon d'opérer dans ce genre... d'activité ? N'y a-t-il rien à savoir sur les écritures secrètes, les codes mystérieux, et d'autres choses sur les armes ou les poisons ? interrogea-t-elle d'une voix légère où pointait l'ironie.

Igor Kasparovitch appréciait en silence cette distance et ce flegme, comme s'il devinait déjà que sa recrue serait excellente :

— À la fin de l'été, je rejoindrai Paris où, comme vous, je resterai jusqu'au printemps. Je vous ferai savoir comment me contacter. Si besoin, je vous formerai. Mais sachez qu'il s'agit d'abord de tenir votre rôle, de devenir l'amie des Caillaux et d'écouter. Ainsi se résume votre mission. Ne tentez aucune imprudence, n'essayez nullement de jouer à l'espionne. Pour le reste, mon seul conseil, le voici : ne changez rien à vos méthodes. Restez telle que vous êtes. C'est ainsi que vous réussirez le mieux ce que vous demande la Russie.

*

* *

De retour à Paris, avançant pas à pas, d'abord prudemment, et bientôt en se prenant au jeu, elle s'était rapprochée des époux Caillaux, se mêlant à ce milieu bourgeois, jusqu'à cette rencontre calculée au théâtre de la Renaissance où elle avait trouvé le moyen d'aborder innocemment Henriette. Un sourire, cela n'avait pas été plus compliqué. Et elle fut convaincue que son humble espionnage n'agirait en rien sur l'avenir du monde. D'ailleurs, elle n'avait rien à dire à Kasparovitch et chacune de leurs rencontres se nourrissait de vide et de fades observations. Mais, l'été dernier, avait surgi cette lettre dans laquelle Mme Caillaux commettait la grave faute d'avouer son beau secret : bientôt, elle deviendrait peut-être la femme du président du Conseil.

Anastasia n'avait pas menti en affirmant à la Française qu'elle se trouvait à Peterhof, mais cela n'avait pas d'importance. Dans ce palais, ou dans celui de Tsarskoïe Selo, on trouvait facilement Igor Kasparovitch. Il suffisait de le demander. Le soir même, jugeant cette confidence digne d'intérêt, elle lui confia la lettre.

Le lendemain, il lui fit savoir que le tsar désirait la rencontrer en privé.

PRINCIPE DE GOLGOTHA

Rapport du Neuvième Décemvirat Paragraphe 5

Le Principe de Golgotha est clair : le recrutement est une décision individuelle. Chacun, d'après sa fonction, enrôle la personne qui lui semble la mieux adaptée à chaque situation. Dans mon cas, je fus choisi par l'Archange en prévision du jour et de l'heure où il viendrait à mourir, puisque j'étais appelé, selon ses vœux, à occuper son rang au sein du Décemvirat. Golgotha ne peut fonctionner autrement. Il n'y a ni vote, ni cooptation, ni discussion sur le nom de celui qui nous rejoint. L'Archange était un de nos Très Hauts Magistrats. Et ce ne pouvait être que lui qui distinguerait celui qui le remplacerait. Dans notre Assemblée, le vote démocratique, la souveraineté collégiale n'existent pas pour la seule raison qu'il faudrait instaurer des lois, des procédures, imaginer des décrets – et pourquoi ne pas créer un tribunal pour les cas litigieux ? L'Archange avait une place et il succédait en cela à un de nos Très Hauts Magistrats qui l'avait lui-même détecté. C'est ainsi depuis la création du Premier Décemvirat et, jamais, nous ne l'avons regretté.

Pour quelle raison fus-je préféré ? Mes talents de doctrinaire ont séduit l'Archange. Ma compétence individuelle a arbitré sa décision. Ce n'est que cela et Golgotha le sait. Des Très Hauts Magistrats aux Frères Enrôleurs, pas un n'est retenu pour ses origines sociales, sa fortune ou son instruction. Du plus haut au plus bas de la pyramide humaine, au cœur de cette fourmilière, parfois au tréfonds de la mine la plus sombre, sommeille un talent unique, et donc original. C'est lui qu'il nous faut découvrir et appeler.

Nous, les Très Hauts Magistrats du Décemvirat, comme le font les Frères Enrôleurs à leur place, nous ne recrutons que nos pairs, ceux de notre rang. Et chacun ne sait que ce qui concerne son choix personnel à propos de celui qui lui succédera. L'Archange m'en a parlé une seule fois. C'était au moment de son départ. Depuis longtemps, il m'avait livré les clefs de Golgotha, expliqué où se trouvaient nos intérêts, présenté le détail de nos actifs et de nos investissements et, en cet instant particulier, il prenait le temps de me rappeler que je ne devais apparaître au grand jour qu'en de rares occasions, en me montrant prudent, en usant de fausses identités, en disparaissant aussi vite. «Les banquiers, les hommes d'affaires, les marchands ne manquent pas, répétait-il. Ils gèrent nos richesses, mais selon nos recommandations qui, souvent, étonnent ceux qui ignorent tout de nos secrets.» Puis, il avait fermé les yeux. Sa vie s'éteignait. «Je ne regrette pas de vous avoir élu, souffla-t-il. Pourtant, à Anvers, le 17 mars 1914, j'ai hésité. Je vous trouvais méfiant, trop inquiet. C'est la seule fois où vous m'avez déçu.» L'envie d'apprendre encore me poussa plus loin : «Aviez-vous une autre piste?» Il rouvrit les yeux un instant : «Un jeune et pauvre prêtre m'intéressait. Ses sermons étaient ardents, violents, brillants. Il s'en prenait à la mollesse ecclésiastique. Mais il est devenu un excellent cardinal.» L'Archange se rapprocha de moi : «Chimère, quand viendra votre tour de distinguer celui qui vous remplacera, tournez-vous vers la masse immense des miséreux. Ne regardez pas vers les sommets, mais sondez la colère, la passion de ceux que le destin tourmente. Réveillez leur formidable espoir, choisissez parmi ces volontés farouches, ces âmes trempées qui deviendront un jour le bras armé de Golgotha.»

C'est le seul conseil qu'il m'a donné, le reste m'appartenant.

Mais au jour venu de désigner le Magistrat qui me succéderait, j'ai mesuré le poids d'une décision difficile, redoutable, dont je parlerai le moment venu. Pour les Dix Magistrats du Décemvirat qui ne recrutent qu'eux, le devoir est de trouver qui, demain, veillera sur Golgotha, fera fructifier sa fortune, agira sur le cours du monde, détruira souvent et parfois bâtira pour le triomphe de notre cause et de son Principe. Ce lent cheminement fait de compositions et décompositions oblige à un accord parfait au sein de notre Collège. Dix êtres supérieurs travaillant d'une même ardeur, le défi est osé. Ayant réfléchi longuement, je crois qu'une seule vérité compte. Tous les hommes peuvent être appelés. Il n'y a pas d'exception. Mon choix en est la démonstration.

Me suis-je trompé? Cette question entêtante se pose aussi à nos Frères Enrôleurs, eux qui parcourent le monde, cherchant les pions, les ouvriers dont nous avons besoin pour nourrir nos projets. Qu'ils se souviennent comme moi de nos expériences et des difficultés que nous avons rencontrées au cours du Vingtième Siècle. Notre puissance repose sur un Principe à deux têtes : la solidité de leur recrutement et le fait de garder secret leur dessein. C'est la difficulté de leur mission. Aucun pion, aucun ouvrier ne doit savoir pourquoi un Frère Enrôleur a fait appel à lui. Le recrutement est un moment délicat. Trop fin, trop rusé, un pion peut percer notre cuirasse. Trop lourd, trop épais, il risque de nous faire échouer. Ni docile ni incontrôlable, l'arbitrage demande du savoir et de l'expérience. C'est pourquoi un Frère Enrôleur est aussi seul à même de choisir et de former celui qui le remplacera. Mais est-il possible de ne jamais commettre d'erreur? Là encore, je vous livrerai mes conclusions.

Tous les êtres ont la capacité de fabriquer le meilleur ou le pire et la réussite s'offre en décelant la part bénéfique que chacun peut offrir à Golgotha. Car un seul, ai-je écrit, détient parfois assez d'ingéniosité, de ressources ou de cruauté pour produire d'incroyables dégâts, faire souffrir les États. Mais l'inverse est aussi vrai : à n'importe quel moment, alors que tout semble acquis, une personne peut au même titre qu'un groupe détruire Golgotha. J'ai promis de ne rien omettre. Je dirai donc comment le Léviathan de Job, ce Frère Enrôleur exalté, nous fit vivre bien plus tard une épreuve amère et redoutable.

16

Anastasia n'avait jamais franchi le seuil des appartements privés de la famille impériale. Selon toute vraisemblance, Igor Kasparovitch s'y déplaçait comme un habitué. Il franchit les barrages, saluant les gardes d'un geste sec et vint à se présenter devant une porte plus solidement gardée.

— Annoncez-nous, dit-il à l'officier qui prit aussitôt la pose.

Le temps de compter jusqu'à dix, la porte se rouvrit. Le boyard s'effaça pour laisser entrer la comtesse Ivérovitch.

Le tsar n'était pas seul, mais il se montra satisfait en découvrant ses visiteurs, et leur fit signe d'avancer. Assis à sa table de travail, il faisait face à un homme qui tournait le dos aux impétrants.

— Donnez-moi quelques instants, dit Nicolas II d'une voix agacée. Je bataille avec le maréchal de la cour qui me taraude avec ses comptes d'apothicaire.

L'intéressé tourna la tête et marqua son étonnement en découvrant Kasparovitch et la comtesse.

— Asseyez-vous, reprit le tsar en désignant un divan. Et suivez ce débat. Vous saurez ainsi combien votre prince est économe.

Le sujet portait sur le remplacement d'un fauteuil dont Anastasia comprit que l'assise était en piteux état.

— Sans parler des ressorts, ajouta le maréchal de la cour.

— Réparez-les, rétorqua le tsar sur un ton sec.

— Cela nous prendra des semaines et l'emploi de trois personnes. Il vaut mieux en acheter un neuf.

La comtesse Anastasia suivait la conversation avec étonnement. L'empereur de la plus grande nation du monde, celui qui régnait sur un sixième des terres émergées, se battait pied à pied avec un de ses commis pour sauver un vieux meuble du palais.

— Combien ces travaux nous coûteront-ils ? s'impatienta le tsar.

— Si j'ajoute le remplacement du sofa et le changement obligatoire de cette moquette anglaise usée jusqu'à la corde...

Anastasia jeta un œil sur le sol. En effet, le motif de style oriental n'était pas de première jeunesse.

— Allons, coupa-t-il sur un ton sans appel. Nous verrons plus tard.

— Mais il faut prendre des décisions, gémit le maréchal.

— Un autre jour, répondit Nicolas II en posant méticuleusement les mains à plat sur son bureau.

L'entretien tirait à sa fin. Le maréchal de la cour se leva sur-le-champ et se courba en deux. Puis, exécutant un demi-tour impeccable, il salua Igor Kasparovitch en claquant des talons.

En revanche, il n'adressa qu'un regard glacial à la comtesse.

*

* *

Le tsar quitta son bureau pour s'approcher d'Anastasia et, avant qu'elle ne pût s'incliner, il lui saisit la main et la baisa :

— Je suis heureux de vous voir, fit-il en la détaillant.

L'homme affichait autant de force que de fragilité, une étrangeté qui s'expliquait en partie par une nervosité presque palpable. Sa voix était posée, mais tendue, et ses gestes délicatement calculés témoignaient d'un caractère guidé par une sensibilité à fleur de peau.

— Ne vous étonnez de rien, reprit-il, et n'en voulez pas au maréchal de la cour qui vous a foudroyée du regard.

— D'où vient cette animosité ? s'inquiéta la comtesse.

Le tsar caressa lentement sa barbe finement taillée :

— Enfant, j'étudiais dans cette pièce. Mon père m'y rendait visite et il s'y installait avec ses proches ou sa suite pour travailler à mes côtés. Si bien qu'il devint habituel de n'y recevoir que des hommes. À l'exception de ma mère et de l'impératrice, et depuis des années, aucune femme n'est entrée dans ces lieux.

Ce détail s'ajoutait à l'étrangeté de la convocation et augmentait le trouble qui gagnait la comtesse depuis qu'elle avait pénétré dans le jardin secret du tsar.

— Et à quoi dois-je cet honneur ? s'efforça-t-elle de demander sur un ton qui, espérait-elle, ne montrait rien de son émotion.

Le tsar jeta un regard en biais vers Igor Kasparovitch :

— Nous sommes ici pour en parler.

17

La pièce était petite et basse de plafond. Son caractère exigu, pour ne pas dire étriqué, s'expliquait pour beaucoup par l'incroyable fatras de meubles et de bibelots qui s'y amoncelaient. Les boiseries, en noyer ciré, étaient recouvertes de tableaux disparates où se mêlaient sans classement apparent des scènes familières à d'autres plus guerrières. Et encore des huiles signées sir Edward John Poynter et sir Laurence Alma-Tadema, des miniatures reproduisant les portraits de la dynastie des Romanov, le tout se perdant au milieu de peintures de chevaux soldatesques, rappelant ainsi que l'empereur était officier et qu'il portait une grande attention à la chose militaire. Des bibliothèques fixées aux murs, eux-mêmes recouverts d'une peinture rouge sombre, exposaient des centaines d'objets aux styles mélangés. On trouvait des cadres en argent sertis de diamants, des œufs Fabergé, une collection de bouddhas, et un amoncellement de souvenirs intimes et personnels qui s'apparentaient au trésor des contes des Mille et Une Nuits.

L'impression d'étouffement se trouvait renforcée par la cheminée massive taillée dans un marbre éteint. De cet ensemble incongru ressortait la sensation pathétique d'un homme isolé, et désireux de conserver auprès de lui, comme autant de reliques sacrées, les émotions petites et grandes d'une vie. Par opposition, son bureau taillé en L, modeste et sévère, se voulait parfaitement organisé. Plus encore, un rituel compliqué orchestrait l'agencement de chaque objet. Stylos, agendas, cahiers, encriers, buvards, miniatures et dossiers occupaient un rang et un ordre que l'on aurait pu jurer immuable. L'entêtement du tsar à ce que tout soit remarquablement aligné n'était pas une légende. On racontait encore qu'il avait dessiné le plan de son bureau, chaque chose étant à sa place, pour le cas où il souhaiterait retrouver ses affaires dans le noir, comme s'il en avait peur, et de manière compulsive, au point d'exiger jusqu'à la colère l'exécution de cette règle. Par prudence, les valets se le tenaient pour dit. Au détail près. Et c'était dans cet univers de l'infiniment petit, de l'infiniment gris, que ce seigneur tout-puissant dirigeait aveuglément un monde infiniment grand.

*
* *

— Je dois d'abord vous remercier, souffla Nicolas en lui ordonnant d'avancer d'un petit mouvement du menton.

Anastasia se cala dans un sévère fauteuil revêtu de cuir vert – frère jumeau de celui qu'occupait le Tsar.

— Je prends cette mission comme un jeu, répondit-elle. Du moins, c'est en cela qu'elle me semble plus légère.

Le tsar leva une main pour la faire taire :

— Détrompez-vous. Il s'agit d'une affaire importante dans laquelle vous réussissez parfaitement.

— Pour toute personne au fait des affaires de Paris, il n'y a aucun secret à voir en Joseph Caillaux un futur président du Conseil.

— Il nous faut la date, intervint Kasparovitch en prenant place aux côtés de la comtesse.

— Oui, reprit Nicolas II comme s'il parlait à lui-même. Les rumeurs ne nous suffisent pas. La date nous est très utile.

Il se tourna vers Anastasia et son regard flottait :

— En France, les gouvernements se font et se défont très naturellement et chacun semble y tenir sa place à tour de rôle. Aussi quel jour sera-t-il nommé au poste de président du Conseil ?

— Vous en demandez trop, répondit Anastasia, en masquant sa gêne sous un éclat de rire. Mais est-ce vraiment si important ?

— Ne prenez pas la chose avec autant de liberté, murmura le tsar. Je suis convaincu du caractère néfaste pour la Russie du clan que représente ce Joseph Caillaux.

L'empereur ne put s'empêcher de chercher le soutien du boyard. Et celui-ci acquiesça en silence.

— Je le vois en bourgeois, fier de sa réussite, rétorqua la comtesse d'un ton qui se voulait léger. Je ne l'imagine pas en ennemi redoutable.

— Vous ne soupçonnez pas le poids de nos détracteurs, insista l'empereur.

Il avait pris en main un portrait de la famille impériale et tout en le caressant, il semblait sonder ses proches et leur parler aussi.

— Ne sommes-nous pas alliés des Français ? s'étonna Anastasia.

— Il en est qui œuvrent contre nos intérêts, s'interposa le boyard.

Le tsar l'approuva et, d'un signe de la tête, l'invita à poursuivre.

— De grands événements se préparent, comtesse Ivérovitch. Nous connaîtrons bientôt de terribles bouleversements...

— Ici même, en Russie, coupa le tsar. Mes meilleurs conseillers me l'affirment.

Igor Kasparovitch s'était aussitôt redressé. On parlait de lui, ce qui le décida à intervenir :

— La Russie est au bord de l'explosion. Les grèves se multiplient. Depuis la mutinerie du *Potemkine* en mer Noire, les troupes armées se révoltent. Les anarchistes multiplient les attentats. À ces difficultés intérieures, s'ajoute l'action de ceux qui, depuis l'étranger, veulent contrarier l'avenir de la famille impériale.

Les yeux du boyard brillaient de colère :

— Le danger est partout.

Anastasia tendit prudemment une main :

— En quoi cela me concerne-t-il ?

— Joseph Caillaux cherche à nuire à la Russie, répondit-il.

— Puis-je parler franchement ? reprit la comtesse en s'adressant au tsar.

— Il ne peut en être autrement, répliqua ce dernier.

Anastasia sonda le visage de Nicolas II. Tendu, inquiet, décidé. Il fallait qu'elle pèse ses mots :

— Depuis quelques mois, je vais aux côtés d'Henriette Caillaux. Je subis ses caprices, j'applaudis le choix de ses tenues désuètes, je ris de ses mots sans esprit, je lui dis que son thé est meilleur que celui de Moscou. Je joue la comédie et, je crois, à la perfection. Mais ainsi, j'ai appris à les connaître, elle et son époux. Ils sont mesurés, calmes, désireux de profiter des bienfaits que leur offre la société. Lui, personne ne l'ignore, est aussi homme d'affaires. Excellent, ajoute-t-on. Cela n'exige-t-il pas d'être posé et conciliant ? Non, avec l'honnêteté que je vous dois et que vous me réclamez, j'assure qu'ils n'ont rien à voir avec le fanatisme.

Elle fit mine de réfléchir :

— Ah ! mais j'oublie le plus grave.

— Qu'est-ce ? demanda le tsar.

— Les Caillaux sont bourgeois, lança-t-elle d'un air moqueur. Voilà leur seul vrai défaut.

— Pourtant, rétorqua Igor Kasparovitch d'une voix qu'il cherchait à maîtriser, s'il est nommé président du Conseil, nous perdrons le soutien de la France qui est un de nos plus solides alliés.

— Comment le savez-vous ? fit-elle en écarquillant les yeux.

Ces doutes, ces interrogations ! Le boyard enrageait. Mais il ne fit que s'adresser au tsar :

— M'autorisez-vous à en dire davantage ?

Le tsar se contenta de baisser les yeux.

— Comtesse Ivérovitch, commença-t-il sur un air solennel, vous avez dit vous-même que Caillaux était un excellent homme d'affaires. Mais au moins, savez-vous avec qui il traite et pour quel profit ?

— Nous ne parlons pas de ces choses avec son épouse, cingla-t-elle en réponse.

— Eh bien, triompha Kasparovitch, cet homme que vous voyez comme doux et sage trafique avec les Allemands. Et s'il parvient au pouvoir, je ne doute pas que ses amis germaniques lui rappelleront le bien qu'ils se sont fait à commercer ensemble. Croyez-vous que ce Caillaux sera alors libre de ses choix ? Il se retrouvera pieds et poings liés, esclave de l'Allemagne qui, nous le savons tous, menace notre empire et se prépare à la guerre. Votre chère France ? Le tsar et la Nation ne pourront plus compter sur elle.

— Du moins, pour les projets que nous entendons mener, conclut le tsar.

Un nuage d'orage se glissa au-dessus du palais de Tsarskoïe Selo, plongeant la pièce dans la pénombre. Le tsar prit le temps d'allumer sa lampe de bureau, fixée au meuble, et dont il pouvait orienter la direction par le jeu d'un balancier et de poids. Si l'objet, fabriqué dans un bronze doré venant de France, était surprenant par son mécanisme et ses formes, la lumière qu'il produisait ne fit rien pour éclairer la scène. Sans doute, la faible intensité venait de cet abat-jour rococo, recouvert de tissu à frous-frous. Était-ce la volonté du tsar que de vivre entre ombre et lumière ? Il fixa Anastasia et son regard enfiévré perça celui de son invitée :

— Je ne peux vous parler davantage de ce que nous préparons pour sauver la Russie et l'empire. Mais puisque l'action de tous compte et que chaque détail a son importance, y compris la surveillance de ce monsieur Caillaux, vous comprenez à présent combien il me faut vous féliciter pour l'excellent travail que vous réalisez.

Il marqua un temps :

— Et combien il vous faut continuer.

Il se tourna vers Kasparovitch :

— Expliquez à la comtesse ce que nous attendons.

18

Pour convaincre Anastasia Ivérovitch de la gravité de la situation, le boyard n'avait pas ménagé ses efforts, parlant de forces diaboliques et d'un chaos à venir que rien ne pourrait arrêter.

— À l'étranger, on se prépare à faire couler le sang de nos enfants. Et, prédisait-il, à moins de mettre à mal les adversaires de la Russie, il en sera pour nous comme pour le Christ, Fils de Dieu, au Golgotha, là où Il vécut Son calvaire. Nous serons sacrifiés.

La guerre ? songea-t-elle. Voulait-il parler de ce fléau ? La comtesse détailla encore cet homme enfiévré dont le tsar semblait boire les paroles. Il se tenait droit, s'exprimait d'une voix forte et paraissait scruter un horizon à lui seul accessible. Un prédicateur, un prêcheur houspillant et mobilisant ses ouailles, un évangélisateur en train de convertir, Anastasia l'imagina ainsi. Tout y faisait penser, la tenue sombre ornée d'une seule décoration, le regard brûlant, les gestes précis, hachés. Mais elle interrompit brusquement son examen, comme l'enfant pris en défaut par le sermonneur de l'église. Kasparovitch ayant compris qu'elle l'observait, il la fixait, plus redoutable que jamais.

— Nous sommes décidés et prêts à nous défendre. Pour cela, il faut que nous soyons vigilants. Nous avons montré trop de faiblesse par le passé. Désormais, nous serons intraitables avec les ennemis de l'empire et du tsar. La rédemption de la Russie est à ce prix, tonna-t-il.

Anastasia retrouvait le ton des gourous, tel l'inquiétant Raspoutine qui se mêlait au couple impérial et l'influençait.

— Faut-il comprendre que la Russie doit s'attendre à supporter de lourds sacrifices ? glissa-t-elle prudemment.

Nicolas II, qui suivait le boyard sans que l'on sache s'il partageait son point de vue, reposa sur son bureau, à l'exact endroit d'où il l'avait tiré de son sommeil, un petit cadre doré. En relevant la tête, il s'adressa à la comtesse :

— Igor Kasparovitch parle de ces orages comme de l'Apocalypse, glissa-t-il d'une voix égale, et il a raison. Il s'agit d'éradiquer les menaces qui pèsent sur nous. C'est pourquoi, s'il le faut, je prendrai des décisions radicales.

À nouveau, le boyard approuva en silence.

La guerre, se répéta-t-elle. S'agissait-il vraiment de cela ?

— Je vous vois pensive, comtesse Ivérovitch.

Le tsar redressait le torse. Son visage était gris comme cette pièce, mais son regard brûlait.

— Douteriez-vous de mon analyse ? murmura-t-il.

Elle ne répondit pas.

— Les ennemis de l'empereur sont les mêmes que les vôtres, ajouta froidement Kasparovitch. Ce sont ceux qui vous ont fait tant de mal en assassinant votre père et votre mère.

Les visages de ses parents surgirent aussitôt. Ils sortaient du palais du Kremlin. Ils souriaient et montaient dans le fiacre. Le grand-duc Serge Alexandrovitch était à leurs côtés. Puis ils passaient la porte Nikolski au moment exact où Kaliayev, le poseur de bombes, se présentait en hurlant. Dans sa main, la mèche s'embrasait. La suite n'était que sang et ravage.

— Des terroristes ? gémit Anastasia dont le cœur se rouvrait et souffrait à ce souvenir.

— Qu'importe le nom que vous leur donnez, cingla l'empereur. Ce que je sais vient de ce que je lis et entends. Les rapports, les témoignages ne cessent de m'alerter. Il faut arrêter cette machination. Sinon, oui, nous sombrerons tous.

— S'agit-il de lutter contre les terroristes qui frappent aveuglément, et tuent femmes et enfants ? demanda-t-elle encore les larmes aux yeux.

— Quels que soient les chemins de traverse que nous emprunterons, c'est le dessein final : écraser les révolutionnaires, ajouta-t-il d'une voix égale. Mais pour vaincre, j'ai besoin de toutes les forces.

— Que puis-je faire de plus ? se troubla-t-elle.

— Continuer à vous entendre avec Mme Caillaux, s'empressa de répondre le boyard d'une voix soulagée, et obtenir encore plus de détails sur les agissements de son mari. Nous voulons la date de sa nomination.

— Et le moment venu, obéir à la lettre à Igor Kasparovitch, ajouta le tsar.

— Est-ce là tout ? s'étonna-t-elle.

Comment croire qu'un rôle comme le sien, mineur et secondaire, pouvait agir sur le destin du tsar et de la Russie ?

Nicolas II sembla deviner les pensées de la comtesse :

— C'est une partie d'échecs où chaque pion compte pour le poids d'un roi. Qui est Caillaux face à notre destin ? On le jugera bien faible et l'on aura tort. Ce républicain est entouré d'alliés puissants et le tout forme une chaîne solide. À la tête du gouvernement de la France, il disposerait d'énormes pouvoirs qui, en les unissant à ceux de ses amis allemands, représenteraient un véritable risque. Oui, on m'a convaincu que le danger pouvait venir d'un homme et qu'un homme à lui seul était capable de renverser des montagnes. On m'a dit que celui-ci s'avérait apte à rassembler l'opinion et le peuple français et, à lui seul, à s'opposer aux visées que nous nous sommes fixées. Voilà pourquoi il nous faut rompre avec la dynamique qui est en train de se créer autour de lui. Et pour cela, nous avons besoin de vous.

En quoi parviendrait-elle à briser la gloire de Caillaux ?

— La date de sa nomination, disiez-vous. Mais que me demandera-t-on de faire en plus *le moment venu*, quand je devrais *obéir à la lettre* à Igor Kasparovitch ? lança-t-elle soudain.

— Rien qui ne soit dans vos compétences, promit ce dernier. Mais plus Joseph Caillaux prend de l'importance, plus votre rôle devient essentiel. Et le moment venu, répéta-t-il, il sera temps d'aviser.

— Petite cause et grands effets, glissa l'empereur en sacrifiant un sourire. Chaque action, chaque partisan de la Russie compte.

Il expira lentement et finit par faire le tour du bureau pour venir aux côtés de la comtesse Ivérovitch.

— Ce que je vous demande est déjà de trop, chère Anastasia. Mais, fit-il en renouvelant son sourire, c'est votre faute. Vous avez tant réussi que nous ne pouvons plus nous passer de vous. Alors, quelle sera votre réponse ?

Anastasia ferma les yeux. Il s'agissait de la Russie et du tsar, lui laissait-on espérer. Et avait-elle le choix ? Petite cause, avait dit l'empereur. Eh bien, elle espionnerait les Caillaux, même si, le temps d'un éclair, elle imagina que, *le moment venu*, sa vie si indolente risquait de s'achever. Mais son cas comptait-il ? Qu'elle accepte ou pas, ce qui se produisait ou se préparait était grave. La mise en scène de ce rendez-vous ne devait rien au hasard. L'image de la guerre revint, mais elle se refusa d'y croire. Et quand elle rouvrit les yeux, elle donna son accord.

Pour la Russie et pour le tsar, puisqu'elle était slave et comtesse à la fois.

19

Avant de partir, le tsar avait tenu à offrir un cadeau à Anastasia. À son habitude, il aimait cette idée du présent issu de sa propre collection, et qui venait conclure les entretiens importants. Il ne préparait rien, préférant se laisser guider par l'humeur et le ton qui avaient présidé à la conversation. Celle-ci lui semblait bonne. Il choisirait un beau souvenir. Mais le choix s'avérait compliqué car, dans ce cabinet de travail fréquenté usuellement par les hommes, les objets se distinguaient par leur caractère masculin. L'empereur pensa d'abord à un cadre doré dans lequel figurait sa photo. Mais pouvait-il donner son portrait à une femme ? Il chercha vers la plus haute des étagères. Ici, nichaient ses trésors.

Un livre s'avançait hors de la rangée parfaitement rectiligne. Ce détail suffit pour attirer son regard. C'était un exemplaire de l'édition originale du *Prince* de Machiavel. Nicolas II y tenait beaucoup, mais la valeur du bien n'expliquait pas tout. Comme nombre des objets réunis dans cette pièce, cet ouvrage lui avait été également offert. Et dans ce dessaisissement, il fallait voir la marque de l'intérêt qu'il portait à sa visiteuse. De plus, la nature de cette œuvre et le sujet qui y était traité tombaient à point nommé. L'auteur y parlait des ruses du pouvoir et du gouvernement, et aussi de ses dangers. L'empereur souhaitait que la comtesse comprît le symbole attaché à ce chef-d'œuvre dans lequel Machiavel avait écrit que l'art maudit de la politique ne livrait ses secrets et sa science qu'en échange de manœuvres délicates et parfois terrifiantes. Enfin, et surtout, ce livre recelait une histoire qui avait un lien avec la mission d'Anastasia.

*

* *

Quelques mois plus tôt, l'empereur avait reçu dans ce cabinet de travail un certain Jonathan Garrett, ami et associé de Basil Zaharoff, le président de la société Vickers-Armstrong, un puissant manufacturier d'armes. Selon Kasparovitch, une discussion avec Basil Zaharoff ou l'un de ses proches devait apporter de nouvelles précisions sur les dangers qui menaçaient la Russie et, sur ce sujet, on gagnait à recueillir l'avis éclairé des marchands d'armes. Zaharoff était un habitué de la cour de Russie et de toutes les puissances européennes, des plus monarchiques aux plus républicaines. Cet homme, qu'on présentait comme le plus riche du monde, influençait la scène internationale par la solidité de ses réseaux politiques et financiers, par la possession de grands journaux dans lesquels il distillait sa vision sur les affaires diplomatiques au gré de ses intérêts et pour le profit du commerce des armes. Dès lors, les conseils de Zaharoff ou de ses émissaires s'écoutaient. Or, Garrett se présentait comme l'un d'eux.

Cet homme dépassait la soixantaine, mais son corps restait svelte. On devinait l'ascète séduit par les profits d'une vie équilibrée où les excès de l'existence n'occupaient aucune place. Le respect qu'il portait à sa personne nichait même dans le détail de ses mains fines et manucurées. Bien que de petite taille, il affichait une assurance calme, détachée, qui impressionnait. Au premier regard, le tsar fut convaincu par cet individu élégant, vêtu d'un costume d'une facture irréprochable et dont on devinait que la source se trouvait à Londres. L'ascendant qu'il exerçait venait aussi de ses yeux d'un bleu limpide et de son visage étonnamment lisse et couronné par une chevelure épaisse dont le blanc cru et presque trop parfait tranchait avec l'air de jeunesse qui l'accompagnait. L'empereur se félicitait déjà de connaître l'envoyé de Zaharoff car, comme toujours, il y aurait du bon à entendre l'avis de la société Vickers-Armstrong.

— Le danger vient de France, commença Jonathan Garrett. Nous avons pris connaissance d'un pacte secret entre les chefs socialistes et radicaux autour d'un programme politique axé sur la paix avec l'Allemagne. Ce sera le thème principal de la prochaine campagne électorale. Voici les preuves.

Il tendit au tsar un document. C'était l'original de l'alliance. On y voyait les noms et les signatures des conjurés.

— À présent, voici une lettre prouvant les accointances de l'un des acteurs principaux de cet accord avec des groupes financiers allemands.

On y retrouvait un même nom et une même signature.

— Qui vous a fourni ces éléments ? demanda froidement le tsar.

Garrett répondit sur un ton neutre :

— L'épouse trompée d'un des conspirateurs. Sa vengeance nous a permis de découvrir cette manœuvre dont le résultat serait de mettre fin à l'entente entre la France et la Russie.

Le tsar reprit les documents et lut le nom du signataire : Caillaux.

— Si l'Allemagne attaque, et si Caillaux dirige la France, la Russie sera seule, conclut Jonathan Garrett sans passion.

Le tsar observa fixement son invité avant de reprendre la parole.

— Pourquoi me montrez-vous cela ?

— Si les pacifistes prenaient le pouvoir en France, la Russie perdrait un allié, et Vickers-Armstrong un client, répondit paisiblement Garrett.

L'empereur enregistra. C'était clair, objectif. Il n'y avait ni haine ni peur chez Garrett. Des intérêts. Simplement des intérêts partagés.

— Avez-vous d'autres choses à m'apprendre ?

— Jaurès est mêlé à l'affaire.

Le fait de citer le nom du chef socialiste mit le tsar en fureur :

— Trempe-t-il dans les mêmes combines que Caillaux ?

— Rien ne l'indique, répondit Garrett. Mais vous n'ignorez pas que le mot d'ordre des factieux socialistes et de leurs compères anarchistes est d'inviter le prolétariat de tous les pays à s'unir pacifiquement. Il est donc possible d'imaginer un complot international agrégeant ces forces.

Nicolas II baissa la tête. Le spectre de l'œuvre révolutionnaire le hantait. Il se tourna vers Kasparovitch :

— Il faut savoir, gronda-t-il. Nous ferons espionner ces gens. Entrez dans leurs secrets. Surtout ceux de Caillaux, un personnage plus complexe à cerner que Jaurès, et à propos duquel nous ne devinons pas encore dans quel camp il se situe. Il faut le surveiller jusque dans son intimité. Puis, agir le moment venu.

D'un simple hochement de tête, le conseiller fit comprendre qu'il se chargerait de l'application. Ce n'était pas un réel problème. Pour cette mission, il savait déjà qu'il proposerait le nom d'Anastasia Ivérovitch au souverain.

Ce jour-là, préoccupé par ce qu'il venait d'apprendre, Nicolas II ne pensa pas à offrir l'un des objets qui encombraient son cabinet de travail. En revanche, Garrett lui présenta l'édition du *Prince* de Machiavel et Igor Kasparovitch lui-même ne s'en étonna pas.

— J'ai choisi une dédicace pour le lien qu'elle entretient avec le sujet dont nous venons de parler, dit ce visiteur sans élever la voix.

Pensif, le tsar ouvrit le livre. Sur la page de garde, on trouvait ces mots : « *Puis viendra Golgotha, Calvaire de tous les hommes. Et dans ce monde dépourvu de Vérités, seuls triompheront les Forts. Car toute autre Vérité est illusoire.* »

— En êtes-vous l'auteur ? demanda le tsar.

— Ces paroles résument une sagesse très ancienne connue sous le nom du Principe de Golgotha, répondit Jonathan Garrett.

— Faut-il que je me range à cet avis, la force par-dessus tout ?

— Toute autre Vérité semble illusoire, répondit Garrett.

*

* *

Depuis ce jour, l'autocrate de toutes les Russies reprenait parfois en main cette édition du *Prince*. Et il relisait ces mots, *seuls triompheront les Forts*, et il voyait ces anarchistes qui frappaient sur le sol de Russie, et il écoutait ses chefs militaires désabusés soutenir que l'ennemi marcherait bientôt au pas cadencé vers ses frontières. La Vérité du plus fort. Oui, tout le reste n'était qu'illusion. Et rien ne paraissait plus juste que de se battre avant d'être battu, même si cette Vérité-là exigeait la compromission de toutes les forces de la Russie. Oui, cette citation expliquerait à Anastasia Ivérovitch pourquoi il faisait appel à elle.

Le tsar caressa la couverture du *Prince* de Machiavel. Sa décision était prise. Ce livre, il allait l'offrir à la comtesse qui attendait que Nicolas II se décide à choisir le présent qu'il lui destinait.

— C'est un livre auquel je tiens énormément, annonça-t-il. Il vous enseignera que ce que je vous demande est juste. Prenez-le.

Anastasia s'avança. Maintenant, elle tendait la main.

— En êtes-vous certain ? glissa d'une voix sourde Igor Kasparovitch en s'interposant.

L'empereur interrompit son geste, attendant une explication. Mais le boyard se taisait. Anastasia, elle, observait la scène, gênée et comme étrangère à une situation qu'elle ne comprenait pas.

— Je vous trouve très maladroit Kasparovitch, lança le tsar d'un ton agacé. J'offre ce livre à la comtesse Ivérovitch, car je l'ai décidé, et pour réparer votre impolitesse, j'ajoute un bel étui à cigarettes !

— La comtesse ne fume pas, rétorqua le boyard sombrement.

— Mais je pourrais essayer, fit-elle en narguant Kasparovitch et pour soulager la tension. Cela va si bien au portrait de l'espionne.

— Ne cherchons plus, conclut le tsar que l'incident avait irrité.

Il abandonna son bureau et vint à la cheminée d'angle décorée de noyer ciré. Il ouvrit un placard dissimulé dans la boiserie. De la cachette, il extirpa un étui à cigarettes, ciselé d'or, qu'il observa longuement avant de l'offrir à la comtesse Ivérovitch. Et l'objet était aussi beau que pur.

— Je ne sais comment vous remercier, s'exclama-t-elle en ouvrant le précieux coffret.

À l'intérieur, sommeillait un peu de tabac blond.

— De l'Anglais, intervint le tsar. Je vous conseille de débuter avec ce tabac plus léger que le brun que fument les Français.

Anastasia approcha l'étui de son visage et huma les brins de feuilles séchées. Le parfum envoûtant descendit dans sa gorge. Étourdie, elle ferma les yeux.

— Cet étui fut le mien avant d'être le vôtre, ajouta le tsar d'une voix où perçait une émotion poignante.

— Me voilà donc contrainte de vivre désormais sous l'effet de votre drogue, murmura Anastasia, plus touchée qu'elle n'aurait voulu l'être.

Puis, il lui donna aussi le livre. Et ils se séparèrent.

*
* *

Kasparovitch la reconduisit sans un mot jusqu'à l'entrée du palais et, s'étant inquiété de savoir si elle disposait d'une voiture pour retourner chez les Poutiatine, il prit la pose et la salua, les mains sur les hanches.

— Nous nous verrons à Paris. Quel était votre programme ?

— Je comptais me rendre au Cap-Ferrat dans le sud de la France.

— Abrégez ce voyage. Ne tardez pas à retourner à Paris. Il y a plus d'urgence encore que ce que le tsar vous a dit. Bonne journée, comtesse.

À peine avait-il tourné les talons qu'Anastasia Ivérovitch ouvrit *Le Prince* de Machiavel. Qu'avait-il donc de si étrange ? *Golgotha, les Forts, la Vérité*... Des mots mystérieux auxquels elle attribua aussitôt un sens secret. Sinon, comment expliquer l'échange orageux entre l'empereur et son conseiller ?

PRINCIPE DE GOLGOTHA

Rapport du Neuvième Décemvirat
Paragraphe 6

À l'inverse des Très Hauts Magistrats du Décemvirat, les Frères Enrôleurs occupent des positions en vue. C'est ainsi qu'ils repèrent leur proie. Chose faite, ils doivent s'intéresser à la qualité de l'échange. Pour chaque partie, c'est-à-dire pour les deux, quel est l'intérêt ? Ce mot vient du latin, Inter est, *et signifie « ce qui est entre. Ce qui unit ». Or, peu de choses relient les hommes. En affirmant qu'ils partagent des valeurs communes, l'État justifie les idées scabreuses de l'amour de la Nation ou de son prochain, dont on sait que le résultat est de tuer celui-ci pour le profit de celle-là. La vérité est autre. Chaque être est animé par des intérêts particuliers et des désirs différents. Aussi, Golgotha ne doit se tourner que vers ceux dont l'intérêt personnel est à la fois clair et évident, car une alliance solide se construit lorsque le couple se trouve également – égoïstement – satisfait.*

Le Léviathan de Job disposait d'un point de vue remarquable sur la situation en Russie. Il put influencer considérablement l'action du monarque par les conseils qu'il prodiguait, notamment en orientant ses décisions dans un sens conforme aux intérêts de Golgotha. Mais au fond, ce Frère ne faisait qu'accompagner les désirs d'un prince. La réussite d'une collaboration qui n'avoua jamais son nom tint au respect du Principe dont j'évo-

quais la part essentielle à l'instant : le tsar et le Léviathan de Job se trouvaient tous deux comblés.

Le contentement de ceux qui nous servent sans le savoir est aussi la seule manière de préserver nos secrets. Si le recruté est naturellement satisfait, il ne se posera aucune question. S'il obtient un profit financier, moral ou social, il se contentera de ce bonus. Il pourra même croire que l'alliance objective qu'il a conclue avec l'un de nos Frères se fonde sur des valeurs communes et qu'ils recherchent le même but, car il est difficile à l'esprit humain d'imaginer que deux alliés peuvent être différents.

Basil Zaharoff est un autre exemple de recrutement. Il fut enrôlé comme ouvrier, c'est-à-dire qu'il œuvra, qu'il travailla à l'ouvrage, et pour lui-même, et pour Golgotha. Le couple formé avec ce marchand de mort reposait sur une règle simple : son intérêt étant de s'enrichir, nous avions les moyens de l'aider à parvenir à ses fins. Pour cela, il lui fallait vendre beaucoup d'armes, un commerce dans lequel Golgotha trouvait son intérêt. En théorie, on ne pouvait pas imaginer meilleur arrangement. Le contrôle de cet ouvrier n'exigeait même pas l'usage d'un Frère enrôleur. Zaharoff désirait faire fructifier ses affaires et les Très Hauts Magistrats du Décemvirat avaient le pouvoir de le satisfaire directement.

Le Contemplateur des Éphésiens, un Très Haut Magistrat, fit savoir au Décemvirat qu'il avait détecté Zaharoff, un homme sans morale et sans foi, prêt à tout pour réussir et qui, après s'être réfugié en Grande-Bretagne à la suite d'une escroquerie, se trouvait engagé chez Thorsten Nordenfelt, un fabricant d'armes où il accomplissait des miracles. Ce repérage avait obligé le Contemplateur des Éphésiens à se montrer à visage découvert. Il avait sondé Zaharoff, vérifié son immoralité, compris qu'il saurait se montrer discret. Cet habile marchand d'armes se servait des tensions militaires et diplomatiques des Balkans pour exploiter avec art la férocité et la haine. Mais le Contemplateur des Éphésiens s'étant mis en avant, il lui semblait dangereux de traiter personnellement avec cet homme qui fréquentait les milieux politiques et financiers. Avec l'accord des Frères Enrôleurs, il fut donc décidé de confier ce rapprochement à l'Archange.

L'intérêt commun, l'Archange, sous le nom de Jonathan Garrett, l'avait exposé à Zaharoff en lui démontrant qu'il lui était possible d'éliminer ses concurrents et ses associés et de le laisser seul maître à bord de l'entreprise dont il n'était qu'un salarié. L'Archange expliqua qu'il était prêt à financer en secret le rachat de Nordenfelt et de son concurrent Maxim. Puis de lui confier la présidence et une part conséquente de cet ensemble. Riche, ce n'était plus assez. Mais bien moins que Golgotha. « Quel est votre intérêt ? » demanda Zaharoff. L'Archange répondit sans détour : « Vous aider, puisque c'est aussi mon intérêt. Plus vous serez fortuné, plus j'y gagnerai aussi. » Zaharoff se contenta de cette réponse qui lui semblait logique et conforme à l'idée qu'il se faisait d'un allié cynique et cupide. Bientôt, de la Turquie à la Grèce, de la Russie aux États-Unis, le marché inépuisable des armes devint la chasse gardée de Zaharoff. Son génie consistait à vendre les mêmes arsenaux aux ennemis de ses clients, au motif qu'il fallait rééquilibrer les forces pour garantir la paix. Plus trivialement, il devint – notamment grâce à la corruption –, le premier fournisseur du secteur dans le monde. Plus la guerre menaçait, plus il vendait d'armes. Plus il s'enrichissait, augmentant d'autant les ressources du Décemvirat. D'où le danger pouvait-il venir ? Zaharoff soupçonna-t-il une seule fois qu'en fait le Léviathan de Job le suivait – et le précédait même – à la trace ? La chose semblait improbable. Du moins, le Décemvirat le crut. Ainsi, cette alliance fut longtemps l'un des succès de l'Archange, entretenu par de constants avantages rendus possibles par la puissance de Golgotha.

Après le rachat de Vickers et de Maxim, Zaharoff disposa de moyens financiers pour créer le gigantesque complexe militaro-industriel de Tsaritsin en Russie, plaçant ainsi ce pays sous la coupe d'intérêts contrôlés en sous-

main par Golgotha. De même, l'Archange négocia l'achat par Basil Zaharoff de l'Union Parisienne des Banques, lui permettant de s'installer au cœur de l'industrie française. En outre, l'Archange initia le rachat par Zaharoff du journal Excelsior *dans lequel il fut possible de distiller les thèses du réarmement. L'intérêt de Zaharoff? Bien compris, il fut exceptionnel.*

Mais un simple pion peut aussi produire le pire. Zaharoff? Je devrai, hélas, en reparler. De même, le recrutement d'Anastasia Ivérovitch ne reposait que sur un point : cette Russe croyait agir pour son pays, ce qui était un projet exactement opposé à celui de Golgotha. En somme, nos intérêts divergeaient objectivement. Pouvait-on compter sur un pion qui avait souffert de nos méthodes puisque l'attentat de l'anarchiste Kaliayev avait été commandité par le Décemvirat? Il n'y avait pas à revenir sur cette action. La mort du grand-duc Serge Alexandrovitch ajoutait à la déstabilisation de l'Empire russe et augmentait, de ce fait, l'ascendant du Léviathan de Job. Mais les parents de cette femme étaient morts lors de cet acte terroriste. Il n'y avait donc pas d'intérêt commun entre elle et Golgotha, d'aucune sorte. Aucun échange possible.

Peut-on conclure une bonne alliance quand les intérêts n'ont rien d'objectif? La réponse est définitivement non.

20

À Paris, Igor Kasparovitch tenait en laisse Anastasia Ivérovitch. À chaque lettre publiée par *Le Figaro*, il lui demandait de lui faire le récit de ses rencontres avec Henriette. Et elle lui expliquait la lente descente aux enfers des Caillaux.

— En fait, il n'y a aucune évolution, pestait-il. Ils résistent toujours. Et lui reste en course. Au moins, en savez-vous davantage sur la présidence du Conseil ?

— Henriette ne parle que du scandale et de sa déchéance.

Elle s'en tenait avec lui au minimum depuis l'incident étrange, presque vexant, à propos du *Prince* de Machiavel qui avait épaissi l'image mystérieuse de ce conseiller influent du tsar. Pourtant, ce 16 mars 1914, ce dernier s'était montré étonnamment souriant. Il avait du neuf. Enfin, la scène évoluait.

— Demain, le quotidien publiera des billets d'amour écrits par elle.

Il était deux heures de l'après-midi. Anastasia avait rendez-vous avec Mme Caillaux et il faudrait composer avec cette terrible nouvelle, et cacher un jour de plus les véritables raisons de cette fausse amitié.

— Cette fois, elle va plonger dans les abîmes, prédit le Russe.

Devant tant d'assurance, elle comprit qu'il était sans doute lié à ce nouvel assaut. Se pouvait-il qu'il ait lui-même donné cette correspondance privée au journal ? Mais Igor Kasparovitch ne lui permit pas d'y penser plus avant.

— Eh bien, comtesse, je crois que le moment est venu, jeta-t-il d'une voix puissante qui la fit sursauter.

Elle se vit entrer dans le salon de thé et sourire à cette femme comme à l'habitude. Mentir, encore.

— De vous obéir à la lettre ? lança-t-elle d'une voix tendue.

— Oui, répondit-il froidement. Et ce sera la dernière fois.

Elle ferma les yeux. Une dernière fois, promettait-il. Après, elle en aurait fini.

— Il faut profiter de l'occasion pour la pousser à commettre un acte qui brisera inévitablement la carrière de l'époux, continua Kasparovitch.

Le conseiller du tsar fixa intensément la comtesse :

— Est-on certain, comme vous l'affirmiez hier, qu'elle est décidée à tout entreprendre pour faire taire Calmette ?

— Elle le jure. Mais sous l'effet de la colère, tempéra Anastasia.

D'un geste de la main, il balaya l'objection :

— Servez-vous de ses émotions. Ce matin, elle a elle-même appris que son tour était venu de servir de cible.

Anastasia ne s'était pas trompée. Kasparovitch était au courant et, peut-être, l'instigateur du scandale.

— Elle est affolée, continua-t-il. Alors, ne la laissez plus en paix. Empêchez-la de réfléchir. Décidez-la à agir sous le coup de la colère, et surtout sans prévenir son mari. Obligez-la à se rendre au *Figaro* pour défier Calmette et le sommer de ne plus l'accabler. Mieux encore, elle doit le menacer.

Il marqua un temps avant de glisser d'une voix glaciale :

— L'idéal étant qu'elle soit armée.

Anastasia releva la tête. Qu'avait-elle entendu ?

— Comprenez-moi, s'empressa-t-il d'ajouter. Il s'agit de fabriquer les conditions d'un scandale public dont elle ne se relèvera pas. Et nous ne disposerons jamais de conditions aussi favorables.

Sur un point, Igor Kasparovitch n'avait pas tort. Henriette était si désespérée qu'elle semblait prête aux pires extrémités.

— Le tsar m'a donné son accord, insista-t-il. Et il n'y a que vous pour la convaincre.

Anastasia enregistrait les paroles du boyard. Et il avait évoqué une arme.

— Je me félicite de la confiance que l'on me porte, se décida-t-elle à répondre. Mais dans le cas où je déciderais madame Caillaux, avez-vous réalisé qu'elle pouvait tuer Calmette ?

Il balaya l'objection d'un revers de la main :

— Elle ne l'assassinera pas. C'est une femme. Elle n'en aura pas le courage. Au mieux, elle tirera en l'air. Et au premier coup, elle défaillira.

— Qu'en savez-vous ? murmura-t-elle.

Elle détestait cet homme fruste, monstrueux, sans doute tueur de sang-froid, mais continuait de croire dans le tsar de toutes les Russies.

— Le plan est arrêté, répondit-il sans montrer la moindre émotion.

— C'est non, glissa-t-elle alors simplement.

Kasparovitch serra les mâchoires. La partie était plus dure qu'il ne l'avait pensé.

— C'est non, répéta-t-elle parce que cette femme n'est pas ennemie de la Russie.

Il roula des yeux, cherchant la parade, ou mieux une solution. Et soudain, il se leva en rugissant :

— Ce qui compte, c'est le déshonneur de Joseph Caillaux. Il quitte la scène politique, et ses ennuis prendront fin. Son épouse ne craint rien. Je prends cet engagement.

— Ce n'est pas assez, rétorqua-t-elle, en ne lâchant plus son regard. Je veux votre parole, au nom du tsar, que Mme Caillaux sera épargnée, et quels que soient les paroles, les gestes, les actions qu'elle commettrait.

Il hésita un instant, et cela donna plus de force à sa réponse :

— Je le jure. Et pour garantie, je vous offre ma vie.

— Qui peut vous permettre tant d'assurance ? s'enquit-elle, résignée.

— La Russie, marmonna-t-il après quelques secondes. Et le tsar contre lequel ni vous ni moi ne pouvons rien.

Mais il le dit en portant la main à cet insigne affiché au revers de sa veste qu'elle n'avait pas encore vu aussi clairement.

— Ne doutez pas de son pouvoir, ajouta-t-il. Ni du mien...

Et Anastasia Ivérovitch céda en croyant cet homme.

— Au moins, savez-vous comment je dois faire pour la convaincre de se rendre chez Calmette ?

Pour la première fois, le boyard se détendit :

— Ne changez rien à vos méthodes. Et pour l'arme, voici l'idée.

21

Après avoir quitté Kasparovitch, Anastasia avait hélé un fiacre, en priant le cocher de ne pas ménager sa monture. Elle était en retard et il n'était pas question de rater ce rendez-vous.

En chemin, elle cherchait les mots exacts qui feraient mouche et peu à peu, son plan se mettait en place. En entrant dans le salon de thé, elle attaquerait directement, annonçant à Mme Caillaux que Paris se gaussait de ses aventures. Oui, il fallait lui ôter de l'esprit l'espoir qu'elle pouvait s'échapper. Ses lettres seraient publiées. Ce point étant acquis, l'épouse du ministre se retrouverait au pied du mur – et obligée de réagir. Et alors qu'elle s'enfermerait dans sa peur, cherchant seule la solution, il faudrait attendre, jauger ses réactions et, le moment venu, évoquer la vengeance. Non, se reprit-elle, l'expression était brutale, trop directe. Elle lui conseillerait plutôt de contre-attaquer. Un mot neutre qui ne venait en rien au secours de son désarroi. Certes, je dois riposter, gémirait sa victime, mais comment ? À cet instant, il faudrait avancer posément, peser même ses silences, apprécier chaque soupir. Anastasia parlerait d'une réponse à la hauteur de l'offense. Une leçon pleine de panache. En somme, le geste d'une personne touchée dans ses convictions. Un éclat montrant à ce Calmette qu'il avait eu tort de s'en prendre aux femmes. Et puisqu'il n'était qu'un sauvage, l'épouse du ministre Caillaux le traiterait de la sorte. En l'affrontant à armes égales.

Le mot serait enfin prononcé. Le reste était affaire de persuasion.

*

* *

Le fiacre débouchait dans l'avenue Gabriel. Le salon de thé se trouvait à cent mètres.

— Arrêtez-vous là ! ordonna-t-elle au cocher.

Il lui fallait encore un peu de temps pour apaiser son esprit et tout répéter. L'arme ! Qu'avait dit Kasparovitch ? Le nom de l'armurier ? Elle chercha dans son sac le petit papier sur lequel figurait l'adresse. Elle relut : Gastine-Renette. Puis, elle déchira le message en prenant soin d'en disperser les morceaux. Maintenant, elle se trouvait face à l'entrée du salon de thé. Un groom ouvrit la porte et sourit servilement. Elle n'eut pas besoin de se forcer pour prendre un air affligé. La bataille serait tendue. Dans le fond de la pièce, effondrée dans un fauteuil, elle voyait Henriette et comprit que la première partie de son plan était en marche.

Ainsi que l'annonçait Kasparovitch, la Française était au courant des projets de Calmette. Au moins, elle n'aurait pas besoin de se battre pour la convaincre que le pire la menaçait. Le boyard ou un autre avait fait le travail. Mme Caillaux se savait en danger.

Une demi-heure plus tard, les deux femmes quittaient le salon de thé. La comtesse russe menait la danse. Elles partaient chez l'armurier et Mme Caillaux suivait, enfermée dans sa peur, et prisonnière de ce qu'elle s'était promis de faire : à tout prix, convaincre Calmette de se taire. Ainsi, le drame se composait, et il serait de nature passionnelle.

22

Anastasia avait refusé d'emprunter la voiture des Caillaux, malgré l'insistance d'Henriette. Elle suivait à la lettre les indications de Kasparovitch qui avait exigé qu'il n'y ait aucun témoin. Maurice, le chauffeur, se serait interrogé. Et sans doute, aurait-il parlé à son patron. D'un geste de la main, elle fit arrêter un des fiacres qui descendaient vers la Concorde. Elle demanda au cocher de rouler vers la rue Saint-Honoré sans donner d'autre précision. Le conseiller du tsar lui avait recommandé de ferrer sa proie avant d'attaquer l'épreuve suivante. De vérifier patiemment, avant de porter l'estocade. De ne rien lâcher de grave ou d'irrémédiable sans être sûre que la femme du ministre irait au bout. Même si Henriette n'en pouvait plus d'attendre une explication, Anastasia avançait pas à pas.

— Nous nous rendons chez l'armurier Gastine-Renette, lança-t-elle en se forçant à paraître légère. Vous y trouverez une arme de petit calibre.

— Une arme ! sursauta Henriette.

— De préférence, réclamez ce qui convient le mieux à une dame, poursuivit la Russe, imperturbable. On ne vous questionnera pas davantage. N'hésitez pas à essayer plusieurs produits. Ne cherchez pas la beauté. Ce n'est qu'un outil et pour l'usage que vous lui réservez, il s'agit d'abord de l'avoir bien en main.

— Et qu'en ferai-je ? bredouilla madame Caillaux.

— Vous entrerez au *Figaro*, en ayant pris soin de le dissimuler. Puis, vous demanderez à voir Calmette. Une fois en sa présence, vous lui ordonnerez de mettre fin à ses horreurs. S'il refuse, faites les sommations. À cet instant, il devrait vous supplier de baisser votre arme. Alors, faites-lui jurer sur l'honneur de ne jamais plus vous salir.

— Et s'il refuse ?

— Posez calmement le doigt sur la détente. Attendez. Il résiste ? Tirez une fois.

— Sur lui ? demanda-t-elle d'une voix effrayée.

— Non ! Au-dessus de sa tête ou mieux encore dans le plafond. Le bruit sera épouvantable. S'il ne meurt pas de frayeur, il vous suppliera de mettre fin à son supplice.

Mme Caillaux se sentait dépassée :

— Mais on m'arrêtera !

— Aucun risque, car vous ne l'aurez pas assassiné. De quoi peut-on vous accuser ? De l'avoir menacé, d'avoir tiré ? Mais c'est lui, le premier, qui vous a provoquée, mettant en danger votre vie et plus sûrement que s'il vous avait défiée en duel. Votre geste sera une riposte proportionnée à ses attaques. De plus, vous affirmerez que vous avez sorti cette arme au motif que l'homme devenait menaçant. Il hurlait, raillait qu'il vous tenait dans sa main. N'est-ce pas la stricte vérité ? Voici donc comment vous raconterez l'histoire et ce sera votre parole contre la sienne. Vous veniez discuter calmement de ces ignobles articles et il s'est proposé de se jeter férocement sur vous. Calmette est comme ce qu'il écrit. Sans foi ni loi. Servez-vous du rôle de la faible femme et n'oubliez jamais que c'est vous l'offensée. À votre tour, chargez-le, et même, calomniez-le en l'accusant de vous avoir épouvantée. En somme, usez de ses procédés honteux.

Peu à peu, les mots entraient et accomplissaient leur travail.

— Puisqu'il fallait, pour des motifs louables, pour la survie même de votre couple, rendre visite à votre pire ennemi, la sagesse vous a dicté de vous munir d'une arme. Et voyez combien vous avez eu raison ! Sans elle, qui sait de quelle violence vous auriez pu souffrir, vous dont le cœur est déjà si meurtri. Non, croyez-moi, ma chère Henriette, tirez, mais sans le tuer, et vous triompherez de ce monstre.

— Soit, consentit Mme Caillaux, séduite par la plaidoirie, et qui se faisait à l'idée à défaut d'en voir les conséquences. Je lui demande de cesser. Je le somme et j'attends. Alors, seulement... Et je tire en l'air...

— Parfait, murmura la comtesse.

— Mais s'il refuse toujours ? s'enfonça Henriette qui étudiait à présent l'hypothèse et se voyait déjà face à son bourreau.

— Tirez encore. Avant d'avoir épuisé vos munitions, il aura cédé.

Anastasia se tourna vers Mme Caillaux et ses yeux semblaient briller de plaisir :

— Je connais les hommes. Ils sont lâches et ils aiment trop la vie.

— Mais si, à la fin, il n'a toujours pas pris l'engagement formel de ne plus me torturer ?

— La leçon lui aura appris la prudence. Il se méfiera et y regardera à deux fois avant de publier de nouvelles lettres. Le bruit, l'éclair, l'odeur de la poudre ! Ce fourbe sait tenir la plume, mais il n'est pas guerrier.

Cela paraissait si simple quand Anastasia racontait.

— Allons, reprit-elle. Supposons – hypothèse improbable – qu'il ne cède toujours pas. Ce geste vous soulagera et ce sera son premier mérite, mais j'y vois déjà d'autres avantages.

— Lesquels ? interrogea par curiosité Mme Caillaux, commettant ainsi une erreur de trop.

— En premier lieu, vous montrerez que vous avez voulu réparer une injustice. Dès lors, on se demandera si Calmette a raison d'agir comme il le fait. D'accusée vous deviendrez victime. Le débat portera sur le droit de publier vos lettres et de violer votre intimité. Enfin quoi ! Avez-vous volé, corrompu, sali la France ? Les femmes, les hommes romantiques et la rue prendront votre défense. Croyez-moi, ce coup de feu vous sauvera du scandale. Du moins, il l'étouffera. Ce coup de feu est plutôt un contre-feu, s'amusa Anastasia. Les lettres passeront au second plan et je doute que *Le Figaro* en publie de nouvelles avant fort longtemps.

Elle saisit Henriette par le bras et le secoua fermement :

— Relire vos lettres dans ce journal, est-ce bien ce qui vous torture au point de ne plus penser, ne plus respirer et, bientôt, ne plus vivre ?

Mme Caillaux acquiesça en silence.

— Agissez comme je vous le dis et je prends le pari que vous n'entendrez plus parler du *Figaro* pendant des lustres. Les journalistes ne pourront pas publier vos lettres, et savez-vous pourquoi ?

Le cœur battant, la femme du ministre dévisagea Anastasia.

— Pour la bonne raison, triompha la Russe, que l'on soupçonnerait ces malicieux de vouloir se venger. Ils n'auront plus aucune crédibilité. Ainsi, vous les bloquerez.

À présent, Mme Caillaux hochait la tête, et ce n'étaient pas les pavés de la rue Saint-Honoré qu'il fallait accuser.

— Quand votre Jo sera président du Conseil, asséna celle qu'elle prenait pour son amie, je ne doute pas qu'il puisse agir pour mettre fin à cette odieuse campagne de délation. Le drame sera consommé, le cauchemar effacé. Et, enfin, vous revivrez !

Henriette Caillaux se laissait bercer par cette comptine dont le premier mérite était de lui faire oublier ce qui la menaçait.

— À moins que vous n'ayez une meilleure idée, soupira Anastasia en s'écartant de la Française, sans la quitter des yeux.

Henriette rentra la tête dans les épaules. Après tout, se disait-elle, il n'y avait aucun mal à se munir d'un revolver.

— Alors, que fait-on ? lança la comtesse d'une voix forte.

— Allons toujours chez l'armurier, céda Mme Caillaux.

La comtesse Ivérovitch donna l'ordre au cocher de retourner au rond-point des Champs-Élysées.

— Quel temps perdu ! se moqua-t-elle. Nous étions à deux pas de votre fournisseur.

23

La voiture venait de se ranger. Anastasia marqua un temps. Elle n'ouvrit pas sa portière. Il fallait que Mme Caillaux saisisse la poignée et décide seule de descendre.

— Je me dois de vous dire encore ceci, chuchota la comtesse.

Henriette s'immobilisa.

— Désormais, tout ce que vous ferez n'aura de sens que si vous désirez ne plus être la cible de Calmette.

— C'est mon vœu le plus cher. Il me hante et vous le savez.

— Dès lors, libérez-vous en changeant de rôle. Cessez d'être martyre et pensez-y comme à un jeu dont la règle consiste à sortir d'une situation dans laquelle un autre vous emprisonne.

— Un jeu ! Vous en parlez légèrement, chercha-t-elle à opposer.

Mais sa voix faiblissait.

— Comprenez cette image, soutint la comtesse. Vous entrez dans une partie d'échecs, un jeu attachant, exaltant, faisant appel à la raison, où le triomphe est une affaire personnelle. Osez, car il est temps de montrer à vous-même qui vous êtes. C'est la seule façon de glisser à l'oreille de Calmette : vous voilà échec et mat.

Le cocher s'impatientait.

— Je vous attendrai ici, dit brusquement Anastasia en se calant dans la banquette.

— Pourquoi m'abandonnez-vous ? gémit Henriette.

— Vous serez seule devant ce Calmette. Autant vous y habituer tout de suite. Si vous entrez, je promets que vous aurez le courage d'affronter ce malandrin. Entrez ici, choisissez et décidez. La meilleure façon de vous venir en aide est de vous laisser agir par vous-même.

Un temps infini s'écoula. Du moins, c'est le souvenir qu'en garda la Russe. Puis, Mme Caillaux posa une main tremblante sur la poignée et l'ouvrit lentement.

— C'est bien, Henriette, l'encouragea la comtesse. Vous découvrez ainsi qu'une femme d'honneur est forcément téméraire.

L'épouse du ministre ne répondit rien. Elle descendait, fermait la portière avec précaution, marchait dans la rue à pas lents. Elle progressait et maintenant, elle entrait chez l'armurier Gastine-Renette, sans un regard en arrière.

Malgré le froid, le visage d'Anastasia se couvrit d'une fine rosée de fièvre. Sa bouche réclamait de l'eau. Elle ferma les yeux et se vit plonger dans un bain où se dissolvait la crasse imprégnée dans sa peau et son âme. Elle toussa nerveusement. Ses nerfs étaient à vif, le sang battait dans sa tête. Elle respira profondément. C'était son premier instant vrai depuis qu'elle était entrée dans le salon de thé. Elle secoua sa belle chevelure. Il fallait tenir. Tout et son contraire lui semblaient encore possibles. Elle rouvrit les yeux. De son poste d'observation, elle voyait la vitrine dans laquelle un commis, habillé d'un pantalon et d'un gilet de laine verte, époussetait un assortiment d'armes présentées à la vente. Le reste du magasin demeurait indécis. Des ombres, en somme, et derrière la vitre de la voiture, il devait en être de même pour elle.

Aucun témoin, avait répété le boyard.

24

Un petit homme rond lui avait souri. Et cette seule amabilité suffit pour apaiser le tremblement de ses mains.

— Madame, que puis-je pour vous servir ? s'enquit cet employé jovial en lissant sa moustache du revers de la main.

— À vrai dire, bredouilla la femme, je ne sais trop ce que je viens chercher.

— Diable ! Voilà exactement ce pourquoi je suis ici, lança-t-il d'une voix joyeuse.

Gaston Basson, employé modèle et premier vendeur de l'armurier Gastine-Renette, adorait le métier qu'il exerçait sans se lasser depuis 1901. Plus que la poudre, le bel objet le passionnait. L'arme moulée dans un fin métal, la crosse nacrée, enluminée des initiales de l'acquéreur, voilà qui le réjouissait. Pour lui, cartouche s'accordait au masculin, et les armes se pensaient d'abord comme des armoiries.

— Désirez-vous faire un cadeau ? sonda Basson en tirant sur son gilet qu'un ventre rebondi avait fâcheusement raccourci.

— Je n'ai pas encore décidé, murmura l'inconnue.

Gaston Basson détailla sa cliente. Bien habillée, effacée, maniérée. Et prudente. Une femme bourgeoise qui ignorait tout des armes. Il fallait opter pour la pédagogie.

Le vendeur convint de tenir un discours simple. Il fournirait peu de détails car ils embrouillaient les idées. Déjà, il établissait une sélection qui porterait plus sur l'apparence que sur la performance. En somme, il l'orienterait vers une arme d'apparat, comme si elle choisissait un bijou pour son propre usage. Une petite chose qu'elle se verrait glisser dans le fond de son sac, au côté des jumelles d'opéra. Une arme délicate, légère. Un deux-coups, songea-t-il en se félicitant d'avoir compris si vite.

— J'ai ce qu'il vous faut, fit-il en se frottant les mains.

Il déroula un tapis de feutrine verte et ouvrit le grand meuble vitré qui servait de comptoir. Vingt armes – chefs-d'œuvre des manufacturiers, précisa cet expert – s'exposaient à la tentation. D'une main potelée, mais agile, il saisit un premier modèle qu'il posa dans le creux de ses paumes et qu'il présenta comme s'il s'agissait du saint suaire. Puis, avec autant de précaution, il installa son choix sur le tapis vert.

— Ceci vient de Saint-Étienne. Excellente fabrication française qui surprend par sa légèreté. J'ai aussi ce joyau allemand au fin ciselage. Admirez la nacre de Chine. Prenez-le. Rassurez-vous, il n'est pas chargé.

— Je recherche quelque chose de plus simple, finit-elle par avouer.

Il reposa un pistolet d'excellente facture italienne qu'il s'apprêtait à montrer et redressa la tête.

— Simple, dites-vous. Qu'entendez-vous par là ?

— Sobre et efficace.

Gaston Basson imagina qu'il renseignait une femme trompée dont le projet funeste était d'occire l'amante de son époux. Les deux, peut-être. Or, ce vendeur ne concevait pas son métier sans morale et déontologie.

— Voici l'arme la plus audacieuse et la plus simple d'usage que je connaisse. Un Browning. Pourtant, méfions-nous, car son effet est sans retour. Me fais-je bien comprendre ? C'est pourquoi je ne peux vous la vendre sans prendre certaines précautions. Par exemple, il faudrait me fournir votre nom.

— Madame Henriette Caillaux. L'épouse du ministre, répondit-elle sans hésiter.

Ce nom agit comme un passe-droit. Dès lors, le choix fut rapide.

*

* *

Gaston Basson avait insisté pour que son illustre cliente suivît un entraînement accéléré. Un pistolet d'une efficacité redoutable méritait un peu de doigté.

— Avant de vous décider définitivement, je vous propose de nous rendre au stand de tir qui se trouve ici même, derrière cette porte.

Sans hésiter, Henriette suivit son sherpa. Son parti était pris. Elle ne décevrait ni son mari ni la comtesse Ivérovitch.

Elle se posta devant une cible placée à bonne distance et fit mouche à plusieurs reprises – ce qui étonna Gaston Basson. La chance des innocents, aurait-il dû préciser. Mais, si près de voir aboutir la vente, y avait-il seulement songé ?

— Une action sans retour... Je vous l'avais promis, souffla-t-il.

Mme Caillaux vit plutôt dans ce résultat comme une sorte de garantie. Quand elle commanderait à son bras de faire feu au-dessus de la tête de Calmette, l'arme lui obéirait. Elle retint cette hypothèse favorable, négligeant d'écouter les derniers conseils que le professionnel délivrait à la débutante.

— Méfiez-vous du recul. Après avoir tiré, pensez à redresser votre arme. J'ai remarqué que votre main faiblissait et que vous aviez tendance à viser de plus en plus bas.

— Merci, monsieur. Ce sera tout.
— Tout le plaisir est pour moi, répondit Gaston Basson en fermant derrière elle la porte de l'armurier Gastine-Renette.

25

Henriette se dirigea aussitôt vers le fiacre où patientait la comtesse Ivérovitch. Sa démarche est bien vive, songea cette dernière. De même, ce n'était plus un animal meurtri, apeuré quand elle entra dans la voiture. Elle regarda son amie russe et sourit en silence. Puis, sans prévenir, elle plongea la main dans son sac et en extirpa une boîte en bois qu'elle ouvrit prestement. Dedans, reposait le pistolet.

— Je l'ai, Anastasia. J'ai eu ce courage !

— Bravo, se força la comtesse. Avez-vous pensé aux munitions ?

Elle brandit son trophée. Elle semblait ressuscitée.

— Vous aviez raison, Anastasia, s'emporta Mme Caillaux. Il n'y a rien de plus sot que de tenir une arme. Je m'y suis entraînée.

— Une nouvelle tromperie des hommes, renchérit la comtesse.

— J'ai obtenu les félicitations du technicien bavard qui ne cessait de me vanter mon adresse. J'ai tiré sur une cible placée à plus de dix pas.

— Et pour quel résultat ?

— Calmette a intérêt à m'entendre, s'enflamma-t-elle.

— Dans son bureau, l'affaire sera encore plus simple. Vous vous tiendrez si proche de ce scélérat que vous pourrez le toucher. Mais votre main ne tremblera pas. Et il vous rendra raison sur-le-champ. Allons, ma chère amie, vous allez triompher.

— Je m'en sens capable, murmura la Française d'une voix exaltée.

— Alors, profitez de ce courage pour vous décider.

Henriette se mit à blanchir et son assurance s'envola sur-le-champ.

— Quoi ! Aujourd'hui ?

— Souhaitez-vous agir quand il sera trop tard ? la tança la Russe. Et les lettres, vos lettres ! N'est-ce pas demain qu'elles seront publiées ?

— Peut-être renoncera-t-il ? tenta-t-elle pour s'échapper.

— Avez-vous vu M. Calmette hésiter une seule fois à vous faire du mal ? Chaque jour, et depuis le 5 janvier. Comptez-vous comme moi ? Pas un instant de répit, aucune grâce ! Il vous veut exsangue, proscrite et bannie comme les lépreux. Non, c'est aujourd'hui ou jamais. Et ne comptez pas sur moi pour vous consoler quand il sera trop tard.

Elle fit mine de descendre du fiacre.

— Attendez.

— Je refuse ! Gardez cette voiture, je rentrerai à pied.

Mme Caillaux se vit seule, perdant sa dernière alliée.

— Pitié ! Venez à mon secours.

— Dieu, fit-elle d'une voix humiliante, il vaut mieux que Calmette ne vous voie jamais ainsi ! Il comprendrait alors qu'il a gagné la bataille.

— Cessez ! hurla Henriette. Puisque vous le voulez tant, je vais voir ce monstre. Et je lui ferais rendre raison.

Le visage de la comtesse se radoucit aussitôt :

— Pas dans vos vêtements, reprit-elle en forçant sa gentillesse. Il vous faut une tenue sobre, celle de la femme outragée. Et de quoi cacher l'arme. Sinon, on vous arrêtera dès l'entrée.

Mme Caillaux s'enfonça brusquement dans le coin opposé de l'habitacle et se blottit comme un animal blessé.

— Comment parvenez-vous à penser à toutes ces choses ? s'affola-t-elle.

À cet instant, Anastasia aurait pu se trahir, ou mieux, avouer, mais elle ne resta qu'elle-même. Pourtant, elle crut utile d'expliquer à cette femme à qui elle mentait depuis toujours la véritable raison qui la décidait à se conduire ainsi. Céder à la tentation de tout raconter ? Non, puisqu'il était trop tard, mais pour après, quand tout serait écrit, consommé, qu'au moins Henriette sache ce pour quoi elle agissait.

— En perdant mon père et ma mère sans pouvoir me venger, dit-elle d'un ton tremblant, j'ai souffert, moi aussi. Vous ne le saviez pas, mais Kaliayev, le monstre qui les assassina, refusa de demander pardon. Le tsar crut soulager ma douleur en promettant une grâce s'il se repentait. Mais l'anarchiste préféra mourir plutôt que de s'absoudre de ses péchés. Et il triompha deux fois. J'ai su ainsi qu'il importait de ne jamais céder devant ses ennemis. Jamais ! J'ai appris seule cette leçon, mais il est vrai que je n'avais pas d'amie pour me venir en aide.

Et ce fut l'un de ces rares moments où elle parla sincèrement.

Mme Caillaux saisit sa main avec vigueur :

— Pardonnez-moi d'avoir réveillé cette blessure. C'est entendu, je ne douterai plus. Soyez sûre qu'en réglant son compte à Calmette, je vous vengerai du chagrin que vous avez connu.

Anastasia la serra tout autant, mais en se maudissant :

— Vous êtes si bonne, Henriette. Et si vraie. Pourquoi vous vouloir tant de mal ?

La Française, pensant à Calmette, ne perçut pas le double sens de cette remarque. Tout juste lança-t-elle, portée par l'émotion :

— Ceux qui y songent apprendront qu'il faut désormais se méfier.

Et, fermant le poing, elle frappa plusieurs fois sur la cloison qui les séparait du cocher. Aussitôt, la voiture s'ébranla.

26

16 heures s'effaçaient quand elles arrivèrent chez les Caillaux. De toutes ses forces, la comtesse Ivérovitch tentait de se persuader elle-même que rien d'irréparable ne se produirait. Henriette n'aurait pas à tirer. Au moment même où elle franchirait le seuil du *Figaro*, on l'arrêterait. Le pistolet serait découvert. Le scandale suivrait. Kasparovitch serait satisfait et Henriette, épargnée. Donc sa propre conscience soulagée. Alors, elle repartit au combat, s'accrochant à l'espoir qu'elle servait scrupuleusement le tsar.

— Le temps presse. Essayez vite cette jupe, Henriette.

C'était le 16 mars 1914, un peu plus d'une heure avant le drame. Et la femme du ministre, prostrée, le regard vide, cherchait une dernière fois à échapper à son destin.

— Mettez cette veste. Tournez-vous.

Elle s'était levée. Elle obéissait.

— À présent, le chapeau. Il nous faut du panache. Où se cache celui que vous fîtes rehausser, à l'automne, avec des plumes d'autruche ?

— Dans l'armoire. Sur l'étagère la plus haute.

Elle renonçait. Elle s'exécutait.

— Maintenant, le dernier détail. Il nous faut un épais manchon dans lequel vous glisserez le pistolet.

— Vous en trouverez dans le placard du vestibule.

— Eh bien ! Nous voilà au complet.

— Viendrez-vous ? demanda Mme Caillaux bien qu'elle connût la réponse.

— C'est votre histoire. Elle n'appartient qu'à vous. Souvenez-vous qu'un jour, dans le salon de thé, je vous ai demandé si vous étiez prête à tout pour dominer votre destin. Et vous me l'avez assuré. Aujourd'hui, il est temps de vous prouver que les paroles que vous prononçâtes n'étaient pas de l'orgueil. Comment comptez-vous vous rendre au *Figaro* ?

— J'emprunterai la voiture de Joseph.

— Ne tardez pas. Et venez vers moi que je vous embrasse.

— C'est donc que vous me quittez ?

— Il le faut, mais je prie déjà pour vous. À tout à l'heure, ma chère Henriette. Je brûle d'impatience de vous entendre raconter comment vous avez mouché M. Calmette.

— Embrassez-moi encore, supplia Henriette. Une dernière fois...

Et Anastasia Ivérovitch se demanda comment elle pourrait effacer ce moment-là.

— Vous allez gagner, souffla-t-elle à l'oreille de la Française.

C'était un vœu sincère. Pour le reste, son esprit slave avait décidé que si Henriette devait aller au bout, il en serait ainsi. Plus question de l'influencer. De la sorte, et égoïstement, cette infime et ultime part de liberté la rendait, à ses yeux, moins coupable.

27

Après son départ, Henriette avait pris le temps d'écrire à Joseph, comme ils le faisaient à l'époque où ils étaient amants. *Mon bien-aimé.* Elle leva sa plume. Qu'ajouter sans risque ? Elle ne parla que d'honneur et de justice. De droiture, en somme. Des mots qui pouvaient tomber sous les yeux de ses détracteurs puisqu'ils la grandissaient.

La suite ne fut plus qu'un engrenage qui conduisit, le 16 mars 1914, à dix-huit heures, la femme du ministre Caillaux à vider le chargeur de son pistolet sur le directeur du *Figaro*.

Que s'était-il réellement passé dans le bureau ? Un geste, une parole de trop, et la panique quand Calmette avait fait mine de se lever pour lui arracher l'arme. Elle avait tiré, comme le font les gens inexpérimentés, le doigt sur la détente jusqu'à épuiser les munitions. Gaston Basson, l'employé modèle de l'armurier Gastine-Renette l'avait prévenue. *Après avoir tiré, pensez à redresser votre arme.* Cela n'avait duré qu'un moment, quand les nerfs se bloquent et que le cerveau cesse d'obéir. Les coups s'enchaînaient, et de plus en plus bas jusqu'à perforer le thorax du directeur du *Figaro*. Avait-elle seulement songé à arrêter sa folie ?

Quatre coups au but, seconde après seconde. Et Calmette était mort.

28

Depuis, à la prison Saint-Lazare, Henriette cherche à recomposer son drame. Mais ce n'est que le vide, comme une sorte d'absence.

Le lendemain de son emprisonnement, on lui apporte des livres, des meubles, des effets personnels. C'est donc qu'elle restera dans ce lieu infect, humide, sillonné d'odeurs d'égout. Elle croit son mari qui promet d'agir, de la faire sortir et la questionne encore sur Anastasia Ivérovitch. Comme hier, elle répète ce qu'elle sait. L'arme, les conseils, l'insistance pour faire taire Calmette.

Quand Jo la quitte, Henriette s'interroge.

Pourquoi son amie, la comtesse, ne vient-elle pas la voir ?

PRINCIPE DE GOLGOTHA

Rapport du Neuvième Décemvirat
Paragraphe 7

L'essence même des États est de domestiquer par la contrainte, en usant d'une violence inouïe, la plus grande masse possible d'humains qui produiront de nombreuses richesses que d'autres États ne songeront qu'à prendre par convoitise, ou à détruire par jalousie – car tous les États sont naturellement belliqueux. Ainsi, et tant que les États existeront, la guerre restera inévitable. Dans L'Art de la guerre, *Sun Tzu déclare : « La guerre est d'une importance vitale pour l'État. » Écrits voilà trois mille ans, ces mots sont universels. Tous les États ont fait et referont la guerre, sans que rien ni personne ne puisse s'y opposer, et il en sera ainsi tant que l'État s'affirmera souverain.*

La souveraineté, qu'elle soit royale ou populaire, qu'elle s'inspire de l'élite ou du plus grand nombre, est, par définition, dictatoriale parce qu'elle permet à l'État d'imposer son point de vue aux citoyens. La notion de souveraineté interdit, en effet, à toute autorité individuelle de se placer au-dessus du souverain. De sorte que rien ni personne ne saurait le juger. L'État, ce mandataire à qui l'on délègue la souveraineté, peut donc à loisir produire toutes sortes de tyrannies. Quelles que soient les actions produites, qu'elles émanent d'un parti, d'une assemblée, d'une religion, d'un groupe ou d'un prince sanguinaire, l'État, cette idée abstraite, sans commencement ni fin, cette hydre impalpable, cette notion immatérielle, se met par le simple fait de sa souveraineté à l'abri des poursuites. L'État est donc inattaquable, sauf, à lui faire la guerre, ce qui se produit souvent puisqu'il n'existe que ce moyen humain pour mettre fin à ses exactions.

Ainsi, on prétend engager la guerre par humanité, pour faire avancer la démocratie, ou encore, affirme-t-on, pour libérer les peuples asservis, pour leur apporter les lumières de l'esprit et du savoir d'un État qui, par ses exactions, entend mettre fin aux crimes précédents. Sun Tzu a raison. La guerre est vitale pour les États car sans elle, ils n'existeraient pas. Tant qu'il y aura l'État, la guerre restera donc inévitable et pour que celui-ci disparaisse, il faut entrer en conflit. Cercle vicieux et vertueux à la fois, la guerre est inéluctable et utile.

Les Magistrats du Troisième Décemvirat ont défini les bénéfices des guerres selon le Principe de Golgotha. Pour faire avancer notre cause, un conflit doit être long, traumatisant, ruineux en hommes, coûteux en or, catastrophique pour les femmes et les enfants, tragique pour les vieillards, désespérant pour l'ordre moral, ravageur pour le commerce, l'industrie, la paysannerie, dévastateur d'idées, de progrès, amplificateur de révoltes, de chaos sociaux, accélérateur de maladies, d'épidémies. En somme, créateur de crises, de doutes – et destructeur pour la civilisation de l'État.

En ce sens, la guerre de 1914-1918 a donné d'excellents résultats. En étudiant le cas de la France, on note que cet État de 39 millions d'habitants dénombrait 1,4 million de morts à la fin de ce conflit sur un total arrondi à 9 millions. Mais à ce résultat cyniquement comptable, il faut ajouter plus de 4 millions de blessés dont une partie importante de mutilés et de gazés – des bouches inutiles que l'on dut soigner et consoler pendant de nombreuses années –, ajoutant ainsi un coût énorme au sacrifice initial. Sur la question économique, on retient que pas moins de 289 000 maisons furent entièrement détruites.

Plus de meubles, plus de livres, plus d'assiettes, plus de vêtements, plus aucun souvenir, plus aucun jouet d'enfants. Et que resta-t-il de sain dans les 442000 qui furent « simplement » endommagées ? Rien de plus utilisable que ces 3 millions d'hectares de terre devenus inexploitables du fait des combats. Trous d'obus, cadavres putrides, microbes, virus, persistance de produits chimiques comme le gaz moutarde, humus insalubre... Pour 116000 hectares de terre arable, de bosquets, de champs verdoyants, aimés et cultivés par des générations de paysans, le prix de leur remise en état fut jugé trop élevé. On en fit des cimetières pour soldats inconnus, des glacis, des no men's land*, des déserts artificiels. Mais à quoi auraient pu servir ces terres puisque dans les contrées où se déroulèrent les combats, 80 % des chevaux et 90 % des bovins furent tués ? L'État fit des calculs dérisoires et, sans manifester le moindre remords ou la plus petite excuse, annonça que les dommages commis se montaient à 130 milliards de francs-or.*

Et à Golgotha, combien cette guerre pouvait-elle rapporter ? « La guerre est inéluctable, m'expliquait l'Archange, à Anvers, le 17 mars 1914. Mais pour qu'elle soit profitable et utile, il faut l'organiser selon nos vœux. » Et plus l'Archange parlait, plus je comprenais son dessein : un embrasement mondial dont les États ne se remettraient pas.

Un cataclysme de cette nature nécessitait encore quelques efforts, quelques mensonges et quelques crimes. L'élimination de Caillaux était le premier acte d'une pièce dans laquelle les victimes étaient déjà connues. Caillaux avait subi en tête les aléas d'un plan implacable et abject, fondé sur de fausses accusations. Ainsi, les supposés accords secrets entre lui et des intérêts allemands n'étaient qu'un montage, inspiré par l'imprudence de cet homme qui avait laissé entre les mains d'une cocue des lettres qu'il suffisait de manipuler. Maintenant, il devait céder au chantage. Il quittait le pouvoir et lui, au moins, il aurait la paix. L'accord était équitable, digne d'intérêt selon le principe de Golgotha puisque chaque partie y gagnait. « Et c'est vous qui surveillerez son application », m'annonça l'Archange. Je devais donc rentrer le jour même à Paris où d'autres alliances restaient à bâtir. « Des intérêts égaux, où chacun trouvera son bénéfice », avait-il ajouté en me laissant monter dans le train qui me ramenait en France.

29

Le 16 mars 1914, une heure après la mort de Gaston Calmette, la comtesse Ivérovitch pousse la porte à tambour de l'hôtel de monsieur Ritz, situé au 15 de la place Vendôme. Un groom, portant fièrement son fameux gilet *bleu Ritz* enluminé de boutons dorés, la salue et lui sourit, l'œil pétillant de malice. Le gamin a l'audace de ses seize ans et il nage dans le bonheur. Depuis un an, il travaille dans le plus bel hôtel du monde. Il le sait et ne compte pas ses efforts pour mériter sa place et connaître son métier sur le bout des doigts. Pourtant, personne ne s'étonne qu'il n'ait pas ouvert la porte du *Ritz* à la comtesse russe. Il a appris qu'il plaisait à cette habituée de le faire elle-même. C'est, explique-t-elle chaque fois à Jean, le concierge en chef, son premier bonheur : ce geste seul agit comme si elle entrait chez elle.

— Et c'est parfaitement le cas, madame la comtesse. Vous voilà de nouveau dans ce qui se veut votre propre maison.

Depuis, chasseurs, grooms, valets de chambre, caméristes, maîtres d'hôtel, voituriers savent que la comtesse apprécie ce moment particulier où elle arrive au palace et s'en amuse. Et tous s'effacent sur le côté, la saluent comme vient de le faire le petit groom, non comme une amie, car l'attitude serait trop personnelle, mais telle l'invitée qu'on a plaisir à revoir et qui sait, revenant d'un long voyage, qu'ici tout est prêt, et que rien n'aura changé.

— Bonsoir, madame la comtesse, claironne Georges, le groom.

Il relève l'œil pour admirer la jeune femme habillée par Gabrielle Bonheur Chanel, une brillante couturière installée à deux pas du *Ritz*, dans la rue Cambon. Le petit Georges hume le parfum de la dame russe qu'Adrienne, mannequin vedette de celle qu'on appelle désormais Coco Chanel, promène également sur son passage quand elle foule, de ce pas léger qui fait rêver les hommes, la moquette or et rouge de l'immense galerie qui relie depuis peu le palace à la rue Cambon[1].

— Bonsoir, madame la comtesse, répète-t-il.

Pour la première fois depuis qu'il la sert, Anastasia ne répond pas. L'affaire le chiffonne. Serait-elle préoccupée par de graves soucis ? Mais comment le savoir quand on n'est qu'un simple groom ? Un jour, en gagnant des galons, il deviendra peut-être l'adjoint de monsieur Jean, le concierge en chef du *Ritz*. Alors connaîtra-t-il l'immense faveur de partager les grands et les petits secrets de ses hôtes quand ceux-ci s'avancent vers l'homme aux clefs d'or pour lui demander de débloquer l'un de leurs innombrables problèmes. Des orchidées à porter à une ballerine de l'Opéra Garnier dont on ignore le nom ; une table voisine de celle de Sarah Bernhardt, pour le plaisir de l'entendre déclamer Phèdre maudissant Vénus ; un bijou, acheté à deux pas chez un joaillier de la place Vendôme et à livrer discrètement à Londres ; un anniversaire surprise composé d'un orchestre à cordes qui se présentera à la porte de la chambre de monsieur pour lui jouer une valse de

1. En 1910, l'hôtel s'agrandit jusqu'au 38 de la rue Cambon et jusqu'au 17 de la place Vendôme. En 1912, c'est l'ouverture de la grande galerie. D'une longueur de 110 mètres, elle relie la place Vendôme à la rue Cambon.

Strauss, sans oublier le champagne Monopole qu'il adore, et un gâteau de nougatine glacée réalisé par le chef Auguste Escoffier. Georges se sent déjà prêt pour ces missions dignes d'un chevalier de la Table ronde. Mais pour l'heure, il se courbe. Pourquoi n'a-t-il pas droit à un sourire ?

Le groom ignore tout des tourments d'Anastasia Ivérovitch.

30

Le boyard lui a dit de ne rien changer à ses habitudes. Quel est son programme ? Un dîner au *Ritz*. Très bien. Elle s'y rendra. Avec qui ? Le grand-duc Michel de Russie, de passage à Paris avant son retour en Russie. Parfait. Il faut qu'on la voie et c'est encore mieux s'il s'agit de converser avec le frère du tsar, Nicolas II[1].

— Bonsoir, Jean.

— Ah ! Madame la comtesse. Permettez-moi, au nom de monsieur Ritz, de vous souhaiter la bienvenue.

— Avez-vous des messages pour moi ?

La tradition veut que, dans ce palace, les hôtes prestigieux et les gens de lettres laissent et reçoivent du courrier. Jean sonde un casier et en extrait une note non cachetée.

— M. Proust nous fait savoir qu'il souhaiterait vous avoir à sa table demain ou après-demain. Que dois-je lui répondre ?

— Ce sera avec plaisir.

— Et quel jour ?

Ne modifier en rien ses habitudes, se répète-t-elle.

— Disons demain. Merci, Jean.

1. Le grand-duc Michel de Russie a quitté la Russie en 1911 pour épouser Natalia Cheremetievska. En 1914, il revint en Russie à la demande de Nicolas II.

— Tout le plaisir est pour moi, madame la comtesse. Désirez-vous autre chose ? insiste-t-il, surpris par l'air épuisé et le teint terriblement pâle de la Russe.

— Oublier cette journée, sourit faiblement Anastasia. Mais malgré tous vos efforts vous ne pourriez m'aider.

— Hélas, il est certains moments marqués d'une croix noire.

Elle allait pour partir, elle interrompt son mouvement. Un signal d'alerte retentit dans sa tête. Jean est l'un des hommes les mieux informés de Paris.

— Quelle mauvaise nouvelle pourriez-vous nous apprendre ? lâche-t-elle d'une voix sèche.

Jean s'avance et penche la tête au-dessus de son bureau :

— Savez-vous pour le drame ? chuchote-t-il.

— Ainsi présenté, je ne peux vous répondre, s'énerve-t-elle.

— Pardonnez-moi, madame la comtesse. Sans doute, l'émotion.

— Allons ! Est-ce la guerre ?

— Disons un coup de feu.

Le sang d'Anastasia se glace.

— Il y a une heure, Mme Caillaux, la femme du ministre, a tué Gaston Calmette, le directeur du *Figaro*.

— Mon Dieu ! Vous dites qu'il est mort ?

Elle se sent défaillir. Elle s'accroche au bureau du concierge.

— Madame la comtesse !

Elle ne veut plus entendre, et préfère s'échapper dans le brouillard qui peu à peu l'étouffe. Elle croit voir Jean penché sur elle, et aussi le petit groom et plein d'autres gens encore. Mais quelle importance, elle s'évanouit.

31

Plus tard – mais quand ? Peut-être dans la nuit.

Il y a des chuchotements et des ombres qui se tiennent loin d'elle. On l'ignore. On ne sait pas qu'elle vient de se réveiller. On parle d'elle. On s'inquiète. Le pouls est bas et son absence trop longue, trop profonde. En ouvrant imperceptiblement les paupières, Anastasia cherche qui est là. Elle aperçoit la silhouette élancée du grand-duc Michel de Russie. À ses côtés, le petit homme moustachu doit être le directeur et, parlant aux deux, sans doute, le détective de l'hôtel, ou pis, un policier. Viendrait-on lui poser quelques questions ? Son imagination se déchaîne. Elle se voit affrontant un sévère interrogatoire : est-il exact que vous avez accompagné Mme Henriette Caillaux chez l'armurier ? A-t-elle raison d'affirmer que vous lui avez conseillé de tirer sur Calmette ?

Son cœur s'emballe, elle gémit, bouge la tête. Cela suffit pour que l'inconnu se tourne vers elle :

— Je crois qu'elle revient.

Le grand-duc le saisit par le bras :

— Je vous en prie, docteur, assurez-vous qu'elle est hors de danger.

Un médecin ! Et il lui sourit et il prend son pouls, touche son front pour s'assurer que la fièvre tombe. Puis, il lui tend un verre d'eau coloré d'une poudre orangée.

— Buvez, dit-il doucement, cela vous apaisera.

Anastasia tente de se redresser. Le grand-duc s'avance à son tour, se place à ses côtés et lui prend délicatement la main.

— Glissez ce coussin derrière son dos, ordonne le médecin.

Le grand-duc s'exécute.

Un médecin... Et Anastasia reconnaît celui du *Ritz*.

— M'entendez-vous parfaitement ?

Elle baisse les yeux en signe d'assentiment.

— Respirez-vous normalement ? Vous sentez-vous oppressée ?

— Je vais bien, merci, glisse-t-elle d'une voix lasse.

— Un voile devant les yeux ?

— Rien, je vous l'affirme.

L'examen s'achève, il se redresse enfin.

— Elle est hors de danger, diagnostique-t-il, en s'adressant à Michel de Russie.

— Je fais monter une de nos employées, s'interpose le directeur du *Ritz*. Et bien sûr, la comtesse Ivérovitch est notre invitée. Elle passera la nuit ici.

— Merci pour votre accueil, répond le grand-duc. Je mettrais moi-même à disposition de la comtesse mes gardes cosaques. Ils demeureront au pas de la porte. Au moindre signe d'inquiétude, ils accourront.

— Quant à moi, conclut le médecin, je dors à l'hôtel. Maintenant, laissons la comtesse se reposer. Je passerai la voir plus tard, dans la nuit.

— Messieurs, merci pour tout, conclut le grand-duc. Je reste à ses côtés en attendant l'arrivée de la femme de chambre.

Michel de Russie se place déjà devant la porte qu'il ouvre, invitant les deux hommes à sortir. De fait, il semble impatient de se retrouver seul avec Anastasia.

32

— Eh bien, vous nous avez fourni l'occasion d'une belle frayeur.

Le grand-duc s'exprime d'une voix posée. Son élégance calculée, ses gestes assurés et parfois cassants marquent le rang princier de ce membre important de la famille impériale. Depuis son départ de Russie, il court les capitales et les palaces européens, mais il sert aussi le tsar et la Russie. Son éloignement, à la suite de son mariage avec Natalia, n'a pas distendu les liens de sang. Et ce n'est pas un hasard si, ce soir, il devait dîner avec la comtesse Anastasia Ivérovitch.

— Que s'est-il passé ? murmure la Russe.

— Tout va bien, glisse le grand-duc dans l'espoir de l'apaiser.

— Henriette Caillaux a-t-elle vraiment assassiné Calmette ?

— Oui, répond calmement le frère du tsar. Elle a tiré six balles et plusieurs l'ont touché au thorax. Il est mort alors qu'on le transportait dans une clinique de Neuilly.

— Mon Dieu ! Et c'est moi qui suis responsable...

Le grand-duc s'empare d'une chaise et s'assoit auprès de la comtesse.

— J'ai été prévenu de cette affaire, commence-t-il en parlant à voix basse. De même, le tsar m'avait informé de sa décision de vous confier la surveillance de Mme Caillaux.

— Vous ?

Il sourit. Il se veut rassurant, mais son regard est sans chaleur.

— Le fait d'avoir vécu quelques années hors de la Russie n'a rien ôté de mon attachement à la patrie. Le tsar sait qu'il peut compter sur moi et m'a d'ailleurs demandé de l'informer personnellement de votre travail, dont j'espérais entendre l'essentiel en dînant avec vous. C'est ainsi pour les dossiers jugés capitaux et vous n'imaginez pas combien ce fut le cas pour cette mission. En premier lieu, je dois vous féliciter au nom du tsar que j'ai déjà tenu au courant des résultats obtenus.

— Car vous considérez comme une victoire la mort d'un homme et le déshonneur d'une femme devenue par ma faute criminelle !

— Je vous en prie, comtesse Ivérovitch ! L'ennemi, quand il frappe, montre moins de compassion. Vous avez agi pour le bien de la Russie.

— Cette idée ne me console pas, rugit-elle en cherchant à se relever.

D'un geste ferme, et rassurant à la fois, le grand-duc la force à se rallonger. Il fronce les sourcils, se montre contrarié :

— Je voudrais adoucir votre peine, mais vous ne pouvez m'obliger à trahir un secret d'État.

Le visage d'Anastasia se couvre de larmes :

— De grâce, aidez-moi. Pour vivre encore, je dois savoir la vérité. N'ai-je pas droit à votre pitié ? Ne suis-je pas digne de la confiance que je vous ai montrée ?

Le grand-duc hoche la tête. Il apprécie la comtesse et fut proche de ses parents. C'est là sa seule émotion.

— Auriez-vous oublié qui est la comtesse Ivérovitch et ce qu'elle fit pour vous ? lance-t-elle enfin, et d'un ton glacial.

Michel de Russie n'est pas tsar[1]. Il n'en connaît ni les avantages ni les charges. Sa force ou sa faiblesse est sans doute de prêter plus attention aux sentiments humains. Voici le seul défaut de sa cuirasse. Alors, il se penche vers Anastasia et lui prend la main :

— Ce n'est pas Gaston Calmette que nous visions.

— Je le sais, s'agace-t-elle. Il s'agissait d'abattre Joseph Caillaux. Le tsar m'en a parlé.

— Vous a-t-on dit aussi qu'il était l'ami des Allemands ? s'aventure le grand-duc, vexé de ne rien lui apprendre. C'est un pacifiste !

— Il n'est pas le seul, et moins que Jaurès. Songez-vous à assassiner tous les partisans de cette cause ?

— Anastasia ! Nous ne cherchions qu'un scandale pour organiser la chute de Caillaux.

— Il se termine dans le sang !

— Calmez-vous. Sinon, j'en viendrai à regretter de vous parler aussi franchement, et bien plus que je n'y suis autorisé.

— Vous n'avez pas besoin d'en dire davantage, rétorque-t-elle en détournant la tête. Je redoute trop ce que cache votre détermination.

— Notre défense, veut plaider le grand-duc.

— Au prix d'actions tragiques dont je n'ose imaginer la cause. Mais que cherchez-vous en employant les méthodes des tueurs fanatiques que nous combattons et qui martyrisent la Russie ? Est-ce ainsi que vous comptez nous sauver ? En tuant chaque fois que l'on tue !

— Anastasia Ivérovitch !

— Quels que soient vos projets, combien vous faut-il de victimes ? Après Gaston Calmette et Henriette Caillaux, à qui le tour ! hurle-t-elle.

---

1. En mars 1917, Nicolas II abdiquera en sa faveur. Mais le grand-duc ne gouvernera qu'un jour. L'acte d'abdication laissera cependant entendre le possible retour d'une monarchie...

Le grand-duc soupire lourdement. Ses yeux sondent la comtesse. Il y voit la colère, l'incompréhension.

— Plutôt que de mal juger votre tsar, écoutez-moi ! lui ordonne-t-il. Nous voulions la mort politique de Caillaux pour la seule raison que nous devons protéger notre entente avec la France. Que recherchait Caillaux ? Un accord de paix avec l'Allemagne qui pouvait alors se tourner vers nous en toute impunité et nous attaquer. Il fallait empêcher cette alliance désirée par lui. Or, plus rien ne pouvait arrêter son ascension. Souhaitiez-vous vraiment que la Russie devienne la proie de l'Allemagne ?

Elle se tait.

— Ce n'est pas un mort, comtesse Ivérovitch, mais des millions que vous auriez à regretter. Est-ce ce que vous voulez ?

Elle baisse les yeux.

— Répondez, Anastasia ! gronde-t-il.

— Selon vous, un innocent ne compte pas, murmure-t-elle. Ce n'est qu'un détail, mais moi, je le vis comme un sacrifice de trop, un geste indigne de la Russie. Le sang ne peut qu'appeler le sang.

— Mme Caillaux est vivante, se défend le grand-duc.

— Mais crucifiée comme criminelle. Ne l'oubliez pas lorsque vous fêterez votre victoire.

Il ne répond rien.

— Et quoi que vous fassiez, cingle-t-elle, elle vivra cette tragédie.

Le grand-duc se lève. Il toise Anastasia. Il chasse son impatience en tirant sur sa veste.

— Tout se négocie, lance-t-il soudainement en serrant les dents.

— Ainsi, tout est convenu d'avance, murmure-t-elle en pensant aux paroles de Kasparovitch qui jurait sur sa vie de sauver Henriette.

— Caillaux abandonne, murmure-t-il, et le combat cesse. Voilà tout ce que je peux vous promettre.

On frappe à la porte. Une femme de chambre s'annonce. Elle vient tenir compagnie à la Russe.

— Dormez, maintenant. Et pas un mot sur cette conversation.

— Mais comment oublier le reste ?

— Vous ne craignez rien, répond-il pour échapper à la question. Au cours des prochains jours, ne changez pas vos habitudes. Bientôt, vous et moi, nous rentrerons chez nous, en Russie. On nous y attend. Et tout sera entrepris pour vous venir en aide.

Il prend sa main et s'incline :

— Le tsar est fier de vous.

— Et qu'en pense Michel de Russie ?

L'amertume se glisse sur son visage :

— Son rôle est de soutenir Nicolas II.

— Sont-ce les seuls mots que vous ayez à me dire ?

Il hésite avant d'ajouter :

— Si la Russie comptait plus de tempéraments trempés comme le vôtre, nous n'aurions pas eu besoin d'user de ces extrémités. Tâchez de dormir, comtesse Ivérovitch. Je veille personnellement sur vous.

Cet aveu sera sa seule concession à la raison d'État.

33

Ne rien changer.

Anastasia a toutefois décidé de séjourner au *Ritz* pour une période qu'elle se refuse à évaluer. Dans ce palace où l'on s'étourdit, elle pense sans doute qu'elle pourra oublier. Le lendemain matin, elle tente de lire *Le Figaro*. La rédaction se déchaîne contre les Caillaux. La mort de Calmette n'a servi à rien puisqu'on promet de nouvelles révélations. Cette fois, le ministre ne pourra pas échapper au scandale. Les tractations secrètes qui ont permis de débloquer la crise d'Agadir de 1911 seront dévoilées. On accuse nommément Caillaux d'avoir, à l'époque, négocié sans l'accord du gouvernement l'ouverture des colonies françaises d'Afrique au commerce allemand. On oublie de préciser que la France y a gagné le contrôle du Maroc et qu'indirectement la guerre contre l'Empire germanique fut ainsi évitée. Mais on attaque sans vergogne, puisque le sang a coulé. À midi, les couloirs du *Ritz* sont envahis par une nouvelle rumeur. Caillaux va démissionner. Les railleries suivent. Exit le ministre arrogant, sûr de lui, héraut du bloc de la paix qui rêvait « gauchement » d'entraîner le peuple, et Jaurès. Caillaux n'est plus que le mari d'une tueuse.

Anastasia Ivérovitch s'enferme dans sa chambre et demande qu'on lui fasse porter des effets personnels qui se trouvent dans l'appartement de l'avenue Montaigne qu'elle loue lorsqu'elle se trouve à Paris. Georges, le petit groom du *Ritz,* accompagne la femme de chambre chargée de cette mission. Il a l'œil curieux, mais la volonté de bien faire. En entrant dans la chambre de la comtesse, son cœur bat plus vite. La femme de chambre est au travail. Elle ouvre les penderies, plie soigneusement les vêtements. Que lui a-t-on dit ? Quelques jours ? Deux malles, c'est suffisant, décide-t-elle en choisissant des dessous en soie. Le groom s'aventure et se fait curieux. Là, sur la table de chevet, il y a la photo d'un couple et d'une jeune fille posant, un jour d'hiver, devant une belle et grande maison en bois recouverte de neige. Autour, ce n'est qu'infiniment plat et blanc. Est-ce la datcha dont lui a parlé une fois la comtesse ?

— Georges, laisse cette photo ! ordonne la femme de chambre. Aide-moi plutôt à porter cette malle.

Le garçon soupire et va pour obéir, mais en reposant la photo, il reconnaît la jeune fille. Il s'agit de la comtesse plus jeune et tout aussi belle, et l'homme et la femme qui se trouvent à ses côtés ont l'âge d'un père et d'une mère. Georges se dit qu'il fera plaisir en l'emportant.

— Georges !

— J'arrive, grogne-t-il.

Et il prend aussi cet étui à cigarettes finement ciselé dans l'or et un petit livre ancien, *Le Prince* de Machiavel, deux objets posés sur sa table de chevet. C'est donc qu'elle y tient ? La femme de chambre ferme déjà les malles. Mais avant, Georges a glissé dedans ses trésors.

*

* *

À dix-huit heures, Jean, le concierge du *Ritz,* fait annoncer à la comtesse Ivérovitch que ses deux malles sont montées dans sa chambre. Dans la première, elle trouve le livre de Machiavel. Elle s'en saisit, caresse sa couverture et l'ouvre à la page de garde. La Vérité des Forts, celle que connaîtront les hommes quand viendra Golgotha. Le souvenir de l'entretien avec le tsar resurgit. Obéir le moment venu. Demain, connaîtra-t-on l'Apocalypse, comme l'affirmait Igor Kasparovitch ? Elle pose l'ouvrage sur le lit, ouvre la seconde malle où elle trouve de quoi s'habiller pour le dîner auquel l'a conviée l'écrivain Marcel Proust.

Obéir, encore. Ne rien changer à ses habitudes.

34

Ce soir, à la table de Proust, se pressent le prince Ouroussoff, Anastasia Ivérovitch et Boni de Castellane. L'écrivain reçoit dans un petit salon donnant sur les jardins intérieurs du *Ritz*. Les larges fenêtres ouvrent sur ce paradis de verdure où se mêlent arbres et fleurs bercés par des nymphes figées dans leur marbre blanc. L'onde fluide des jets d'eau du bassin presse le temps qui, lui, ne songerait qu'à s'arrêter. Marcel Proust porte un épais manteau de fourrure, mais personne ne s'en étonne. L'écrivain, dont la santé est fragile, redoute l'air frais du mois de mars. Le dandy Boni de Castellane[1] est assis à la gauche de la comtesse russe et c'est peut-être ce qu'il lui faut pour tenter d'oublier.

— Chers amis, lance Proust en faisant tinter une cuillère sur le bord de son verre en cristal, voulez-vous entendre M. Olivier Dabescot nous détailler le menu confectionné par le maître Escoffier ?

— J'en salive d'avance, s'esclaffe Boni de Castellane.

Il porte une veste grise et une chemise rose pâle rehaussée d'une cravate bleu clair dont la teinte se

1. Comte Boniface (dit Boni), Marie-Ernest, Paul de Castellane. Député des Basses-Alpes (jusqu'en 1910). Servit au 15e régiment de chasseurs. Il épousa en 1895 Anna Gould, la fille du «roi» des chemins de fer américain. Il mena une vie romanesque et fut ami de Proust.

marie aux saphirs pleinement carrés qui enluminent des boutons de manchette en or. Les mains accrochées au gilet de soie grise, Boni de Castellane plastronne et sourit à l'assemblée. Ce charmeur d'âge mûr est vif comme l'éclair. Ses mots sont redoutables, mais sa canne est encore plus dangereuse. Il s'en sert parfois pour corriger ses détracteurs. Prudence à ceux qui le provoquent. Il faut se méfier de cet homme à l'élégance audacieuse.

— Monsieur Dabescot ?

Proust n'a pas élevé la voix. Pourtant, le maître d'hôtel se montre déjà :

— Le choix est cruel, glisse-t-il d'un air entendu et subtilement complice. Notre cuisinier a besoin de votre aide.

— Eh bien ! Travaillons, s'interpose Boni de Castellane.

— Un potage vénitien ou de jeunes asperges sauce Riche ? reprend Olivier Dabescot. Un chaud-froid de perdreau à la gelée ou une selle de pré-salé à la portugaise suivie d'un salmis de faisan à l'ancienne ?

— Et qu'en est-il de l'apothéose ? se renseigne Proust.

— Des pêches Melba, répond sobrement Dabescot.

— Qu'ont-elles de si particulier ? s'intéresse le prince Ouroussoff.

Proust ne résiste pas au plaisir de raconter cette anecdote :

— La soprano australienne Nelly Melba dînait au *Ritz*. Au moment du dessert, elle vint à hésiter entre la glace et les pêches. Escoffier trancha ce débat cornélien en inventant l'extravagante pêche Melba. Goûter, c'est déjà commettre un péché. Laissez-vous faire, prince Ouroussoff...

— Oui, ne choisissons pas, lance Boni de Castellane. Laissons-nous manœuvrer par ce diable d'Escoffier.

Il se tourne vers Anastasia :

— J'ai renvoyé mon cuisinier. Il ne pouvait rivaliser avec ce chef-ci.

— Et pour le vin ? interroge encore Marcel Proust.

— Champagne, mais aussi du saint-julien. Et pour finir, du sherry.

— Plutôt du Grand Marnier ! intervient le prince Ouroussoff.

— Vous ne pourriez faire plus plaisir à monsieur Ritz, rétorque le maître d'hôtel en s'inclinant[1].

Le comte de Castellane, lui, se demande ce qu'il pourrait faire pour que brillent les yeux éteints de sa voisine.

— Maintenant, conclut Proust, laissons agir le nouveau Lucullus[2].

Dabescot plie le buste. Aussitôt, une armée de serviteurs se presse autour de la table alors que la conversation s'engage. Le maître d'hôtel en profite pour se rendre aux côtés de la Russe. Il se penche à son oreille :

— Madame la comtesse, j'ai un message qui vous est destiné. Son porteur me dit qu'il s'agit d'une urgence et j'ai pensé...

— Donnez, je vous en prie.

Anastasia se saisit de la carte de visite que lui tend Dabescot. Elle lit : *Joseph Caillaux. Ministre des Finances de la France.*

Ne rien changer.

Mais l'air se dessèche dans sa gorge.

— Il est là ? insiste Anastasia d'une voix blanche.

— Ce monsieur attend dans le salon du *Five o'clock tea*. À cette heure-ci, il est vide. Vous ne risquez pas d'être dérangés, ou même d'être vus, glisse Dabescot sans se troubler.

— Que veut-il ?

---

1. En 1880, Louis Alexandre Marnier-Lapostolle fit goûter à César Ritz une liqueur de sa composition dans laquelle se mêlait au cognac une variété d'essence d'orange qui devint le « Grand » Marnier puisque Ritz l'appréciait ainsi.

2. Célèbre cuisinier romain connu pour ces créations culinaires à la fois merveilleuses au goût et originales à la vue.

— Il promet de ne pas bouger tant qu'il ne vous aura pas rencontrée. Que dois-je lui répondre ?

— Rien, claque-t-elle. Je m'en charge.

— Prenez votre temps. Je ferai patienter la table avec des croquembouches, ajoute ce serviteur dévoué d'une voix égale.

— Auriez-vous un problème ? s'interpose Boni de Castellane, la main sur le dossier de sa chaise et prêt à bondir.

Son œil est sur la carte de visite. Il tente de lire le nom. Anastasia emprisonne le bristol dans sa paume.

— D'aucune sorte.

— Souhaitez-vous être accompagnée ?

— Il est préférable que je me rende seule.

35

Le salon du *Five o'clock tea* est une autre invention de César Ritz. À Londres, alors qu'il dirigeait l'hôtel *Savoy*, il y pensa comme à une façon élégante de se joindre à la libération des femmes qui se voyaient interdire l'entrée des bars. Le thé, quoi de plus *lady* ? Au *Ritz*, ce salon décline la teinte rose pêche, des murs aux abat-jour, en passant par les serviettes de table, et ce n'est pas sans rappeler le goût de Marie-Louise, épouse du propriétaire, qui a imposé cette même nuance pour les serviettes de bain des chambres et le linge de maison. De fait, la douce bonbonnière du *Five o'clock tea* adoucit et met en valeur le teint des femmes qui rendent grâce à celle qui les comprend si bien.

Dès la nuit tombée, le salon est faiblement éclairé. Près de la cheminée, assis à une table, on aperçoit un homme habillé de noir. Anastasia se présente face à lui sans hésiter. Et lui, il se lève pour l'accueillir.

Joseph Caillaux n'a rien perdu de sa superbe. Il porte un œillet à la boutonnière et tient son monocle à la main. Il détaille Anastasia alors qu'elle s'assoit. À cet instant, il ne montre aucune colère.

— Je pensais que vous ne viendriez pas, débute-t-il en s'inclinant.

— Pourquoi de telles pensées ? s'essaye-t-elle, mais sa voix, elle le sait, sonne faux.

— Ne suis-je pas pestiféré ? persifle-t-il brusquement.

— Comment se porte Henriette ? rompt sobrement Anastasia dans l'espoir de l'apaiser.

— Beaucoup moins bien que lorsque vous dissertiez sur son sort, en lui désignant Calmette comme son pire ennemi.

Anastasia serre les mains. La partie s'engage.

— Je regrette sincèrement les mots que j'ai prononcés. Mais il faut accuser ma maladresse, et elle seule.

— J'en doute ! Vous avez influencé mon épouse, continue-t-il d'une voix de plus en plus dure. Et tout me porte à penser que vous le fîtes dans l'intention de nous nuire.

— Je n'imaginais pas qu'elle en viendrait à de telles extrémités, se défend-elle. Et je ne voulais pas la mort de cet homme.

— Alors, pourquoi lui avoir conseillé de se servir d'une arme ?

— Permettez-moi de vous donner ma propre version des faits. Je...

— C'est inutile, tranche Caillaux.

Il se saisit d'un verre d'eau et le vide d'un trait, le dos cambré, la nuque raide. Cet homme est calme, décidé, dangereux.

— Vous, comtesse Ivérovitch, complice d'un crime...

— Allons, Monsieur ! Vos mots sont trop forts.

— Je sais pour votre rôle, souffle-t-il. Mais en vous observant, et bien que connaissant tous les vices de l'âme humaine, quelque chose en moi s'interdit de vous imaginer foncièrement cruelle. Se peut-il que vous soyez, vous aussi, victime de ces ignobles manœuvres ?

— De quoi parlez-vous ? ne peut s'empêcher de demander la Russe.

— Non, se reprend-il en secouant la tête, soufflant le chaud et froid et avançant en habile tacticien. Je refuse de tomber dans votre piège. Pour une part, vous êtes coupable. Même si, ajoute-t-il aussitôt, je doute que l'on vous ait exposé ce que cachait cette cabale. Ma perte ? jette-t-il avec fureur. Une simple anecdote. Le reste est si inhumain que je ne me résous pas à vous savoir complice d'une telle abomination.

Il se sert encore de l'eau, mais ne fait que la regarder. Ses épaules sont rentrées, sa superbe, un instant, s'est envolée. Quand il se redresse, la colère qui brillait dans ses yeux coudoie le découragement.

— Dois-je imaginer que vous êtes naïve, comtesse Ivérovitch ?

— Dites-moi ce qui vous y fait penser et je vous répondrai.

— Comment vous croire ? réplique-t-il pour la faire encore douter.

— Je jure devant Dieu que je ne voulais pas le malheur d'Henriette, lance-t-elle avec force. Je vous supplie de vous en persuader.

Il la jauge encore, cherchant la passe qui mènerait à la vérité. Il est habitué à négocier. Le mensonge des hommes, c'est sa vie.

— Eh bien, soupire-t-il, en ménageant son effet. Il se peut que je me trompe, et aussi que vous parliez vrai. Vous ne seriez qu'un pion qu'on utilise et qu'on jette ? Mais alors, de vous ou de moi, vous êtes la plus à plaindre. Pour les époux Caillaux, le mal est fait, grimace-t-il. Pour la comtesse Ivérovitch, la partie ne fait que commencer.

— Me direz-vous enfin ce que cachent ces menaces ? souffle-t-elle.

— Pourquoi le ferais-je ? répond-il froidement. Vous êtes celle par qui le malheur arrive.

Elle cherche son regard et se mesure à lui :

— Malgré votre défiance, je peux encore vous venir en aide, répond-elle en cédant un peu plus.

— Une sorte de donnant-donnant, glisse l'ex-ministre en saisissant son verre.

— Pensez ce que vous voulez, jette Anastasia. Je n'ai que ce moyen pour me racheter et prouver que je ne voulais aucun mal à votre épouse.

— Elle n'était pas la cible et ne fut qu'un instrument… Vous ne m'apprenez rien. Je sais que l'on veut m'éliminer de la scène politique, cingle-t-il sans la quitter des yeux. C'est bien cela ?

Le silence qui suit est un aveu. Caillaux balaye l'air de la main :

— Qui ne dit mot consent. Le premier coup est joué. À mon tour de vous informer. Mon histoire en cache une autre de plus effroyable : la guerre, madame. Car bientôt, vous la connaîtrez.

36

À la table de Marcel Proust, on s'impatiente. Boni de Castellane se propose d'aller chercher la comtesse Anastasia Ivérovitch et il faut tout le talent du maître d'hôtel pour retenir cet esprit chevaleresque. Dabescot invente, puisqu'il devine qu'en rien il ne faut troubler le tête-à-tête avec Caillaux. Madame la comtesse, soutient-il, ne désire pas prendre le potage et elle demande, en priant qu'on l'excuse, de poursuivre durant son absence.

— Elle se vengera sur la selle de pré-salé et les pêches Melba, dit-il sur un ton théâtral qui amuse l'aréopage et suffit à apaiser Castellane.

*
* *

Dans le salon du *Five o'clock tea,* Joseph Caillaux parle d'une voix monocorde.

— Il s'est produit une concordance entre les attaques du *Figaro* et la crainte d'une victoire d'un bloc pacifiste aux élections législatives[1]. Mes ennemis ont

1. Lors de ces élections législatives (26 avril – 10 mai 1914), une sorte de fédération de gauche s'organise sous la forme d'un cartel. Mais, sans véritable leader, cet ensemble ne parviendra pas à faire barrage à la « folie des armements ».

compris le danger d'un rapprochement entre moi et Jaurès, transcendant les intérêts partisans. Ce qui nous unissait ? La bataille pour la paix. Et si le président de la République Poincaré refusait toujours de me nommer président du Conseil, ce n'était que partie remise. Il devrait céder. Alors, la menace d'une nouvelle guerre contre l'Allemagne s'évanouirait. Désormais, les élections se produiront sans que Poincaré n'ait à combattre un opposant décidé à juguler une crise internationale. Aussi, devinez-vous le motif de mon élimination politique ?

— Combattre les pacifistes, souffle Anastasia qui sait déjà cela.

— Oui, et je comprends ainsi que vous étiez au courant. Pour laisser le champ libre aux Barthou, Viviani qui viendront manger dans la main de Poincaré, on s'en est pris à moi. Les attaques ont d'abord porté sur mes relations avec un financier indélicat.

— Rochette ?

Caillaux amorce une grimace :

— Il n'est pas nécessaire de développer davantage. Mais cela n'a pas suffi. Alors, on a sali mon action politique. En 1911, j'ai agi pour éviter une guerre contre l'Allemagne. Mes excellentes relations avec le monde des affaires m'ont permis de mettre fin à l'affaire d'Agadir qui aurait pu déclencher les hostilités. Bien sûr, on m'a accusé d'avoir mené des tractations sans avertir le gouvernement. C'était faux et je pouvais en apporter les preuves. On comprit alors que ce ne serait pas assez pour me faire taire. Que restait-il ? Ce qu'il y avait de plus cher et de plus fragile en moi : Henriette, ma tendre épouse. La suite, vous la connaissez. Et je vous annonce que vous, ou d'autres, vous avez triomphé. Je démissionne pour me consacrer à la défense de ma femme.

— Pourquoi m'expliquez-vous cela ? interroge Anastasia.

Caillaux sonde son regard, y pénètre, et ne faiblit pas :

— Connaissez-vous un homme portant le nom de Kessler ?

Elle cherche dans sa mémoire. Non, elle ne voit pas.

— Richard Kessler. Bien jeune pour une telle mission, grimace-t-il. Combien peut-il avoir ? Vingt-cinq ans, peut-être, et bien que s'exprimant dans un excellent français, il est italien. J'en suis certain. Non ? Vous ne trouvez toujours pas ? Brun aux cheveux mi-longs, assez grand, mince et marqué au front d'une cicatrice récente.

— Cette description ne m'éclaire pas davantage. Je suis désolée.

Caillaux soupire :

— Eh bien, nous ferons avec cet homme énigmatique que j'ai connu ce soir, juste avant de venir vous voir.

Il avance la tête et ainsi, la fixe droit dans les yeux :

— Il descendait d'un train. Arrivait-il de l'étranger ? À cette heure, il n'y a que l'express venant d'Anvers. Non, toujours rien ?

— Je vous l'assure. Mais pourquoi tant de précisions et quel rapport avec moi ? s'inquiète la comtesse.

Caillaux s'écarte en soupirant :

— Aucun, je l'espère pour vous. Et si vous entendez son nom ou si vous croisez un visage qui ressemble à celui que je viens de vous décrire, il faut, puisque vous clamez votre innocence, tourner les talons et fuir. Ou alors accepter ses marchés.

— Mais qui est-il ?

Le visage de Caillaux devient blanc :

— Celui qui m'a proposé un accord ignoble. Ma démission contre la sauvegarde de mon épouse. Une alliance, a-t-il dit, dont je devais mesurer l'intérêt. Et, a-t-il osé ajouter, l'équité.

— Ainsi, il est vrai qu'Henriette peut encore être sauvée ?

Caillaux s'est redressé :

— Vous étiez donc au courant ! rage-t-il.

— Je ne peux vous en dire davantage, le supplie-t-elle en tendant les mains, mais toutes mes paroles sont sincères. J'ai conseillé à Henriette de se munir d'une arme, mais je n'imaginais pas qu'elle tirerait sur Calmette.

— C'est possible, cingle-t-il. Mais le mal est fait par votre faute.

— Elle voulait tant vous venger, murmure-t-elle.

— Maintenant, c'est à moi de l'aider.

Caillaux pose les coudes sur la table et se penche encore en avant :

— Et vous, si vous regrettez sincèrement ce qui s'est produit, êtes-vous réellement prête à l'aider ?

Il fait claquer chacun de ses mots.

— De tout mon cœur, promet-elle. Et je garde espoir que...

— Alors, coupe-t-il d'un ton brutal, répondez-moi, puisque vous devez forcément savoir. Si j'abandonne, sera-t-elle épargnée ?

Il n'y a aucun bruit. Ils sont seuls, plongés dans la pénombre, et Anastasia devine que c'est peut-être ici que se joue son destin – comme l'ultime façon de sauver son âme.

— Je crois, commence-t-elle...

Elle baisse les yeux.

— Je vous en supplie, l'aide-t-il en oubliant sa fierté. Venez à mon secours. Je ne suis ici que pour vous demander si, en cédant, je sauverai mon épouse.

— Alors oui, lâche-t-elle d'une voix saccadée. Cet homme, Kessler, je ne le connais pas. Mais d'autres... De grâce, ne me demandez aucun nom, mais je jure de ne pas vous trahir en disant que, si vous acceptiez... Oui, on m'a fait également cette promesse... Du moins, autant qu'à vous.

Elle n'ira pas plus loin et ce n'est pas important puisque Caillaux a déjà compris.

— Merci, madame, conclut-il. Et pour m'aider encore, annoncez ma décision à ceux qui vous entourent.

Il espère un nom. Mais elle se tait.

— Le grand-duc de Russie n'est-il pas à Paris ? insiste-t-il.

Elle baisse la tête en signe d'assentiment.

— Je l'informerai, murmure-t-elle enfin.

— Merci, grince-t-il. J'ai besoin de tous les atouts. Il peut être utile de lui faire savoir que j'accepte cet ignoble chantage et qu'il transmette ma réponse à ceux qui souhaitent l'entendre.

Songe-t-il au tsar ? Caillaux ne fait que repousser son verre, signe que l'entretien s'achève. Il sait ce qu'il voulait apprendre et n'en espérait pas autant. D'ailleurs, l'heure est venue pour la comtesse de retrouver la table de Proust. Mais à ce moment tragique, ni l'un ni l'autre ne sait comment rompre le silence qui s'est installé. Un adieu empreint de dignité où le pardon trouverait sa place ? Mais pour l'un et pour l'autre, il y a tant de chagrin, et de regrets aussi.

— Cette conversation restera entre nous, finit-il par dire. Je promets de ne pas vous trahir, ajoute-t-il, car malgré tout vous me redonnez un peu d'espoir.

Il se lève et replace son monocle. Il ne trahit aucune émotion.

— À mon tour de faire preuve de franchise. Comtesse, méfiez-vous de ceux qui vous entourent. Ils vous cachent l'essentiel. Ils ne vous disent pas ce qu'ils ont vraiment en tête.

— Qu'auriez-vous à m'apprendre ? répond-elle du bout des lèvres.

— Ceux qui s'estiment les maîtres de leurs décisions ne sont que les instruments d'une entreprise effroyable qui, bientôt, les dépassera.

Il se tait un instant.

— Avez-vous entendu parler de *Golgotha* ? dit-il soudainement.

— Il s'agit de la colline où le Christ vécut Son calvaire, jette-t-elle comme frappée au ventre.

Mais ce nom, elle le connaît, gravé sur la première page du *Prince* de Machiavel, offert par le tsar.

Caillaux amorce un rictus :

— Et rien de plus ?

Elle reste silencieuse.

— Que vous me cachiez cette partie de la vérité, soupire-t-il, ou que vous soyez innocente, cela n'est plus essentiel. Un jour, vous vous souviendrez de mes mots. Et vous conviendrez alors que j'avais raison. En traitant avec l'Allemagne, je n'ai pas cherché à rompre l'alliance de la France avec l'Angleterre et la Russie, mais à sauver la paix en freinant les funestes visées de ceux qui se cachent derrière *Golgotha*.

— *Golgotha*, répète Anastasia qui désire en apprendre plus.

— Madame, se résigne-t-il, vous savez qu'on me reproche d'avoir par trop croisé des personnes issues de milieux interlopes. Il me reste des noms, des détails que je garde comme une monnaie d'échange et je vous l'annonce dans l'hypothèse où, cela aussi, vous auriez à le transmettre à qui de droit. C'est une assurance que je prends pour Henriette. Je me tairai, oui. Si la promesse que l'on m'a faite à son sujet est tenue.

— Monsieur, le supplie-t-elle, je ne sais rien, mais ce que vous me laissez entendre semble si grave...

— *Golgotha* ? Un nom blasphématoire pour un projet terrifiant où se pressent des vautours comme Zaharoff, un marchand d'armes à qui Briand ou Poincaré offriront bientôt la Légion d'honneur. Oui, madame, je le sais aussi ! Et pour votre salut, je n'ajouterai rien.

Il hausse les épaules, cherchant dans ce mouvement à retrouver son calme :

— Voyez comme mon sort est risible. Je suis banni pour des faits que je n'ai pas commis, quand d'autres... Mais tout cela est désormais sans importance.

Son regard s'échappe.

— Je perds, et les faiseurs de morts triomphent.

Il vient de fermer les yeux.

— Et derrière ces êtres immoraux et sans vertus, murmure-t-il, qui est maître du jeu ? Que cache encore *Golgotha* ?

Non sans effort, il revient vers la comtesse :

— Le privilège de ceux qui fréquentent le monde des affaires est de détenir des informations que les politiques ignorent généralement. Aussi, martèle-t-il, nous aurons la guerre !

Il replace son œillet. Il se tient droit :

— J'ai côtoyé un univers dont vous ne soupçonnez pas l'immensité du pouvoir. Je l'ai fait pour ce que je croyais être le bien de l'humanité. Et je ne m'y suis pas enrichi. Mais, je l'ai dit, tout cela est du passé.

Il serre les talons :

— Madame, je dois vous dire adieu. Ne cherchez pas à nous revoir. Surtout, ne vous approchez plus de mon épouse. Le mal que vous lui fîtes est trop grave.

Il va sortir, mais s'arrête sur le pas de la porte et se retourne :

— Un détail me revient. Kessler, celui qui m'a proposé ce marché, il portait un insigne à la boutonnière. Une étoile à huit... ou peut-être dix branches. J'espère que vous n'aurez jamais à la regarder.

Il sort. Il est dehors. Anastasia doit se lever et rejoindre la table de Marcel Proust. Car il est écrit qu'elle ne changera rien à ses habitudes. Mais elle ne peut s'empêcher de frissonner : une étoile... C'est aussi la marque que porte Igor Kasparovitch.

PRINCIPE DE GOLGOTHA

Rapport du Neuvième Décemvirat
Paragraphe 8

Que l'on soit pour ou contre n'y changera rien. L'économie dirige le politique. Je veux dire que, dans la pratique, dans la réalité des faits, le politique est asservi à l'économie. Aucun idéologue, même s'il le déplore, ne peut discuter cette vérité. Ce que produit l'économie – la richesse et la pauvreté – est au-dessus de tout.

Pour l'immensité, être libre – une idée par essence politique – se limite strictement au fait de manger à sa faim et d'être logé – un état par essence économique. Subsister s'apparente à un combat hors normes, à une lutte fratricide que la politique ne régule qu'en paroles, maudissant la condition humaine dictée par les lois du profit. Mais les victimes écoutent peu ces discours et ne pensent qu'à tenir. Il faut avoir le ventre plein pour bavarder savamment sur ce qui serait politiquement juste. L'économie le sait et se tait. Voici pourquoi, que l'on vénère ou que l'on maudisse ses effets, le sujet portant sur l'injustice déchaîne les passions et ne fait qu'augmenter les regrets de ceux qui croient dans le bien et craignent le mal. Ceux-là ont des idées politiques. Ils menacent et hurlent qu'asservir par la possession et l'appropriation est honteux, malhonnête, avilissant. Leurs lois ont-elles pour autant abrogé la misère ou révoqué la disette ? La politique réclame des délais, promet des réformes, jure qu'après les sacrifices viendra l'âge d'or. Mais depuis la nuit des temps, l'économie, brutale et abusive, finit toujours par l'emporter. Ainsi, voici une nouvelle preuve de l'exactitude du Principe de Golgotha : toute posture vertueuse n'a aucun espoir de succès dans la société des hommes. Oui, l'économie, fondée sur l'intérêt matériel et le résultat, triomphe de l'idéal fugace de la politique. C'est dans l'ordre des choses, car l'état de survie ignore les états d'âme et s'attache à la nature immuable de l'homme dont l'unique préoccupation est de posséder, d'être le plus fort, de l'emporter. Par tous les moyens. Y compris en faisant la guerre. Que l'on soit, à nouveau, pour ou contre ne change rien. La guerre n'est, le plus souvent, qu'un des leviers de l'économie. C'est même le premier à la faire fructifier. Et que l'on cesse de raconter que la guerre est un acte politique.

Mais alors, qui la décide ? C'est là où je vais en venir.

Entre 1914 et 1918, et grâce à la guerre, des progrès industriels considérables furent réalisés dans des domaines aussi variés que les transports, la santé, la production de masse. Il fallait avancer, déplacer les hommes, tuer au plus vite sur terre, sur mer et dans les airs, soigner les survivants pour qu'ils repartent au front, et produire des armes de plus en plus meurtrières. En France, au nom de ce fameux patriotisme, la journée de travail passa à quatorze heures sans que quiconque puisse s'y opposer et les femmes furent recrutées pour pallier le manque de bras. Les profits augmentèrent autant par l'afflux de cette main-d'œuvre bon marché, inexpérimentée et docile, que par la modernisation des outils de travail. Dans le même temps, la condition sociale régressa et l'exode des populations ruinées par la guerre augmenta la masse des prolétaires, pesant de ce fait sur leurs salaires et muselant leurs revendications. Sur tous les points, dans tous les domaines, l'économie gagna. Plus les États manquaient, plus l'économie tournait et plus elle s'enrichissait, profitant de la pénurie pour spéculer sur les cours des biens manufacturés, et augmentant ainsi la richesse de l'industrie. Au cours de la même période, la politique resta inopérante. Muette. Muselée par la censure de l'armée et soumise à l'économie de guerre en attendant la crise suivante – que ne manqua pas de produire l'autorité politique, et qui conduisit une nouvelle fois à la guerre.

Frères de Golgotha, prenez la mesure exacte de ce paradoxe. Initialement, la politique s'est fixé comme vocation d'améliorer le sort commun de la cité et de ses habitants. C'est même sa raison d'être. Et le résultat déçoit. Pour excuser son inefficacité, la politique prétend que sa responsabilité ne peut être mise en cause tant que l'économie contrariera ses efforts. La politique se battrait sans fin et désespérément contre un monde installé au-dessus, dirigé par un cénacle secret de banquiers, de commerçants, d'affairistes, d'industriels puissants, farouchement décidés, incontrôlables, qui agirait hors des frontières pour son seul profit. Et c'est vrai. Ce monde-là existe et Golgotha l'utilise comme un allié. La raison est évidente : il faut s'accorder avec le plus fort. Et l'aveu d'impuissance de la politique face à l'économie fait d'elle un mauvais associé. Car ce sont les flux marchands qui régulent le monde.

Les corps, les esprits, les consciences s'achètent et se vendent comme les sentiments. Le désir, la faim, la jouissance, l'envie, la jalousie, la peur, la haine règnent sur un système dans lequel l'autorité morale et politique n'est qu'une hypocrisie liberticide. Seuls gagnent les puissants. Le prédateur comprend cette loi. La politique est donc aussi défaillante que l'État qui justifie son existence. Doit-on s'embarrasser de ce sujet inutile qui avoue sa faiblesse et dont la déficience et les fautes sont prouvées ? Avant de trancher, il faut ajouter que la politique est utile au Principe de Golgotha. La destruction des États passe en effet par l'emploi et le détournement à notre profit du seul pouvoir que l'économie concède au politique : la déclaration de guerre. Ce n'est qu'un acte, un document, mais il est essentiel. Pour autant, la politique décide-

t-elle vraiment de la guerre ? J'annonçais cette question, et maintenant j'y réponds.

L'économie ne s'engage jamais dans une guerre entre les États. Du moins, jamais directement. Ce serait du temps perdu et de l'énergie mal dépensée. En revanche, la politique s'occupe des oukases qui mènent au conflit. Menaces, provocations et rétorsions, discours patriotiques sur le danger, mobilisation générale, appel au sursaut national... Le politique parle, l'économie étant trop occupée à tirer avantage des conflits déjà en cours. Ainsi, elle s'engraisse pendant que les États discutent, s'affrontent, exhortent aux sacrifices et se meurent.

La guerre servant nos intérêts communs, l'économie est donc un allié objectif de Golgotha. Selon une division des responsabilités qui n'a nul besoin d'accord écrit, l'économie fait fructifier nos revenus avant, pendant et après les guerres, et cela secrètement puisque Golgotha ne possède ou ne contrôle directement aucun cartel identifiable. Le génie de l'économie est de diluer sa puissance incognito dans une myriade d'actifs et de sociétés contrôlés par le biais de capitaux achetables librement par le jeu licite de la spéculation boursière ou par l'action négociée de l'offre et de la demande. L'économie n'est donc qu'un mot nébuleux dont on ne sait rien et qui ne sait quasiment rien de Golgotha. L'économie est si inventive qu'elle a su imposer aux États un monde discret, constitué de sociétés anonymes et d'actionnaires non identifiables, donnant naissance à une kyrielle de holdings, d'intermédiaires, de faire-valoir et de sièges sociaux aux adresses exotiques et perdues dans des contrées lointaines où la vénalité fait désormais office de loi. L'économie agit sans contrôle, sans limites, sans règles morales, politiques ou étatiques et c'est pourquoi elle représente le premier des pouvoirs.

En investissant dans l'économie du charbon, de l'électricité, des armes, de l'aluminium, du caoutchouc, de l'acier, Golgotha a dégagé pendant la Première Guerre mondiale des profits équivalant à la totalité des biens fabriqués par la France en 1913, soit plus de trente milliards de francs. En 1918, après cinquante-deux mois de guerre, dix pour cent des hommes en âge de travailler étaient morts et les dommages subis par la France se montaient à une fois et demie la somme des richesses produites par ce pays en 1913. En somme, et pour employer des mots précis, ce que la France perdit, Golgotha le gagna.

Pour réparer ses erreurs et payer ses dettes, l'État n'eut d'autre choix que d'augmenter l'impôt, saignant les citoyens, abaissant une fois encore leur niveau de vie et augmentant la pauvreté. Aux disparus qu'il fallut pleurer, s'ajouta l'ardent sacrifice d'une génération entière au nom de la politique. En 1924, la France ne pouvait que retrouver péniblement le niveau de vie de l'année 1913. Il avait fallu rembourser les emprunts contractés pendant la guerre auprès de créanciers issus de l'économie, enrichissant une nouvelle fois – et du double – ces mêmes fournisseurs de marchandises et d'armes consommées par l'État pour faire la guerre. La leçon servit-elle ? En 1944, année où la France se crut enfin libérée, sa production de biens était inférieure à celle de 1891. En deux guerres, cet État avait reculé d'un bon demi-siècle et enrichi l'économie dans des proportions exceptionnelles, apportant une nouvelle preuve que l'État est profondément injuste, stupide, méprisable. Et condamné. C'est pourquoi, sans attendre ce second affrontement mondial, ce big-bang bis dont je parlerai aussi, et bien avant 1914, son sort était arrêté.

En application du Principe de Golgotha, les crimes commis par l'État depuis sa création, et constamment renouvelés, démontraient son incapacité à se réformer du fait de ses vices originels. Et son inadaptation à l'administration de l'espèce humaine appelait sa disparition. La mort de l'État était l'Exploit que l'Archange m'avait invité à partager, mais moi, Chimère, l'ancien anarchiste, je restais marqué par le souvenir de l'attentat raté de Rome, un acte d'impuissance qui alimentait mes doutes. Une telle promesse pouvait-elle réussir?

L'Archange répondit en parlant de la fortune de Golgotha. Usines et banques en Europe, mines intarissables de diamant et d'or en Afrique, terres fécondes d'Ukraine, cheptel innombrable de la pampa d'Amérique du Sud, forêts luxuriantes de Malaisie, comptoirs d'Indochine, armada de navires dont les soutes regorgeaient de café, de cacao, de caoutchouc, chemins de fer de l'Asie à la Turquie, journaux, universités, immeubles, quartiers, villes entières du Nouveau Monde dont Golgotha détenait la propriété... Il énumérait les sources d'une manne inépuisable et infinie provenant des cinq continents, sans freins ni barrières et qui, sans jamais avoir à rendre de comptes, dépassait par la simple spéculation en bourse les revenus des plus grands États. Un empire supérieur, immense qui devait tout à l'argent. «Car, ajouta-t-il, le pouvoir de l'économie, celui que vous avez tant haï, contient assez d'énergie pour détruire ces États que vous et moi maudissons plus encore.»

Outre la puissance de feu financière, le début du Vingtième Siècle, l'ère industrielle, offrait une conjonction idéale d'événements politiques, historiques et sociaux. Le déclenchement de la guerre se nourrissait ainsi d'une concentration de signes positifs. Les États eux-mêmes la désiraient. Hantés par la haine, la revanche, les querelles intestines, la peur de la révolution et des masses produites par l'économie, portés par la volonté d'agrandir ou de sauver un territoire, tous étaient attirés par l'envoûtant désir de savoir définitivement «qui était le plus fort». À l'époque, un affrontement mondial se limitait à la Russie, l'Allemagne, la France, l'Autriche-Hongrie, l'Angleterre, ce qui facilitait considérablement le déclenchement. À eux seuls, ces cinq États ou Empires pesaient plus que le reste du monde, réduit, à l'exception peut-être du jeune État américain, au rôle subalterne de colonies exploitées. En conjuguant toute la puissance de Golgotha, la guerre pouvait donc être générale, absolue et peut-être définitive. Compte tenu des forces en présence, du jeu des alliances et de la puissance des armes utilisées, le conflit serait équilibré, et sûrement long. La victoire ? Indécise. Décidée par le sort plus que par la supériorité d'un combattant. Au final, tous les États, vainqueurs et vaincus, en sortiraient exsangues, ruinés, maudits. Tous auraient à faire face à une crise morale et politique qui bouleverserait l'ordre établi. Alors, et sans vanité, le fruit serait mûr – mieux, pourri.

La condamnation de Golgotha ne prévoyait pas la disparition des États en une seule guerre, mais, dans un premier temps, l'écroulement de leur fausse supériorité, de leur arrogance aussi, dont le symbole le plus intolérable était ce droit inique à décider du destin des hommes. L'effet produit par la guerre devait être durable pour les Nations dominantes de l'Occident. Le doute créé à propos de leurs valeurs et de leurs règles ouvrirait la voie à une ère nouvelle où l'Europe, politiquement affaiblie et incapable de restaurer son ordre coercitif et privatif de liberté, céderait le pouvoir à une économie riche à foison et affranchie définitivement des États.

Avec le recul, on mesure combien cette analyse était juste. Mais, à l'époque, Frères de Golgotha, comme aujourd'hui, à l'aube d'un siècle où un nouvel espoir d'extinction des États se dessine, il fallait du courage et de l'appétit pour croire à la réussite. L'application de la condamnation réclamait, en effet, d'immenses ressources et le résultat restait incertain malgré la détermination de Golgotha. Une guerre mondiale était-elle envisageable ? Pouvait-on seulement espérer que les États se laisseraient tenter par le génie maléfique de l'autodestruction ? Avec raison, les Dix Très Hauts Magistrats du Décemvirat y crurent. La décision fut alors prise d'offrir tous les talents, toutes les ressources de Golgotha à ce seul dessein : la ruine, la destruction, l'extinction du monde d'avant.

En prévision d'une guerre dont la dureté, la longueur et l'ampleur seraient titanesques, et sans comparaison avec les conflits précédents, il devint nécessaire d'orienter les investissements, de nouer des accords, de susciter la construction de nouvelles usines, de mobiliser des pions et des ouvriers qui, à l'exemple de Zaharoff, y trouveraient leur profit. Mais ce n'était pas suffisant. Il manquait une décision politique. En somme, pour tuer les États, il fallait utiliser le seul pouvoir qu'ils possédaient. Et par un formidable retour des choses, ils mourraient étouffés par leurs propres mains. Le Décemvirat en parlait comme d'une ironie que seule l'Histoire pouvait inventer. Le futur retiendrait que la disparition des civilisations était une constante, qu'elles brillaient et dominaient avant de s'effondrer, vaincues par la décadence du politique. Mais on ignorerait que sa fin avait été voulue par Golgotha.

À l'inverse de l'économie, le politique est un ennemi fragile. Dans tous les régimes, de la république à la monarchie, ce pouvoir repose entre les mains de quelques décideurs rassemblés dans une nomenclature aux usages codifiés. On entre en politique comme dans une crypte, là où les élus refusent de siéger en masse. Si bien qu'il suffit de peu pour détruire la cryptocratie. En fait, il ne faut qu'identifier les cibles – et l'on touche ici l'autre faiblesse de la politique : les proies, rendues dociles par la corruption, sont facilement repérables. Alors, la phase suivante n'est que l'application du Principe de Golgotha : toute posture vertueuse n'a aucun espoir de succès dans la société des hommes. Le bien et le mal, le bon et le juste n'entrent pas dans le calcul politique. Ici aussi, les valeurs dont use l'économie triomphent. Comme je l'ai écrit, les corps, les esprits, les consciences s'achètent et se vendent. La cupidité, la jalousie, l'égoïsme, la peur, l'envie, la haine règnent sur un système dans lequel le sens moral est hypocrisie. Et c'est en se jouant des consciences que l'on s'empare du pouvoir de la politique. Tous ses acteurs le savent.

En 1914, il n'y avait que quelques hommes à décider de déclarer la guerre et quelques autres à décourager de s'y opposer. Une poignée de princes, de chefs de parti ou de gouvernement, qu'il suffisait d'acheter, de flatter, d'inquiéter ou de manipuler. Pour cela aussi, Golgotha pouvait compter sur l'absence de sens moral des hommes et sur l'agilité de ses ouvriers qui, à l'exemple de Basil Zaharoff, étaient passés maîtres dans l'art vicié de la prévarication. La suite, comme dans le cas de Caillaux, relevait simplement de l'exécution dont j'avais, par la décision de l'Archange, reçu la meilleure part. Le pacifiste ministre des Finances de la France était la cible, la première proie de Chimère.

Le soir même du 17 mars 1914, dès mon retour à Paris, j'avais pris contact avec Joseph Caillaux et obtenu son accord. Il abandonnait son projet de front uni contre la guerre, en somme, il quittait la vie politique contre l'acquittement de son épouse. Je pouvais lui faire cette promesse, car nous avions obtenu des garanties auprès de ses opposants, les zélateurs de la guerre. Lui, il réfléchissait tel un homme brisé, au bord de l'abandon, parfaitement conscient des conséquences de sa décision. Il n'ignorait rien de l'imminence d'un conflit effroyable qui dépasserait si formidablement son cas personnel qu'il semblait se détacher. Cet homme lucide connaissait l'économie et savait qu'elle arbitrait la puissance. Il me sonda longtemps. Discutait-il avec un agent du réarmement, partisan de la production massive de biens de destruction ? Il imaginait sans doute une histoire comme les aime la politique; une histoire dans laquelle un bloc d'industriels, dont j'aurais pu être un fidèle, attisait la haine pour le bien du commerce. Et plus je parlais, plus il cédait, finissant par capituler non sans avoir tenté de savoir qui m'envoyait. Il prononça le nom de Zaharoff. Je ne répondis rien. Et je crus m'en sortir ainsi. Connaissait-il Golgotha ? L'Archange m'avait répété qu'il était impossible de percer notre projet. Alors, Caillaux ne sembla plus s'intéresser qu'au sort de son épouse. Il réclamait les preuves qui justifiaient mon assurance et il fut facile de lui en fournir. Contre sa démission, son épouse serait libre. Et jusqu'au jour du procès qui se tint en juillet 1914, il se tut, respectant le donnant-donnant, soutenu par l'espoir d'un acquittement. Cette soumission n'éveilla pas nos soupçons. Ce fut peut-être une erreur.

Frères du futur Vingt et Unième siècle, j'ai promis de ne rien cacher pour que nos victoires et nos échecs vous aident. Un seul pion, ai-je écrit, peut faire triompher ou peut vaincre Golgotha. Pour mesurer la gravité de ce Principe, vous devez apprendre comment et en quoi d'autres pions servirent ou nuisirent à notre action. C'est ici la part la plus importante de mon rapport puisqu'il vous faut désormais apporter la dernière pierre à l'entreprise immense à laquelle s'était attaqué, en 1914, le Neuvième Décemvirat.

37

Joseph Caillaux est prêt depuis l'aube. Ce matin, débute le procès de son épouse. Il avale une tasse de café très fort. C'est l'été 1914. Il fait chaud. Le combat sera dur, même si, par un étrange effet concomitant, dès l'annonce de la démission du ministre des Finances, les ennuis du couple se sont amenuisés. Joseph a déclaré qu'il renonçait à ses fonctions pour s'attacher à sauver son épouse. Depuis, les quolibets et les attaques s'espacent. On range les armes. D'ailleurs, pourquoi s'acharner ? Caillaux a perdu sa hargne. Ce n'est plus un danger.

Au fil des semaines, l'actualité l'a presque oublié. Déjà, l'opinion inconstante et volage s'intéresse aux prochaines élections dont l'enjeu apparaît plus dramatique. Aura-t-on la guerre ? La question est sur toutes les lèvres. Poincaré la veut et a le vent en poupe. N'est-il pas au mieux avec son allié le tsar Nicolas II ? Pour s'opposer à lui, il ne reste qu'un Jaurès de plus en plus seul, puisque Caillaux répète qu'il réserve ses forces à la défense d'Henriette dont le procès arrive vite, preuve que la justice peut parfois, si elle le désire, faire montre d'une extrême diligence. Est-ce parce que, au fil du temps, l'affaire n'est plus qu'un fait divers ? De même, penserait-on à établir un lien entre la démission de Caillaux et la montée des va-t-en-guerre qui règnent en maîtres depuis l'assassinat, le 28 juin 1914, à Sarajevo, de François-Ferdinand, l'héritier de l'Empire austro-hongrois, et de son épouse Sophie, par Princip, un étudiant en lutte contre l'occupation autrichienne ?

Caillaux termine sa tasse de café en parcourant les journaux qu'il s'est fait porter. La presse spécule sur la mobilisation de l'armée russe qui se portera sans doute au secours des Slaves menacés par l'Autriche depuis l'assassinat de l'archiduc. Joseph soupire douloureusement et tourne les pages où s'étalent les articles favorables au déclenchement des hostilités. Plus loin, il trouve enfin l'annonce du procès d'Henriette. Tranchera-t-on une tête ? Les paris sont lancés. Caillaux repousse les quotidiens qui encombrent son bureau. Il est l'heure de se rendre au tribunal.

Mme Caillaux se présente à la cour habillée sobrement. On écrit qu'elle porte le deuil de sa victime et cette image plaît. Le procès lui-même ne donne lieu à aucune révélation. Quand on veut parler de Joseph et l'abattre encore, le président Albanel frappe sur la table, menace d'un huis clos ou suspend la séance. Si bien que le sujet se résume à un crime passionnel. Une femme humiliée, persécutée, soutient brillamment maître Labori, l'avocat de la défense. Une bourgeoise, en somme, que la salle applaudit. Le 28 juillet, le jour où l'Autriche-Hongrie déclare la guerre à la Serbie, le verdict tombe sans surprise. Henriette est acquittée au motif qu'elle aurait tiré sans le vouloir, et aucun détracteur ne hurle au scandale. L'affaire Caillaux n'a, en somme, jamais existé.

*

* *

Joseph et Henriette auront hélas peu de temps pour se réjouir. Trois jours plus tard, le 31 juillet 1914, alors que l'Allemagne proclame l'état de danger de guerre et que le Kaiser demande à son cousin le tsar de suspendre la mobilisation générale russe, un troisième coup de feu clôt les débats. Jaurès, le dernier pacifiste, est tué par un certain Raoul Villain. Et ne devrait-on pas en parler comme de la première victime du conflit ? Le 1er août, l'Allemagne mobilise et engage l'affrontement avec la Russie. Le 3 août, six jours après l'acquittement de Mme Caillaux, la guerre est déclarée à la France par l'Allemagne. Les Anglais entrent à leur tour dans la danse macabre suivis par le Canada, l'Australie, l'Inde, la Nouvelle-Zélande, l'Afrique du Sud et le Japon. L'effroyable déchirement planétaire vient de commencer. C'est bien la Première Guerre mondiale.

*
* *

Bien avant le procès d'Henriette Caillaux, la comtesse Anastasia Ivérovitch est rentrée en Russie pour y vivre l'ultime été de la paix. Mais comment oublier ? Chaque mort appelle ses remords. Chaque jour voit la destruction de son empire et de son tsar Nicolas II, qui disparaît lui-même dans cette révolution si redoutée. Et cela suffit pour nourrir sa peine.

Anastasia Ivérovitch ne sait pas encore qu'exilée, elle devra fuir son cher pays et revenir en France où rien n'est encore fini.

Au cours de ces années de sang, elle accorde peu d'importance à son cas. Bannie ? Mais ce n'est qu'un regret de plus. Une question l'obsède : que se serait-il produit si Joseph Caillaux n'avait pas été empêché de devenir président du Conseil ?

Parfois, elle se persuade qu'elle ne fut rien, ou presque, mais sans jamais parvenir à accorder son présent avec ses souvenirs. Le monde, se dit-elle en ressassant les paroles du tsar, a voulu affronter son calvaire comme le Christ en bas de Golgotha. Et maintenant, jusqu'où sombrera-t-il ?

Deuxième partie

LE CHÂTIMENT

38

Le 28 juin 1919, Jagatjit Singh, le maharadjah de Kapurthala, est une des attractions de la galerie des Glaces du château de Versailles. La tenue chamarrée d'or de ce prince indien tranche avec les uniformes et les képis invités comme lui à suivre la signature du traité qui solde la guerre. Non loin de Jagatjit Singh, on trouve Ganja Singh, le maharadjah du Bikaner, une autre province des Indes que la Couronne britannique a tenu à associer à sa délégation. Le prince discute avec Lloyd George, Premier ministre du Royaume-Uni. Les possessions de l'empire se voient ainsi récompensées d'avoir versé le sang de leurs sujets pour que triomphe Albion, et ce sacrifice les autorise à cheminer, d'égal à égal, avec les dignitaires européens. Du moins, en cet instant de gloire, chacun semble y croire.

Soudain, un officier français franchit à son tour le seuil de la galerie des Glaces. Il se met au garde-à-vous et claque les talons sur le parquet marqueté de la salle immense et grandiose. Aussitôt, on se tait.

— Monsieur Georges Clemenceau ! lance-t-il à la volée.

Le glorieux président du Conseil de la France fait son entrée. Trompé par cette apparition, l'observateur croit découvrir un vieil homme dulcifié par l'âge. Il a près de quatre-vingts ans. Peut-être est-ce cette moustache épaisse qui lui donne l'allure de *père la Victoire* ? À tout le moins, il faut effectuer un bel effort pour s'imaginer, croisant le « Tigre », le tueur dictatorial de grèves, le magistrat intraitable des déserteurs, le jusqu'au-boutiste ne jurant que par la guerre et qui n'a cessé de le répéter, même aux pires moments de doute. C'est alors que l'on saisit ce regard qui perce et maintenant s'énerve. La tête raide tourne d'un quart et cherche Lloyd George. Une grimace pour lui signifier son impatience. Un signe, un seul. On vous attend, dit-il. Et vous aussi, Wilson, même s'il s'agit du président des États-Unis.

Le Premier ministre du Royaume-Uni abandonne Ganja Singh. Le maharadjah n'aura droit qu'à rester debout. Lloyd George, accompagné de Vittorio Orlando, le président du Conseil italien, a rejoint la table en forme de fer à cheval de soixante-treize mètres de long pour dix de large. Clemenceau jette un œil à la ronde. L'assemblée est au complet. Il s'assoit, saisit un stylo à plume et joue avec, mais le repose aussitôt pour croiser et décroiser les mains, montrant ainsi une nouvelle fois son impatience. Depuis près de cinq longues années, la France attendait cette autre victoire. Il veut qu'on signe le traité qui mettra le Teuton à genoux.

— Faites entrer les Allemands ! lâche-t-il sèchement.

Clemenceau a rêvé mille fois d'employer ce ton humiliant.

39

Une porte au fond vient de s'ouvrir. Deux officiers allemands plus raides qu'à la parade défilent dans la galerie des Glaces. Ils sont encadrés par les huissiers et c'est comme s'ils se présentaient devant un tribunal. Wilson se tourne vers Clemenceau, guettant chez son allié l'attitude mesurée qui ménagera la dignité des soldats. Mais le vieux tigre a déjà tranché. Il ne se lèvera pas. Les Boches avaleront leur honte jusqu'à la lie. Lloyd George soupire. Au moins, ne doit-on pas accorder du respect aux vaincus ? N'est-ce pas aussi une façon de grandir la victoire et de tirer un trait sur le passé ? Clemenceau préfère consulter les documents posés sur la table. Il n'adresse aucun regard aux ennemis qui lui font face. Wilson et Lloyd ont peut-être hésité, mais finalement ils renoncent. Eux non plus ne se lèveront pas pour saluer les Allemands. Et puisqu'il est décidé qu'il n'y aura pas un geste, pas un serrement de mains, pas même de salut militaire, on récite déjà à ces guerriers le prix terrible de leur défaite :

— L'Allemagne endosse la responsabilité morale du conflit et doit en conséquence régler les dommages de guerre.

Clemenceau acquiesce d'un mouvement de tête. L'ex-empire de Guillaume II n'a rien pu négocier. Ce n'est pas un traité, mais un contrat unilatéral, inique et inacceptable, mais les Allemands écoutent, corps tendu, nuque droite, et chez eux non plus, aucune émotion ne transparaît. Pourtant, l'épreuve est pire qu'un combat. Ils affrontent sans pouvoir riposter, ils subissent l'outrage, la déchéance et, debout, encaissent les mots d'une litanie qui martyrise leur honneur et les meurtrit plus sûrement que l'acier du mortier.

— La France retrouve l'Alsace et la Lorraine. L'Allemagne perd son Empire colonial qui est partagé entre la Belgique, la France, le Japon et le Royaume-Uni. Le rattachement avec l'Autriche (Anschluss) est interdit.

Les officiers serrent les dents. La colère est trop forte. Ils pensent à ceux qui les attendent chez eux, espérant une négociation équilibrée. Ils ont honte de ce qu'ils devront répéter, les yeux enfiévrés, aux veuves, aux orphelins, aux vieux qui mourront seuls, en pleurant un fils, mort pour le Kaiser. Ils savent aussi combien on les maudira pour cela.

— L'Allemagne sera désarmée et ne pourra se réarmer. Elle livrera cinq mille canons, ses avions, ses blindés et toute sa flotte[1].

L'Allemagne ! Ils la tuent, songent-ils. La rage prend le dessus. Ils n'ont plus honte de leur défaite et jurent que ce diktat outrageant, un jour, sera vengé.

— L'armée est limitée à un effectif de cent mille hommes. Le service militaire est aboli. L'Allemagne n'a plus droit aux chars, à l'artillerie et à l'aviation.

Clemenceau ne jette pas un œil sur ses victimes. Dans la galerie des Glaces, il règne un silence éprouvant. Fallait-il soumettre le vaincu à autant d'abaissement ?

— Une commission fixera le montant des réparations financières...

On parle de cent trente-deux milliards de marks-or. Les officiers savent déjà que leur pays est ruiné.

1. Elle se sabordera dans la baie écossaise de Scapa Flow.

— Signez ! Ici. Et encore ici.

Ils s'exécutent, l'échine courbée, sans qu'un mot ne soit échangé. Puis, ils font demi-tour et sortent de cette salle dans laquelle, le 18 janvier 1871, leurs aïeux proclamèrent la création de l'Empire allemand. Clemenceau et la France l'ont désiré, comme un signe qui venge et répare la défaite de la guerre de 1870. Pour humilier encore, blesser, déchoir davantage. Et c'est peut-être dans cette accumulation de symboles et de gestes trempés dans le mépris, l'arrogance que naissent la rancœur, la haine. Et se forme l'idée obsédante de punir l'autre à son tour.

40

Le 28 juin 1919, le capitaine Louis Chastelain se trouve dans la galerie des Glaces. Cet aviateur aux dix-huit victoires est un vétéran de la glorieuse escadrille La Fayette composée pour l'essentiel d'Américains engagés volontaires avant l'entrée en guerre des États-Unis. Les récits les plus fous courent sur la vie de ses pilotes portés par une audace fabuleuse. À propos de Louis Chastelain, l'épique côtoie l'extraordinaire depuis le 13 mai 1916 où, à bord d'un Spa VII, un monoplace de chasse propulsé par un moteur V8 Hispano-Suiza de 150 chevaux, il triompha d'un Albatros DIII, un chasseur biplan allemand. En usant de son seul revolver[1].

— Ma mitraillette Vickers s'était enrayée, avait expliqué Chastelain après le combat. L'Allemand n'avait plus qu'à s'approcher pour m'abattre comme à l'exercice. Et puisque j'allais mourir, j'ai décidé de le faire à ma façon. C'est moi qui me glisserais assez près de lui afin de voir la couleur de ses yeux. Pour être franc, j'avais une autre idée. À cette distance, et s'il ne parve-

1. L'histoire n'est pas sans rappeler les duels aériens au fusil qui se déroulèrent dans les premiers jours de la guerre ou la victoire en plein vol du sergent Frantz et du mécanicien Quénault, obtenue, le 5 octobre 1914, à l'aide d'un revolver.

nait pas à me descendre avant, nous nous retrouverions à égalité. Le premier qui visait, et tirait juste, emportait le duel.

La tactique relevait du génie – ou de l'inconscience. Mais comment avait-il fait ?

— J'ai utilisé une manœuvre, répondit-il modestement, qui démontre la qualité du Spa VII. Le reste est une affaire de chance.

En effet, l'avion, surnommé *la mitrailleuse volante* par Guynemer, un autre fameux « as » français, avait joué son rôle. En revanche, Louis Chastelain ne précisait pas combien son action s'apparentait à un exploit. Poursuivi à près de cent cinquante kilomètres à l'heure par l'Albatros qui crachait le feu sans qu'il pût lui répondre, il avait tenté, dans une volte-face désespérée, un virage brutal sur la gauche pour se dégager, soumettant du même coup la carlingue de l'appareil à une tension si forte qu'une aile aurait pu arracher ses rivets ou se briser sur le coup. Et le Spa VII deviendrait son tombeau.

On en avait vu des pilotes plongeant droit, dévalant des nuages en faisant hurler le vent et piquant jusqu'à s'écraser au milieu des tranchées gorgées d'uniformes. Chastelain avait déjà connu ce moment, quand le cœur s'arrache et que les roues rasent le sol au point de toucher ces hommes qui hurlent leur peur. Pourtant, une nouvelle fois, le Spa VII avait répondu présent. Hélas, dans la manœuvre, Chastelain avait pris trop de vitesse, ce qui le mettait dans une situation encore plus délicate, car en retrouvant un plan horizontal, il restait placé devant l'Albatros, c'est-à-dire qu'il avait toujours le tireur dans le dos. Ce qui suivrait s'appellerait un massacre. L'Allemand n'avait plus qu'à prendre son temps pour ajuster son tir.

Ne jamais *overshooter* la cible, répétait l'instructeur en anglais pour se faire comprendre des aviateurs américains de l'escadrille La Fayette. Autrement dit, pour ne pas mourir, il ne fallait pas se trouver devant.

Chastelain disposait de moins de dix secondes pour se décider. Plonger ou se laisser tirer comme un perdreau ? C'est alors qu'il lui était venu l'idée de tenter dans la foulée un « tonneau barriqué ». Une figure qui consistait à se saisir du manche et à forcer les volets de manière à effectuer un tour complet. Un exercice jusque-là théorique que l'instructeur avait interdit d'appliquer de peur d'être trompé par la loi de la physique. Chastelain, lui, n'hésita pas. Un tonneau, puis un autre, la tête se vidant de son sang, le ciel et la terre lancés dans une valse folle. Le Spa VII geignit, mais il tint. La science avait raison. À la fin de cette manœuvre, la vitesse avait chuté suffisamment pour découvrir que l'Albatros se retrouvait un peu plus bas, et surtout en tête. Déjà, Chastelain poussait les gaz, suppliant le V8 Hispano-Suiza de tout donner ou de rendre l'âme. Des gouttes d'huile bouillante jaillirent du bloc-cylindres, brûlant le pilote au visage. Mais ce sacré moteur avait du courage. Il fallait féliciter Étienne, le mécanicien de l'escadrille, car déjà le Spa VII reprenait de la vitesse et grignotait l'Albatros. Dix mètres, vingt mètres, et encore dix, jusqu'à se retrouver bord à bord. Et dévisager l'adversaire. Sans attendre, Chastelain avait brandi son arme, et avant que l'Allemand réalise que son salut se trouvait dans la fuite – un virage, bon sang ! Un virage sur la gauche – le Français vidait le barillet sur sa proie. Le pilote, touché au poitrail, avait poussé un cri et lâché les commandes.

Chastelain se souvenait de l'écharpe blanche du Boche flottant dans l'air et de sa tête inerte cognant le tableau de bord avant que l'Albatros, laissé à lui-même, déserte les nuages pour entamer une vrille de plomb vers les Français. Ceux de la tranchée la plus proche du front levèrent les bras et jetèrent en l'air les casques pour saluer la victoire d'un des leurs. Mais la joie fut de courte durée. En représailles, ceux d'en face répondirent par un tir d'obus. Chastelain gagna de la hauteur. En bas, les uniformes bleus des poilus couraient dans tous les sens pour s'abriter ; des petits points qui se couchaient un à un, fauchés par le feu, comme un bouquet de myosotis coupé à la belle saison. Le Spa VII du capitaine Louis Chastelain n'avait pu que virer à l'ouest. Il manquait aussi d'essence.

*
* *

Des aventures comme celle-là ont forgé le portrait de ce héros, mais il y a aussi cette figure, ce visage qu'on ne peut manquer. Chastelain porte sur le profil droit la plus belle des décorations. La lézarde est profonde. Elle creuse la joue et remonte jusqu'au front. Elle n'est pas régulière. Elle s'échappe vers l'œil coloré de bronze et de vert. Elle le caresse, mais l'a laissé en vie, préférant cisailler d'un coup tranchant et net le sourcil, avant de venir mourir dans les épais cheveux bruns. L'entaille dont la couleur claire tranche avec le teint mat de la peau est le souvenir d'une balle reçue au combat. La blessure a laissé une trace à la fois intense et émouvante qui remue les cœurs des femmes et fait baisser les yeux de ceux qui s'en sont sortis sans verser leur tribut. Ce capitaine, qui porte l'allure élancée et fine d'un homme de trente-cinq ans, dispose, comme tous les blessés de la Grande Guerre – les gueules cassées –, d'une estime sans pareil. Mais, chez lui, l'offrande du corps n'est qu'un des aspects de son charme. Elle ne fait qu'ajouter au mystère de cet homme trop souvent silencieux et dont on dit que l'esprit vagabonde, s'évade, s'ennuie peut-être, depuis la fin des hostilités. Par convention, on range cet état d'âme parmi les séquelles que nombre de combattants traînent comme un fardeau. Ils sont amnésiques, hagards, incapables de sentiment, errants, terrassés par les bruits de la ville, ensorcelés par la peur, insomniaques, parfois fous à enfermer, quand ils ne choisissent pas eux-mêmes de vivre dans un trou sans sortir, sans bouger pour ne plus affronter la violence de la foule. Ils sont tuberculeux, gazés, culs-de-jatte, aveugles, manchots, sourds, trépanés, recousus, percés et perforés par l'acier. Ils souffrent des os, du cerveau, des muscles, et tout leur corps gémit sans relâche. Le capitaine Louis Chastelain, lui, n'est que mélancolique. Du moins, le croit-on. Personne ne sait que son mal est plus profond et qu'il cède à la cocaïne pour tenter d'apaiser ces douleurs qui fracassent sa tête, mais aussi pour effacer les cauchemars, les remords qui hantent ses nuits. Il n'avoue à personne qu'il fut intrépide et vaillant pour avoir voulu cent fois mourir sans jamais se décider. Chastelain ne joue que le rôle qu'on lui prête. Il est un héros de la *der des ders*. Mais au fond de lui, il se croit un salaud.

41

Chastelain a été invité par l'état-major à participer à la signature du traité de Versailles. La France ne lui doit-elle pas cela ? Mais ses dix-huit victoires dans le ciel sont en fait la part émergée d'une vie militaire qui compte d'autres aspects plus ténébreux. Des gestes, des actions illicites, des décisions qui scandaliseraient les partisans de la légalité et qu'il exécuta par obéissance et respect de l'ordre. Des ordres ! Une plaie de sang et d'ombres, plus sanieuse que celle de son visage, une blessure qui le ronge et qu'il tente d'oublier dans la drogue. Car ce soldat ne parle pas. Il est tenu au secret.

Ce 28 juin, il se tient en retrait, observant les hommes d'État fiers d'eux et se congratulant. Ils ont gagné, se disent-ils. Ils jubilent depuis que les deux Allemands sont sortis de la galerie des Glaces. Ils serrent des mains, acceptant les félicitations, prenant tous les sourires obséquieux qui viennent à eux, et cherchant ceux qui auraient l'outrecuidance de ne pas se précipiter pour les honorer.

Soudain, c'est le tonnerre, le bruit assourdissant des coups de canon. Cela fait bientôt un an qu'ils étaient au repos et l'on a pensé à une démonstration de force pour saluer la paix. Maintenant, c'est au tour des avions. Ils passent en rase-mottes en faisant ronfler leurs moteurs. Dehors, la foule applaudit, hurle et réclame les vainqueurs. Wilson, Clemenceau et Lloyd George s'avancent sur la terrasse. L'Américain lève les bras pour former le V de la victoire. Il est temps de lancer le bouquet final. Pour la première fois depuis 1914, les fontaines de Versailles se mettent en mouvement. L'effet est royal. Dieu, qu'il est bon et grand de se savoir vainqueur !

Louis Chastelain n'est pas sorti pour profiter de ce moment qualifié d'historique. Lui, il juge la journée misérablement vaine. Quatre années de sacrifice, des millions de morts, des millions d'autres ruinés, affamés, humiliés pour en arriver au seul résultat de la guerre : la réconciliation est rendue impossible. Derrière les paroles qui sanctifient le triomphe des forts et qui calomnient les vaincus, le traité de Versailles a creusé un impitoyable fossé, et il suffirait de peu pour saigner une nouvelle fois à blanc le cœur de ces peuples aujourd'hui en liesse.

*

*   *

Il ne se mêlera pas au vin d'honneur. Il quitte Versailles, retourne à Paris, à l'hôtel des Invalides, où il occupe dans une vaste pièce de vagues fonctions auprès de l'état-major. On l'a mis là, en attendant que le temps passe. Les trois fenêtres de son bureau s'ouvrent sur l'esplanade. Par temps clair, il aperçoit le pont de l'Alma et s'imagine remontant l'avenue Montaigne, là où niche la seule personne auprès de qui il connaît encore de vraies émotions. Il vient de penser à elle et le désir revient. Elle est belle, sa tendre maîtresse, et mélancolique comme lui. Porte-t-elle, elle aussi, un secret ? En pensée, il s'approche d'elle et lui demande de raconter ce mystère. Elle ne fait que sourire tristement, puis capture la main de son amant qu'elle pose sur ses lèvres et guide vers ses seins. Elle ferme les yeux et se livre au plaisir qu'on lui offre, laissant échapper une plainte qui soulage sa douleur puisqu'elle s'abandonne enfin, sans pudeur, sans retenue, offrant à Louis l'envie de vivre à nouveau. Il l'aime, se dit-il, et chaque jour un peu plus. Il l'aime pour la couleur de ses yeux, pour le goût de sa peau, pour les courbes de son corps.

— Je t'aime, Anastasia, murmure-t-il à lui-même, pour ta façon désespérée de te donner à moi. Et moi, de te prendre ainsi.

42

Le coup de foudre remontait au 24 mai 1919. Ce jour-là, le ciel bleu et chaud annonçait l'été. Dans l'après-midi, la douceur n'avait rien cédé. Sans doute ferait-il bon jusqu'au cœur de la nuit, et cette promesse invitait à musarder. Avant de partir, le capitaine Chastelain avait signé une de ces lettres dans laquelle il annonçait non sans regret à une veuve que les corps de son mari, Marcel, et de ses fils, Gaston et Roger, morts tous les trois à Verdun, n'avaient pas été retrouvés, et qu'aucun indice ne laissait espérer qu'on puisse déterrer un souvenir quelconque – effets personnels, photo, montre, lettre, médaille de baptême, pipe, couteau, alliance gravée. Le récit du bien triste résultat des recherches effectuées sur ce lieutenant et ces deux brigadiers se terminait par les encouragements d'usage et l'hommage reconnaissant de la Nation. Une plume, un tampon, un buvard pour sécher l'encre, Chastelain procédait par automatisme et ces fantômes qui venaient à lui sur son bureau, plus nombreux chaque jour, finissaient par ne rien représenter.

Dans les premiers temps, il avait tenté de mettre un visage sur chaque nom de la liste interminable des morts que lui transmettait un service voisin, aussi anonyme. Désormais, tout passait et s'unifiait en une plainte obsédante, un chaos de gémissements, fait de larmes, de boue, de sang mêlés et ensevelis dans un tombeau immense. Alors, vers dix-huit heures, Chastelain avait quitté l'hôtel des Invalides, en oubliant, comme chaque soir, de saluer réglementairement le soldat du contingent posté au-devant du porche monumental du boulevard de la Tour-Maubourg. Ensuite, il aurait dû prendre la rue Saint-Dominique sur la droite et marcher ainsi, lentement, jusqu'à la rue Las-Cases où il louait un appartement dans lequel se trouvait sa sœur cocaïne qui le réconfortait et l'empêchait de penser. Mais la caresse tiède de l'air lui tendit un piège et il se laissa tenter par une visite à la Seine. Il rejoignit le quai Branly ourlé de platanes, enjamba le fleuve par le pont Alexandre III. Le plus long était fait. Bientôt, il parviendrait sur les Champs-Élysées et naîtrait l'idée de rendre visite à un ennemi d'hier, devenu son meilleur ami, l'aviateur Heinrich von Mietzerdorf qui l'avait fait prévenir de sa présence à Paris à l'occasion de la signature du traité de Versailles. Mais, avenue Montaigne, le capitaine Chastelain était tombé en arrêt sur cette femme blonde aux yeux bleus qui descendait d'un fiacre, et qui ne les avait pas baissés, ses yeux, quand lui-même ne pouvait s'y résoudre.

Avait-il souri en premier ? S'était-il décidé à le faire parce qu'il le désirait plus que tout, comme une nécessité s'imposant à lui, et davantage qu'elle ? La réponse ne fut pas longue à venir. La femme lui avait répondu, semblant aussi s'être rendu compte que cet échange ressemblait à une évidence, comme une rencontre familière et déjà complice, de celles qui s'imposent sans jamais s'expliquer, en sachant, dès le premier instant, qu'il en naîtra une attirance dont on devine ou espère le dénouement. L'affinité, en somme. Le coup de foudre. Un état auquel ni l'un ni l'autre ne pensaient la minute d'avant et dont ils redoutaient brusquement et pareillement la violence, tels deux êtres également passionnés.

C'est peut-être dans ces correspondances de cœur et d'esprit qu'il fallait trouver l'explication d'une attirance aussi immédiate et définitive. Le désir de s'aimer ? Il existait, maintenant. Mais comment se l'avouer, au milieu de l'avenue Montaigne, alors que le cocher du fiacre bougonnait qu'il voulait partir et qu'il fallait le payer ?

Cela aurait pu se finir à cet instant précis. Mais la femme arborait des gants de soie légère qui laissèrent filer les trois pièces qu'elle tendait pour le prix de la course. Son petit trésor roula sur la chaussée. Elle rit pour la première fois et se pencha pour le rattraper, ne réussissant qu'à laisser tomber le paquet volumineux qu'elle serrait contre son bras et le tout finit sous les roues de la voiture. Il n'en fallut pas plus pour que le capitaine Chastelain sorte un billet et libère le cocher d'un geste pressé. Après, ils restèrent ainsi, sourds aux bruits de la ville. Puis, Chastelain avait fini par ramasser les pièces et il les tendait maintenant à cette femme.

— Merci, dit la comtesse Ivérovitch. Mais elles sont à vous. Et c'est bien moins que ce que je vous dois.

Ces mots et cette voix sensuelle persuadèrent le capitaine que le ciel lui adressait le plus beau des présents.

*
* *

Ensuite, il refusa de lui rendre son paquet et, en claquant des talons, se présenta :

— Capitaine Louis Chastelain, pour vous servir. Dites-moi où je dois livrer ce colis.

— Comtesse Anastasia Ivérovitch. Je vais ici, fit-elle d'un ton amusé en montrant du doigt l'immeuble devant lequel le fiacre l'avait déposée. Notre voyage sera donc des plus brefs.

Chastelain enrageait, cherchant désespérément comment faire durer ce moment quand Anastasia Ivérovitch se mit à crier en portant les mains à son visage :

— Mon Dieu ! Dans le fiacre... Quelle bêtise. J'ai oublié les clefs de mon appartement.

— N'y a-t-il pas un concierge ? répondit-il en regrettant aussitôt de lui offrir l'occasion de disparaître.

— Bien sûr ! s'exclama-t-elle. Vous me sauvez la vie.

Déjà, elle tournait le dos et s'engageait vers la porte de l'immeuble, quand soudain elle s'arrêta :

— Il semble bien que rien ne veuille aller comme il se devrait, bougonna-t-elle.

— Une nouvelle contrariété ? laissa échapper Chastelain.

— Le concierge... Il m'en parlait ce matin. « Prenez garde, madame la comtesse », disait-il.

Elle haussa les épaules, elle semblait désolée.

— Il n'est pas là ce soir. C'est son jour de congé.

La belle victoire, songea le capitaine.

— De fait, cela devient ennuyeux, parvint-il à répondre d'un ton morne.

Il s'approcha d'elle, le paquet toujours en main :

— Résumons. Votre or m'appartient puisqu'il vous faut payer votre dette. Plus de clefs pour entrer chez vous. Et la nuit viendra bientôt. Elle sera sombre et vous verrez que le vent finira par se lever.

— Ce tableau est trop noir, sourit-elle. Vous faites fi des renforts qui s'offrent à moi.

Le cœur de Chastelain se serra. Un mari ? Oui, bien sûr. Et combien il se sentit idiot.

— Alors, je dois me résoudre à vous quitter.

La comtesse Ivérovitch fronça exagérément les sourcils :

— Ainsi, je ne peux compter sur personne !

— Mais vous parliez vous-même de... renforts. Enfin, il me semblait avoir compris que...

— Eh bien ! Je ne pensais qu'à vous.

Elle sonda les galons, caressa du regard la cicatrice qu'il portait au visage :

— N'êtes-vous pas soldat ?

Aussitôt, il posa le paquet sur le trottoir et, singeant le garde-à-vous, la salua :
— À votre service !
Puis, se mettant à la pause, il ajouta :
— Pour vous sortir de l'embarras, je propose d'user de mon passe-droit à l'hôtel des Invalides et de sommer le plus habile de nos sapeurs de se rendre *illico* à votre domicile. Dès qu'il sera en place, il devra obtenir la reddition de cette porte. En somme, elle devra lui céder.
— Ce service lui vaudra une récompense, s'enflamma la comtesse.
— Certainement, mais il devra l'attendre, lança Chastelain d'une voix enjouée qui tranchait avec le ton dont il usait depuis la fin de la guerre.
— Consentez-vous à m'expliquer ce mystère ?
— Sitôt la porte ouverte, son rôle sera de tenir l'entrée jusqu'à votre retour.
— Pourquoi ne pas l'attendre ? Et pourquoi devrais-je aller ailleurs ?
— Pour une opération aussi délicate...
Il fit mine de compter sur ses doigts :
— Il nous faut un ordre de mission paraphé et signé par deux ou trois officiers et sous-officiers. Puis, trouver le sapeur à qui l'on donnera toutes sortes d'informations sur l'objectif, la manœuvre et le désengagement. Les préparatifs prendront au moins une heure, car l'armée est un corps qui se déplace prudemment. Sur les lieux, le soldat devra mener son intervention avec la plus grande des délicatesses. Cette porte récalcitrante sera ouverte, mais à la nuit tombée. Et pendant tout ce temps que ferez-vous ?
— Dites-le-moi puisque vous semblez connaître la réponse, rétorqua la comtesse d'un ton amusé.
— On ne parle pas à une porte muette, mais on peut le faire à table.
— Ce qui signifie ?
— Il est presque l'heure de dîner. Et voici mon programme...

— Monsieur, commença-t-elle.

— De grâce, ne vous faites pas prier. Acceptez cette invitation.

Elle en mourait d'envie, mais ne lui répondit pas.

— Je donnerai des consignes au sapeur pour qu'il agisse au mieux et sans précipitation, souffla-t-il. Avant minuit, je vous aurai libérée.

Elle sourit, mais fit mine d'hésiter encore :

— D'avance, j'apprécie toutes vos attentions, mais...

— Un « mais » ? la coupa-t-il pour la seconde fois. Ce mot, madame, un militaire ne le connaît pas.

— Les femmes sont ainsi, monsieur le capitaine. La vie de garnison vous aurait-elle fait oublier que nous disons souvent peut-être, et rarement oui ?

Louis Chastelain se mordit les lèvres et grimaça un sourire enfantin et navré qui le rendit encore plus attachant. Anastasia détaillait ce visage frangé par une cicatrice qui ne réussissait pas à l'enlaidir et, au contraire, augmentait son charme. Il semblait si désemparé qu'elle vint d'elle-même à son secours :

— Et comment ferez-vous venir votre homme jusqu'ici ?

— Oubliez-vous que nous avons le téléphone ? Depuis l'endroit où je compte vous emmener, je joindrai l'officier de permanence à l'hôtel des Invalides. Je le connais. Et je sais qu'il s'exécutera. D'ailleurs, venez avec moi. Ainsi, je vous prouverai que j'ai raison.

— Je ne peux pas.

Chastelain maudit le destin. Elle avait un rendez-vous.

— Voyez comme je suis habillée, reprit-elle aussitôt.

Le jeune homme écarquilla les yeux. Il la trouvait parfaite.

— Je suis arrivée ce matin à Paris, vétilla-t-elle, et mes malles ne sont pas encore défaites.

S'agissait-il d'une fausse excuse ?

— Pardonnez mon audace, mais que trouver de mieux que cette robe et cette veste charmante ?

— Il me manque un manteau.

Chastelain leva les yeux au ciel :

— L'argument ne résiste pas. Il fait doux.

— Tout à l'heure, vous parliez d'une nuit glaciale.

— Je mentais effrontément pour vous convaincre. Pardonnez-moi et dites oui. Je jure que vous n'aurez besoin de rien. D'ailleurs, je serai à vos côtés et je vous protégerai. Nous dînerons à deux pas de chez vous. Et je promets encore de jeter au feu la rudesse du soldat.

— Ainsi dit, souffla-t-elle. Il se pourrait peut-être...

— Connaissez-vous *La Fermette Marbeuf* ? intervint Chastelain. On y mange simplement et sans avoir à porter l'habit. De grâce, acceptez...

— À nouveau, c'est un ordre ? soupira-t-elle.

— Disons plutôt une supplique. Ce mot vous déciderait-il ?

Anastasia Ivérovitch glissa son bras dans celui de Louis Chastelain :

— *La Fermette Marbeuf*, disiez-vous ? Eh bien oui, conduisez-m'y.

Le capitaine Louis Chastelain l'aurait fait jusqu'au bout du monde.

43

La Fermette Marbeuf devait en partie son succès à sa décoration. La salle recelait une magnifique verrière, œuvre de l'architecte Hurtre dont le premier résultat était d'inviter les convives à se glisser dans ce cocon propice à un charmant dépaysement. Son armature, ciselée dans le métal, formait une sorte d'habitacle étanche, isolé du monde, comme un décor tiré de *Vingt Mille Lieues sous les mers* et que Jules Verne aurait oublié au cœur de Paris. Le *Nautilus* de Némo ? L'image faisait sens et ici, dans cette cachette secrète, on oubliait les heures, on partait en voyage, bercé par le brouhaha des conversations, car ce lieu qui plaisait était bondé. Louis avait joué du prestige du héros pour obtenir la dernière table libre cachée derrière une colonne en fonte. Abrités des regards et cernés par les vitraux du peintre Wielhorski, Anastasia et lui laissaient filer le temps, et le plus fin des observateurs aurait pu croire qu'ils formaient un couple.

*
* *

Anastasia avait décidé qu'ils prendraient du champagne et ses yeux pétillaient. Louis avait oublié sa drogue et ne ressentait aucune douleur à la tête. Ils se regardaient, ils parlaient, ils s'apprivoisaient, ils s'approchaient. Si bien qu'au moment de passer la commande, ils étaient déjà certains de se connaître. La table étant petite, leurs doigts s'étaient frôlés dès le début. Louis avait rougi, Anastasia souri et, en posant sa main sur la sienne, elle lui avait demandé de ne plus jamais s'excuser. Il n'aurait pu rêver plus belle entrée en matière.

— Connaissez-vous la Russie ? interrogea alors Anastasia.

— J'ai parcouru plusieurs fois l'Europe, mais je n'ai pas eu le plaisir de me rendre dans votre pays.

— Où êtes-vous allé ? insista-t-elle.

— C'était avant la guerre, répondit-il d'une voix de nouveau éteinte. Je ne désire pas en parler. Je n'en garde pas de très bons souvenirs...

Tous deux baissèrent les yeux. Comme à l'unisson, ils retournaient à leur passé.

— Et vous ? intervint Chastelain pour rompre le silence.

— Je suis décidée à vivre en France, lança-t-elle en forçant sa gaieté.

— Vous y fûtes contrainte ? ajouta Louis pour qu'elle se dévoile.

Anastasia devint pâle :

— J'ai quitté la Russie le 18 juillet 1918. Je ne peux pas oublier cette date. C'était le lendemain de l'exécution de Nicolas II.

Elle s'interrompit. Ses lèvres tremblaient. Louis lui tendit sa coupe de champagne.

— Merci, sourit-elle faiblement.

Et pour l'aider à surmonter sa douleur, il l'embrassa, sans calcul et sans y réfléchir, au creux de sa paume qui s'ouvrit sans hésiter. Anastasia ne se défendit pas, et, au contraire, vint à lui, se soumit encore, approcha sa main de ce visage penché vers elle pour caresser sa cicatrice, s'y attarder, y revenir, puis remonter jusqu'au front et se perdre dans les cheveux de cet homme qui ne recula pas.

— Qui se cache derrière cette tête ? murmura-t-elle.

— Quelqu'un qui vous cherche depuis toujours.

44

Anastasia avait fini par raconter sa fuite de Russie. Au désastre du conflit mondial s'ajoutait le chaos de l'affrontement civil. Pour elle, l'assassinat du tsar retentissait comme le glas. Elle n'avait plus d'illusions et n'espérait rien de cette Légion blanche dont les chefs exilés en Europe maudissaient – de loin – Lénine et l'armée Rouge et juraient de reconquérir l'Empire – selon elle, sans vraiment agir. D'ailleurs, que pouvaient-ils faire d'autre ?

— Depuis mon retour en France, j'ai vécu sur la Côte d'Azur, passant l'essentiel de mon temps à écouter le discours de vieux aristocrates oisifs, convaincus qu'ils fouleraient un jour prochain le sol de la sainte Russie. Mais comment réaliser ce rêve ? Les uns sont trop pauvres pour financer une expédition et les plus riches se disputent les honneurs qu'ils recevront une fois rentrés. En attendant, ils dilapident leur fortune dans le jeu et les réceptions. Et tous parlent savamment du destin immuable de l'âme slave pour justifier leurs échecs, mais aucun ne reconnaît que nous avons perdu la confiance du peuple russe et des pays qui furent nos alliés. Plus encore, j'affirme que nous n'obtiendrons aucun secours, car nous ne comptons plus pour la Russie. La cause est hélas aussi simple que dramatique : nous manquons de foi en la Nation. Le peuple, que nous avons tant avili, tant oublié, tant asservi, a compris que nous ne l'aimions pas et que nous ne nous battions pas pour lui venir en aide, simplement pour le défendre, quand vint cette guerre effroyable. La douleur, les sacrifices, la mort pour que nous régnions égoïstement et sans partage, voilà ce que fut notre programme et je peux en parler puisque je l'ai moi-même soutenu, voire encouragé par fidélité au tsar. Aujourd'hui, qui voudrait mourir pour ces idées quand le châtiment touche tous ceux qui nous soutiennent ?

Anastasia soupira faiblement.

— Mon analyse vous semble injuste ? Vous me trouvez trop dure ?

— Je crois surtout que vous avez beaucoup souffert, murmura-t-il.

Les larmes affleurèrent aux paupières de la comtesse Ivérovitch :

— Plus encore que vous ne pourriez l'imaginer. Mais cela n'est rien. Si je prie pour le repos du tsar, je n'oublie pas que lui, et nous, l'aristocratie – et qui encore ? –, nous avons trahi la Russie.

— Ce mot n'est-il pas, en effet, un peu fort ?

— Je connais mon sujet, répondit-elle d'un ton sec. La trahison, voilà ce qu'il restera du règne de Nicolas. Croyez-moi, et oublions ces paroles.

Elle fit un terrible effort pour retrouver sa contenance, mais l'instant d'après, elle se montrait légère :

— Capitaine, donnez-moi encore de ce champagne, et dans ses bulles, je noierai mes misérables souvenirs et mes croyances désormais vaines.

Louis Chastelain remplit les coupes en silence. Il retrouvait dans les paroles d'Anastasia une part du désespoir qui le hantait. Oui, il désirait lui aussi oublier cette guerre, et dans ce qu'elle regrettait, il ressentait comme une inavouable ressemblance avec ses propres tourments. Mais, se disait-il, chassant la mélancolie qui revenait, l'impression d'être d'accord sur tout s'expliquait sans doute aussi parce qu'il ne lui trouvait aucun défaut et qu'il se sentait en fusion. Et il vida sa coupe d'un trait.

— Notre rencontre est amusante, reprit-elle, changeant brusquement de sujet. Il y a trois jours, je n'étais pas encore décidée à revenir à Paris.

— Quand êtes-vous arrivée ?

— Ce matin, par le train. Et, ce soir, nous dînons et bavardons telles d'anciennes connaissances. Croyez-vous au hasard, capitaine ?

— Je ne suis pas slave. Je bénis plutôt votre étourderie, lança-t-il en levant sa coupe vide. Allons, portons un toast au destin et remercions le ciel d'avoir un ange gardien qui veille à l'entrée de votre porte.

— Mon Dieu ! fit-elle se levant d'un coup.

— Qu'y a-t-il ? s'amusa Louis. Auriez-vous oublié autre chose dans ce fiacre ?

— Le sapeur ! Votre soldat ! Depuis quand le faisons-nous attendre ? Je vous en supplie. Quelle heure est-il ?

Chastelain consulta sa montre. Minuit. Bon sang, jura-t-il. Le temps passait trop vite. Il jeta un regard sur la salle. Vide. Et au fond, un maître d'hôtel bâillait à s'en décrocher la mâchoire.

— Allons, convint Louis en expirant. Il est temps d'abandonner les lieux.

Il se leva à son tour et ils quittèrent ainsi la verrière de l'architecte Hurtre, vaisseau fantomatique de leur premier voyage.

45

Il fallut toute l'énergie de Louis Chastelain pour réveiller un soldat assoupi dans l'entrée qui, malgré l'attention portée à la mission, avait dû se résoudre, disait-il les yeux bouffis de sommeil, à prendre des mesures énergiques. En fait, mais après un combat héroïque, le résultat patent était que cette maudite serrure n'avait résisté que partiellement à l'épaule du gaillard – mais moins que la bouteille de Pétrus dénichée dans la cuisine et réquisitionnée sur-le-champ. Ainsi s'expliquaient sûrement son brutal assoupissement et son regard hagard.

Chastelain fulminait. Anastasia s'amusait autant des bafouillages du sapeur que du regard dépité et confus de son supérieur.

— Capitaine, ne soyez pas sévère, intervint-elle sur un ton moqueur. N'est-ce pas aussi de votre faute ? Vous aviez promis de me libérer avant minuit...

Se moquait-elle de lui ou des deux ? se demanda-t-il.

— Il est vrai que toutes ces heures passées dans la solitude... bredouilla le sapeur.

Chastelain le fusilla du regard.

— Mais je n'ai rien fait d'autre, se défendit-il. Je n'ai touché à rien et je suis resté ici, planté devant l'entrée.

— Vous oubliez votre incursion dans la cuisine ! grogna Chastelain.

— Ce vin était-il au moins bon ? questionna la comtesse en se mêlant à leur conversation.

— Ah ! Madame, soupira le sapeur. Un régal pour le palais...

— Ne bougez pas, sourit-elle.

Elle tourna les talons avec grâce. Les deux hommes, surpris par ce départ, ne firent que détailler la sortie, chacun accommodant ses pensées à la silhouette qui déjà réapparaissait une bouteille en main.

— C'est pour vous, dit la comtesse en tendant son présent au sapeur.

— Ah ! C'est encore du Pétrus, lança-t-il en écarquillant les yeux.

— Vous ne l'appréciez pas ? s'inquiéta la comtesse.

— Oh ! Bien sûr que si. Et je vous remercie. Mais pour être franc, fit-il en baissant la voix, je le trouve un peu fort.

Le capitaine Chastelain regarda Anastasia. Devait-il bondir, hurler, réprimander ? Elle ne songeait qu'à en rire et le suppliait d'en faire autant. Et cette fraction de seconde fut suffisante pour qu'ils comprennent qu'ils devaient saisir ce moment, apprécier ses plaisirs et accepter le résultat qui s'offrait à eux. En somme, qu'il fallait croire à la promesse d'un bonheur immédiat, physique, presque brutal. Alors, ils s'abandonnèrent au fou rire qui n'en finissait plus et ne s'expliquait que par la délicieuse sensation de se sentir libres, et simplement heureux de désirer l'autre.

*

* *

Jules Galopin, c'était le nom du sapeur, sautait d'un pied à l'autre, la bouteille sous le bras, sans savoir quoi penser. Il s'attendait au sermon et maintenant, on lui parlait calmement. « Soldat, dit Chastelain. – Mon capitaine ? répondit Galopin. – Je vous félicite. – Merci mon capitaine, fit l'autre fortement étonné. – Soldat, reprit Chastelain, transmettez mon salut à l'officier de garde et sachez que j'écrirai un rapport circonstancié sur la bonne exécution de votre mission. – Merci, mon capitaine, balbutia Galopin qui n'en attendait pas tant. – Maintenant, rompez pour de bon. – Oui, mon capitaine. Cependant... – Quoi, encore ? – La porte, gémit-il. – Eh bien ? – Pour être franc, elle ne ferme plus vraiment. – Ne vous souciez pas. Je vais m'en occuper. » C'était toujours ainsi avec les gradés. Un jour de bon poil et l'autre... À n'y rien comprendre. Galopin jeta un œil en coin en direction de la comtesse Ivérovitch. Elle lui sourit. Dieu, qu'elle était belle ! À ses côtés, le capitaine Chastelain s'impatientait. Alors, le sapeur ne trouva rien de mieux à faire que d'adresser aux deux un impeccable bonsoir, avant de quitter la scène.

*
* *

Louis était déjà penché sur la porte, étudiant en détail l'œuvre du soldat. Irréparable. Du moins, sans l'aide d'un menuisier dont il ne pouvait espérer la venue avant le lendemain. En attendant, il ne pensait qu'à triturer la serrure et à pousser des soupirs de découragement, ce qui présentait l'avantage de lui donner une sorte de contenance et de meubler le trouble qui s'installait.

— C'est, en effet, regrettable, glissa Anastasia d'une voix douce.

Elle avança à pas lents.

— Capitaine Louis Chastelain, vous voilà condamné à veiller sur moi toute la nuit.

Maintenant, elle se tenait face à lui, au plus près, et elle resta ainsi, détaillant son visage. Lui résista jusqu'à la limite de ses forces, tremblant et redoutant de rompre le charme. Alors c'est elle qui approcha les mains pour défaire lentement les boutons de sa veste, découvrant son torse dont elle prenait possession en le caressant.

— Mais peut-être songiez-vous à d'autres projets ? murmura-t-elle en déposant un baiser sur ses lèvres.

Louis l'enlaça fougueusement.

— Au moins, poussez cette porte ! s'esclaffa-t-elle en se libérant.

La serrure pendait misérablement. Il saisit une chaise qu'il cala dans l'encadrement et il testa si nerveusement la résistance de son fortin que la poignée lui resta en main. C'était une défaite misérable. Il se tourna vers Anastasia l'air plus penaud que jamais :

— Vous n'imaginez pas combien je suis désolé...

Anastasia vint à lui et le saisit aux épaules :

— Je me contenterai du secours du soldat.

Elle l'enserra à la taille et s'engagea dans le corridor qui menait à sa chambre.

46

Alors que l'aube se levait et qu'ils reposaient, pacifiés, Anastasia se détacha des bras de son amant et se redressa, offrant au regard qui la dévorait la plus émouvante des scènes. Louis s'approcha et se nicha au creux du ventre de sa maîtresse qui caressa ses cheveux et répondit à son appel en se tendant vers lui. Les premiers rayons du soleil entraient dans la pièce. Il ferait chaud, ils repartaient en aventure. Mais alors qu'il l'attirait et l'invitait à s'étendre, elle s'écarta tendrement.

— Tu ne me désires plus ? s'alarma-t-il.

Elle répondit par un regard où étincelaient des milliers de fragments du bonheur. Ses yeux racontaient combien elle se sentait heureuse d'être près de cet homme dont elle prit la main pour la poser sur son cœur à nu.

— Sens-tu combien il s'émeut de tes attentions et combien il bat vite de peur que tu t'éloignes ?

Pourtant, elle s'échappa et s'assit en tailleur au pied du lit :

— Tu dois d'abord me faire une promesse, commença-t-elle.

— Je te les accorde toutes ! lança Louis avec fougue.

— Silence, capitaine, répliqua-t-elle en fronçant son adorable nez. Vous parlez peut-être à une aventurière animée de sombres desseins...

— J'accepte ce risque !

— Même si je t'ai abusé ? souffla Anastasia en se rapprochant.

Parlait-elle de ces heures passées où elle semblait s'offrir à lui sans la moindre tromperie ? Le visage de Louis s'assombrit. La comtesse comprit qu'il se voyait déjà trahi.

— Cette nuit, je n'ai jamais été plus vraie, dit-elle pour mettre fin à la douleur qui naissait.

Elle marqua un silence avant d'ajouter :

— Mais pourrais-tu me promettre de me pardonner si je t'apprenais que j'ai toujours eu sur moi les clefs de l'appartement ?

Peu à peu, Louis réalisait le sens de cet aveu. Depuis le début, elle savait exactement ce qu'elle faisait. Elle voulait qu'il vienne à son aide, et donc...

— Tu ne les avais pas oubliées dans le fiacre ? demanda-t-il pourtant.

Elle fit non de la tête :

— Dès le premier regard, je t'ai voulu.

Louis se jeta sur elle en feignant la colère :

— Perfide malicieuse ! Tu m'as berné, manipulé. Et moi, je suis tombé dans ton piège.

— Tu le regretterais ? minauda-t-elle.

Il l'embrassa passionnément :

— Je t'aime jusque dans tes machinations ! Je t'en supplie, ne change rien. De toi, j'accepte tout, mais jurons de ne plus jamais nous mentir.

— Je te promets qu'il en sera toujours ainsi avec toi, répondit Anastasia Ivérovitch d'un ton sombre.

Et sa voix ressemblait à une plainte.

47

Anastasia ne compte plus les heures passées avec son amant. Depuis cette première nuit, elle vit comme dans un rêve, détachée du monde. Elle a décidé d'oublier, pour le temps que durera son bonheur, le chagrin lancinant qui la noie et dont elle pensait ne jamais se défaire. Elle vit sa belle aventure, dans le nid d'amour de l'avenue Montaigne, repoussant chaque jour la décision de repartir dans le sud de la France, sur la Côte d'Azur. Elle n'était venue à Paris que pour régler ses affaires, libérer l'appartement qu'elle louait et récupérer les malles qui sommeillent au *Ritz*, depuis 1914, et dans lesquelles se trouvent les effets qu'on lui avait fait porter pour les quelques jours passés dans ce palace avant de retourner en Russie. En fait, elle ne l'avoue pas, mais elle se sent prisonnière de cette ville qui lui rappelle de mauvais souvenirs. Peut-être craint-elle de croiser au coin d'une rue Henriette Caillaux dont l'époux subit à nouveau les attaques de ses ennemis depuis que Clemenceau l'a accusé pendant la guerre de comploter contre l'État et de trahir la France.

Jusqu'où ira la machination et comment justifier cet acharnement ? Anastasia ne cherche plus d'explications. Elle sait que l'éviction politique de Caillaux après la mort de Calmette a ouvert une brèche aux partisans de la guerre. Mais un coup de feu est-il seul responsable de la plus grande catastrophe qu'ait connue l'humanité ? Ce n'est qu'une goutte d'eau qui ne peut en rien expliquer l'océan de haine. Anastasia Ivérovitch se contente de cette conclusion qui ne met pas fin à ses remords, mais qui apaise un instant sa culpabilité. D'ailleurs, Henriette n'a-t-elle pas été acquittée ? Sur ce point, elle a obtenu gain de cause. Et pour avoir suivi les échos parus sur les Caillaux, elle sait qu'ils ont quitté Paris après le procès, parcourant le monde et réapprenant à vivre. Pour se rassurer encore, Anastasia ne cesse de se répéter qu'elle n'a pas commis les lettres qui les accablaient. Elle n'a fait qu'aider Henriette à exécuter un acte dont l'un des effets fut de lui avoir permis de se libérer du maléfice qui meurtrissait son existence. En raisonnant encore, il se peut qu'à certains moments, Anastasia envie Henriette, cette femme bafouée qui a sauvé son honneur et, d'un geste pardonné par son époux, vengé ses blessures. À l'inverse, de quoi pourrait s'absoudre Anastasia ? De sa trahison, de sa fuite désespérée en Russie, de sa vie dissolue sur la Côte d'Azur, de ses liaisons fugaces, de ses nuits blanches, enivrée d'alcool, dilapidant sur les tables du casino de Monte-Carlo sa fortune arrachée à la Révolution, vestige d'un monde auquel elle vendit autrefois sa dignité pour avoir cru au tsar Nicolas II ?

*
* *

Anastasia veut tirer un trait sur les ombres de son passé et pour tenir encore, elle se force à oublier ces visages, ces noms qu'elle n'aurait pas dû connaître. Qu'est devenu Igor Kasparovitch ? Comme tant d'autres, il pourrait avoir disparu dans la tourmente de la guerre ou la fin délétère du règne de Nicolas II et l'effondrement brutal du monde d'hier. Est-il mort, exilé en France, en Europe, aux États-Unis ? La comtesse n'y pense pas. Elle se moque de lui comme de cette aristocratie russe qui soigne ses plaies à la roulette, au trente-et-quarante, au chemin de fer, au *black-jack*, au *punto banco*, et affirme vouloir rassembler ses forces, former des armées, revenir en Russie par Vladivostok et conspire à coups de plans chimériques qui permettraient de reprendre le pouvoir confisqué par les Soviets. Mais, elle en est convaincue, ce monde délétère ne brille qu'au *Café Divan*[1] et vit ses dernières heures, loin du pays qu'elle pleure. Anastasia est sûrement de mauvaise foi, mais elle ne pardonne pas au tsar et à ses sbires d'avoir mis fin à ses dernières illusions.

*

* *

Elle sort du lit où elle reposait depuis le départ de Louis, espérant ainsi que s'envoleront ses sombres pensées. Nue devant la psyché qui se trouve dans sa chambre, elle est sans complaisance pour son corps qu'elle soumet à la plus intraitable des critiques. Sa taille est fine, ses jambes élancées, son ventre idéalement bombé. Ses seins nacrés ne veulent rien céder aux ans. Elle se tourne encore pour inspecter le dessin de ses hanches et en se mettant sur la pointe des pieds, elle en accroît la courbure sensuelle. Son physique, se dit-elle, est le seul héritage de son passé.

En soupirant, elle abandonne la séance d'observation. Combien de temps durera le miracle qui plaît tant à son amant ? Elle vient de penser à lui et son corps s'attiédit. Elle le voudrait là, à ses côtés, pour calmer son désir. Et peut-être mourir ainsi, de cet attrait inépuisable qui se répète chaque nuit.

Quand ils renoncent, consumés et vaincus, Louis vient se nicher dans son bras et s'endort. Anastasia préfère résister à Morphée. Elle aime l'observer, détailler

1. Ancien nom du célèbre *Café de Paris* de la principauté de Monaco.

ce visage blessé et tendre l'oreille pour l'écouter respirer. Parfois, dans son sommeil, des mots s'échappent de ses lèvres. On y parle de morts, de sang, de souffrances. Parfois, il se lève en hurlant et la regarde sans qu'elle sache s'il la reconnaît. Quand les caresses et les paroles tendres ont fini par l'apaiser, il se love contre elle et implore son pardon d'une voix plaintive.

— Qu'as-tu, mon amour ? murmure Anastasia.

Il ne répond pas. Il se lève brusquement et marche de long en large avant de céder à la cocaïne dans laquelle il se noie. À cet instant, elle sait qu'il s'échappera seul dans son paradis.

— Par quoi es-tu hanté ? supplie-t-elle en tentant de se rapprocher de lui.

— Je ne peux rien te dire, lâche-t-il misérablement avant de sombrer.

— Tu avais promis de ne jamais me mentir.

— Je ne l'ai jamais fait depuis que je te connais, balbutie-t-il.

— Je le sais, l'encourage-t-elle. J'ai aussi compris qu'il s'agissait des ombres de ton passé.

Sonné par la drogue, il baisse la tête, et c'est un aveu.

— Libère-t'en, lui murmure Anastasia.

— Je ne peux pas ! s'obstine-t-il, le regard déjà perdu dans le vague.

Il chancelle et s'effondre. Anastasia est vaincue par sa seule rivale, la cocaïne. Et elle pleure en silence blottie contre lui, se demandant encore si ce n'est pas grâce aux secrets qu'ils gardent pour eux qu'ils s'accordent et s'aiment. Si désespérément.

48

Louis Chastelain se trouve aux Invalides. Il revient de Versailles et ne songe qu'à rejoindre Anastasia, car chaque jour, il redoute le pire. Il s'imagine sonnant à la porte de l'appartement de l'avenue Montaigne et découvrant que son fol amour s'est envolé. Elle pourrait le décider puisqu'il devine que, pour lui seul, elle demeure à Paris. Dix fois elle a parlé de retourner sur la Côte d'Azur, prenant pour prétexte le climat, la foule étouffante, les bruits, la saleté de Paris. Louis n'est pas dupe et bien qu'elle lui ait proposé de l'accompagner, il sait qu'un jour, elle le quittera sans savoir pourquoi, sans même être sûre qu'il en serait la cause. Pour des raisons obscures, elle ne songe qu'à fuir le passé, qu'à se perdre dans le lendemain, comme un oiseau des mers, enivré par l'horizon, s'abandonne jusqu'à l'épuisement aux promesses vaines mais infinies de l'océan. Celle qu'il adore plus que tout cache un mystère aussi obsédant que celui qu'il porte. Pour lui et pour elle, le poids devient trop lourd, le battement de la vie se fait douloureux. Sans elle et sans lui, où iraient-ils ?

Louis a cru plusieurs fois qu'il pourrait lui raconter les raisons du mal qui le ronge. Plongeant dans l'abîme de la guerre, il accepte enfin de faire surgir l'impossible confession. Souvent, il se sent prêt au moment où la drogue commence à agir. Les inhibitions tombent. La peur s'efface. Il parle, Anastasia en fait autant. Puis, tout se bloque dans sa tête. Les morts, dont il se sent responsable, lui ordonnent de se taire et Chastelain obéit puisqu'il est soldat.

Un sous-officier frappe à sa porte. Des papiers à signer. Des noms, encore. Des morts, des fantômes perdus et oubliés. Ceux-là surgissent du Chemin des Dames et sur cent mille – cent mille tués ou blessés pour une seule bataille –, combien ne trouveront jamais leur sépulture ?

— Laissez cela sur mon bureau.

Chastelain n'a même pas regardé le sous-officier. Il est à la fenêtre, les yeux braqués sur la Seine. Il chemine en pensée jusqu'à l'appartement d'Anastasia. Il presse le pas, escalade quatre à quatre les étages, sonne à la porte et personne ne répond. Pourquoi ce matin, alors qu'il s'en allait, a-t-elle parlé des malles qu'elle voulait récupérer au *Ritz* ? Est-ce le signal de son vrai départ ? Chastelain ne peut plus attendre. Il range sommairement son bureau, claque les tiroirs et les ferme à clef. Mais on frappe encore à la porte. Le colonel Médouin vient d'entrer. C'est un biffin couvert de gloire. Lui, il n'a pas d'état d'âme. On ne lui a demandé que de conduire ses hommes au champ d'honneur, de multiplier les assauts, de montrer du courage et de limiter les pertes. Si on oublie ce dernier point, sa guerre fut celle d'un brillant fantassin. Un combat guidé simplement par le thème de la survie, à un contre un, la dague contre la baïonnette, tranchée après tranchée, jour après jour, année après année. Il en est revenu vivant. Dans son corps et dans sa tête. Il est vainqueur, antiboche, convaincu du travail bien fait.

— Alors, Chastelain, entame-t-il de sa voix habituée à hurler les ordres, comment avez-vous trouvé cette cérémonie à Versailles ?

Chastelain toise son visiteur et répond d'une voix lasse :

— L'Allemagne est à genoux, humiliée, animée par la vengeance.

— Nous l'avons battue ! claironne l'autre.

— Je ne crois pas.

Médouin fait un pas :

— Expliquez-vous, Chastelain.

— La France a-t-elle imposé sa place de champion en Europe ?

— Bon sang ! Nous sortons vainqueurs, martèle l'autre.

— Mais nous avons perdu la paix.

Souiller la France est une phrase de trop pour Médouin, le patriote.

— Je vous trouve très critique, capitaine Chastelain, menace-t-il. Et je vous sens, comment dire, attiré par le défaitisme.

— Oubliez-vous mon comportement pendant la guerre ? gronde à son tour Chastelain.

— Votre blessure, bien sûr, lance-t-il d'un air narquois. Mais, vu du ciel, le champ de bataille n'était-il pas moins dangereux ?

Louis Chastelain pourrait se jeter sur l'insolent pour lui demander réparation. Mais il préfère hausser les épaules :

— Je vous observe, colonel Médouin, et je me dis que j'ai raison de croire que ce carnage n'a servi à rien. Les millions d'hommes que nous avons conduits à la mort gisent dans le traité de Versailles où est déjà écrite la prochaine guerre. C'est une question de temps et de circonstances. C'est un jeu de patience dont je connais, hélas, les règles. Et quand on vous annoncera que vous repartez au front, vous serez capable d'en parler comme d'une fatalité et de ne vous étonner de rien et même de considérer l'événement comme une sorte d'exigence irréfragable.

— Comment osez-vous affirmer que je suis manipulable !

— Parce que je le sais, et que moi, et nous tous, nous sommes comme les pauvres types d'en face. Nous voulons être les plus forts. Voilà tout.

— La messe a déjà été dite. C'était la *der des ders* ! Il n'y en aura jamais d'autres.

— Je prie pour que vous ayez raison, mais je doute. Et je vous assure qu'en le disant je ne désire en aucune façon vous froisser. Bonne soirée, colonel, et, en partant, veuillez fermer cette porte.

Chastelain sort du bureau, laissant en plan un Médouin ravalant les questions qu'il meurt d'envie de poser. Qui est réellement cet officier sur qui courent d'étranges bruits ? Parle-t-il avec cette assurance du fait de son passage dans les services secrets, avant la guerre ? D'où lui vient cette distance narquoise qui agace et freine son ascension ? Médouin s'éloigne d'un pas nerveux. Il se demande encore si, comme on le dit, Chastelain est un adepte de la cocaïne. Il faudrait qu'il questionne ses relations à l'état-major. Et pourquoi ne pas jeter un œil sur le dossier militaire de ce capitaine arrogant et cynique ?

49

Louis est dehors. Il marche rapidement, ne songeant qu'à retrouver Anastasia. Désormais, il ne vit que pour elle. Avant, il acceptait encore de rencontrer de rares amis qui ne remâchent pas la guerre ou s'attribuent des exploits plus ou moins imaginaires. Ils sont peu et celui dont Louis se sent proche n'est pas français. Il s'agit de l'aviateur Heinrich von Mietzerdorf. Ce Prussien contre qui il s'est battu. Six duels aériens, six affrontements où se jouait la mort sans avoir pu se départager et, peu à peu, l'indicible sentiment que le respect pour cet autre que soi est l'unique façon de tenir à distance la bestialité. Puis, un jour, se trouver face à lui, et voir enfin le visage de l'invincible. Aussitôt, s'y retrouver, et laisser naître, au-delà du ciel, l'alchimie d'une affection qui, depuis, ne s'est jamais désunie.

Heinrich von Mietzerdorf est à Paris, mais cet aristocrate, fortuné et désenchanté, pourrait être tout autant à Londres ou à Rome. Il épuise le temps, s'en échappe en affichant une ironie grinçante et fait taire ceux qui parlent de lui comme d'un héros.

Après la guerre, lorsqu'il était rentré chez lui, non loin de l'île de Rügen au bord de la mer Baltique, les villages qui entouraient les terres de son domaine familial étaient dépeuplés. Les âmes perdues se comptaient par dizaines. Les survivants étaient ruinés, assujettis aux privations. Heinrich von Mietzerdorf avait offert les champs qui cernaient son château aux paysans. Puis, il avait quitté la Poméranie occidentale, voyageant selon ses caprices, et se décidant pour Paris où vivait son frère de feu, le capitaine Chastelain. Qui, depuis un mois, se fait invisible.

Dans les lettres qu'il adresse à Heinrich, Louis parle d'un amour absolu et peut-être impossible, d'un bonheur immense et de douleurs rentrées. Mais comment juger puisque cette femme est une ombre ? Heinrich ne la connaît pas. Louis cache sa conquête et s'isole avec elle. « *Bientôt,* écrit-il à Heinrich, *tu feras sa connaissance, mais avant, je dois être certain d'elle. Et surtout, de moi.* » Depuis, Heinrich attend.

*

* *

Louis franchit la Seine. L'avenue Montaigne est en vue. Son pouls s'accélère. Ce soir, Anastasia saura tout.

*

* *

Anastasia sort du *Ritz*. On lui livrera les malles aujourd'hui. Elle se dépêche aussi. Louis va revenir. Louis sera là. C'est tout ce qui compte.

*

* *

Jean, le concierge du *Ritz*, fait venir un petit groom. Celui-ci a dix-sept ans et vient d'entrer au palace. Il remplace Georges, mort le 16 mai 1918 à six heures trente du matin dans les Vosges, non loin de la cote 77, en montant à l'assaut sous les ordres du colonel Médouin.

Lucien n'a pas connu la *der des ders*. Il était trop jeune. Son frère et son père, et ses deux oncles, eux... Mais lui ne se plaint pas. Il est heureux de travailler avec monsieur Jean à qui il succédera, peut-être, un jour.

— Lucien !

— Oui, monsieur Jean.

— Tu iras porter ces deux malles, avenue Montaigne.

— Bien, Monsieur Jean.

— Prends-en soin. Elles appartiennent à la comtesse Ivérovitch.

Mais Lucien ne connaît pas cette dame. Tout change au palace. Tant de visages ont disparu depuis la saignée des tranchées.

PRINCIPE DE GOLGOTHA

Rapport du Neuvième Décemvirat
Paragraphe 9

On ne lutte pas contre la tyrannie en édifiant la démocratie. C'est un mensonge d'affirmer que ce régime est la panacée aux fléaux de la politique. Ce système est criminel, notamment en matière de guerre et voici pourquoi : la souveraineté étant celle du peuple, tous les citoyens en sont les acteurs. Donc, les victimes. Désormais, il n'y a plus de suzerains dédiés au devoir de défendre leurs vassaux, mais une somme colossale de petits soldats contraints à mourir pour la Patrie. Ainsi, le peuple élit ses maîtres qui lui ordonnent alors de faire la guerre pour eux. Le résultat de cette mascarade fut, au Vingtième Siècle – royal pour la démocratie –, la tenue de conflits monumentaux. Et par quel sortilège cette poignée d'élus formant la cryptocratie parvient-elle à berner la masse ? La réponse tient en un mot : utopie.

La belle invention que voici ! L'utopie est une idée maligne car elle n'a aucun aboutissement. C'est une destination vers laquelle on tend, et qui s'éloigne dès qu'on l'approche. L'utopie est comme l'horizon, inatteignable. Seuls ceux qui s'en détachent et renoncent à son attirance savent qu'elle n'est que mirage. Arme favorite de la politique, elle parle au futur quand l'homme vit au présent. Invérifiables, les promesses que l'on fait en son nom n'engagent pas ceux qui les ont inventées. C'est pourquoi les États s'en servent pour diriger à leur gré.

Peut-on lutter contre l'utopie? Y parvenir serait comme mettre fin au règne des États. Sans utopie, ils n'auraient plus de raisons d'exister. Or, la guerre, une fois achevée, détruit la crédibilité des États et tue leurs espérances fictives. Dans les décombres, on panse ses plaies, on compte ses défunts, on pleure et l'on se prend à douter, réalisant même que l'on aurait pu être dupé. Tant de malheurs et pour quoi, et pour qui? L'utopie faiblit. L'État est déjà en train de mourir pour avoir, hier, fait aimer la guerre, et, maintenant, pour la rendre détestable. L'utopie est donc le socle des États, mais aussi l'instrument de leur perte.

Peut-on manipuler l'utopie? Frères de Golgotha, voici l'épreuve à laquelle vous convie notre Principe et qu'il vous faudra surmonter lors du Vingt et Unième Siècle. Pour vaincre l'État, vous devrez en passer par la guerre et pour la déclencher, vous devrez vous servir de l'utopie, en exacerbant les rêves qu'elle sous-tend. Le Neuvième Décemvirat n'a pas usé d'autres moyens au Vingtième Siècle pour décider les États à s'engager dans des conflits mondiaux. Les Dix Très Hauts Magistrats se sont appuyés sur l'utopie pour décider les hommes à se maudire. En son nom, ceux-ci sont assez fous pour se lancer dans la guerre, une entreprise suicidaire. Pour elle, ils ont des certitudes et, de la base au sommet, tous se sentent prêts à détruire, à spolier, voire à mourir. Patrie, honneur, religion! Les envies de croisade ne manquent pas. Le Vingt et Unième Siècle en regorgera.

En 1914, l'utopie de se savoir le plus fort attisait la haine entre les États. Ils espéraient l'étincelle pour trancher le débat. Les armes? Nous les fournissions à volonté. Les soldats pour les actionner? Les hiérarques recourraient à la mobilisation. Les sillons des champs se gorgeraient de sang. Le prétexte? Il ne manquait que lui. Ce fut l'assassinat de l'héritier d'Autriche-Hongrie à

Sarajevo. Un simple coup de feu. Un deuxième. Et la poudre prit feu.

La décision d'exécuter le prince François-Ferdinand fut prise à Venise, le 21 avril 1914, à l'unanimité, par les Très Hauts Magistrats du Neuvième Décemvirat sur la base d'un rapport établi par notre Frère le Consolateur des Éphésiens dans lequel il démontrait qu'aucune époque n'avait accumulé un si grand nombre de circonstances favorables au déclenchement d'une guerre généralisée : « La découverte du monde est achevée, commença le Consolateur des Éphésiens. Les terres émergées, connues. Désormais, les empires veulent se départager. La production s'organise dans des usines monumentales, et la division du travail rend le prolétariat docile. Les découvertes essentielles en matière d'énergie, de transport, d'information sont maîtrisées. La seule question pour tous est de savoir qui sera maître de cette modernité. L'Allemand ou le Français ? Le capital ou le peuple ? L'argent ou la foi ? Le spirituel ou le matériel ? La démocratie ou la monarchie ? Bien sûr, Golgotha ne tranche pas puisque ces questions induisent des considérations politiques et morales. »

J'accompagnais l'Archange à Venise. Je me formais. J'avais le droit d'écouter, d'apprendre. Et il me fallait consommer une immense énergie pour tout retenir. Parfois, mon regard s'échappait vers le Ponte Capello qui reliait, par un petit canal, le palais dans lequel siégeait le Décemvirat. Je l'avoue, j'avais peur. Je n'étais jamais retourné en Italie et je craignais de rencontrer une connaissance qui tomberait en arrêt sur moi et me dévisagerait avant de me serrer dans ses bras en hurlant : « Le terroriste de Rome ! » L'Archange se moquait gentiment. Dans ce palais discret, situé au cœur du quartier Castello, San Lorenzo, il m'assurait que nous ne craignions rien. « Écoutez », me dit-il. Le Consolateur des Éphésiens continuait son rapport. Je me suis concentré sur ses paroles :

« L'utopie du plus fort est une pulsion quasi incontrôlable, propre à l'espèce humaine. Elle conduit les États à vouloir la guerre pour libérer leur agressivité naturelle, comme l'affirme l'un de leurs dignitaires, le baron Franz Conrad von Hötzendorf, chef d'état-major austro-hongrois. Un autre, le général allemand Friedrich von Bernhardi, prétend que la guerre est une nécessité biologique. Pour Kurt Riezler, un proche du chancelier allemand Theobald von Bethmann-Hollweg, l'hostilité absolue et éternelle est inhérente aux relations entre les peuples. C'est l'essence du monde et la source de la vie elle-même. »

Il faisait chaud ce jour-là, à Venise, mais ce n'était pas pour cette raison que ma gorge se séchait et que mon front se couvrait de sueur. Plus j'écoutais le Consolateur des Éphésiens, plus la justesse du Principe de Golgotha s'affirmait. L'hostilité, une litote pour désigner la guerre, était, pour les idéologues et les penseurs des États, intrinsèquement liée à la vie. Je mesurais l'incroyable prétention, le cynisme, la cruauté de ceux qui, se disant supérieurs, prétendaient défendre l'humanité en la haïssant. En retour, j'exécrais leur arrogance, leur orgueil. Je désirais leur mort. Et j'étais si déterminé que j'en oubliais ma frayeur.

« L'utopie du plus fort, continuait le Très Haut Magistrat, est une perversion du darwinisme qui, selon la théorie de l'évolution, conduit au règne de l'État le plus fort dont la récompense ultime sera de soumettre le monde à ses idées, sa morale, ses lois, sa religion – et sans doute sa race. Dès lors, on comprend mieux les craintes de l'empereur de Russie et de la monarchie austro-hongroise qui, se sentant affaiblis, désirent aussi la guerre dans l'espoir de repousser l'échéance de leur disparition. Ainsi, en 1914, se trouvent réunis et concentrés tous les moyens pour déclencher l'hostilité que les États appellent eux-mêmes de leurs vœux. Les armes de destruction massive sont opérationnelles. Les ressources techniques et humaines atteignent un niveau inégalé. La production à

la chaîne permet d'approvisionner le front sans relâche. Enfin, par l'ampleur des capitaux investis dans l'acier, les transports, la chimie, ou l'énergie, la richesse de Golgotha augmentera et permettra aussi de décider du sort des combats. C'est pourquoi, je propose au Neuvième Décemvirat d'en venir au moment de l'action.»

Il manquait l'étincelle. Ce fut Sarajevo où Golgotha, selon son Principe, n'agit pas directement, mais se servit, par le travail de nos Frères Enrôleurs, dont le Léviathan de Job fournit la plus grande part, de l'utopie de ceux qui se voulaient les plus forts et dont le patriotisme assoupissait les consciences. Et en son nom, on commit Sarajevo.

Le Frère Consolateur des Éphésiens proposa que cette mission soit exécutée en se servant des militaires et des élus fous d'amour pour la guerre. De la Serbie à l'Autriche-Hongrie, en passant par la France et l'Allemagne, le détestable alibi de la haine ne demandait qu'à être exalté, porté par un coup de feu téléguidé par un seul pion sincère, naïf – en somme utopique –, comme l'avait été cette comtesse russe, la femme dont je parlais à propos de l'affaire Caillaux. Bien sûr, il n'existait aucun moyen de relier ces deux événements voulus par Golgotha, l'un conduisant au discrédit et à l'élimination sociale d'un pacifiste qui aurait pu convaincre l'Europe des bienfaits d'un règlement diplomatique; l'autre exaltant par le sang les alliances, avec pour effet la crispation des ententes et la dissolution rapide des fragiles équilibres.

Oui, ce coup de dé qui débouchait «naturellement» sur la guerre, cette hostilité absolue et éternelle, inhérente aux relations entre les peuples soumis aux États – cette nécessité biologique –, se jouait sur un simple coup de feu tiré par un seul homme. Et la décision se prenait maintenant, alors que, un à un, les Dix Très Hauts Magistrats du Décemvirat levaient une main, et n'avaient qu'à faire cela pour briser l'utopie des hommes.

Le soleil s'éteignait et ses rayons rasants faisaient brasiller le marbre sang et or du sol du salon où venait de se décider la guerre. Les murs étaient recouverts de scènes religieuses. Mon regard s'échappa sur la fresque du peintre Botticelli symbolisant les Épreuves du Christ. Avant que ne débute la réunion, l'Archange m'avait appris qu'il s'agissait de l'original et je fus d'autant plus heureux d'apprécier pour moi seul cette œuvre qui exprimait aussi parfaitement la souffrance; celle de l'homme venant jusqu'à Golgotha.

Je ne pus détailler la scène davantage. Le vote s'achevait et, déjà, le Très Haut Magistrat Agios de Sparte suggérait d'examiner les détails concernant l'assassinat de l'héritier de l'Empire austro-hongrois. Après un court échange, et pour de multiples raisons, la date de l'exécution fut fixée au 28 juin 1914. Entre autres, ce jour correspondait à l'anniversaire du mariage du couple impérial et Sophie, épouse de François-Ferdinand, serait du voyage. Un double meurtre frapperait fortement les consciences et accélérerait les événements dont on prévoyait l'éclosion peu avant ou juste après le début du mois d'août, selon le déroulement des moissons. Il fallait en effet remplir les greniers en prévision de la guerre. Enfin, Agios de Sparte rappela à ses pairs Magistrats du Neuvième Décemvirat que les mouvements spéculatifs qui accompagneraient la crise internationale se préparaient dès ce jour, et que chacun, selon ce qu'il contrôlait, devait y veiller avec la plus extrême attention pour le profit de Golgotha. Ainsi, et dans le plus grand calme, le plan se mettait en place.

Moi, Chimère, je ne faisais qu'écouter, mais je prenais conscience qu'un coup de feu, décidé sans passion, suffirait pour que les États, les gouvernements, les militaires, les journalistes, les partis de gauche et de droite, les syndicats ouvriers et patronaux, les églises, et même l'opinion se persuadent que la guerre arriverait comme une fatalité – et comme le bien triste revers de l'utopie. De fait, comme à l'ensemble du Neuvième Décemvirat, ce plan m'apparaissait parfait.

Dans un salon voisin, des domestiques s'affairaient pour préparer le dîner et nous mourions de faim. « Bientôt, me souffla l'Archange en me poussant impatiemment vers la pièce suivante, les hommes seront animés par une pulsion incontrôlable et, des années après, ils se demanderont pourquoi il leur fut nécessaire de se tuer. Alors, de savants chercheurs expliqueront que c'est l'essence du monde et la source de la vie elle-même. » Il sourit affectueusement. Il paraissait parfaitement heureux : « Allons manger, à présent. Et retenez tout ce que vous entendez, car la réunion à laquelle vous participez se poursuit et elle est historique. »

Elle décidait, en effet, du sort du monde et de celui de Golgotha. Et moi, Chimère, j'en étais le témoin.

50

C'est toujours ainsi quand elle et lui se retrouvent. Ils s'accordent un long moment de silence. Ils se serrent l'un contre l'autre. Ensuite, ils retiennent leur souffle. Qui osera le premier ?

— Anastasia...

Louis est décidé. Ce soir, il libérera les fléaux et les malheurs gisant dans ses souvenirs.

— Moi d'abord, murmure-t-elle en posant une main sur les lèvres de son amant.

Louis s'est détaché. Il s'est tant préparé qu'il n'a pas vraiment pris le temps de la regarder. Il ne pensait qu'à lui, aux mots qu'il prononcerait. Maintenant, il le fait, la détaille et la trouve changée. Différente, corrige-t-il. Cette tenue sombre, tout d'abord, il ne la connaissait pas. Ce n'est pas qu'il ne l'apprécie point, mais elle lui semble datée, comme extirpée d'une histoire ancienne. Ensuite, il y a son visage, plus grave qu'à l'ordinaire et il songe d'emblée à ces masques que l'on prend pour parler fatalement.

— Je t'aime, Louis. Je t'aime vraiment.

Elle le dit, mais ses yeux dévoilent une infinie tristesse. Le masque se précise. C'est celui qu'on arbore pour les tragédies. Louis range au fond de lui sa propre désespérance. Il ne s'intéresse qu'à elle, à ce qu'il redoute d'apprendre.

— Louis, répète-t-elle en cédant aux larmes. Je vais partir...

Il entend ces mots. Il finit par en saisir le sens et l'abîme s'ouvre à nouveau.

— Viens avec moi, ajoute-t-elle. Ici, le passé pèse trop pour nous deux.

Louis pourrait répondre oui. Simplement cela, et se promettre qu'il oubliera ce qu'il s'était promis de lui avouer. Mais on sonne à la porte et la pression retombe. Il questionne Anastasia du regard. Qui peut-elle attendre ? Chez elle, personne ne vient jamais.

— Il doit s'agir de mes malles.

Louis ne comprend toujours pas.

— Celles que j'ai laissées au *Ritz* avant la guerre, précise-t-elle. Je les emporte avec moi.

Elle hésite encore et finit par lâcher d'une voix bouleversée :

— Je m'installe à Beaulieu, près de Nice. Je l'ai décidé. Et c'est de cela dont je voulais te parler.

Elle tourne les talons, l'abandonnant à ses pensées. Elle ouvre la porte et ne montre rien de ses émotions. Elle dit bonjour à un petit homme bien intimidé. Lucien, le groom, est tout essoufflé.

— Madame, je suis du *Ritz*, parvient-il à dire non sans fierté. C'est monsieur Jean, le concierge, qui m'envoie. Je ne savais pas trop ce que je devais faire, alors, elles sont là.

D'un coup de menton, Lucien désigne les malles qui attendent sur le palier.

— Maintenant, je vais vous les donner, lance-t-il fièrement.

— Attendez ! Il vous faut de l'aide, s'inquiète la comtesse.

Louis s'avance, mais le groom s'est mis en action. Il tire, il pousse et c'est lourd. Comment a-t-il fait pour gravir les escaliers ? Mais on ne se dira pas qu'il n'est bon à rien. Sur l'épaule, droit devant, quand un coin de la malle se prend dans l'encadrement de la porte, il trébuche. La malle tombe sur le sol. Elle s'éventre.

— Ah ! Madame ! gémit Lucien, étalé de tout son long.

Il contemple le désastre. Des vêtements, des dessous et encore le cadre d'une photo dont le verre est cassé. En gémissant, il engage à quatre pattes une cueillette affligeante. Un corsage, un flacon de parfum brisé, et là, Dieu tout-puissant, des bas en soie qu'il prend dans ses mains en tremblant. Lucien jure de tout oublier. Mais il songe à monsieur Jean et à son courroux quand il saura. Il se voit banni du *Ritz*. Et sa vie sera finie.

— Quel est votre prénom ? demande gentiment Anastasia.

— Lucien, Madame, pleurniche-t-il.

Elle se penche vers lui et lui parle tout bas :

— Nous garderons ce secret entre nous. Sauvez-vous, maintenant.

— L'autre malle ? murmure-t-il.

— Je m'en occupe, intervient sobrement Chastelain.

Le groom n'en demandait pas autant. Il part sans se retourner. Et cavale dans l'escalier.

*

* *

Louis s'est agenouillé près d'Anastasia. Il tente de capter son regard. Mais elle baisse les yeux. Alors, pour meubler leur gêne, il cherche parmi les affaires quelque chose à ramasser, plongeant dans le passé de cette femme dont il se dit qu'il ne connaît rien.

— Anastasia, pourquoi fuis-tu Paris ?

Elle a pris le cadre dans ses mains et fixe la photo. Il neige. Derrière un couple, il y a une datcha et, sur le côté, on aperçoit une jeune fille.

— Toi, pourquoi gémis-tu dans ton sommeil ? rétorque-t-elle en fixant obstinément le parquet.

Louis hausse les épaules. Pourtant, il se croyait décidé. Alors, pour dissimuler son impuissance, il saisit un livre recouvert de cuir, échappé de la malle. Il reposait sur sa tranche, tout près de dévaler l'escalier. C'est *Le Prince* de Machiavel dans une édition qui lui semble ancienne.

— Donne-le-moi, ordonne froidement Anastasia.

Elle se tourne enfin vers lui. Son visage ne montre ni gravité ni tristesse. Mais elle est inquiète, tendue, comme dans ces moments où il l'interroge sur son histoire et qu'elle ne répond pas. Ce livre contient-il une part de son secret ? Il l'ouvre, et découvre la dédicace : «*Puis viendra Golgotha, Calvaire de tous les hommes. Et dans ce monde dépourvu de Vérités, seuls triompheront les Forts. Car toute autre Vérité est illusoire.*»

Pourquoi ces mots ne lui sont-ils pas étrangers ? Dans sa tête, le sang bat et la blessure se réveille. *Seuls triomphent les Forts* ? Cela lui rappelle ces paroles qu'on répétait en 1914 pour convaincre les hésitants que la guerre était une exigence patriotique, un devoir national et, qu'au nom de ces vertus, il fallait se plier aux ordres et obéir, comme lui-même l'avait fait, jusqu'à tourner le dos à l'honneur de l'officier pour entrer dans un combat déloyal et agir en dépit de ses convictions. Mais ce n'est pas encore assez pour expliquer le trouble qui le gagne et dont il ne parvient à fixer les contours.

— Donne ! répète Anastasia en tendant la main.

Louis relit la dédicace. Et s'arrête sur ce nom : *Golgotha*. Et, du fond de ce passé qu'il cherche à enfouir, surgit un souvenir. Il est en 1916. C'est la nuit. Un aviateur de l'escadrille La Fayette n'est pas revenu. On vient l'annoncer aux pilotes, aux mécaniciens qui fraternisent autour d'un feu. Ils boivent un alcool fort. Du whisky. Il fait froid. Chacun raconte un morceau de sa vie. Et un Américain s'est approché de Chastelain...

— Qui t'a donné ce livre ? demande-t-il d'une voix hachée. Je t'en supplie, réponds-moi.

Il fait un pas et Anastasia se demande la raison de cette violence rentrée. Soudain, elle panique. Il est militaire et travaille à l'état-major. Et puisqu'elle se sent coupable, elle pense aussitôt à son histoire. Se peut-il que le capitaine Chastelain sache quelque chose au sujet des Caillaux ?

— Tu ne veux rien me dire ? tente-t-il une dernière fois.

Seuls les yeux d'Anastasia disent non. Alors, il cède en soupirant et lui rend le livre qu'elle saisit vivement et serre contre sa poitrine.

Il la dévisage encore. Il l'aime tant.

— Tu voulais me parler ? vient-elle enfin de répondre.

— Ce n'est plus très important, ment-il.

— Chacun de nous gardera ses secrets et nous finirons ainsi ?

— Je ne sais pas, balbutie-t-il. Je dois réfléchir...

— Louis. Je ne t'ai jamais menti. Je t'aime. Je veux que nous recommencions à vivre, et à le faire ensemble. À Beaulieu, il y a...

Mais ses paroles sont vaines. Imperceptiblement, il s'est détaché d'elle.

— Je vais rentrer chez moi.

— Louis ! hurle-t-elle. Ne m'abandonne pas.

— Demain, je serai là, répond-il d'une voix assagie. Je sonnerai à ta porte et quand tu ouvriras, à la première seconde, nous saurons déjà ce qu'il adviendra. Entre-temps, veux-tu y penser ?

— Pourquoi es-tu obligé d'agir ainsi ? s'énerve-t-elle. Pourquoi ne veux-tu pas simplement regarder devant toi ?

— Je veux savoir si tu aimeras l'homme que j'ai été.

— Celui que je connais me suffit, rétorque Anastasia. Le reste, je m'en moque !

— En es-tu certaine ?

— Viens, le supplie-t-elle. Demeure auprès de moi, et tu me croiras.

— Je le désire plus que tout, mais pour être tout à fait moi, j'ai aussi besoin de savoir qui est la comtesse Ivérovitch.

Il hausse les épaules et montre du doigt *Le Prince* de Machiavel :

— Et pourquoi elle refuse de me donner le nom de celui qui lui a offert ce livre.

— C'est le tsar ! rugit-elle. Te voilà rassuré ? En quoi cela change-t-il ta vie ?

— Et que signifie cette dédicace ? reprend Louis d'un ton glacial.

Anastasia se tait. Et Chastelain se détache en silence. Maintenant, il attrape sa veste, il sort de l'appartement.

— Louis ! a-t-elle crié.

C'est lui qui ne répond pas.

PRINCIPE DE GOLGOTHA

Rapport du Neuvième Décemvirat
Paragraphe 9 (suite)

Le dîner du 21 avril 1914 à Venise se déroula de façon informelle et dans un climat d'extrême amabilité. Les Dix Très Hauts Magistrats livraient tour à tour des nouvelles sur la santé des affaires, région après région, et nous fîmes ainsi un tour du monde rassurant sur la marche de Golgotha. Le Veilleur de Salonique détailla l'intérêt des découvertes de champs pétrolifères dans l'ancienne Mésopotamie, annonçant les liens à venir entre cette source d'énergie et l'industrie de l'automobile dont le développement en Europe et aux États-Unis était foudroyant. On en revint ainsi à la guerre, prédisant que le vainqueur se trouverait dans le camp qui contrôlerait le pétrole nécessaire au déplacement des troupes et des munitions. Il fallait songer à investir les profits colossaux de l'industrie de l'armement dans ce secteur via la multitude de filiales contrôlées par le Décemvirat. Le nom de Basil Zaharoff fut prononcé. Cet ouvrier que Golgotha contrôlait serait facile à décider puisqu'il en tirerait d'énormes profits. Je notais également que les exposés se faisaient dans le silence et que les orateurs désiraient entendre un à un les Très Hauts Magistrats et recevoir ainsi leurs conseils avec modestie.

Nous étions douze à table. Le Décemvirat s'enrichissait en effet de deux Frères Novice, moi, Chimère, et Le Levantin, avec qui je n'eus pas le loisir de parler car nous nous trouvions à chaque extrémité de la table. D'ailleurs, nous n'y aurions pas été autorisés. Comme moi, il n'avait pas trente ans et notre jeunesse nous démarquait des Très Hauts Magistrats du Décemvirat qui, pour certains, semblaient très âgés. De quelle origine surgissait Le Levantin? Son visage racé, sa peau mate, ses cheveux noirs, ses traits fins indiquaient une filiation orientale. Sa façon un peu hautaine de se tenir laissait croire à un rang à tout le moins fortuné, et peut-être princier. Il buvait les paroles du Consolateur des Éphésiens et ne quittait pas du regard ce Magistrat qui, en apparence, n'affichait pas la même ascendance. Ce dernier était immense et bâti en force. Ses mains larges et cagneuses, sa mâchoire carrée trahissaient l'extraction populaire d'un homme qui avait été travailleur manuel, ou peut-être ancien forçat. J'eus ainsi une nouvelle preuve que l'Archange parlait vrai. La naissance, l'argent et le milieu social n'occupaient aucune place dans les choix de Golgotha. Seules comptaient les qualités de chaque personne.

Comme ses Pairs, le Consolateur des Éphésiens s'exprimait dans un français simple et précis. Chez lui, cet emploi se teintait d'un accent chantant. Pourtant, il ne forçait pas son talent, usant d'un style sans ambages qui ne faisait pas appel aux regrettables effets du tribun qui cherche à séduire la foule, à l'emporter par l'émotion des mots. Ici, on ne trichait pas et tous se sentaient en confiance, chacun se sachant naturellement choisi.

La question du recrutement préoccupait le Frère Agios de Sparte qui songeait à trouver son successeur. Il n'avait guère dépassé soixante ans et paraissait en possession de ses moyens physiques et intellectuels. Mais il faut des années pour former un Très Haut Magistrat et le moment d'enseigner lui semblait venu. Il en informa l'Archange qui se trouvait à ses côtés. Et je fus témoin d'une conversation portant sur un autre aspect primordial du Principe de Golgotha. Agios de Sparte affirmait avoir rencontré lors d'un déplacement sur la côte Est américaine un excellent candidat. Il s'agissait d'un jeune homme issu d'une famille descendant des Pilgrim Fathers, *ces pèlerins débarqués en 1620 du* Mayflower, *un navire symbole de la colonisation et de la fondation des États-Unis. La famille de ce garçon, installée dans le Massachusetts, avait fait fortune, ce qui ajoutait encore au prestige du clan dont il était issu et lui donnait la possibilité de vivre supérieurement sans qu'aucune question sur la source de ses revenus ne lui soit jamais posée. « Quel est son état d'esprit ? » demanda l'Archange. Agios de Sparte répondit qu'il le sentait brillant, courageux et surtout indocile. Il le savait en rupture de ban avec les conventions de son milieu, animé par la liberté, et prêt à toutes les audaces afin de retrouver le monde originel des Pères Fondateurs de l'Amérique qui avaient quitté la vieille Europe pour y fonder un monde nouveau, porté par l'indépendance, et délivré du joug et des contraintes des vieux États européens. Formé aux meilleures écoles, il connaissait les rouages de l'économie et, en le regrettant, ne se berçait pas d'illusions sur le sort réservé respectivement aux Forts et aux Pauvres. De plus, il désirait rester sans attaches affectives, épuisant son tempérament passionné dans une course aux défis les plus audacieux. « Lesquels ? » s'enquit l'Archange d'une voix douce. Agios de Sparte parla d'un pilote aguerri qui avait déjà réalisé plusieurs exploits aériens, preuves d'une force de caractère hors du commun. « Je le crois habité par un immense destin », conclut Agios de Sparte.*

L'Archange prit soin de tremper ses lèvres dans son verre de vin avant de répondre : « Vous avez sans doute raison. Ce garçon a devant lui un bel avenir. Cependant, qu'il soit épris de liberté et, je l'imagine, révolté contre toutes les formes de tyrannie, ne suffit pas à mes yeux. A-t-il seulement été victime de l'État ? A-t-il connu son injustice ? Il peut exécrer ses maux, mais il ne les a pas vécus. Selon moi, la violence et la souffrance sont les fondements de notre alliance. Regardez-moi, Agios de Sparte. Regardez Chimère. Nous avons en commun de venir du plus bas, du plus sombre, d'avoir connu la peur, l'effroi, la barbarie. Nous sommes issus d'une mine innommable, démesurée, où grouille l'immensité de ceux dont le seul filon est la haine. C'est pourquoi nous sommes Golgotha. Je ne peux décider à votre place, mais pensez à mes paroles quand viendra l'heure de votre choix. D'ici là, ne vous engagez pas trop loin.»

Et moi-même, je n'ai jamais oublié ces mots.

51

Après avoir quitté Anastasia Ivérovitch, Louis Chastelain retrouve son appartement de la rue Las-Cases. Demain, voudront-ils s'avouer ce qui détruit leur vie ? Lui, il s'est vraiment donné une nuit pour décider. Et que livrera l'aube ? Le nom de *Golgotha*, arraché au *Prince* de Machiavel, lui rappelle des faits précis qui se sont déroulés pendant *sa* guerre. Ont-ils un lien avec ses propres tourments ? D'abord, il veut être certain de se souvenir. Ensuite, il faudra qu'Anastasia lui parle. Le tsar, a-t-elle dit, le tsar lui a offert le livre. Or, l'abjection qu'il cache au fond de lui se rapporte à la Russie. Alors, lui reviennent les détails obsédants de la scène qui meuble ses insomnies depuis ce jour de 1916 où quelqu'un lui a murmuré que cette guerre ne relevait peut-être pas du hasard, et qu'un mot, qui surgissait à nouveau trois ans plus tard, pouvait tout expliquer. Il s'assoit, vaincu par un étourdissement qui accroît la bourrasque et le fait tanguer. Il doit se calmer. Réfléchir. Ce nom, *Golgotha*, est-il une clef qui le délivrera enfin ? Alors, mais seulement après, viendra l'autre question : pourquoi Anastasia le possède-t-elle également ?

Louis sonde le passé. Et comme toujours, les images reviennent. La douleur aussi. Elle écorche sa tête. Il doit se libérer de cette entrave qui l'empêche d'y voir clair. Son premier geste sera pour la cocaïne. Elle se trouve dans sa chambre. Il s'en approche dans la pénombre. Elle est là, patiente, certaine de séduire. Elle le tente, l'appelle, lui rappelle combien ils s'accordent et vont bien ensemble. Il ouvre l'écrin de nacre précieuse, caresse l'onction, et livre ses sens à celle dont il connaît les effets. Il s'y abandonne. Et cette nuit encore, elle lui offre ses promesses. Les ombres s'effacent, le noir devient feu. Il se sent prêt à affronter les terreurs d'autrefois. Il ne cherche pas à chasser les images de la guerre qui surgissent. Il les prend comme elles viennent. Dedans, il vient d'y retrouver *Golgotha*. Et le nom de l'aviateur américain qui lui en a parlé : William Sturp.

52

William Sturp était un grand type blond, baraqué, toujours souriant et dont le geste favori consistait à remettre en place une mèche rebelle qui tombait sans cesse sur son front et lui donnait un air plus jeune que ses vingt-huit ans. Sturp avait débarqué un matin de mai 1916 sur le terrain de Luxeuil-les-Bains, citadelle de l'escadrille La Fayette qui accueillait les volontaires américains venus prêter main-forte à la France. Cette unité, qui deviendra plus tard le *La Fayette Flying Corps,* avait été formellement créée le 20 avril 1916, sous le numéro 124. Son commandement était assuré par le capitaine Thénault, âgé de 29 ans. À ses côtés, on trouvait un jeune officier, cité à l'ordre de l'armée pour une blessure à la tête reçue au combat, mais aussi pour ses premières victoires aériennes. Il s'agissait de Chastelain. Il n'était que lieutenant, et déjà héros de guerre. Pour ajouter au tableau, on racontait ses combats homériques avec l'aviateur Heinrich von Mietzerdorf à qui il semblait donner régulièrement rendez-vous pour un défi respectant les règles de la chevalerie. Lors de leurs affrontements, ils s'obligeaient à de multiples exploits témoignant de la mesure de leurs talents, sans que l'on sache si l'un ou l'autre désirait l'emporter. Des jumeaux, dont chaque vie dépendait indissociablement de son double ? Chaque assaut grandissait la légende et se colportait même dans les tranchées où veillaient les poilus, prisonniers de l'attraction. En attendant l'assaut, il s'en trouvait toujours un pour occuper le temps et les esprits minés par la peur en ajoutant un épisode à cette chanson de geste qui mettait en scène les exploits de deux guerriers surgissant d'une épopée médiévale. Puis le canon tonnait. Les corps deviendraient charpie. On se ruait en masse, s'arrachant à la boue en levant un dernier regard vers le ciel pour voir entrer en scène les seigneurs de là-haut.

En arrivant dans l'escadrille, Louis avait compris qu'il lui faudrait, pour un temps, abandonner les combats afin d'encadrer et de former sept Américains tombés du ciel dont le style *cool* tranchait avec la sobriété militaire. Mais cette décontraction naturelle ne retirait rien au courage de William Thaw, Bert Hall, Kiffin Rockwell, Elliot Cowdin, Norman Prince, Victor Emmanuel Chapman, Jim Mac Connell, des noms qu'il fallait citer collectivement tant ils se présentaient unis et soudés. Ce qu'ils avaient en commun ? L'amour de la France et de ce La Fayette venu, il y a fort longtemps, au secours de la jeune Amérique. Chastelain ajoutait à la description de ces *caractères* une volonté à toute épreuve puisque, pour s'engager, ils avaient fait le voyage à leurs frais et intégré la Légion étrangère, le seul corps militaire qui leur avait ouvert les bras. Pour finir le tableau, on devait ajouter un désir absolu de liberté que ces Américains consumaient sans limites puisque l'espérance de vie d'un pilote, en ces temps de guerre, variait de cinq à six semaines. Si bien qu'ils appréciaient la densité exacte d'une minute de bonheur. Dans ces conditions, comment ne pas aimer la fête et saisir toutes les occasions pour la faire ? Et dans ce domaine aussi, l'escadrille de chasse au complet, rampants, mécaniciens et conducteurs compris, soit quatre-vingts hommes, pouvait se vanter de compter des as. Ainsi, pas un d'eux n'avait pu oublier les agapes du 1er mai 1916, quand l'escadrille accueillit ses premiers Nieuport 11, des avions de chasse qui fleuraient la poudre et annonçaient la bagarre.

Louis Chastelain avait fait la présentation des *Bébés Nieuport* – on les surnommait ainsi – aux pilotes assis en cercle autour de lui.

— *Small*, avait lancé laconiquement Kiffin Rockwell.

— *Nice*, avait ajouté William Thaw, toujours optimiste.

— Surtout maniable, rétorqua Chastelain en expliquant que leur *Bébé* pouvait atteindre les cent cinquante kilomètres par heure. Mais il reste un problème, ajouta-t-il dans un anglais approximatif.

Le « problème » tenait en effet à la mitraillette qui ne contenait que vingt-sept cartouches et dont le remplacement en plein combat était des plus acrobatiques... Cela ne suffit pas pour décourager les héros qui se mirent aux essais, poussant l'appareil au-delà de ses limites et réalisant toutes sortes de figures peu académiques qui navraient les mécaniciens et les obligeaient à suer jour et nuit pour réparer les unités endommagées. Mais, au prix de quelques ailes brisées, le 12 mai 1916 au soir, veille du premier vol en formation, Chastelain réunit les pilotes pour leur annoncer que l'escadrille était OK.

Mettant fin, non sans mal, aux applaudissements et aux hourras, Victor Emmanuel Chapman demanda alors la parole :

— Lieutenant Chastelain, *thank you for all*. Et pour vous montrer que les Américains savent aussi cuisiner, nous vous convions à un dîner dont, comme vous dites, vous nous demanderez des nouvelles.

— Vous nous direz des nouvelles, le reprit Chastelain.

— *All right*, fit Chapman en clignant de l'œil. Et je vous promets que, désormais, quand nous serons à table, nous ne parlerons que le français !

Ce soir-là, Didier Masson, assisté du chef Sampson fraîchement débarqué du *Ritz* de New York, fit un véritable miracle. Les deux hommes servirent tout d'abord un agneau entier négocié au prix fort et cuit à la broche. On se crut rassasié, mais c'était sans compter sur un succulent gibier chassé dans les environs en toute illégalité. Pour passer le tout, on arrosa le dîner au whisky. Largement. Et pour cette raison, selon la légende, la mascotte de l'escadrille dénichée par William Thaw fut appelée *Whisky*. Un gentil nom pour un lionceau, puisqu'il s'agissait de cet animal.

*
* *

Il faut croire que cette nuit mémorable leur donna de l'ardeur et du courage en plus. Si bien que le 13 mai, un jour à ne pas être superstitieux, l'escadrille ne connut aucune perte au combat. Une occasion supplémentaire de se réjouir des bienfaits de la cuisine de Sampson et Masson Associés. Si bien que dès le 18 mai, Kiffin Rockwell abattit un biplace LVG non loin de Mulhouse, ce qui lui valut l'expédition par son frère d'une bouteille de whisky de quatre-vingts ans d'âge. Et aussitôt, on institua une sacrée belle tradition dans l'escadrille. On consommerait à l'envi cet élixir pour chaque avion ennemi abattu. Ce qui ne greva pas les résultats de l'escadrille et décida le capitaine Georges Thénault et le lieutenant Chastelain à rejoindre un lieu marqué pour toujours : Verdun. Là-bas, il y avait la Spa 3, l'escadrille de Guynemer. L'épopée s'engageait pour de bon. À Verdun, l'escadrille 124 livra cent quarante-six combats aériens au cours desquels treize avions ennemis furent abattus et officiellement confirmés. Un chiffre qui avait porté bonheur au *La Fayette Flying Corps* en mai dernier, le jour de son officialisation. Et dont l'écho morbide allait être la mort de Chapman, tué au combat le 23 juin 1916.

*
* *

William Sturp avait donc rejoint l'escadrille avant ce jour tragique. Il arrivait du Massachusetts et appartenait à l'aristocratie américaine. Il connaissait certains pilotes, croisés dans une université ou dans un club huppé de Boston ou de New York. Plus que l'incroyable talent d'aviateur dont faisait preuve William Sturp, Chastelain expliquait l'engagement volontaire du pilote dans l'escadrille La Fayette par son désir de se joindre à Victor Chapman, son meilleur ami. Et peut-être aussi pour le protéger, comme il l'aurait fait envers un frère.

Leurs retrouvailles, marquées par des hurlements de Sioux et des accolades musclées dont seuls ces jeunes Américains appréciaient le sens et qui surprenaient toujours le clan français, avaient d'ailleurs servi de prétexte à l'organisation de réjouissances dont *Whisky*, aidé de son frère lionceau, *Soda*, car désormais les mascottes étaient deux, avaient profité en avalant les restes. Mais, peu après, leur belle fête avait tourné court.

Le 23 juin, près de Samogneux, Victor Chapman s'était envolé avec deux autres avions. L'un était piloté par Chastelain, et l'autre par Sturp. Il faisait beau et, dans ce ciel dégagé, Louis eut le temps de tourner la tête pour voir ses compagnons s'envoyer un signe de la main et se montrer le sol en se jetant un défi. Un virage ! Et qui commence ? Une manière de se sentir plus fort, de gagner en courage. Et puis les Boches étaient arrivés de face, dans le soleil. Et ils étaient quatre. Chastelain et Sturp avaient été pris dans leur nasse. On les mitraillait. Les balles sifflaient. Chastelain avait viré à gauche dans une manœuvre désespérée. William Sturp l'avait suivi, mais avec un temps de retard. Son avion encaissait les balles une à une et s'il ne réagissait pas dans la seconde, un Boche atteindrait une pièce vitale et le zinc décrocherait. À moins que, touché au corps, Sturp ne meure, percé de part en part, tiré comme un pigeon. « Dégage ! » hurlait dans le vide Chastelain. Mais Sturp était assommé. Paralysé. *Out*. Il ne réagissait plus. Alors, Louis avait vu une ombre surgir de l'ouest et foncer dans le tas, tirant jusqu'à la dernière munition pour sauver Sturp. Chapman se déchaînait. Un Boche, puis deux, et maintenant un troisième furent touchés. Ils tombaient comme des mouches, cherchant dans l'air saturé d'huile et de fumée un courant qui les aspirerait et les traînerait derrière leurs lignes. Cela laissa à Sturp le temps de réagir. Il reprit les commandes, vira sec, s'échappa. Chapman fit l'erreur de le regarder. Le quatrième Boche revint à la charge et tira à son tour. Chapman crut pouvoir se dégager, fuir devant. Mais ce n'était plus qu'une cible, une marionnette dont les ficelles cassaient une à une, à chaque fois qu'une balle pénétrait dans son corps. Chastelain avait hurlé comme un fou et forcé son avion à cracher ce qu'il avait dans le ventre jusqu'à retrouver le Boche, tirer, et le poursuivre encore à trois, à deux, à cent mètres du sol pour le voir s'écraser, pour être sûr qu'il était mort. Sturp, de son côté, avait suivi l'avion de Chapman qui hésitait, cherchait sa course depuis qu'il était livré à lui-même, et planait, cédant doucement à l'attraction de la terre pour ne pas réveiller le pilote qui semblait dormir, la tête sur le côté. Puis, l'avion avait capitulé d'un coup, piquant droit dans la boue pour reposer comme un arbre mort, à deux pas des Boches ; à trois des Français. Sturp avait tout vu, et maintenant il survolait la carcasse en feu, ignorant les tirs des fantassins, repassant au-dessus du cercueil de Chapman et appelant son ami dont le corps brûlait. Chastelain avait dû s'approcher à son tour, venir, s'aventurer, frôler l'avion de Sturp, tirer même au-dessus de ses ailes pour l'obliger à sortir de l'enfer. Et revenir sur terre.

*

* *

Cette nuit-là, Chastelain n'avait pas quitté Sturp. Le lieutenant l'avait retrouvé prostré dans sa chambrée, assis dans le noir, ruminant, tête basse. Déboussolé. Perdu, en somme. Mais le Français soutenait que la tradition devait être respectée. Les quatre victoires de Chapman seraient célébrées, maintenant. Et il promettait de réserver un sort particulier à la bouteille de whisky de quatre-vingts ans d'âge qu'il brandissait. Sturp avait levé les yeux : quatre victoires ? Il n'en comptait que trois. Mais Chastelain avait refusé de s'attribuer la dernière. « Je n'ai fait qu'achever le travail du sergent Victor Chapman », avait-il affirmé au capitaine Thénault. Et ce dernier s'était contenté de cette réponse.

C'était la première fois que Sturp et lui se retrouvaient vraiment seuls. La nuit était sombre, mais douce. Le lieutenant français proposa de sortir et de s'installer près de la piste, non loin des avions au repos. Sans doute, pour ne pas avoir à croiser quelqu'un et entendre des mots tels que *regrets, condoléances, chic type, Chapman*. Avait-il des parents ? Au loin, on entendait le tir des canons. Coûte que coûte, demain, le programme serait chargé. Il faudrait s'en prendre une nouvelle fois aux *Drachen*, ces ballons d'observation puissamment armés qui sillonnaient le front, fournissant de précieuses informations aux artilleurs.

— Pourquoi avez-vous accordé cette quatrième victoire à Victor ? demanda Sturp après être resté silencieux un long moment.

— La guerre n'est pas un concours de tir, répondit Louis Chastelain. J'aurais donné dix victoires pour que le sergent Chapman rentre.

— Et combien avez-vous abattu d'avions ?

— Neuf ! sourit tristement Chastelain en lui tendant la bouteille.

Sturp releva sa mèche et sonda son vis-à-vis avant de se décider à avaler une lampée de whisky :

— Vous êtes différent des autres officiers, lieutenant.

— Eh bien ! Qu'ai-je donc de particulier ?

— Vous semblez détaché, et comme insensible à la vie. Du moins, à celle qui vous entoure. Pourtant, je vous ai vu risquer la vôtre pour Victor.

— Je déteste l'idée que vous ayez perdu un ami et je m'en veux de ne pas vous avoir mieux formés. Chapman devrait être avec nous.

Il y eut encore un silence. Chastelain crut entendre pleurer Sturp. Il ne savait plus comment s'en sortir. Il détestait cette guerre.

— Comment avez-vous connu Chapman ? trouva-t-il enfin à dire.

Sturp posa la bouteille de whisky et sortit un étui à cigarettes en or.

— Voulez-vous goûter à notre tabac de Virginie ?

Chastelain chercha son briquet, mais Sturp lui tendit le sien.

— Tous deux, nous fréquentions Harvard, mais c'est en Virginie que nous nous sommes vraiment connus. Toutes les curiosités du monde nous attiraient, et l'avion en faisait partie. L'université de Charlottesville avait organisé une course d'aéroplanes. Je la disputai avec un Curtiss de cent chevaux. Mon propre avion... Et je ne manquais pas de soutien. J'étais – comment le dire en Français ? – un *leader*.

Il grimaça un sourire :

— J'ai gagné ce jour-là. Victor, qui était venu pour découvrir ce nouveau jouet, tournait autour de mon avion, calculant le rapport entre la taille et la masse de l'engin pour le faire voler plus vite.

Il secoua la tête pour chasser un afflux de souvenirs trop forts qui faisaient trembler sa voix :

— Saviez-vous qu'il était le fils de l'écrivain John Chapman ?

Chastelain fit non d'un geste de la tête et, malgré la nuit, cela suffit pour que Sturp reprenne son récit :

— Victor m'a aidé plus que vous ne l'imaginez, lieutenant. Tenez, je crois même qu'il m'a sans doute sauvé la vie alors qu'aujourd'hui, je fus moi-même incapable de lui rendre ce service...

— Pourquoi dites-vous qu'il vous a *sans doute* sauvé la vie ? C'est oui ou c'est non. Du moins, un officier raisonne ainsi.

Sturp avait peut-être hésité avant de répondre. Mais il y avait cette obscurité et le whisky déliait les esprits. Demain, il faudrait affronter les *Drachen*. Et ce n'était pas à eux qu'il pourrait se confier.

— Connaissez-vous *Golgotha* ? demanda-t-il brusquement.

— Parlez-vous de la colline où le Christ connut Son calvaire ?

William Sturp expira lentement :

— Ce dont je parle est nulle part et partout. Vous n'en trouverez pas la trace sur une carte. Pourtant, cette chose rôde ici.

Et il sonda le ciel :

— *Golgotha*. C'est pour ce nom que nous avons la guerre. Et vous seriez étonné de savoir pourquoi.

53

Au cours de cette nuit du 23 au 24 juin 1916, William Sturp avait longuement parlé des sociétés secrètes dont sont généralement membres les étudiants américains. La sienne s'appelait *Alpha-One*. Et trois années après, Louis Chastelain se souvenait encore de ce qui se cachait derrière ce nom et que Sturp décrivait comme un monde d'initiés dont la finalité était en apparence l'entraide et la solidarité.

— De belles vertus, ironisait-il, mais dont on mesure le double sens en éventant l'autre face de certaines de ces sociétés mystérieuses. Elles vous veulent du bien, promettent-elles. En échange de quoi, vous leur devez respect et obéissance. Votre droit est de vous taire. Votre devoir de les servir. Elles vous tiennent, à l'instant où vous leur prêtez serment.

— Vous en parlez comme de sectes, s'interposa Chastelain.

— Pas toutes ! Et beaucoup ne sont que des amusements estudiantins. Mais *Alpha-One* avait d'autres ambitions. Quand je l'ai compris, il était trop tard. D'ailleurs, je dois avouer que, dans les premiers temps, j'ai utilisé ses services, mais en développant des liens qui m'emprisonnaient davantage. J'ai même réalisé des affaires grâce à de fausses amitiés créées dans cette société de l'ombre. J'avais décidé d'entrer dans le *busi-*

ness, et tout devenait facile. J'aurais même pu devenir un *as* de Big Apple[1]...

— La Grosse Pomme ? traduisit Chastelain.

— New York, Manhattan, Wall Street[2]. *Right ?*

— Cinq sur cinq, s'était amusé à répondre Louis.

De cette expérience très courte, William Sturp retenait qu'il suffisait de quelques noms et de contacts entremêlés pour former un flux continu d'affaires conclues dans l'opacité – et que l'Amérique appelait pudiquement le *lobbying* – ce que Chastelain, puisqu'il était latin, traduisit par *omerta*.

— En effet, insista Sturp, des réseaux d'influence fondés sur l'argent, l'intérêt, et où le destin commun des hommes se joue en petits groupes, sous le sceau des paraphes et de la parole donnée. Mais ces méthodes ne me convenaient pas. Je tenais de mon éducation, et peut-être de mes racines, un goût aigu pour la liberté et je n'appréciais pas les entraves, les combines ficelées par un système dirigé au final par une poignée de gens respectés uniquement pour la crainte qu'ils inspirent. En fait, je détestais le jeu ténébreux des compromis, des ententes clandestines qu'on échange et qu'on se partage et qui mènent aux abus. Mon milieu familial me permettait aussi de me mêler aux cercles politiques de Washington où l'on élevait au rang de qualité le mensonge, la prévarication, le mépris. Et je pris conscience que le mérite ne menait jamais à la réussite.

Il saisit la bouteille de whisky et en avala une longue gorgée :

---

1. Big Apple viendrait d'une expression employée par les valets d'écurie pour désigner les champs de course de New York et reprise, plus tard, par John J. Fitzgerald, à l'époque chroniqueur des courses de chevaux au *Morning Telegraph*.

2. En 1792, les agents de change de New York signent la convention du *Buttonwood tree* (platane) sous lequel ils se réunissaient à Wall Street. En 1817, la bourse de New York devient « New York Stock & Exchange Board ».

— Vous me trouvez sans doute naïf, railla-t-il en sondant Chastelain.

— Quel âge aviez-vous ? répondit simplement le lieutenant.

— Vingt-cinq années d'illusions, jeta-t-il, qui tombaient une à une et d'autant plus vite que mes origines, ma formation, mes connaissances me donnaient accès, plus rapidement qu'à d'autres, aux clefs du pouvoir. En somme, plus mes rêves s'effondraient, plus je me révoltais, proclamant à haute voix mes faibles dons pour me fondre dans cet *establishment* à qui je réservais mes critiques les plus violentes. Et puisque je refusais la règle et que la greffe ne prenait pas, on aggrava le rejet. Pour être banni de son propre pays, il suffit qu'on vous tourne le dos. De sorte que bientôt, j'en vins à douter des fondements même de l'État américain qui s'était bâti sur les promesses d'une société libre, offrant à chacun une espérance égale. Pour tout avouer, je ne croyais plus en ses vertus et en l'utopie de son modèle, suspectant tous les systèmes et remettant en cause la démocratie elle-même, cette fantaisie dont la finalité était d'endormir les consciences pour mieux les dominer.

— En France, vous auriez été anarchiste, conclut Chastelain.

— Je ne refuse pas l'appellation. Chez vous, ils posent des bombes. Aux États-Unis, on n'affronte pas le système. Il vous fuit. Et il ne reste plus, en paria, qu'à se retirer de ce monde. C'est la décision que j'ai prise. Je m'en suis échappé. Du moins, cette solution s'est présentée à moi.

— En quelque sorte, vous vouliez voler de vos propres ailes, s'amusa encore le Français.

— Hélas, grinça-t-il, il ne me restait que le Curtiss dont j'avais épuisé les talents. Et je cherchais d'autres voies plus audacieuses.

Il écrasa sa cigarette d'un coup de talon nerveux. Chastelain tendit à l'Américain son paquet de Marina du manufacturier Mélia qu'il importait depuis la rue Léon-Roches, à Alger.

— Tenez, essayez celles-là. Elles sont plus dures. *Strong* ? On le dit ainsi ?

William ne fit que tousser, ce qui amusa Chastelain et tous deux partirent dans un éclat de rire nerveux. Il y eut encore un silence. William sondait Chastelain et sans doute se demandait-il pourquoi il s'abandonnait ainsi. Mais l'image de Chapman s'écrasant au sol revint et il vit encore le lieutenant français fonçant sur le Boche pour venger le sergent américain.

— Victor s'y était mis, reprit-il en désignant le paquet de cigarettes. Il aimait la France. Saviez-vous qu'il avait fait une partie de sa formation à Paris ?

Louis fit non de la tête :

— Je ne sais pas grand-chose de lui. C'est pourquoi je suis heureux de vous entendre en parler, l'encouragea-t-il d'une voix douce.

William Sturp se détendit. Pour une raison qu'il ne s'expliquait pas, il se sentait en confiance avec Chastelain qui, en retour, se montrait calme, attentif, mais peu curieux, et laissait venir à lui la confession de l'autre, écoutant sans chercher à savoir. Sturp imagina que ce visage rayé par une blessure masquait aussi une histoire qu'il ne confiait à personne et qu'il fallait comprendre ainsi les silences de cet homme que certains, dans l'escadrille, accusaient de morosité et que l'on soupçonnait d'être attiré par la mort tant il s'acharnait au combat. Oui, le lieutenant mourrait un jour comme Chapman, comme lui, comme les autres et il n'y avait aucun mal, aucun regret à parler à ce compagnon puisque lui, puisque tous ils emporteraient leur histoire dans la tombe. Et Sturp fut certain qu'il appréciait réellement ce moment, que le whisky n'y était pour rien et qu'il éprouvait une sorte de soulagement à se confier à celui qui ne remplaçait pas Victor, mais, cette nuit, l'aidait à vivre sans lui.

— Un seul ne m'a jamais lâché et, *sans doute*, sauvé la vie, murmura-t-il.

— Chapman ?

— Oui, Victor. Je l'ai retrouvé à Paris à la fin du printemps 1914. Et j'ai perfectionné mon français en découvrant dans les journaux l'émoi de votre peuple *so romantic*. La femme d'un ministre avait tiré sur un journaliste et le procès était attendu pour l'été.

— L'affaire Caillaux, répondit sobrement Chastelain.

— Un pacifiste, je crois.

— Certains en parlaient comme d'un traître au motif qu'il aurait mené des tractations avec l'Allemagne.

— N'était-ce pas pour éviter la guerre ? cingla Sturp.

— Je n'en sais rien, se tendit Chastelain, car la voix de l'Américain devenait plus violente.

— D'ailleurs, quelle importance ? fit l'Américain en se forçant à retrouver son calme. Elle est là, cette guerre. Elle a déjà tué des milliers de types comme Chapman. Et ce n'est pas fini. Elle va exténuer votre pays et vous mettre à genoux.

Sturp tira fortement sur sa cigarette et Chastelain put voir un instant son regard. Il semblait bouleversé par l'émotion.

— Cette guerre, lieutenant, reprit-il, on m'en a parlé avant et c'est ça que je souhaitais raconter à Chapman en le retrouvant à Paris. La guerre, on me l'avait dépeinte, brossée, expliquée pour que je comprenne bien à quoi elle ressemblerait. Ce serait un désastre sans vainqueur ni perdant, une façon irrévocable et absolue de dissoudre ce monde.

— Qui s'exprimait ainsi ? demanda prudemment Chastelain.

— Un homme se présentant comme l'envoyé d'un groupe...

Il hésitait, cherchant ses mots :

— Rien ne leur correspond, reprit William d'une voix si pathétique que Chastelain en éprouva de la gêne. Aux États-Unis, nous dirions peut-être un *syndicat*. Seul le nom compte et je l'appris plus tard : *Golgotha*.

*
* *

Le lieutenant comprit qu'il touchait au cœur du sujet et se dit qu'il était encore temps de tout arrêter. Cette conversation se tenait en temps de guerre entre un officier et un soldat engagé. Mais surtout étranger. Louis se méfiait. Le secret qu'il portait si mal lui suffisait. Devait-il écouter ce Yankee[1] qu'il connaissait seulement depuis un mois ? Ce compagnon brisé par la mort de son ami et enivré par l'alcool, était-il fiable ? Il grilla sa cigarette, sondant ainsi le visage de William Sturp. Et pourquoi fallut-il qu'il soit aussitôt convaincu qu'il ne lui mentait pas ?

— Que vous voulait ce personnage ? ne put-il s'empêcher de demander.

— Me sauver de cette communauté qui me haïssait puisque j'avais moi-même dit que je la détestais. L'État, la politique, les valeurs de la Nation, tout était mis au feu et l'on me promettait de repartir à zéro. Mes thèses étaient les siennes. Et, soutenait-il, nous poursuivions les mêmes vues, sauf qu'il me promettait une résolution radicale. Définitive. Irrévocable.

— Mais comment cela ? insista Chastelain.

— En détruisant ce monde, je l'ai dit. Quatre mots qui semblent fous. Pourtant, j'ai fini par y croire. Et il n'existe pas de moyens plus puissants que la guerre. Oui, lieutenant Chastelain, on m'a raconté précisément ce qui allait se produire et chaque jour qui pas-

1. Surnom donné aux colons de la côte est des États-Unis.

sait m'apportait une nouvelle preuve que les faits s'enchaînaient irrémédiablement. Nous allions vers la guerre. Et l'on me proposait de survivre à ces maux et d'en tirer profit en rejoignant ce que cet homme, à qui je jurai qu'il m'avait convaincu, finit par appeler *Golgotha*. En somme, il m'offrait la possibilité d'échapper à cette société dans laquelle je ne me reconnaissais plus.

William Sturp sonda la bouteille de whisky, mais la reposa :

— Pourquoi moi, direz-vous ? D'abord, j'étais séduit. Oui, j'avoue que sa théorie, sa démonstration, son *Principe* puisqu'il en parlait ainsi me semblaient évidents. Limpides. Ses mots sonnaient comme une vérité. Mais cela n'explique toujours pas pourquoi moi. Eh bien ! Les raisons qu'on m'avait fournies étaient assez flatteuses. J'avais été repéré, choisi – enrôlé fut le mot employé. N'avais-je pas écrit un jour de colère que mon souhait le plus cher était que mon pays crève ? Oui, lieutenant Chastelain, j'en étais arrivé à cette extrémité. Et cet homme me revélait l'existence d'une cause dont les finalités étaient proches de mes idées. Et j'ajoute, murmura-t-il, qu'il affirmait disposer d'immenses moyens.

— Lesquels ?

L'Américain ricana :

— Juste avant de retrouver Chapman à Paris, on me fournit la preuve de la puissance de *Golgotha*. J'y viendrai à la fin. Ainsi, vous apprécierez la pertinence de mes aveux. Mais je dois d'abord parler du sergent Victor Chapman, car c'est encore grâce à lui que nous sommes là, ce soir, et que je vous raconte ce que personne, à part lui, ne savait. *Please*, lieutenant. Levons-nous. Et trinquons. *Cheers* !

La lune apparut, laiteuse, froide à souhait, et Chastelain vit nettement William Sturp. Ses yeux étaient noyés de larmes. Il chancelait. Et la cause ne se trouvait que dans sa souffrance. Il but une rasade qui lui arracha une toux plaintive. Puis il tendit la bouteille à Chastelain qui ouvrit les lèvres pour accueillir l'ambre vif qui enflammait pareillement leurs entrailles. Il était trop tard pour ne pas entendre Sturp jusqu'au bout.

54

Bientôt, quand l'aube arriverait, la fabrique infernale reprendrait. D'abord, les mécaniciens apparaîtraient pour l'inspection des machines. L'œil torve et les mains dans les poches, ils avanceraient en traînant des godillots. Toujours méfiants, jamais contents, ils accuseraient le manque de temps et de pièces pour expliquer que leurs *Bébés* voleraient vaille que vaille, sur une aile, et qu'il ne faudrait pas les accuser si, par malheur, un pépin... Tout le jour, ils seraient sous pression, nez en l'air à s'en casser le dos. Ils surveilleraient le ciel. Ils l'écouteraient. Ils auraient peur qu'un de ceux qu'ils dorlotent ne rentre pas. Au retour, ils les compteraient un à un. Les moteurs à peine coupés, ils ausculteraient chacun de leurs *Bébés* en marmonnant entre leurs dents que les pilotes ne respectent rien. Surtout, ils évacueraient le stress et cacheraient ainsi leur bonheur d'engueuler un vivant. Ils veilleraient en maudissant ces jours trop longs et ces nuits trop courtes, en récitant, yeux fermés – comme une prière –, la *check-list* pour que l'escadrille revienne intacte ; pour que personne ne manque à l'appel. Dans un instant, ils seraient là, crachant sur le café trop noir. Ils se mettraient au travail en jurant que le soir même ils demanderaient leur mutation chez les fantassins et qu'ils graisseraient les fusils jusqu'à la victoire plutôt que d'entendre comme hier : « Victor Chapman. Mort au combat. »

*
* *

Le coq avait chanté. La popote se mettait en branle. On parlait dans les baraquements. Mais ce jour se levait sans entendre la voix de Victor.

— J'étais décidé, reprit Sturp, indifférent au remue-ménage. J'allais suivre ce chemin qui m'éloignait pour toujours de ce que je haïssais. Mais j'ai d'abord voulu en parler à Chapman qui était la seule personne en qui j'avais confiance. Alors, je l'ai rejoint à Paris.

— Que pensa-t-il de tout cela ? intervint Chastelain qui réalisait que, dans peu de temps, le charme serait rompu.

— Je lui ai tout dit. Je lui ai même fourni les preuves de la puissance de Golgotha. Cela nous a pris une nuit, un peu comme celle-là.

Il se tourna vers le Français et sembla le découvrir :

— Je devine que j'ai la même tête que vous, sourit-il. Il est temps que nous allions nous raser pour faire honneur aux *Drachen*.

Chastelain l'attrapa par la manche. Désormais, il voulait connaître la fin :

— Attendez ! Comment a-t-il réagi ?

Sturp haussa les épaules :

— Je crois qu'il m'a compris et qu'il pouvait être d'accord avec mon dégoût pour les fausses conventions de la société. Mais il imaginait tout cela comme une sorte de rêverie, d'idéal fumeux. D'un ton exalté, j'évoquais un homme, un envoyé qui promettait de bouleverser le monde. Il y avait de quoi douter. N'est-ce pas ce que vous pensez vous-même ?

Chastelain ne répondit rien.

— Alors, j'ai fourni une preuve à Victor. La même que celle que je réclamais pour croire et que l'on m'offrit comme symbole de la confiance que l'on m'accordait.

— Quelle preuve ? ne put s'empêcher de demander le Français.

— Sarajevo. On m'avait annoncé l'assassinat de l'héritier de l'Empire austro-hongrois avant qu'il ne se produise.

— Pardon ? parvint à lâcher Chastelain alors que le sol s'effondrait sous ses pieds.

— Le 8 juin 1914, exactement. Le 24, Chapman était au courant. Le meurtre eut lieu le 28.

*

* *

Une boule de feu traversa Louis Chastelain. Sarajevo était au cœur du secret dont il ne parvenait pas à se défaire. Bon sang ! Ce n'était pas possible. Sarajevo, c'était *son* histoire...

— Qui êtes-vous, Sturp ? rugit-il. Et pourquoi me racontez-vous cela ?

— Pour que nous soyons toujours deux à connaître ces faits, répondit-il avec calme. Et si Victor n'était pas mort, vous ne les connaîtriez pas. Si vous mourez, j'en choisirai un autre pour partager cette charge immense. Et si je meurs, vous devrez en faire autant. Pourquoi je vous ai choisi ? Parce que vous avez vengé Chapman. Mais aussi parce que je crois que vous portez vous-même un secret. J'en déduis que vous êtes un homme de confiance.

Chastelain ne savait plus comment s'y prendre. Parler à son tour ? Se libérer ? Non ! Il ne connaissait pas Sturp et, au loin, les mécaniciens arrivaient. C'était trop long, trop compliqué. Il devait utiliser les dernières minutes pour en apprendre encore, pour tout savoir. Le désarroi, les autres questions viendraient ensuite.

— Sturp. Un mot, encore, reprit-il en espérant ne rien montrer de son trouble. Comment a réagi Chapman ?

— De la même façon que vous. Il était effrayé et, dans ses yeux, j'ai vu l'absurdité et l'horreur de ce que je lui annonçais.

— Il vous a convaincu de rompre avec cet homme ?

— En premier lieu, nous avons décidé d'attendre. On ne m'avait annoncé que l'assassinat de François-Ferdinand. Je n'avais aucune date. Et pas même un lieu. Mais on m'assurait que ce crime suffirait pour déclencher la guerre. En somme, que tout était prévu.

Chaque mot frappait Louis comme un coup de poing. Sarajevo... Les images virevoltaient. Sa blessure lui martelait le front.

— Pourquoi n'avez-vous pas parlé de cette affaire ? murmura-t-il.

— Pour que ma parole ait un poids, j'aurais dû m'y résoudre avant. Entre le 24 et le 28 juin. Et qui m'aurait cru ? Souvenez-vous, j'avais choisi d'être un proscrit. Et d'ailleurs, je ne connaissais pas la date. Une fois le meurtre accompli, cela n'avait aucun sens de jurer que j'étais au courant. Outre le fait que cette démarche me mettait en danger, je ne pouvais rien changer. N'importe qui pouvait assurer *a posteriori* que Sarajevo était programmé. Des racontars, des fabulations. Mais des preuves ? Je n'avais que les mots prononcés par quelqu'un de secret qui se prétendait l'envoyé d'un organisme occulte appelé *Golgotha*. Un visage ? Celui d'un homme de soixante ans qui avait disparu comme il m'avait approché depuis mon départ des États-Unis. Reconnaissez vous-même que mon témoignage ne pesait rien chez moi et ne valait guère plus en France où je n'avais aucune crédibilité.

— Vous disposiez au moins d'un nom ?

Il haussa les épaules :

— Une ombre que je ne rencontrais qu'au *Waldorf Astoria*[1]. Je n'ai rien su de sa vie.

Il chercha encore :

1. Palace de Manhattan.

— Le seul détail marquant est un insigne qu'il portait au revers de sa veste.

Sur le moment, trop ébranlé par ce qu'il avait appris, Chastelain ne s'attarda pas sur cet indice.

— Ensuite, parvint-il à dire, qu'avez-vous fait ?

— En apprenant l'assassinat de Sarajevo, Chapman s'est jeté sur moi. Il m'a cassé la gueule, comme vous dites. « Et maintenant, a-t-il hurlé, tu sais enfin où est le bien, où est le mal et ce que tu dois faire de ta vie ? » La seconde d'après, je tombais dans ses bras. Après nous nous sommes saoulés. Mais je ne pensais plus qu'à cela. Si j'avais changé de route, je devenais complice des criminels qui avaient voulu cette guerre.

Chastelain encaissa. Lui seul pouvait comprendre que ces derniers mots s'adressaient aussi à lui.

— Ce contact, insista-t-il, se pouvait-il qu'il soit un représentant des marchands d'armes, de l'industrie, d'un gouvernement ? Ne souhaitait-il pas simplement vous enrôler comme agent de renseignements ? N'est-ce pas simplement cela ? souffla-t-il en sachant que lui-même ne croyait pas en ces hypothèses.

Sturp ne savait pas. Du moins, il l'affirmait. Et il voulait en finir.

— Désirez-vous apprendre autre chose ?

Chastelain aurait passé la journée et la nuit d'après à le foudroyer de questions. Mais les mécaniciens tournaient autour d'eux, ne sachant comment mettre fin au tête-à-tête. Hier, c'était hier. Et s'ils comprenaient la tristesse des aviateurs et leur besoin de se parler, aujourd'hui, il y avait les *Drachen*. Et des hommes à sauver.

— Moi, je souhaite encore vous dire pourquoi je me sens responsable de la mort de Victor Chapman, continua William Sturp sans attendre la réponse du Français.

Il sonda son étui à cigarettes. Il était vide.

— Quand la guerre a éclaté, nous étions encore en France. Chapman m'a dit : « Tu sais ce qu'il nous reste à faire ? » J'étais paralysé, incapable d'agir. « Nous allons nous engager », continua-t-il. Et il n'y avait que la Légion étrangère pour nous accueillir.

William Sturp se leva :

— Je voulais l'aviation. Un choix personnel que Chapman accepta pour me faire plaisir. Et, hier, je l'ai vu mourir sans lui venir en aide.

Un mécanicien s'approcha de Chastelain, les mains dans les poches pour cacher sa gêne :

— Mon lieutenant, ce n'est pas pour vous commander, mais l'escadrille décolle dans moins d'une heure. Nous avons du travail... Sans compter que les pilotes vous attendent pour le briefing.

— C'est bien. Nous en avons fini.

Chastelain se tourna vers William Sturp :

— Vous venez, sergent ?

— Un seau d'eau, un bon rasoir et je vous rejoins, jeta-t-il d'une voix légère qui tranchait avec la gravité précédente.

— Ne risquons pas d'être faits prisonniers dans cette tenue, se força à répondre le lieutenant sur le même ton.

— Jamais ! hurla l'autre joyeusement. Mais au cas où, je ne leur ferai pas le plaisir de m'attraper avec une barbe de deux jours...

Soulagé par ce changement de ton, le mécanicien s'interposa :

— À ce propos, vous connaissez la dernière d'Harold Willis ?

Sturp s'arrêta et fit demi-tour :

— Racontez-nous.

— Eh bien, commença le mécanicien, ce type a décidé de piloter en pyjama. Il pense qu'avec ce stratagème, et s'il est abattu, il ne dormira pas en Allemagne[1].

Il partit dans un grand rire. Sturp et Chastelain, eux, se regardaient.

---

1. Ce fut pourtant le cas pour ce pilote... qui réussit plus tard à s'évader.

— Un jour, glissa William Sturp, vous me confierez peut-être cette énigme qui vous accable et vous rend, vous aussi, tant malheureux ?

— J'y réfléchirai, bredouilla le Français.

— Plus le poids est lourd, mieux il se porte à deux.

Ils se quittèrent ainsi. Le même jour, à midi, l'avion de Sturp subit le tir croisé de la lourde mitrailleuse d'un *Drachen* et de l'artillerie au sol. Personne ne put expliquer pourquoi il s'était fait prendre au piège et l'on disserta longtemps sur cette impensable erreur qui avait coûté la vie à un pilote d'exception. La mort de Chapman l'avait-il diminué ? On en resta aux suppositions.

Depuis, Chastelain vit avec son secret alourdi de celui de l'Américain. Et lui seul sait combien ils pourraient être liés. Mais trois ans plus tard, cette nuit de juin 1919 s'achève dans son appartement de la rue Las-Cases. Du tohu-bohu des souvenirs, il ne retient que ce mot, *Golgotha*, écrit dans *Le Prince* que le tsar aurait offert, selon elle, à Anastasia. Si Louis a parfois douté de la confession de l'Américain, il lui est désormais impossible de nier que, pour une part au moins, il existe un mystère autour de ce nom. Et la question qu'il a toujours fuie, par peur ou par lâcheté, resurgit. Lui-même n'en fut-il pas, un jour de 1914, la victime ? La drogue lui rend sa liberté. Les derniers mots de Sturp résonnent dans sa tête : *plus le poids est lourd, mieux il se porte à deux.*

55

Anastasia non plus n'a pas dormi. Elle aime Louis parce qu'il est devenu nécessaire à sa vie et, pour le garder, elle doit être franche, lui avouer ce qui la ronge, dire pourquoi elle veut fuir Paris. Mais après, qu'en sera-t-il ? De Charybde, elle ira vers Scylla. Au petit matin, elle n'est sûre de rien. C'est un officier français. Il ne lui pardonnera pas d'avoir épaulé l'élimination politique d'un ministre français. Ainsi, voici son dilemme. Si elle ne parle pas du passé, son avenir se brouillera. Mais, en se racontant, elle le compromettra. C'est bien un labyrinthe dans lequel elle avance en hésitant. Y rester ou s'en échapper ? Dans les deux cas, cela revient à se résoudre au pire.

Chastelain a téléphoné à l'hôtel des Invalides. Aujourd'hui, qu'on ne compte pas sur lui. Il marche à grands pas vers l'avenue Montaigne. Il va retrouver Anastasia. Et le sort décidera pour eux. En passant devant la vitrine du Théâtre des Champs-Élysées, au 15 de l'avenue Montaigne, il jette un coup d'œil à son reflet. Son costume est, peut-être, trop sombre. A-t-il bien fait de mettre une cravate rayée de bleu ? Il inspecte aussi son visage. Aujourd'hui, sa blessure l'enlaidit. Il le croit. La drogue, la nuit blanche ont laissé des traces. Et il voudrait tant plaire à cette femme. Qu'adviendra-t-il s'il échoue ?

Elle a entendu son pas dans l'escalier. Elle le reconnaîtrait entre cent. Comme depuis le premier jour, il se presse pour la rejoindre, et Anastasia y voit un bon signe. Elle inspecte une dernière fois sa tenue. Sa jupe, n'est-elle pas trop claire ? Ses cheveux, devait-elle les laisser retomber sur les épaules ou choisir un chignon ? La sonnette tinte. Elle lisse ses vêtements. Elle ouvre la porte. Il est là, si beau, si sombre, si désirable. Il sourit, fait un pas vers elle, et c'est une redécouverte, un recommencement. La même boule de feu les submerge et bat le rappel du désir.

Ils ont faim l'un de l'autre. Ils se dévorent des yeux, et déjà leurs mains s'unissent, leurs lèvres s'effleurent, leurs corps se reconnaissent et gémissent pour avoir cru se perdre. Ils s'aventurent plus loin, s'émeuvent à l'idée de s'aimer mieux qu'avant, et plus fort, puisqu'ils savent déjà ce qu'ils en retireront. Ils se donnent pour avoir compris qu'aimer leur est indispensable.

Quand ils reviennent à eux et se délivrent l'un de l'autre, c'est un déchirement. Ils mettent fin aux caresses, se rendent leur liberté, adjurent leur corps de se mettre au repos, de retrouver chacun sa propre vie. Il faut ouvrir les yeux. Et Louis le fait le premier.

Sa maîtresse lui tourne le dos. Il pose une main sur son épaule. Dort-elle ? Elle bouge. Imperceptiblement. Le drap glisse sur le côté. Elle est nue. Désirable. Il ne s'en lassera jamais. Elle se redresse, s'assoit sur le lit, se lève. Elle ne dit pas un mot. Elle va, et chacun de ses pas met en scène sa beauté. Elle montre son profil, offrant au regard de son amant le creux de ses reins. Elle ne cache rien de son attendrissante intimité pour qu'il comprenne qu'elle est à lui, s'il le veut. Et il sait qu'il ne peut vivre sans ce spectacle. Elle vient de tendre une main vers le bureau installé dans la chambre. Elle saisit un livre et revient vers Louis. C'est *Le Prince*.

— Le tsar m'a offert ce livre, dit-elle en le lui tendant, le jour où il m'a demandé de me rapprocher d'Henriette Caillaux, d'en devenir l'amie.

Elle se tait un instant, pour reprendre son souffle, et jette la suite :

— Je devais l'espionner et savoir quelles étaient les intentions de son mari. Pourquoi moi ? J'étais une femme libre et je connaissais Paris. Pourquoi eux ? Le tsar voulait la guerre et se méfiait de Caillaux qui soutenait la paix.

Sa voix est coupante. Terriblement posée :

— Veux-tu savoir ce que j'ai fait, même si cela risque de détruire l'affection que tu me portes ?

Louis a baissé les yeux en signe d'accord.

— *Le Figaro* publiait des lettres qui nuisaient à la réputation des Caillaux. J'ai conseillé à Henriette d'acheter une arme, je l'ai poussée à tuer le journaliste Gaston Calmette pour briser la carrière de son époux.

Les mots sortent et Louis reste de marbre. Anastasia pense que son amant l'a déjà bannie.

— Crois-moi, gémit-elle en croisant les mains pour le supplier, j'ai agi parce que le tsar, m'assurait-on, l'avait ordonné.

Il baisse les yeux. Il lui semble qu'une nouvelle porte se ferme ou s'ouvre, il ne sait plus. Ils ont donc en commun davantage que la passion. Ils partagent ce mépris d'eux-mêmes pour ce qu'ils ont fait par respect de l'ordre et qui, étrangement, les rapproche et les éloigne aussi. Louis songe à son propre drame. Est-ce le hasard s'ils se sont rencontrés et aimés ? Leur attirance s'explique-t-elle comme celle de deux êtres perdus, noyés dans leur propre tragédie, et croyant s'en sauver en s'accordant, mais découvrant soudain qu'elle et lui ressemblent finalement à ce qu'ils détestent chez eux. Avant qu'elle ne se confesse, ils parlaient d'alliance, de fusion. Ils ne voyaient que le bien, que le beau chez l'autre. Désormais, se demande-t-il, sont-ils unis par la malédiction qui mine leurs âmes ? Non, se répète-t-il, il ne sait plus.

En le découvrant prostré, perdu dans ses pensées, elle regrette déjà de s'être confiée. Elle vient de perdre, s'imagine-t-elle, ce à quoi elle tenait le plus. Elle tombe à genoux et baisse la tête comme la pécheresse redoutant la lapidation, mais elle veut encore se justifier pour échapper au châtiment de celui qui la juge.

— Depuis, murmure-t-elle, je pense que si Joseph Caillaux n'avait pas dû renoncer à ses fonctions politiques, la guerre aurait pu être évitée.

Il regarde enfin cette femme qui vient de lui prouver combien elle tenait à lui. Il comprend son silence et sa peur. Il mesure le vrai prix de sa confession. Qui est-il pour la réprouver ? Il doit la soulager, la libérer de sa souffrance, lui dire qu'il ne peut l'accabler, que son propre abattement s'explique par ce qu'il vient d'apprendre, car, mis bout à bout, la tragédie d'Anastasia éclaire violemment ses propres fautes, puisqu'il y pense ainsi. Et pour cet aveu, doit-il l'apprécier davantage ou lui en vouloir ? N'est-ce pas lui qui l'invitait à se livrer ? N'a-t-il pas désiré connaître ses secrets pour savoir quelle personne il aimait ? Louis comprend enfin que c'est lui qu'il doit accuser. Et qu'Anastasia lui a offert toute sa vie en lui montrant ce qu'elle contenait de plus détestable. Même si quelque chose s'est brisé au fond de lui, il doit la remercier pour son courage.

— Anastasia, commence-t-il d'une voix éteinte. Tu ne dois plus t'en vouloir. Tu n'es responsable de rien. La guerre devait avoir lieu et je le sais plus que quiconque.

— Je t'en supplie, répond-elle aussitôt, ne tente pas de me consoler. Je cherche une raison qui mettrait fin à mes doutes. La guerre, je le sais, ne tient pas dans un coup de feu. Mais l'addition de quelques événements, dont personne ne veut se sentir responsable, a conduit à l'inexorable. Et si, moi-même, j'avais refusé d'exécuter ce que l'on m'ordonna de faire...

Elle continue à se livrer, à se montrer nue, écorchée, misérable, apportant ainsi *sa* plus belle preuve d'amour. Louis ne désire pas en entendre plus. Il se lève à son tour et c'est elle qui détaille cet homme qui lui a plu, lui plaît, jusqu'à se sacrifier à lui.

— Tu as raison, murmure-t-il. Certains portent la responsabilité de gestes, de faits exécrables, impardonnables. Et comme toi, je m'interroge. S'ils ne s'étaient pas produits, la guerre aurait-elle pu être évitée ?

Il pose la question, mais il la condamne. Et elle en conclut que tout est fini.

— Crois-tu, poursuit-il, que la guerre aurait eu lieu sans l'assassinat de Sarajevo ?

— Non, s'étonne-t-elle, tant cette question lui semble saugrenue.

— Si quelqu'un avait su que ce meurtre se préparait, continue-t-il en haussant soudainement le ton, devait-il détourner la main de l'assassin ?

— Oui, bien sûr, souffle la comtesse, sans imaginer où cela les conduit.

— Pourtant, je ne l'ai pas fait.

— Que veux-tu dire ? balbutie-t-elle.

— Je savais tout pour le meurtre de François-Ferdinand. Je pouvais arrêter ce qui allait se passer. Pourtant, comme toi, j'ai obéi croyant servir mon pays.

PRINCIPE DE GOLGOTHA

Rapport du Neuvième Décemvirat
Paragraphe 10

L'assassinat de Sarajevo est un modèle, une leçon dont les Frères de Golgotha doivent tirer profit pour le Vingt et Unième Siècle. L'action terroriste est, en effet, pour neuf raisons, l'auxiliaire idéal de Golgotha.

1. Le terrorisme produit des effets considérables car son emploi frappe l'imaginaire et sécrète la peur. L'acte en lui-même est intolérable, inacceptable. S'il le faut, il tue sans prévenir des hommes, des femmes, des enfants désarmés. Le premier choc passé, c'est le temps du deuil et de la compassion. Puis, viennent la haine et la vengeance. On ne pardonne pas au terrorisme. Jamais. De là découle sa redoutable efficacité;

2. La mise en scène d'un acte terroriste exige peu de moyens. Du moins, son résultat sera toujours supérieur à son coût. C'est une action isolée, limitée dans le temps, et qui ne s'embarrasse d'aucuns frais. L'action accomplie, il n'y a pas de position à tenir, pas de négociation à mener. Le seul investissement qui compte tient dans sa préparation. C'est donc le contraire des guerres entre États;

3. Contrairement à un conflit conventionnel, les règles sont fixées unilatéralement par l'agresseur. Le droit et les lois n'existent pas. Cette liberté permet au terrorisme d'arrêter lui-même ses conditions. Il choisit et déclenche la guerre sans sommation. Le gain de temps est considérable et, surtout, le résultat prévisible;

4. Frapper l'innocence ne pose aucun problème de conscience au terroriste car il croit opérer pour une juste cause. Son geste lui permet d'accéder au statut de héros, voire, s'il en meurt, à celui de martyr. De proscrit condamné à vivre en marginal, d'exclu pourchassé par l'ordre social qu'il exècre, il devient un brave, un preux, un indomptable et donne enfin un sens à sa vie – et à sa mort. Avant, il n'était rien. Après, il devient une icône exaltant l'image du sacrifié. Pour s'en convaincre, il dispose de l'exemple de ceux qui, en s'immolant pour les idées de leurs dieux, sont devenus Grands. Ainsi, il n'y a rien de plus simple que de recruter un soldat terroriste. Il suffit de le convaincre qu'il agit pour lui;

5. Il est difficile de remonter à la source d'un attentat. On peut retrouver son auteur – qui peut aussi l'avoir revendiqué. Mais qui est le vrai commanditaire ? Le porteur de bombe est un arbre qui cache une forêt. Il est asocial et vit dans la clandestinité. Par essence, son statut préserve naturellement l'anonymat de ceux qui le paient pour le pousser à travailler selon leurs propres intérêts. Et sans qu'il le sache;

6. L'attentat est un acte traumatisant pour l'État de droit qui, par définition, abhorre ce qui ne se comporte pas comme lui. Paralysé par la menace, son mode de fonctionnement et sa forme de pensée le pousseront à chercher en premier une cause et un responsable. Qui lui veut du mal et pourquoi ? Or, l'attentat dit ce qu'il veut. Il parle selon la volonté de ses auteurs qui livrent le mobile de leur choix et orientent ainsi la réaction de l'État. Veut-on qu'il se tourne vers telle ou telle proie ? La revendication de l'attentat remplit ce rôle;

7. Plus l'attentat surprend, plus il réussit. La force qu'il produit vient de ce que l'État ne s'y attend pas. Plus il fait mal, et plus il appelle des réactions brutales. L'État désemparé jure de laver le sang. Il menace, il proclame, cherchant à faire oublier son incapacité à faire face à une menace qui procède sans ultimatum. Mais comment attaquer un ennemi qui ne se montre pas ? À cet instant, l'État devient vulnérable. Il ne peut pas terroriser les terroristes. Sa capacité de rétorsion – sa riposte – tient dans la seule réponse dont il dit comprendre les règles : la guerre. Le premier pas est franchi car la cause du terroriste peut toujours se rapporter à celle d'un État. Ce qui, puisque le danger redevient matériel et palpable, entre dans le cadre codifié de l'État agressé : riposter, se venger. En somme, tomber dans le piège qu'on lui a tendu;

8. L'attentat se taille, se concocte, se cisèle sur mesure, car cette arme est souple. Son commanditaire, par la main de l'auteur, choisit le lieu, la date, la cible. Faut-il exécuter des êtres angéliques, des chefs, des princes confessionnels ou de simples inconnus ? Veut-on y adjoindre de l'émotion en frappant des milliers d'innocents ? L'attentat est une guerre qui ne dit pas son nom, mais dont on connaît le début, le milieu et la fin. On en fixe les détails selon le dessein recherché;

9. L'action terroriste permet de profiter de tous les bienfaits de la prédiction puisqu'elle ne confie rien au hasard. Chez elle, il n'y a pas de risques de s'en remettre au « sort des armes ». La charge est prévue et l'ennemi ne sait pas qu'on l'attaque. Dans ces conditions, le futur se conçoit, s'imagine, se prépare. Quels bienfaits peut-on tirer d'un attentat ? Quels avantages spéculatifs, financiers, industriels, politiques en découleront ? Comment évolueront les alliances entre les États ? Lequel paiera le prix fort de la vengeance ? Tout se calcule. L'attentat procure un coup d'avance à celui qui donne le premier. Et il faut être un État pour ne pas en comprendre les bienfaits.

Cependant, un État lui-même peut parfois s'y résoudre au prétexte que ses moyens d'action deviennent inopérants. C'est l'ultime échelon de la forfaiture de l'État de droit qui, trahissant ses propres règles, démontre le caractère inachevé de son système. Saisissant le prétexte hypocrite d'une juste cause, l'État absout le terrorisme, augmentant objectivement les chances de se perdre.

Ainsi, naissent des situations étourdissantes (et réjouissantes) puisque les États ne savent pas qu'elles sont conçues pour provoquer leur chaos.

À Venise, le Neuvième Décemvirat pensait à chacun de ces points. Dans la préparation, la délégation et l'organisation de celui de Sarajevo, rien ne fut oublié. Et il se déroula comme prévu, par le jeu des alliances entre les États, tant il est vrai que les Dix Très Hauts Magistrats, par le Principe même de Golgotha, manient idéalement l'arme terroriste.

56

Louis Chastelain ne pourrait jamais oublier les mois qui précédèrent la Première Guerre mondiale. La mission de ce lieutenant avait été énoncée simplement, comme le faisait toujours le colonel Jules de Bontandier, chef du service des Affaires balkaniques au Conseil supérieur de la Défense nationale[1], le centre de renseignements des armées installé aux Invalides : se mêler aux étudiants serbes qui fréquentaient la faculté de droit de la rue d'Assas et l'École libre des sciences politiques de la rue Saint-Guillaume, à Paris. Puis, recueillir des informations sur l'état d'esprit de ce milieu émeutier envers l'Empire austro-hongrois, puissance occupante du pays. Et le jeune officier Louis Chastelain avait retrouvé pour un temps la tenue civile. Pourquoi devait-il agir ainsi ? Le colonel Jules de Bontandier était toujours avare d'explications et de compliments.

En 1914, on trouvait, entre le boulevard Saint-Michel et le quartier du Jardin-des-Plantes, de nombreux étudiants étrangers, parfois bûcheurs forcenés, avides

1. En 1906, fut créé le Conseil supérieur de la Défense nationale, organisme d'étude qui réunissait les ministres de la Guerre, des Affaires étrangères, de l'Intérieur. Par la suite, sous la Ve République, ses missions sont revenues en partie au Secrétariat général de la Défense nationale rattaché aux services du Premier ministre et situé dans les mêmes locaux.

d'accéder au savoir distillé par un prestigieux corps de professeurs dont le rayonnement international était au zénith. Mais on croisait aussi, dans la colonie estudiantine, des noceurs attirés par la Ville lumière. Les nuits, les femmes, les spectacles, les restaurants – la fête, en somme –, dont les fils de famille espagnols et brésiliens, bruns au sang chaud venus à Paris pour se frotter à ses plaisirs exquis, formaient le gros du bataillon. À ceux-là, aussi sympathiques que désœuvrés, il fallait ajouter les exilés ayant fui leur pays pour des raisons politiques. Les Russes nihilistes en faisaient partie. S'y ajoutaient des Serbes, immenses et ténébreux, amateurs de *rakia*, un alcool à base de prunes, de raisins, de figues, de coings et dont la teneur en alcool dépassait parfois les soixante-dix degrés. Pour autant, ces farouches opposants à l'occupation austro-hongroise avalaient cul sec leurs verres au fond inépuisable, jurant de mourir pour la liberté des Slaves.

L'approche s'était précisée à l'occasion d'une conférence savante sur l'Adriatique à laquelle Chastelain s'était mêlé en auditeur libre pour expliquer le fait qu'il soit un peu plus âgé que ses camarades. D'ailleurs, ce détail ne choquait pas puisqu'une armée d'étudiants s'attardait dans le cocon universitaire, repoussant ainsi le moment fatidique où il leur faudrait entrer dans la vie active pour rejoindre qui l'usine paternelle, qui une étude notariale, qui un vaste domaine agricole perdu au fond de la vaste Argentine. Chastelain, lui, prétendait arriver de province, un peu naïf, un peu candide – du moins dans le rôle qu'il tenait –, pour s'éveiller aux usages internationaux puisque son père tenait à ce qu'il embrasse une carrière dans les Affaires étrangères. Louis avait expliqué aux deux Serbes assis à ses côtés dans un amphithéâtre de l'hôtel de Mortemart[1] qu'il rêvait pour sa part de prosodie et de muses puisqu'il

1. Siège de l'École libre des sciences politiques créée par Émile Boutmy en 1872.

écrivait des chansons. Dans le café où ils se retrouvèrent après le cours, il se permit de montrer des textes de sa composition, se désolant de ne pas connaître assez Paris et les cabarets du quartier Latin pour y faire interpréter son œuvre, ce que Marco Brujnic, un des Serbes, considéra comme un détail surmontable puisqu'il fréquentait nombre d'artistes de sexe féminin à qui il pourrait confier les créations d'Anatole Vaillant, pseudonyme sous lequel se dissimulait Chastelain. L'offre était si généreuse que le poète en herbe s'en émut et invita sur-le-champ ses nouveaux amis à déjeuner, ce qu'ils ne refusèrent pas. Au cours d'un repas fortement arrosé, le Français se laissa aller. Il expliqua qu'il se sentait romantique (ce qui pouvait dire timide) et en joua à la perfection. Et l'on se quitta en jurant de se revoir. Depuis, la prise tenait.

La formation à l'École militaire avait enseigné au lieutenant Chastelain les règles de l'infiltration et de l'espionnage. C'était une question de prudence et d'attente. Ne jamais poser de questions trop directes et parler le plus souvent de soi. Glisser çà et là quelques mots sur sa propre indignation à propos de la tyrannie et de la barbarie, mais sans sortir du domaine de l'art. En somme, travailler le profil du versificateur bourgeois, velléitaire plus que marginal, et partisan de la révolte, tant que celle-ci restait artistique. Bien sûr, Marco Brujnic ne manqua pas de poser quelques questions sur les opinions politiques de ce nouvel ami poète. Chastelain ne commit pas l'imprudence de s'engager pour une cause. L'anarchie ? Pour lui, elle se trouvait dans l'abandon des rimes, le recours à la poésie en prose, dans la négation du classicisme dont Victor Hugo avait montré la voie. Le désordre ? C'était celui des cubistes, de Wilhelm Albert Vladimir Popowski de La Selvade Apollinaris de Waz-Kostrowitzky[1] dont l'œuvre à base de

1. Guillaume Apollinaire.

calligrammes était vraiment révolutionnaire. La révolte ? Sans hésiter, il cita Émile Zola. La violence ? Elle atteignait des sommets au théâtre de la Renaissance quand on en venait aux mains, lors d'une représentation, pour le rejet audacieux d'un pied au vers suivant ou l'abandon définitif de l'hémistiche dans l'alexandrin. Et Brujnic apprécia ce garçon prolixe.

Ces sujets vaporeux se traitaient au cours de repas auxquels Louis Chastelain conviait le plus souvent Brujnic et ses amis serbes, devenus habitués de la table de celui qu'ils surnommaient gentiment le ménestrel, et dont la générosité était rendue possible, soutenait-il, grâce aux fonds inépuisables versés chaque mois par une famille magnanime, convaincue que le jeune héritier posséderait bientôt sur le bout des doigts les nuances de la négociation diplomatique. Et Brujnic s'en amusait de plus en plus.

*
* *

Une fois par semaine, Louis Chastelain rendait compte au colonel Jules de Bontandier. Quoi de neuf ? Chastelain haussait les épaules. Les Serbes étaient calmes, discrets. Ils ne parlaient jamais de leur pays. Ils ne s'en prenaient pas à l'Autriche-Hongrie. Bontandier perdait patience et le jeune lieutenant aurait été incapable d'expliquer qu'il en ressentait une sorte de soulagement. Marco Brujnic était devenu son ami.

La mission s'éternisait et Chastelain se demandait parfois quand Bontandier viendrait à lui dire qu'il devrait lâcher son contact, disparaître pour toujours, mettre fin à l'action, et à l'affection née entre lui et le Serbe au fil des semaines. Il crut ce moment venu le 6 mai 1914. Pourtant, il ne s'agissait que d'une réunion de routine. Un point hebdomadaire. Mais en entrant dans le bureau de Bontandier, il y avait un homme massif, assis sur une chaise, face au bureau du colonel.

Cet inconnu tourna la tête et sonda Chastelain qui, sur le coup, s'en trouva mal à l'aise. Les yeux, sans doute. Le regard brutal. Le visage émacié, aussi, taillé à la serpe. Bontandier fit les présentations :

— Lieutenant, je vous présente Igor Kasparovitch, conseiller spécial du tsar Nicolas II. Nous discutions de questions liées aux Balkans et nous ne partageons pas votre enthousiasme.

Le Russe jaugeait le lieutenant, affichait son mépris, et sans même prononcer un mot annonçait son opinion : de quoi ce freluquet était-il donc capable ? Chastelain ne se désarçonna pas, même s'il s'étonnait de la présence de cet homme, étranger à l'armée et à la France, qui plastronnait dans le bureau du chef du service des Affaires balkaniques du Conseil supérieur de la Défense nationale. Et Bontandier, un officier plus raide que le cuir de ses bottes, lui réservait une affabilité étonnante. Une sorte de soumission, ajouta pour lui Chastelain. La surprise venait aussi de la légèreté avec laquelle, et en dépit des règles de sécurité, Bontandier avait laissé traîner un dossier sur son bureau. De sa place, Chastelain pouvait en lire l'intitulé. *La Main noire*. On touchait au cœur de l'affaire serbe puisque cette organisation secrète menaçait d'attenter aux intérêts austro-hongrois au nom de la libération des Slaves du Sud.

Bontandier dut comprendre les interrogations de Chastelain :

— Le conseiller Kasparovitch nous honore de sa présence en tant que délégué de la Russie qui, dois-je le rappeler, est l'alliée de la France.

Et il sourit au Russe qui lui rendit son compliment.

— Le tsar, poursuivit le colonel en s'adressant à l'invité, s'inquiète du sort que l'Autriche-Hongrie réserve aux Slaves. Le sujet est explosif pour la Russie. Et les amis de nos amis étant les nôtres, il est évident que ce que nous apprenons sur ce sujet, nous devons vous en faire profiter.

L'intéressé approuva de nouveau en silence, montrant à quel point la déférence de Bontandier lui semblait une évidence. Pour sa part, songea le lieutenant, l'entente avec la Russie n'excluait pas un minimum de réserve ou de défiance patriotique.

— Alors, Chastelain, du nouveau ?

Même s'il avait su quelque chose, il aurait haussé les épaules en signe de découragement.

— Rien d'intéressant, mon colonel, si j'excepte ma solide formation à la consommation de la *rakia* dont je connais toutes les déclinaisons et les accompagnements à base de miel, de griottes et de noix.

— Voyez vous-même, souffla Bontandier en se tournant vers le Russe.

Igor Kasparovitch prit enfin la parole. Mais, négligeant son hôte, il se porta sur le lieutenant :

— Tout nous conduit à croire qu'un attentat se prépare en Serbie. Et il se peut que les étudiants que vous fréquentez en soient informés.

Sa voix était lourde, puissante, portée par un accent qui l'obligeait à s'exprimer lentement, ajoutant à la gravité de ses mots.

— Concentrez-vous sur ce sujet.

Le malaise de Chastelain s'accentua. Le Russe donnait des ordres et Bontandier, par son mutisme, le soutenait.

— Un attentat ? Mais de quelle nature ? questionna le lieutenant en s'adressant directement au visiteur.

— Contre les forces d'occupation, répondit ce dernier sèchement. Mais il est difficile de nous immiscer sans prendre le risque d'indisposer le Kaiser ou l'empereur d'Autriche-Hongrie.

— C'est pourquoi, s'empressa d'ajouter le colonel, la France vient au secours de son allié en tentant d'obtenir des renseignements. Car si un attentat se produisait, l'Autriche-Hongrie mènerait des représailles contre la Serbie. Et la Russie serait obligée de venir au secours des Slaves du Sud. L'engrenage, soupira-t-il. L'affaire est grave, Chastelain.

— Du moins, préoccupante, murmura Igor Kasparovitch.

— Au premier indice, j'informerai le colonel Bontandier, rétorqua Chastelain, rappelant son attachement au respect de la hiérarchie en se tournant vers celui dont il dépendait.

— Nous comptons sur vous, conclut son supérieur.

Bontandier se leva, mettant fin à l'entretien. Le Russe en fit de même. Il serra froidement la main du lieutenant et se rassit aussitôt.

Il se croit chez lui, se répéta Louis, en saluant réglementairement au moment de sortir. Mais, dans le couloir, il ralentit le pas. À l'École militaire, un officier répétait que l'espionnage usait de l'intuition. Le nez, disait-il, ou, pour parler savamment, le sixième sens. Et le lieutenant ne « sentait pas » ce Kasparovitch. Au cours de ces leçons, on lui avait aussi appris à mémoriser tout renseignement ressenti comme une menace. Que retiendrait un physionomiste ? se demanda-t-il en pensant au Russe. Louis passa au peigne fin la silhouette de cet étranger. Puis, il s'attarda sur ses vêtements. Rien de particulier. Peut-être une marque au revers de la veste comme s'il venait de retirer un insigne qu'il portait peu avant d'entrer dans le bureau de Bontandier ? Il stocka l'information dans son cerveau.

57

Les événements s'étaient brutalement enchaînés le 26 juin 1914 et depuis, aucun visage, aucune scène de cette journée dramatique ne voulait s'effacer, se diluer dans l'oubli, comme si la mémoire agissait à la façon d'une machinerie diabolique, dissociée, extérieure à Louis Chastelain et refusait ainsi de lui accorder toute grâce et tout pardon. La situation, jusque-là, était restée inchangée. Les Serbes de Paris ne montraient aucun signe particulier de fébrilité. Bien sûr, ils se plaignaient de l'occupation de leur pays par l'Autriche-Hongrie et toutes les occasions étaient bonnes pour trinquer à la liberté. Mais ce n'était qu'une coutume à laquelle Louis se pliait volontiers. Au fil des mois, il avait appris les rudiments du serbe, une langue slave méridionale, et quand, au bout d'une table, à la sortie d'un amphithéâtre ou dans le brouhaha d'un cabaret, il volait ici et là quelques mots de la conversation que tenaient Marco Brujnic et ses amis, il n'entendait parler que de femmes, de loyers en retard, de l'argent perdu en jouant aux cartes et rarement du pays ou de la famille. L'année universitaire se terminait et Chastelain semblait résolu à rendre ses habits d'emprunt. Sa mission tournait court et il en serait quitte pour un mauvais rapport de son chef de service. À moins qu'il n'y ait rien eu à espionner et que les inquiétudes de la

France et de la Russie aient été vaines ? Louis se sentait soulagé de s'en sortir ainsi. Il avait de plus en plus de difficulté à mentir, pris au piège d'une réelle estime pour les Serbes. Et plutôt que de retrouver le Conseil supérieur de la Défense nationale, il envisageait de demander sa mutation. Le terrain lui manquait. Pour tout avouer, il se sentait attiré par l'aviation, un corps balbutiant, méprisé par les caciques de l'état-major – ce qui augmentait d'autant son enthousiasme.

Mais, le 26 juin, Marco Brujnic le saisit par la manche alors qu'ils sortaient de cours :

— Ce soir, nous fêtons quelque chose d'important. Je serais heureux que tu te joignes à nous. Tu vas enfin découvrir la vraie Serbie !

Louis remercia Marco pour l'invitation et s'en tenant à son rôle de poète distrait, il ne posa aucune question. Marco Brujnic éclata de rire :

— Bougre ! Et tu ne me demandes pas où nous nous retrouvons ?

— Oui, il le faudrait, murmura-t-il en dansant sur ses jambes.

— Le rendez-vous est fixé au restaurant *Crna Gora*. C'est du serbe !

— Je l'avais deviné, dit-il en faisant semblant d'être vexé. Et qu'est-ce que cela veut dire ?

— *La montagne noire*. Le nom que la Serbie donne au Monténégro, rugit Marco. Tu verras, en franchissant la porte, tu es déjà au pays...

— Faut-il un passeport ? s'amusa Louis.

— Non, mais note au moins l'adresse. C'est au début du boulevard Saint-Martin. Tu ne peux pas te tromper.

— *Crna Gora*, grogna le Français. Ce lieu est sûrement unique.

— Sur la devanture, il y a un aigle royal peint en or et en rouge.

— Et je me poste devant à quelle heure ?

— Dix-neuf heures. Il vaut mieux commencer tôt.

Marco Brujnic gratifia l'épaule de Chastelain d'une lourde claque. Alors que ce dernier grimaçait, le Serbe se jeta dans l'escalier en riant et descendit quatre à quatre.

— N'oublie pas ! hurla-t-il encore alors qu'il déboulait dans la rue Saint-Guillaume.

*
* *

La salle était aussi longue qu'étroite et terriblement enfumée. Une population bigarrée se pressait autour d'un comptoir où un homme bâti comme un géant servait à volonté une *rakia* portant le nom de Slivovitz et qu'il tirait sans relâche à la louche d'un immense tonneau en bois. Puis, il versait le liquide ambré dans des verres épais contenant un demi-litre et attendait ainsi, l'œil noir, que ses hôtes fassent honneur à son hydromel. Pour faire passer l'alcool effroyablement corsé, des plats de *chopska*, de *turshiya*[1], de concombres au yaourt circulaient de main en main ajoutant au désordre joyeux qui régnait sur la salle. Les décors participaient au dépaysement car l'estaminet se voulait aussi épicerie, bazar, quincaillerie et sûrement pharmacie. On trouvait des chapelets, des croix, des livres, des revues, des couteaux de cuisine taillés pour la chasse, des haches, du charbon, des poêlons, des vêtements, des chapeaux, sans oublier les plats cuisinés baignant dans l'huile cloacale de ramequins immenses noircis par le feu. Les murs étaient recouverts de tableaux naïfs rappelant les paysages montagneux de la Serbie où les cerfs et les sangliers devaient abonder, du moins à en juger aux imposants trophées qui encadraient la scène. Des photos se joignaient à ce fatras réjouissant. Elles racontaient le souvenir émouvant des mariages,

1. *Chopska* : salade. *Turshiya* : légumes au vinaigre.

des baptêmes, des fêtes familiales qui scandaient et attendrissaient le cœur de ses exilés. L'endroit respirait le bonheur.

Marco veillait sur Louis. C'était son ami, son invité. Tous devaient le savoir. Et Chastelain dut trinquer à chaque fois qu'on lui présentait un homme au nom imprononçable qui le serrait dans ses bras et lui disait tout l'amour qu'il portait à la France.

— *Ziveli !* hurla l'un d'eux en levant son verre, forçant le Français à faire de même.

— Santé, répondit-il mollement en tentant de s'esquiver.

Sa tête tournait et le brouhaha n'expliquait pas tout.

— Je crois que je vais rentrer, glissa-t-il à Marco.

Le Serbe écarquilla les yeux.

— *Do vraga*[1] *!* rugit-il. Pas question ! Ce n'est que le début.

Déjà, on présentait d'autres plats, jaillis d'une cuisine obscure où œuvraient cinq ou six femmes entourées d'enfants. Tous piaillaient pour tailler les choux qui nageaient dans des bocaux débordant d'un liquide à la couleur indécise et qui étaient farcis avant de les mélanger aux jarrets de porc. Il faisait une chaleur étouffante.

— La *sarma,* expliqua Marco. Un délice. Tu vas voir, c'est léger. Et il vaut mieux ne pas trop s'alourdir car, après, il y aura les pâtisseries...

Il cligna de l'œil et il but son grand verre de *rakia* :

— Ne t'étonne pas si ce soir je suis ivre, bredouilla-t-il en soufflant une haleine qui confirmait sa prophétie. Et sais-tu pourquoi, mon bon ami français ?

Louis se rapprocha, invitant Marco à se confier davantage.

— J'ai deux bonnes raisons. Une bonne et une mauvaise, ce qui est bien dans l'esprit des Slaves. Par quoi veux-tu que je commence ?

1. Juron amical qui peut se traduire par « petit diable. »

— Évacuons tout de suite ce qui te dérange, murmura-t-il en prenant conscience que la voix du Serbe se mettait à trembler.

— Tu as raison, fit-il en crachant par terre. Cette nuit, nous faisons la fête car après-demain, nous pleurerons la défaite des Serbes à la bataille de Kosovo, en 1389, face aux Ottomans. *Uf !* Maudit souvenir...

Il sombra dans ses pensées. Aussitôt, un colosse brun l'en sortit en lui tendant un verre plein. Cela suffit pour qu'il reprenne la parole :

— Mais après-demain, la défaite se transformera en victoire. Ce 28 juin, tu vas en entendre parler. Et pas que toi. Le monde entier !

Marco se pencha vers Louis :

— Le 28 juin 1914 marquera la fin de l'humiliation des Serbes.

Le lieutenant Chastelain serra fortement son verre. Une parole de trop, un geste maladroit et Brujnic se tairait. Pourtant, le Français devinait que ce qu'il cherchait à savoir depuis des mois se trouvait sûrement là, sur le bord des lèvres du Serbe, et qu'il suffisait d'un mot...

— Tu ne me demandes pas ce qui peut me rendre si heureux ?

Pile ou face ?

— Tu m'en parles si tu veux, lâcha-t-il, sans le quitter des yeux.

— C'est bien, répondit le Serbe.

Et il tourna les talons. Un pas, puis un deuxième. Chastelain sentit un gouffre s'ouvrir sous ses pieds. Alors, Marco s'arrêta, hésita, tangua sans doute et finit par dévisser la tête pour observer le Français. L'examen sembla le convaincre. Il faisait marche arrière. Il revenait. Il s'approchait. Il se colla à l'oreille de l'espion :

— *Do djavola*[1] ! gronda-t-il. Cette nuit, j'ai décidé de t'accorder ma confiance. Mais garde ça pour toi, sinon

1. « Au diable. »

je te tue. Après-demain, l'héritier des Austro-Hongrois foulera le sol de Sarajevo. Et crois-moi, il en mourra.

Marco Brujnic s'écarta. Ses yeux brillaient d'une joie furieuse. Il leva son verre au plus haut qu'il le pouvait et hurla à la salle :

— *Smrt tiraninu! Zive la sloboda!*

On lui répondit d'une seule voix :

— Mort au tyran ! Vive la liberté !

Et tous braquèrent les yeux sur l'étranger. Si Marco l'avait invité, c'est qu'il le considérait comme un frère. Alors, on vint à lui. On lui serra la main, on lui caressa les cheveux. Certains le serrèrent dans leurs bras et l'embrassèrent. C'était le Français, l'ami. Le témoin de tout un peuple qui racontait son bonheur d'être ici, dans ce pays allié, protecteur, et garant de la liberté et de tous ses principes. Et Chastelain se demanda qui d'eux ou de lui était tombé dans un piège.

*

* *

Après, il fallait sortir de la nasse tant qu'il en était temps. Ne pas laisser réfléchir Marco et lui faire regretter d'avoir trop parlé. Mais la nuit s'étirait, la salle ne désemplissait pas. Brujnic s'accrochait au bras de Chastelain qui mémorisait cahin-caha les informations recueillies une à une au fil d'une confession aux allures de tempête. D'abord, il y aurait un attentat contre François-Ferdinand car Bilinski, l'administrateur de la Bosnie-Herzégovine, n'avait pas estimé nécessaire d'arrêter des mesures spéciales pour protéger l'héritier. Brujnic enrageait et se réjouissait aussi. Organiser le voyage de l'archiduc, inspecteur général des armées, le jour anniversaire de la défaite des Serbes était un affront. Mais la victime jouait contre elle. Plus de dix volontaires s'étaient proposés pour jeter la bombe qui saignerait l'Empire occupant.

— *Do djavola*. Si la bombe ne suffit pas, murmura-t-il, il restera les armes. Un coup de feu, et l'un de nos frères deviendra un héros. Il exécutera l'héritier en le regardant dans les yeux.

Qu'avait-il dit encore ? Dans le flot de cette nuit, de quoi avait-il parlé ? Chastelain se souvenait de la *Main noire*, l'organisation secrète dont le dossier trônait sur le bureau de Bontandier, et d'un homme que le Serbe appelait Apis. Il fallait trier, classer, analyser les informations et pour cela s'enfuir. S'échapper. D'abord, vérifier que Marco dormait, allongé sur une banquette. Puis, avancer vers la porte en s'accrochant aux épaules qui lui servaient de guide. Entendre les rires quand il titubait et s'écroulait sur une table. Alors, se relever pesamment et porter la main à la bouche. Faire croire qu'il était pris de haut-le-cœur et sortir dans la rue. Attendre encore que les regards serbes lâchent ce type penché dans le caniveau. Et marcher lentement. S'éloigner en espérant ne pas entendre la voix de Marco Brujnic. Où cours-tu ? Est-ce pour nous trahir ? Oublier la peur. Ne garder que ce mot : attentat. Raser les murs, se retourner souvent, faire cesser les battements fous de son cœur. Parvenir enfin, à six heures du matin, aux Invalides, et hurler au garde qu'il fallait prévenir Bontandier.

— C'est urgent ! Bon Dieu ! Aidez-moi.

Et s'effondrer en priant les cieux de se souvenir que Princip était un des noms des assassins.

PRINCIPE DE GOLGOTHA

Rapport du Neuvième Décemvirat
Paragraphe 10 (suite)

Il vous viendra ces interrogations, Frères de Golgotha : pourquoi agir par le biais des autres ? Pourquoi ne pas se montrer au grand jour ? Qu'y a-t-il d'irrecevable dans le fait de prédire que si l'on détruisait les États les guerres cesseraient ? Le résultat est si prometteur, l'espérance si vive qu'une immensité rejoindrait aussitôt notre cause. Allons plus loin. Le Principe de Golgotha prévoit que la destruction des États passera par la guerre. Mais cette étape est-elle nécessaire si le commun des hommes se range naturellement à notre thèse ?

Au fond, les questions que vous vous poserez reviendront à vous demander si Golgotha ne peut vaincre en démontrant logiquement sa supériorité. La Terre, un monde sans la dictature des États ? Ce Principe est si juste qu'il n'y aurait aucun mal à le propager, tel un sang neuf, dans le corps social. Douterions-nous de nos idées ? Aurions-nous peur d'attaquer les États directement en exposant leurs vices, leurs défauts, leurs mensonges ? En montrant ce qu'ils sont et ce qu'ils font réellement ne pourrions-nous pas éveiller la rancœur et la haine et provoquer le rejet ? De fait, puisque nous voulons détruire l'État, nous ne chercherions pas à l'excuser. Ainsi, nous n'agirions pas comme les politiques qui, pour sauver leur pactole, leurs fonctions et leurs rentes, mentent et pro-

mettent que demain, tout ira mieux. Sur l'argent, par exemple, un sujet viscéral qui décide du sort de tous, nous tiendrions un discours radicalement sincère.

En ce domaine, l'État dit que son rôle est de corriger l'injustice des hommes qui se comportent en sauvages et ne songent qu'à écraser les faibles. Mais que fait l'État pour venir au secours des autres ? Pour répondre, il suffit d'analyser ce qu'il advient à propos de l'argent que lui confient ses administrés. Et pour une fois, commençons, non pas en parlant de ce qu'il donne, mais de ce qu'il prend. Oui, étudions cette curieuse méthode qui consiste à ponctionner avant de redistribuer, à prendre beaucoup avant de donner un peu.

De sa naissance à sa mort, le citoyen se voit retirer la plus grande part de ses ressources. La règle est quasi organique. L'État est glouton, insatiable. Il puise dans le trésor insondable de ceux qu'il gouverne. Il avance ses raisons. Il extorque pour rendre, mais le premier à se servir est lui-même car l'argent tiré de la corne d'abondance sert à financer ses frais considérables. L'entretien de ses bâtiments, la pension de ses serviteurs particulièrement formés au recouvrement des impôts, le remboursement de ses dettes et des intérêts, le train de vie de ses élus, l'organisation de relations avec les autres États, le maintien d'un haut niveau de défense contre ces mêmes États... Mais s'il disparaissait, ses dépenses et ses maux n'existeraient plus. Ainsi, au lieu de discuter du schéma idéal d'un État providence, démontrons que cette idée est une escroquerie, un leurre puisque la richesse confiée aux États ne sert pas en premier à soulager la misère des hommes. Et qu'en est-il de ses services ? Ne vivant pas en concurrence, ils sont lourds, peu efficaces, obsolètes. Au final, l'État ne reverse aux indigents qu'une part infinitésimale de ce qu'il exige. Ce qu'il appelle alors le ciment social est donc la seule justification de son existence puisque le reste de ce qu'il prélève et de ce qu'il dépense ne sert qu'à lui et jamais aux autres. Ainsi, le prix de cette maigrelette redistribution est pharaonique.

La conclusion arrive. Ne peut-on pas trouver des moyens plus directs, et surtout plus honnêtes ? Mais poser cette question, c'est remettre en question l'État et le faire à haute voix.

Le simple fait d'imaginer une façon de prélever moins et de rendre plus, en somme de se demander si les pauvres ne pourraient pas l'être un peu moins, c'est attaquer l'État, le rendre fou de rage. Pourtant, Frères de Golgotha, nous pourrions utiliser nos moyens pour promouvoir ces idées. Songez à la presse que nous contrôlons. Mesurez l'espoir suscité chez l'indigent et le travailleur en parlant d'une charité mieux ordonnée. L'annonce messianique d'un âge d'or où l'État voleur n'existerait pas suffirait peut-être pour l'emporter. Mais ce projet n'est qu'un rêve, car si le raisonnement est bon, il ne peut pas triompher. Attaqué, l'État se défend. Alors, il mord et se déchaîne. Faut-il exciter la bête ? Nous y laisserions du temps et de l'énergie. Nous nous mettrions en danger.

Si nous restons dans l'ombre, on ne peut nous atteindre. Si nous agissions au jour, il faudrait riposter. Et les armes dont use l'État sont puissantes, car il a tout à perdre et nous, nous n'avons rien à défendre.

La solution consiste-t-elle à trouver un porte-parole de nos idées ? La collusion entre l'État et la politique est telle qu'aucun élu n'a intérêt à provoquer la disparition des États. Il en vit. Donc, il ne voudra jamais sa mort. Au mieux, un tribun démagogue s'extirperait de la masse et, prenant le prétexte de libérer l'homme de sa condition, reformulerait nos idées pour asseoir son pouvoir selon un modèle inspiré par l'État car son dogme sera toujours la domination. Toutes les révolutions mènent à cette fin puisqu'elles partent du modèle qu'elles agitent, secouent, retournent, bouleversent, mais sans jamais le remettre en cause. Par définition, une révolution ne fait qu'un tour sur elle-même, revenant ainsi toujours en arrière. Enfin, et c'est peut-être la véritable raison, la peur de l'inconnu et du vide est si prégnante que l'homme ne peut imaginer un monde sans État. Il y est si habitué que, malgré ses infinis défauts, il l'endure et l'accepte comme un moindre mal.

La destruction des États est donc un remède, une médecine qu'il faut prescrire et appliquer sans parler. C'est pourquoi nous utilisons ceux qui veulent détruire l'État et ceux qui croient le défendre, jouant des deux selon nos intérêts puisque tous ignorent qu'ils agissent pour le profit de Golgotha.

58

Jules de Bontandier s'était précipité aux Invalides et ce 27 juin, à sept heures, il entendait Chastelain et prenait des notes. Un attentat contre François-Ferdinand était programmé. Il se tiendrait à Sarajevo, le 28 juin, soit le lendemain. D'abord, on lancerait une bombe sur sa voiture. Mais la véritable menace viendrait d'un tireur isolé.

— Marco Brujnic a aussi parlé de la *Main noire*, cette organisation secrète, continua le lieutenant en sachant qu'il condamnait son ami serbe.

— Une société occulte dirigée par Dragutin Dimitrievitch, le coupa Bontandier d'un ton enjoué. La prise est bonne, lieutenant. Très bonne... Cet officier serbe a fondé la *Main noire*, il y a quelques années. C'est un spécialiste des complots et des attentats non signés. Il porte le surnom d'Apis et il est plus dangereux qu'une lame effilée. En 1903, il a organisé l'assassinat du roi Alexandre Obrenovic de Serbie qu'il accusait de s'être rapproché de l'Autriche. Il entra de nuit dans le palais royal et, encadré par une bande prête à mourir pour lui, il prit d'assaut la place, égorgeant les sentinelles. On riposta violemment. Il reçut plusieurs balles dans la poitrine et on le crut mort. Pourtant, il se releva, dynamita lui-même la porte où s'étaient réfugiés Alexandre et son épouse Draga et les abattit à coups de revolver. Pour achever le tout, il fit jeter les corps du couple royal par une fenêtre. Le Parlement en fit le sauveur de la patrie. Lui, il rejoignit l'ombre. C'est un as du terrorisme. Eh bien, lieutenant, fit-il en se frottant les mains, nous tenons notre affaire. Je vous adresse toutes mes félicitations.

Bontandier ne cachait pas sa joie. Chastelain combattait le poids de la fatigue et de la tension de la nuit. Mais cela ne suffisait pas pour expliquer son malaise. Il éprouvait de la honte et, en cherchant encore, se sentait comme sali. L'officier avait respecté les ordres, mais pour cela, trahi la confiance d'un ami et, fait selon lui accablant, en lui mentant. Renégat pour le bienfait de la patrie. Les termes de ce contrat pesaient lourd. Bontandier semblait ne rien percevoir du cas de conscience qui rongeait Chastelain. Ses yeux brillaient de plaisir :

— Tout concorde, s'exclama-t-il. Tout se déroule parfaitement.

Louis oublia sa lassitude en entendant ces derniers mots :

— Dois-je comprendre que vous disposiez déjà d'informations sur la préparation de cet attentat ?

— Deux pistes valent mieux qu'une. Ce que vous rapportez est très utile, répondit sans hésiter le colonel. Mais, et c'est l'avantage que nous tirons de nos bonnes relations avec le tsar Nicolas II, j'étais déjà informé.

Chastelain ne se demanda pas à quoi avait servi son jeu sinistre vis-à-vis des Serbes. Il préféra chercher le souvenir du personnage croisé dans ce bureau.

— Vous songez au Russe Igor Kasparovitch, lieutenant Chastelain ?

— Je ne connais que lui, répondit-il prudemment.

— Vous avez raison. Il m'a informé d'un attentat contre l'archiduc François-Ferdinand. Je sais aussi que la date sera le 28 juin et, claironna-t-il, qu'en dépit de la mise en garde de Jovan Javanovic, l'ambassadeur de

Serbie à Vienne, il n'y aura aucune mesure spéciale de protection.

— Pour quelle raison ? ne put s'empêcher d'interroger Chastelain.

— L'épouse de l'archiduc n'est pas d'un rang assez royal, se moqua Bontandier. On a décidé de ne pas lui rendre les honneurs. Les soldats ont déjà quitté Sarajevo.

— On voudrait le voir mourir qu'on ne procéderait pas autrement !

Bontandier le fixa droit dans les yeux :

— Mais c'est le cas. Cet homme est sacrifié, murmura-t-il.

Les mots entraient lentement. Un à un.

— Le reste n'est plus votre affaire, cingla encore le colonel.

Il se levait. Il reprenait son air dominateur. Il tirait sur les pans de sa veste et lissait sa moustache.

— Puis-je poser une question ? tenta Chastelain.

— Je ne crois pas, répondit son supérieur.

Il s'avança vers la porte et tourna la poignée. Mais le lieutenant ne bougeait pas, résistait. Bontandier expira et se résolut à lui faire face :

— Pourquoi avez-vous choisi de devenir officier, Chastelain ? Pour défendre votre pays ? Pour la patrie ? N'est-ce pas ce que vous m'avez dit quand je vous ai vu dans ce bureau la première fois ?

— Je vous le confirme, mon colonel. Pour l'honneur de ce métier.

— Alors, soyez certain que vous n'agissez pas contre. Beaucoup, en France, en Russie et même en Autriche resteront indifférents à la mort de François-Ferdinand qui, me dit-on, ferait un mauvais empereur.

— Est-ce une raison pour le laisser tomber dans un piège ? cria-t-il. L'Autriche-Hongrie ne laissera pas ce crime impuni. L'empereur châtiera la Serbie. Et la Russie viendra au secours des Slaves.

— Effectivement, ce sera la guerre, conclut le colonel d'une voix éteinte. Et nous ferons notre travail, vous et moi, comme si rien ne s'était passé, puisque nous avons choisi d'être soldats.

Il ouvrit la porte :

— Ce sera notre honneur, lieutenant, de servir la France, de venger la défaite de 1870, de faire taire l'arrogance allemande. Et si vous et moi, nous savons désormais comment tout va commencer, nous garderons ce secret puisqu'il fait partie du serment attaché à l'uniforme que nous portons avec fierté. Sachez enfin que nous ne parlerons plus jamais de ce sujet, et si vous le faisiez, nous en discuterions alors à huis clos, devant la cour militaire chargée de vous condamner.

Il tourna les talons sans attendre de salut. Le 5 octobre 1914, sur le front d'Artois, la ville d'Arras fut sauvée par la 77e division d'infanterie commandée par le général Barbot. Et l'on salua l'héroïsme du colonel Jules de Bontandier, mort pour avoir voulu la guerre, coûte que coûte.

PRINCIPE DE GOLGOTHA

Rapport du Neuvième Décemvirat
Paragraphe 10 (fin)

Le Neuvième Décemvirat n'a pas dérogé au Principe de Golgotha. Agir en secret, ne jamais se faire connaître, recourir à des noms d'emprunt, éviter tout contact entre les Dix Très Hauts Magistrats en dehors d'assemblées formelles visant à étudier la progression de nos intérêts et de nos idées. Mais comment être certain que la prudente opacité de ce fonctionnement a toujours été respectée ? Golgotha n'a-t-il jamais été prononcé hors de Golgotha ? Si le cas se produisait, notre action fondée sur l'anonymat, la manipulation, la clandestinité serait menacée. Découvert, notre Principe deviendrait, en effet, la proie des États. L'Archange n'écartait jamais l'hypothèse d'une perméabilité – il employait le terme d'oxydation – du système, mettant en danger la solidité de l'édifice. C'est pourquoi son échange à Venise avec Agios de Sparte l'inquiétait. Jusqu'où ce dernier s'était-il engagé vis-à-vis de cet Américain qui l'avait séduit ? Ce sujet n'était pas principal, mais il comptait l'aborder, le 30 juin 1914, lors de la réunion du Décemvirat au château de Clairvanden, dans le Gutland, le bon pays du Luxembourg.

Le château servait de résidence au Consolateur des Éphésiens. Et il arrivait que le Décemvirat partage le cadre familier d'un Frère, choisi par lui, dans le vaste domaine de Golgotha, selon ses affinités, et surtout, ses responsabilités. Le Consolateur des Éphésiens gérait l'essentiel des placements bancaires et tenait le registre des corruptions. Sa localisation géographique n'était donc pas innocente. L'Archange préférait Anvers, où j'avais fait sa connaissance. Il se contentait d'un vaste appartement austère dont il ne s'occupait guère, usant son temps et son énergie dans d'incessants voyages en France et en Russie, surveillant la progression de nos affaires dans le domaine de l'armement et celui de la préparation de la guerre dans l'Empire allemand, deux sujets étroitement liés puisque l'Archange était le contact de Golgotha auprès de Basil Zaharoff.

Le château de Clairvanden était niché, depuis huit siècles, sur un promontoire aiguisé d'où l'on apercevait, à l'est, la vallée viticole de la Moselle; au sud, le plateau lorrain. La salle où nous étions réunis disposait de six grandes fenêtres qui invitaient à l'évasion. Un vent chaud et sec entrait par celle du centre, restée mi-entrouverte, ajoutant à la douceur du moment. Au loin, la cloche d'une église envoyait l'Angélus du matin et dans ce pays pastoral, à la fois à l'écart et au carrefour d'empires qui ne songeaient qu'à mourir, le parfum du foin – de l'herbe tout simplement –, montait jusqu'à nous, créant comme une béatitude, une ultime parenthèse au moment d'aborder enfin la guerre. Au loin, des enfants, pataugeant dans le cours d'un ruisseau, criaient leur joie. Je me sentais heureux et, je crois, le Décemvirat l'était. Les nouvelles se multipliaient et toutes se voulaient bonnes. Le Léviathan de Job nous l'avait assuré.

J'ai déjà dit tout le bien que nous tirions de nos Frères Enrôleurs. J'ai parlé du Léviathan de Job qui canalisa Anastasia Ivérovitch, un pion essentiel dans l'affaire Caillaux. Ce fut à nouveau lui qui tint un rôle clef dans le déclenchement du conflit entre la Russie et l'Autriche-Hongrie. L'histoire retiendrait-elle le nom d'Igor Kasparovitch, conseiller spécial placé auprès du tsar? Le risque apparaissait mineur. Kasparovitch ne se montrait pas, n'était pas Raspoutine. De plus, le chaos s'annonçait d'une telle ampleur, que les instigateurs de l'ombre, selon l'avis du Décemvirat, allaient être emportés par l'action elle-même. Pourrait-on, un jour, relier des événements qui; l'un après l'autre, déboucheraient fatalement sur la nécessité de s'entre-tuer? Sûrement pas, car, sans diminuer son action, le Léviathan de Job ne faisait que guider la pulsion irréfragable des chefs des Empires russe, allemand, austro-hongrois et français à se vouloir la guerre. C'était déjà beaucoup, Frères de Golgotha. Mais affirmer qu'il fit plus reviendrait à vous tromper, à vous laisser espérer que notre Principe serait d'une telle évidence qu'il pourrait vaincre sans effort. Il vous reste tant à entreprendre, tant à réussir au Vingt et Unième Siècle. Sans doute triompherez-vous, puisque le Neuvième Décemvirat, en usant du secret et en ne tirant aucune gloire de ses actions, vous en laisse les moyens. Nous, qu'aurions-nous gagné à être connus? L'histoire? Nous savons ce qu'il en est. Et celle que nous construisions en 1914 retiendrait plus tard que des États sanguinaires, animés par la haine, avaient décidé de s'affronter pour savoir qui était le plus fort. De ce maelström resterait seulement le pouvoir odieux des princes et de leurs États infernaux. Et les exécutants, les petits, les démunis, les soldats anonymes seraient engloutis dans les viscères humains produits par cet immense carnage. Non, rien ne pouvait entretenir les inquiétudes de l'Archange, pas même l'excès de confiance d'Agios de Sparte, et le Léviathan de Job pouvait profiter depuis le palais de Nicolas II d'un point de vue remarquable sur la préparation prochaine de la bataille des pays slaves. Oui, l'orage menaçait. Le Léviathan de Job en rendait compte dans ses rapports enthousiasmants.

Chargé initialement du recrutement d'Anastasia Ivérovitch et de l'élimination de Joseph Caillaux, le Décemvirat élargit sa mission quand l'assassinat de l'héritier François-Ferdinand fut décidé. S'inspirant des informations recueillies par ses soins, les Très Hauts Magistrats avaient acquis la certitude que la Russie, la France et, dans une certaine mesure, l'Autriche-Hongrie, considéraient la mort de l'archiduc comme une sorte de tribut à payer en échange d'un règlement par les armes des désordres domestiques et internationaux qui minaient l'Europe. Il fallait un autre coup de feu pour légitimer le fait de s'affronter. Un nom fut fixé, et je crois pouvoir en parler, si paradoxal que cela semble, à la manière du plus petit dénominateur commun entre les grandes puissances. Enfin, un point d'accord entre tous ses grands ? L'empereur austro-hongrois lui-même appréciait peu son héritier et le jugement qu'il lui réservait s'était aggravé depuis ce mariage morganatique avec Sophie, une épouse jugée roturière. Ce n'était pas non plus un hasard si le comte Tisza, le Premier ministre de Hongrie, s'autorisa cette remarque en apprenant la mort de François-Ferdinand : « La volonté de Dieu s'est accomplie. » Et ces mots parurent évidents à tous. L'évidence ? Elle s'affichait aussi chez le tsar puisque le Léviathan de Job avait acquis la certitude que la Russie ne laisserait pas tomber les Slaves du Sud si l'Autriche-Hongrie vengeait la mort de l'archiduc. La France ? Il était « évident » qu'elle respecterait les accords qui fondaient son alliance avec la Russie. Poincaré voulait la guerre et les contacts tissés par notre Frère dans l'état-major de l'armée française lui apportaient la certitude que la bureaucratie militaire de ce pays s'engagerait sans hésiter. Dans son avant-dernier rapport, le Léviathan de Job affirmait : « J'ai pris le risque de tester certains officiers en leur annonçant qu'un attentat contre François-Ferdinand se préparait. Je les ai invités à vérifier par leurs propres moyens l'authenticité de cette annonce. Ils l'ont fait et s'en sont réjouis, y voyant un prétexte suffisant pour provoquer la guerre. Ainsi, nous profitons d'un état d'esprit et d'une conjonction d'indices extrêmement favorables. »

En revanche, l'exécution proprement dite de François-Ferdinand ne pouvait être accomplie directement par la Russie ou la France car, si l'information était connue du public, il deviendrait difficile de faire jouer la fibre patrio-

tique. On soupçonnerait les pays de s'être entendus. Les mouvements pacifistes reprendraient le dessus. On ne pourrait mobiliser aussi facilement. Des émeutes pouvaient éclore. Bien sûr, on materait la révolte. Mais l'État tyrannique en sortirait gagnant. Il n'y avait donc rien à gagner en dehors de la guerre et, de fait, seuls les Slaves pouvaient se charger de l'attentat qui la déclencherait. Un homme offrait le profil idéal : le Serbe Dimitrievitch. Un pion comme Zaharoff, un ouvrier comme tant d'autres. Un soldat, patriote et sanguinaire, doué pour le terrorisme. Si cet officier était fiable et pouvait encadrer l'opération, il fallait trouver des hommes de main chargés d'exécuter l'attentat. Or, l'implication de l'État serbe semblait impossible. Le Premier ministre de ce pays, Nicolas Pasic, s'en tenait à une entente tacite avec l'Autriche-Hongrie. Ce n'était pas de ce côté-ci qu'un soutien pouvait être obtenu. Le Léviathan de Job décida Dragutin Dimitrievitch à recruter les assassins parmi les étudiants. Sept jeunes anarchistes furent sélectionnés. Dimitrievitch leur fournit des pistolets, des bombes et du cyanure. Il restait à passer aux actes, mais malgré le soutien passif de l'Autriche-Hongrie qui n'avait pas jugé utile, en dépit de la certitude d'un attentat, de renforcer la sécurité de l'archiduc, l'impéritie des conspirateurs demeurait inquiétante. La peur les ferait-elle renoncer? Le 26 juin, tout restait improbable et le Décemvirat doutait, quand, en activant ses réseaux, le Léviathan de Job apprit que l'exécution aurait lieu. La France confirmait cet espoir grâce à l'infiltration d'un jeune officier au cœur d'un groupe d'étudiants serbes exilés à Paris. Par la même occasion, notre Frère vérifia que les Français n'y mettraient aucun veto. L'accord du tsar étant obtenu, le 28 juin pouvait commencer. La Fortune s'offrirait-elle à Golgotha? Le Principe n'accorde aucune valeur à la superstition. Il ne croit ni au hasard ni à la chance. Mais la journée débutait fort mal. Le rapport du Léviathan de Job était accablant.

Dix heures venaient de sonner quand le convoi officiel composé de six voitures passa à portée de vue des conjurés. Le premier visa d'une fenêtre, mais il n'ouvrit pas le feu, faute de trouver un bon angle de tir. Un deuxième, Nedeljko Âabrinoviç, lança alors une bombe sur le véhicule de François-Ferdinand, mais elle rebondit et l'héritier s'en empara et la jeta. Elle ne parvint qu'à blesser un policier, des piétons et les passagers de la voiture suiveuse. Se sentant perdu, Âabrinoviç prit le cyanure et se jeta dans la rivière Miljacka. Profitant de la panique, le cortège s'enfuit. Les autres conspirateurs firent de même. C'était un désastre. Et le colonel Dimitrievitch le savait. Dans les minutes qui suivirent, il fit parvenir un télégramme à Saint-Pétersbourg où se trouvait notre Frère le Léviathan de Job.

L'Angélus de Clairvanden s'était tu, et si le Décemvirat ne croyait pas à la vertu de la prière, un silence pesant accompagnait l'exposé, par le Consolateur des Éphésiens, du rapport du Léviathan de Job. Moi, je profitais de la scène, je concevais ce moment comme le plus important de ma vie. Je ne perdais pas une miette d'un récit auquel je m'associais tant que je m'en croyais acteur. J'étais aux côtés de ce Frère enrôleur qui pouvait accéder sans difficulté au tsar. Et je marchais avec lui dans les couloirs du palais impérial, je frappais à la porte du cabinet de travail de Nicolas II. Je pensais aux mots qu'il prononçait et qui décidaient du sort du monde et combien son discours devait être convaincant. « Le mal est fait, dit-il au tsar. Il y a eu attentat. Même s'il a échoué, l'Autriche-Hongrie exercera sa vengeance. Celle-ci sera moindre que si François-Ferdinand avait été tué. Ainsi, nous aurons351 une crise diplomatique sans que celle-ci soit suffisante pour nous amener à défendre les Serbes. Nous n'y gagnerons rien. Nous y perdrons tout. Et combien de temps faudrait-il attendre avant de retrouver une telle occasion ? » Je devinais que le tsar était resté prostré un long moment et qu'il avait fallu faire preuve d'une patience inouïe pour ne pas heurter l'indécision du tyran qui s'était enfin tourné vers celui qu'il prenait pour son conseiller. «Que faire?» Et je voyais encore Igor Kasparovitch réagir calmement : «Il reste cinq conspirateurs. Dimitrievitch choisira le meilleur, et exigera son sacrifice. Il abattra l'héritier d'un coup de pistolet.» Kasparovitch avait sans doute marqué un temps avant d'ajouter : «Mais pour réussir, Dimitrievitch doit connaître le programme de l'Austro-Hongrois. Il reste quelques minutes pour l'obtenir et le transmettre par télégramme à Sarajevo. En utilisant nos contacts au sein du gouvernement serbe, nous pouvons réussir. Et j'ai besoin de votre autorité. Il me faut un papier signé par vous. Ensuite, je me charge de tout.» Le tsar avait hésité et ce fut un moment difficile. Et tout semblait perdu quand, enfin, son accord tomba : «Ce sera fait, avait-il dit. Et nous aurons la guerre.» Au château de Clairvanden, le Décemvirat montrait sa satisfaction et saluait cette belle négociation par des hochements de tête d'approbation. Le dessin général se précisait et l'on commençait à entrevoir la suite. Ainsi, grâce à l'intervention du tsar, Dimitrievitch sut que François-Ferdinand entendait rendre visite aux blessés de la voiture touchée par la bombe. Il choisit alors le conspirateur le plus sûr : Gavrilo Princip. Il restait à le placer en face de sa victime, ce qui ne fut pas un problème puisqu'il connaissait l'itinéraire de l'héritier austro-hongrois. Bien sûr, il faudrait expliquer comment le tueur se trouvait au bon endroit et par quel prodige il s'était approché de la voiture du prince pour tirer. Mais ceux qui connaissaient la réponse désiraient tant la mort d'un homme pour pouvoir faire la guerre qu'ils firent semblant de croire au plus invraisemblable. Moi, je continuais à vivre ce moment. Je me trouvais à présent près de Princip, j'approchais du pont Latin où le crime se produisait. J'entendais le moteur du véhicule. J'armais. Je visais.

Ailleurs, dans le monde, on racontait que Princip se trouvait par «hasard» sur le passage de la voiture, qu'il sortait par «hasard» d'un commerce où il venait de se restaurer et que, par « hasard », ou malchance, le chauffeur de François-Ferdinand s'était trompé d'itinéraire. Moi, je voyais l'héritier. Je lui faisais face. Et le coup partait. Un petit morceau de métal sortait du canon et transperçait la carrosserie avant d'entrer dans l'habitacle. Un simple coup de feu voulu par Golgotha qui décidait de millions et de millions d'autres et d'autant de morts à suivre. L'histoire ? La nôtre valait bien que nous gardions nos secrets. Y eut-il une voix pour s'élever contre l'invention d'un tireur isolé, jaillissant de nulle part et frappant juste, par miracle ? Pas une, Frères de Golgotha. Pas une, je le jure. Partout, on dit que Princip, vengeant les souffrances que l'Autriche faisait subir au peuple serbe, avait abattu sa proie grâce à la chance du débutant et je pensais à l'innocente Henriette Caillaux qui, elle aussi, n'avait pas raté sa cible. Princip avait tiré deux fois. Sa première balle toucha Sophie au ventre. Elle s'effondra sur la banquette. La seconde balle s'enfonça dans le cou de François-Ferdinand. Il tomba sur son épouse. Ils moururent ainsi. Et je me tenais près d'eux alors que leurs vies s'arrêtaient. Au moins, pensais-je, ils ne verraient pas la suite.

Le Décemvirat ne se pencha pas sur ses détails. Il y avait une suite et les Dix Très Hauts Magistrats la réclamaient. Pouvait-on remonter à la source, accuser Dimitrievitch et de là, retrouver notre Frère le Léviathan de Job ? Ce dernier assurait avec force que le colonel serbe savait brouiller les pistes et qu'il était peu probable que le scandale éclatât. Et cette thèse triompha. Princip tenta de mettre fin à sa vie en avalant le cyanure que lui avait donné Dimitrievitch. Mais cela ne suffit pas et on l'arrêta. Les autres conspirateurs subirent le même sort. Aucun ne parla, à l'exception du plus faible, Danilo Ilic, qui avoua ce qu'il croyait savoir. Les armes, selon lui, provenaient de Serbie. Et ce détail, au moins, était vrai. Dimitrievitch avait fait un excellent travail, brouillant les pistes dans l'hypothèse où, l'attentat échouant ou tournant mal, les conspirateurs seraient arrêtés. Ainsi, Danilo

Ilic ne parla que de ce que l'excellent ouvrier Dimitrievitch avait bien voulu lui dire. Puis il fut pendu. Âabrinoviç et Princip moururent de la tuberculose sans jamais parler de Dimitrievitch. Et, en les questionnant, qu'aurait-on appris de plus, si d'aventure quelqu'un l'avait voulu ? Le crime était signé par la Serbie. C'était suffisant. La guerre tenait son prétexte. Moi, j'étais ébloui.

Le 30 juin, le Consolateur des Éphésiens acheva son rapport sous les applaudissements des Très Hauts Magistrats. On lui demanda de transmettre les félicitations du Décemvirat au Léviathan de Job dont les deux missions étaient couronnées de succès. Non seulement les objectifs étaient atteints, mais personne ne pouvait savoir qui en profitait vraiment.

Cette question du secret, souffla l'Archange en se penchant vers moi, lui rappelait qu'il désirait interroger Agios de Sparte sur les suites du recrutement de l'Américain. La séance de Clairvanden se poursuivait par l'examen critique des derniers obstacles potentiels au déclenchement des hostilités. Qui pouvait encore s'y opposer ? Et par quels moyens ? Le Frère Occident avait prévu un exposé sur les réseaux pacifistes de France et d'Allemagne. La disparition politique de Caillaux n'avait pas mis fin à ce redoutable lignage qui ne manquerait pas de réagir à la suite de l'assassinat de François-Ferdinand. Mais avant cela, le Consolateur des Éphésiens nous invita à descendre dans les jardins du château où il était prévu une collation. Et si je me délectais du paysage de ces campagnes paisibles, comme oubliées du monde, au fond de moi régnait le désordre. Je me sentais porté par les excitantes promesses du jour mais aussitôt, l'inquiétude me gagnait. Le Principe pouvait-il vraiment triompher ? Moi qui étais le jeune invité, allais-je connaître l'instant prodigieux où les États s'effondreraient ? Le Consolateur des Éphésiens me sortit de mes rêveries. Il voulait que nous goûtions le riesling produit dans sa région. « La guerre ruinera ce vignoble, affirma-t-il. Et tout ici sera à vendre. Pensez-vous que nous devions y investir quand tout sera fini ?» Chacun donna son avis, parlant déjà du monde d'après et cet espoir me bouleversait. Mais l'Archange me prit par le bras et se rendit près d'Agios de Sparte. Qu'en était-il de son recrutement ? Plus déçu qu'inquiet, il l'informa que l'Américain s'était envolé et vivait en France. L'Archange ne montra aucun trouble, mais insista encore en demandant si le nom de Golgotha avait été prononcé. Après un long silence, on reconnut que oui. Mais qu'en ferait-il ? sourit étrangement l'Archange, soulageant ainsi Agios de Sparte. Et il avala son verre de vin.

L'oxydation de notre système, Frères de Golgotha, est le premier danger. La rupture du secret est l'alpha de notre Principe. Il peut nous mener à la mort. Lui seul peut nous détruire.

59

— Maintenant tu sais tout, Anastasia.

Voilà, en effet, c'est fait. Ce matin de juin 1919, après une nuit où chacun a torturé ses souvenirs, Anastasia et Louis se sont retrouvés et livrés. Ils ont fait l'amour. Puis, Anastasia s'est levée pour marcher nue jusqu'à un petit bureau et a tendu *Le Prince* de Machiavel. Et ils ont parlé. Chacun se sent libéré, chacun a confié son secret. Maintenant, qu'en feront-ils ?

*

* *

Anastasia s'est habillée, comme si la nudité était soudain gênante, étrangère, déplacée. Louis l'a imitée. Et sans se concerter, ils sont sortis de la chambre pour se retrouver dans le salon, une pièce plus neutre.

Lui, encore pieds nus, fume nerveusement en sondant la comtesse. A-t-elle mesuré le poids de ce qu'ils savent ? En reliant les fils, en les unissant, leur histoire prend les allures d'un piège dans lequel les nations, les peuples seraient tombés. Jusque-là, il imaginait une conjuration des chefs des empires dévorés par l'orgueil et l'ambition d'en découdre, mais soudain une autre hypothèse surgit.

Tout corrobore. Tout s'enchaîne. *Golgotha* ressemble à une entreprise aussi monstrueuse que cynique. Animée par qui ? Pourquoi ? Ce nom apparaît dans le livre que lui a offert le tsar, et Joseph Caillaux l'a cité. Comme un bateau fantôme, il a surgi au cours de cette nuit étrange, bercée par le témoignage de Sturp après la mort de Chapman. Un moment d'abandon dont Louis n'avait su séparer, depuis ces heures teintées de mélancolie, le vrai de l'exagération. Mais à l'instant, de nouvelles lueurs l'éclairent. Et, en se parlant encore, en creusant le passé, en se confiant absolument, les amants viennent de se trouver un autre point commun, le Russe Igor Kasparovitch, qu'Anastasia présente comme son contact dans l'affaire Caillaux et dont Louis se souvient puisqu'il n'a pas oublié la scène dans le bureau du colonel Bontandier. C'était le même homme, et toujours le même sujet : la guerre.

— Il était au courant pour le crime de Sarajevo, reconnaît Louis. Il l'a peut-être même organisé.

Anastasia baisse les yeux. Elle croyait avoir agi pour le bien de la Russie et découvre l'horreur d'une trahison bien plus effrayante : on s'est servi de sa fibre patriotique, de son corps, de son âme pour la pousser à commettre un acte n'ayant rien à voir avec la sauvegarde de son pays. Pour elle, le déshonneur d'une femme représentait beaucoup. Et soudain, il s'agirait de plus, d'énormément plus. *Golgotha* ?

— Qu'allons-nous faire, Louis ? souffle-t-elle.

Il se tait.

— Es-tu certain que... *Golgotha* est au cœur de tout ?

Il se tait toujours. Elle en fait autant. L'un et l'autre comprennent qu'ils viennent d'entrouvrir la porte d'un monde qui leur promet le pire et qu'en faisant un pas, ils sentiront le sol s'effondrer, disparaître, et cette fois les engloutir pour de bon.

*
* *

Ce qui est étrange, et les dérange aussi, c'est cette sensation qu'en se confiant, ils ont touché comme un point, une île infernale, parvenant ainsi à la fin d'une quête qui leur confirme qu'ils ont œuvré pour le mal et que leur petite consolation – avoir agi pour leur pays – s'est peut-être envolée. Ils avancent un peu moins dans le noir, mais un espoir s'éteint. Aussitôt, leur conscience bascule pour tenter d'échapper aux remords. Ils se répètent qu'ils étaient manipulés. Oui, sûrement. Mais ne devaient-ils pas refuser ? La culpabilité les rejette alors du mauvais côté. Ils s'accrochent, tentent de résister. Ils n'y sont pour rien, se rassurent-ils. La tragédie était jouée d'avance. L'un et l'autre voudraient se convaincre qu'ils ne représentaient rien, *qu'un peu* d'un tout échappant à leur entendement. Ce chahut de sentiments contraires, ces allers-retours entre deux questions – est-ce la fatalité, ou moi, qu'il faut accuser ? – aggravent leur malaise. Les aveux ne les soulagent nullement.

En revanche, ils voient plus loin. Et ce n'est pas plus beau. Ils devinent que la réalité est encore moins céleste que ce qu'ils n'osaient imaginer. *Golgotha*, était-ce un complot contre la paix et, dans ce cas, qui en fut l'auteur ? L'interrogation les mine. Ne cesse de les ronger. L'obscurité reprend le dessus.

En se confiant, ils ont cru toucher l'horizon, y trouver le réconfort et le pardon. Désormais, ils se jettent des regards et cherchent ce que pense l'âme de l'autre. Juge-t-elle ? Excuse-t-elle ? Absoudre serait trop demander.

*
* *

Louis fait le bilan d'une sale matinée. Elle commençait si bien, par l'amour et par la vérité. Et *Golgotha* est entré dans ce jeu, comme l'auteur d'une pièce hideuse, comme une chose ayant décidé des décors, choisi les acteurs, les costumes, les accessoires, les répliques et ordonnant à son aise le tempo de l'histoire. Cette impression, ce mal-être, il faudrait les étouffer en mettant enfin un nom, une forme, un lieu, une tête sur l'hydre ; qu'elle prenne sens et, qu'ainsi, le danger, l'inquiétude deviennent tangibles, car l'ombre et l'invisible ne sont pas maîtrisables. S'agit-il d'un conglomérat d'intérêts planétaires, d'un contrat satanique conclu entre des êtres animés par le vice, le profit, la bassesse de l'argent ? Une guerre déclenchée par la corruption ? Des marchands d'armes, des forgeurs de morts, puisque ceux-là en sont sortis vainqueurs ? Mais qu'il s'agisse encore d'une secte, d'une assemblée de gens puissants, amoraux et infectés par la démence, Louis devine que ce sont là de pures spéculations. La vérité est au-delà de l'entendement, puisque ce qui anime cette chose est inhumain. Et pour venir à bout de ce mystère, il lui faudrait de l'aide.

Depuis qu'il n'est plus seul à tourner des idées qui, jusqu'ici, ne débouchaient pas, il devrait raconter ce qu'il imagine à quelqu'un, et Anastasia le regarde. Mais il reste toujours muet. Il éprouve une sorte de dégoût et de honte.

*

* *

— Quand tu as su pour l'attentat de Sarajevo, pourquoi n'as-tu pas parlé ? demande-t-elle.

Oui. À l'instant où Bontandier lui expliquait que la guerre était une nécessité, pourquoi ne s'était-il pas élevé, hurlant au coup d'État militaire, dénonçant la collusion, la machination honteuse d'une poignée de princes misérables et arrogants, désireux d'affirmer leur puissance ? Chastelain, ce héros de guerre, pourrait répondre en parlant de l'honneur de l'officier, de l'ardente obligation du devoir patriotique. Qui sait de quel mensonge on l'aurait soupçonné, et de quelle lâcheté on l'aurait accusé s'il avait brusquement quitté l'armée, alors que son pays était attaqué ? Les raisons ne manquent pas pour justifier ce silence qui ne doit rien à ce Bontandier menaçant son lieutenant du conseil de guerre en cas de trahison. Louis s'était résolu à la bataille, car, pensait-il, la France la voulait. Un colonel Bontandier ne pouvait pas l'ordonner. La décision venait de plus haut, du sommet. Pour l'expliquer encore, il fallait comprendre qu'elle enjambait les frontières de la France, englobait l'Allemagne, concernait la Russie, et que toutes ces Nations étaient résolues.

Sarajevo ? Chastelain avait étudié le dossier. L'attentat aurait eu lieu, on ne pouvait pas l'arrêter. Bontandier n'était qu'un maillon docile, une cheville huilée. Il parlait sans peur et sans honte, affichant son arrogance, et il avait défié son jeune lieutenant pour se savoir soutenu et protégé. Le doute n'était pas permis. Il agissait sur ordre. Le chantage au conseil de guerre ? Voilà la preuve que Bontandier se savait couvert. Mais par qui et à quel niveau ? Après ? Chastelain, seul contre tous ? Il en souriait amèrement. Il avait lui-même épousé la carrière militaire pour avoir voulu venger la défaite française de 1870. Et si ce moment annoncé maintes fois et sans cesse reculé était venu... Oui, il croyait que la France avait décidé la guerre dans un esprit patriotique, porté par une opinion, un peuple qui réclamait la revanche. En soldat, il avait été là où son devoir le conduisait. Comment y ajouter ce nom : *Golgotha* ?

Puis, Sturp s'était confié. Bien après et trop tard... Sans fournir de preuves – du moins pas assez pour séparer le bon grain de l'ivraie de ces phrases arrachées à la nuit, et sans qu'il soit possible de faire revenir un mort...

*
* *

— Et toi, pourquoi l'as-tu fait ? répond-il à Anastasia brusquement. Pourquoi as-tu laissé cette femme innocente tirer sur Calmette. Ne l'as-tu jamais regretté ?

Et ces mots résonnent comme le début d'une fêlure. L'un et l'autre scrutant le visage d'en face qui renvoie, à la manière d'un miroir, la honte que chacun porte. Ce n'est pas ce regard qu'ils détestent, mais ce qu'il a d'identique. Ils se comprennent, ils souffrent également. C'est pour cela qu'ils se sont tant désirés, et qu'ils pourraient ne plus le vouloir. Peut-on aimer ce que l'on méprise chez soi ? La question leur est posée, même s'ils font encore semblant de ne pas l'entendre.

Anastasia pourrait se défendre en jurant qu'elle n'a jamais imaginé qu'Henriette Caillaux tirerait sur Calmette. Elle pourrait aussi parler de ce qu'elle a dit au grand-duc Michel de Russie pour sauver cette femme, des ordres, des injonctions d'un tsar autocrate, de cette patrie qu'elle a aimée, de ce qu'elle croyait juste pour elle, de ses parents morts assassinés dont on lui répétait qu'ils réclamaient vengeance. D'ailleurs, que sait-il, ce Français, de ce qu'elle a vécu dans son exil, abandonnant tout, son passé, ses amis, ses biens, son histoire et même son honnêteté ?

*
* *

Louis songe à se raconter, discutant à son tour du sens qu'il donne au mot soldat, de l'innocence et des illusions qui jalonnaient si clairement sa jeunesse, de sa foi en l'armée, des doutes qui naissaient alors qu'il entendait William Sturp, et pour finir refusant obstinément de croire à la duperie de son pays. Ou pis, à une incroyable stupidité collective. Et il pourrait aussi détailler ces longues nuits où, appelant sa seule amie, la cocaïne, il caressait la mort. Anastasia, se dit-il à lui-même, que connais-tu de cet ordre répété mille fois dans la tête, et qu'il suffirait d'exécuter en plantant une aiguille de morphine dans ta veine, d'y mettre la dose qu'elle te réclame pour mettre fin à cette vie et arrêter ce manège infernal ?

— Pourquoi n'as-tu pas démissionné de l'armée ? souffle-t-elle.

Oui. Pourquoi ? se demande Chastelain.

Le temps se distend et les éloigne peu à peu. Que pourrait-il dire pour la retrouver ?

— Je vais le faire, lance-t-il brusquement. Je vais quitter l'armée.

— Et après ? murmure-t-elle.

Sans doute pense-t-elle à elle, à lui, à eux. À Beaulieu, ce havre qu'elle voudrait rejoindre. Recommencer à vivre, te souviens-tu, Louis ? Mais il se bute, tire sur sa cigarette et baisse les yeux :

— Je veux savoir ce que cache *Golgotha*.

Elle sourit. Tristement.

— Et tu espères trouver ?

Non, bien sûr, et cet aveu d'impuissance le rend fou de rage.

— Tu vas vivre comme cela ? rugit-il. Tu penses oublier ?

Il se lève, tourne en rond. Il cherche la façon de se pardonner à lui-même. Que pourrait-il faire pour sauver son honneur ? Qui l'aiderait ? Il jette un regard sur Anastasia. Un instant, il s'est vu, marchant avec elle, vaquant indolents et oisifs au bord de la mer, comme si rien ne s'était produit. Ce qu'il veut, c'est réagir en soldat. Et, si besoin, se sacrifier.

— Tout ce que nous avons découvert, les dates, les noms, les lieux, tout doit être consigné, noté et connu. Il faut commencer par là.

Anastasia prend peur. Quelle idée a jailli chez Louis ?

— Trouvons quelqu'un d'honnête et de fidèle qui nous écoutera et qui, peut-être, nous aidera à comprendre, ajoute-t-il, car l'idée progresse. Il sera témoin et dépositaire de ce que nous portons. Anastasia, continue-t-il en s'approchant d'elle, je veux nous libérer de ce poids. Et qui sait ? En reprenant tout, en étudiant chaque détail, un indice pourrait nous mettre sur la voie.

Il rêve, se dit-elle. Mais il reprend vie. L'accord qu'il propose est une façon de se rapprocher de lui, d'espérer, de se tourner vers demain.

— Connais-tu un homme d'honneur digne de t'entendre ? Songes-tu à un officier ?

La dignité, enfin. À ce mot, il se redresse.

— Aucun ne sera neutre, objectif, simplement bienveillant à notre égard. Me confier à l'un d'eux ? grince-t-il. On me ferait taire aussitôt.

Il s'approche et se décide enfin à la prendre dans ses bras et, pour cette seule attitude, elle est prête à partir au combat, à le suivre.

— Je connais un Allemand, sourit-il enfin, qui fut un ennemi avant de devenir mon ami. Il est intraitable, courageux et loyal. Il n'a aucune indulgence pour la guerre et sa rigueur le conduira à exercer le même sens critique à l'égard de son pays. Il ne nous mentira pas. Nous pouvons lui faire confiance. Je te le jure.

— S'agit-il de l'aviateur qui te réclame depuis qu'il est à Paris ?

— Heinrich von Mietzerdorf, oui. De lui, je ne crains rien.

Anastasia le croit puisqu'elle n'a plus que ce choix. Mais elle, se demande-t-elle, que doit-elle faire ?

60

Il est grand, impérial. Il domine d'une tête tous les hommes qui se pressent au bar du *Plaza Athénée*, ce jeune palace ouvert en 1911, au 25 de l'avenue Montaigne. C'est à deux pas de l'appartement d'Anastasia et il n'a fallu qu'un message de Louis Chastelain pour convaincre Heinrich von Mietzerdorf d'abandonner son repaire situé sur la rive gauche de Paris, rue des Saints-Pères.

Heinrich est un peu plus âgé que Louis. Il aborde triomphalement la quarantaine, la décennie de la plénitude pour ce célibataire qui entretient son corps. Escrime, natation, équitation. Le torse, le ventre, les épaules en témoignent. Il a conservé les bénéfices de la jeunesse en se détachant de ses platitudes. Ses traits sont fins, ses cheveux épais et parcourus de quelques fils argentés enluminant une mèche indocile tombée sur le front qu'il replace d'un geste machinal, élégant, servi par une main racée. Quand il sourit, et il le fait en apercevant le Français, ses yeux y gagnent une myriade de petits signes vert et or auxquels n'est pas insensible la femme élégante et jolie, assise seule à une table, qui le dévore en secret et le mesure aux représentants du genre masculin plastronnant au *Plaza*. Les autres lui semblent fades, épais, ventripotents. Ils bavardent d'industrie et de politique. Heinrich von

Mietzerdorf lisait *Le Feu* de Barbusse[1]. Il vient de fermer ce chef-d'œuvre et quitte son fauteuil pour accueillir Louis Chastelain qui se jette sur lui et le serre dans ses bras. Ils sont heureux et, oubliant les regards curieux du *Plaza*, montrent un égal bonheur. Deux frères se laissant porter par le plaisir des retrouvailles, songe la jolie femme, qui interprète la scène et détaille cet arrivant, aussi brun que l'autre est blond. Sinon, ils affichent la même taille, la même force apparente. Leur différence ? Le nouveau venu arbore une beauté plus sombre et, se dit-elle, plus troublante. L'émotion qu'il suscite vient de ce visage tanné, traversé par une blessure poignante qu'il porte, en ces temps patriotiques, comme la décoration du héros. Dieu, pense la femme en soupirant, ces deux-là doivent faire saigner les cœurs. Et pour Heinrich von Mietzerdorf, c'est en effet le cas.

*

* *

Il faut toujours qu'ils procèdent ainsi en se retrouvant. D'abord, il y a ce long regard qu'ils s'échangent sans qu'aucun ne cède en baissant les yeux. Ce n'est pas un affrontement, mais les jours d'autrefois qu'ils appellent et qui remontent.

Le vent vient de se lever, l'air se purifie. Il faisait chaud en bas. Ici, tout se veut léger et s'offre aux hommes qui bravent les cieux en s'invitant dans leurs lieux, et voilà que les mortels volent, planent, tourneboulent, narguent l'attraction, s'imaginent tel Icare. Ils veulent monter plus haut, caresser le soleil. C'est le moment de grâce avant le combat. Mais quelqu'un d'autre arrive, un écumeur des airs, un usurpateur, leur ennemi, pour

1. Écrivain en lutte contre la guerre, Henri Barbusse obtint le prix Goncourt en 1917 pour *Le Feu*, roman sur la Première Guerre mondiale où il fut un combattant héroïque.

dire qu'il veut, ici, être seul ; qu'il n'acceptera jamais de partager ce coin perdu de l'atmosphère. Une rafale éclate, secoue le fragile édifice fait de bois, de toile et de métal. Des éclats, rien que ça, se rassure le lieutenant Chastelain. Touché, se complimente le *Hauptmann*[1] Heinrich von Mietzerdorf. Ce n'est que le début, grogne le Français en faisant claquer le levier d'armement de la mitrailleuse. Encore attendre. Se rapprocher. Et viser. Six fois, ils se sont affrontés sans jamais pouvoir se départager. Soit le carburant manquait, soit la nuit tombait, soit ils devaient abandonner pour aller au secours d'un aviateur de leur camp pris dans le filet d'un plus puissant. Un coup d'aile et à bientôt. On se reverra. Ces as trouvaient toujours une raison honorable pour expliquer pourquoi le coup fatal n'avait pu être porté. Un mystère qui laissait penser qu'ils avaient enfin trouvé à qui se mesurer. Mais la vérité, que personne au sol, pas un terrien, pas un rampant, ne connaissait, la voici.

*
* *

La première fois où ils s'affrontèrent, c'était à Verdun. Un combat titanesque s'achevait. Chaque camp avait rendu coup pour coup, et quatre avions gisaient au sol. Il restait Chastelain et Mietzerdorf qui réglaient la hausse de leur arme pour engager le dernier assaut. Mais à ce moment, et dans un étrange concert, l'artillerie de leurs camps abandonna la fusillade au sol pour porter ses coups sur les avions, des cibles nerveuses et fragiles que l'on mourrait d'envie d'abattre comme des mouches car en bas, il n'y avait plus de chair à faire saigner, de place pour l'acier à déverser sur la terre. Plus rien à ravager, raviner, sac-

1. Capitaine.

cager. Rien puisque les champs jadis féconds ne vomissaient qu'une boue sordide saturée de gaz, et rendaient l'âme. Mais pour semer la mort, il restait assez de munitions et l'obstination des serveurs, des tireurs attisés par la frénésie méthodique des chefs. Faire crever, l'envie ne se tarissait pas. Alors, on changea la cote, on cala les affûts, on dressa les bouches pour faire cracher de ces orgues funestes le requiem des aviateurs et chacun avait sa proie. Les Boches sur le Français et vice-versa. En somme, on découvrait la DCA. Brusquement, le ciel fut englouti dans une épaisse fumée blanchâtre et se constella d'une myriade d'éclats brûlants et coupants qui frôlaient, percutaient, meurtrissaient les coques. Les avions tanguaient, battaient des ailes, rêvaient d'invisibilité. Combien de temps tiendraient-ils ? Pour échapper au piège, il n'y avait que la fuite – là-bas, au sud –, qu'ils décidèrent en même temps.

Plus haut, plus loin, subsistait un espace étourdissant de liberté et de calme. Comme pour les navires sortant de la tempête, les navigateurs pointaient les avaries. Un étai brisé sur tribord, la voilure arrachée sur bâbord, un gouvernail qui allait rendre l'âme. Mais il y avait l'autre, celui d'en face, toujours présent. Et le combat devrait reprendre. Chastelain poussa les gaz. Le moteur gémit et la chaleur monta d'un coup. C'était pour le panache, la bravoure. L'avion et lui ne tiendraient pas, mais il vira, laissant l'air glisser sur l'aile, et se laissa porter pour rejoindre son ennemi qui, lui, refusait l'affrontement puisque son arme restait baissée. Il fit même un geste au Français qui comprit qu'il n'avait plus de munitions et, en éclatant de rire, ouvrit son blouson de cuir et montra son poitrail en indiquant où il fallait tirer. Ils n'étaient qu'eux deux et cette attitude détachée, désinvolte, mais si humaine, semblait débarquer d'un pays reculé, d'une contrée perdue et heureuse qui ignorait la guerre. C'était un moment d'apaisement arraché aux enfers, un signe de la providence pour les sauver d'eux-mêmes et leur donner à croire que demeurait une part de vivant en eux. Chastelain décida d'abaisser également son arme. L'Allemand le salua et inclina la tête en signe de remerciement, puis il vira aussitôt, s'échappant vers l'est, ce qu'il aurait pu faire avant et ce qui racontait aussi qu'il avait laissé le choix au Français de le tuer ou de le gracier, lui indiquant ainsi l'étroit chemin de la rédemption.

*
* *

En se posant sur le terrain, Louis refusa d'écouter son mécanicien qui évacuait la tension et la douleur du retour – au moins, l'un d'eux était rentré –, en gémissant sur les plaies, selon lui irréparables, de l'avion. Ce lieutenant suicidaire ne saurait donc jamais rendre le matériel en bon état ! Louis haussa les épaules et marcha à grands pas vers la cahute qui servait de mess, de pièce pour le briefing des vols et des missions, de salle des trophées, de bureau pour le commandant de l'escadrille et, parfois, de chambre ardente quand un pilote blessé au combat parvenait à rentrer à la base pour mourir, une fois atterri, dans les bras de l'aumônier ou de l'ami qui lui fermait les yeux en promettant de raconter aux siens comment il s'était comporté en héros.

À l'extérieur, affiché sur un tableau en bois, figurait la description des chasseurs allemands. Pour les meilleurs d'entre eux, on personnifiait le signalement, fournissant les détails qui permettaient de savoir à qui l'on se frotterait. Louis n'avait pas oublié les armoiries peintes sur le flanc gauche de l'Albatros D-III. Il s'agissait d'un écu, marqué d'une croix blanche et bleue et couronné d'un diadème serti de diamants. L'ensemble était porté par deux figures mythologiques, d'un côté, un dragon dont les ailes étaient dorées et, de l'autre, un taureau noir et puissant aux allures de Minotaure, dressé, tel un ours, sur ses pattes arrière. En bas, figuraient ces mots en latin : *Ad Honores*. Pour l'honneur. Mais sur le tableau, puisque cet avion s'y trouvait, un rusé avait ajouté en forme d'avertissement : *Ad Patres*, ce qui était censé prévenir l'Allemand, qu'un jour, on l'enverrait à ses ancêtres. Chastelain posa une main sur le dessin.

— Heinrich von Mietzerdorf.

Le capitaine Thénault, commandant de l'escadrille La Fayette, était sorti du mess pour le rejoindre.

— Vous l'avez croisé dans les airs ? demanda-t-il.

Chastelain acquiesça en silence.

— S'il ne vous a pas abattu, c'est que vous l'avez fait. Avec lui, il n'y a pas d'autre choix. Il compte douze victoires.

— Je les ai vues peintes sur sa carlingue. Douze croix.

— Avant qu'il ne s'écrase ?

— Nous n'avons pas réussi à nous départager, répondit sobrement le lieutenant. Pour aujourd'hui, ça suffit. Il y a eu assez de morts.

— Je sais, soupira le capitaine Thénault. Deux de plus manqueront demain à l'appel. Ils rejoignent Norman Prince, James Mac Connell, Kiffin Rockwell... Quand cessera donc cette litanie ?

Et la mort s'invita, imposant son silence.

— Heinrich von Mietzerdorf s'en est sorti, mais vous aussi, reprit plus tard Thénault en fixant son lieutenant. Ce qui s'est passé ne regarde que vous. Vous êtes vivant, insista-t-il. C'est le plus important.

— Oui, répondit calmement Chastelain. La guerre n'est pas finie, et nous trouverons bien le temps, un beau matin, de nous entre-tuer.

Puis il tourna les talons.

*

* *

L'occasion de se revoir se présenta le 27 décembre 1916, alors que la bataille de Verdun s'achevait – ce dernier mot convenant pour parler de l'élimination de sept cent mille soldats, morts ou blessés, partagés équitablement à quelques milliers près, entre l'Allemagne et la France. Ainsi, Verdun avait donné la mesure et le sens de la revanche, une manche rejouée sans cesse, jusqu'à l'extinction des combattants.

Dans le ciel de Chaulnes, à l'est d'Amiens, Raoul Lufbery, de l'escadrille La Fayette[1], venait d'abattre son cinquième avion. L'escadrille à la tête de Sioux[2] serrait les rangs pour rejoindre au complet le bercail. Chastelain fermait la marche quand soudain le moteur de son avion toussa. Mais pas un des siens ne vit qu'il était à la dérive. L'escadrille s'éloignait et son pouls se cala sur le rythme des pistons qui perdaient leur cadence et se grippèrent pour de bon. Il ne restait que le vent pour le guider. Courant chaud, il remonterait, courant froid, il descendrait. Le chaud l'entraînait à l'est, au-dessus des lignes ennemies, mais le froid pesait sur les ailes. La courbe fléchissait et il approchait trop des tranchées françaises bourrées d'hommes et d'obstacles qu'il ne parviendrait pas à sauter. Restait le *no man's land* fluctuant qui cisaillait le front en deux. Chaque camp dans son repli, l'œil rivé sur ce territoire désertique qui, les bons jours, cédait un are et, les mauvais, en reprenait deux pour le même prix. Un mort par mètre carré gagné ou perdu. En penchant la tête, le lieutenant chercha un endroit plat dont le sol ne serait pas trop percé de trous, de creux, d'entailles ; une terre sans pieux ou barbelés tranchants et, en priant Dieu, purifiée de ses mines. Mais son avion choisit pour lui. Il piqua du nez et toucha *la terre d'aucun homme*. L'atterrissage fut si

1. G. Raoul Lufbery rejoint l'escadrille en 1916. Il sera tué le 19 mai 1918, lors d'un combat aérien.

2. Surnom tiré de l'insigne de l'escadrille, une tête de Sioux dessinée par le mécanicien Suchet.

brutal que le train se brisa. Une aile s'arracha de ses rivets, ralentissant l'appareil qui acheva sa course dans une butte. Le choc brisa les sangles qui retenaient le pilote. Il passa par-dessus le cockpit, cogna de l'épaule l'hélice, crut être décapité, et se brisa une jambe en retombant. Au loin, l'escadrille avait enfin vu la scène. Un avion avait fait demi-tour, tournant autour de Chastelain pour savoir s'il était encore vivant. Puis, le carburant venant à manquer, il nota l'endroit sur la carte et fit cap sur la base pour demander au régiment situé au plus près d'aller chercher le lieutenant.

Un voile recouvrait les yeux de Chastelain et l'empêchait de voir quel chasseur de l'escadrille avait tourné dans le ciel avant de disparaître. Il porta la main à sa tête. Il saignait abondamment et souffrait terriblement de la jambe. Bientôt, on réagirait dans les tranchées. Celles de l'Ouest ou celles de l'Est ? Une poignée de voltigeurs viendrait, soit pour le tuer, soit pour le sauver. Il sortit son pistolet, redressa le torse en gémissant et, dos au talus, attendit.

Le ronronnement d'un avion le sortit rapidement de sa torpeur. Une tête brûlée se posait sur la zone du crash. Sur le flanc de sa carlingue, il vit un dragon et un taureau tenant un écu composé d'une croix blanc et bleu. C'était Heinrich von Mietzerdorf. Au prix d'un exploit, il venait d'atterrir cent mètres plus loin. « Tu ne m'impressionnes pas, souffla Chastelain en appréciant la manœuvre. Avec de la puissance, j'aurais fait aussi bien. » Et il serra son arme de poing.

Heinrich von Mietzerdorf descendit calmement de son appareil et avança vers le Français, les bras levés au-dessus de la tête.

— Ne tirez pas, cria-t-il dans un remarquable français. Nous nous trouvons dans une zone neutre. Ici, nous ne sommes pas ennemis.

Maintenant, il se tenait debout, à côté de Chastelain et l'observait en souriant :

— Vous permettez ?

Sans attendre la réponse, il se pencha pour détailler ses blessures.

— Une mauvaise fracture. Si vous étiez un cheval, on vous abattrait.

— Et vous, qu'allez-vous faire ? demanda le Français.

L'Allemand replaça une mèche glissée sur son front :

— Je crois bien que je vais vous aider. Vous n'allez pas achever une aussi belle carrière à cause d'une panne idiote !

— Comment savez-vous qu'il s'agit d'un accident ?

— Je vous pistais depuis un bon moment. Et quand j'ai compris que vous alliez vous poser en catastrophe, j'ai pensé que la bonne idée était d'aller survoler les lignes allemandes pour voir s'il y avait du monde pour vous accueillir, puis de revenir vous tenir compagnie.

Il se redressa :

— Vous et moi ensemble, aucun camp ne tentera quelque chose. Ici, nous sommes les maîtres d'un petit pays plus neutre que la Suisse !

Il éclata de rire et sortit une flasque de la poche de son blouson :

— Du schnaps. Il n'est pas empoisonné. Buvez et vous penserez que la douleur s'est évanouie.

Ils en prirent à tour de rôle. Puis l'Allemand se pencha encore pour ausculter cette fracture et cette plaie à la tête.

— Il vous faudrait des soins. Les vôtres vont-ils se décider à venir ?

— Mon escadrille a repéré l'endroit de ma chute. Il faut patienter...

— Eh bien ! Nous le ferons ensemble.

— Que ferez-vous quand les Français seront là ?

— Vous leur ordonnerez de me laisser repartir. Nous considérerons cela comme un juste retour des choses. Il y a peu, vous auriez pu me tuer.

— Il vous suffisait de fuir. Pourquoi ne l'avez-vous pas fait ?

— Nous vivons une tragédie imbécile, dit-il gravement. Mais chaque acteur est libre de tenir le rôle qui lui plaît. Disons que, dans un moment d'extrême lassitude, j'ai eu envie de laisser le sort décider pour moi. C'est tombé sur vous. Je n'ai pas à me plaindre.

Il se tourna vers le paysage dévasté, mais son absence ne dura pas.

— Ah ! Je les vois, cria-t-il. Trois poilus armés jusqu'aux dents. De grâce, veillez à ce qu'ils ne me tirent pas dessus.

— Aidez-moi à me relever, gémit Chastelain.

— Je vous propose ceci, dit encore Heinrich von Mietzerdorf, alors que les soldats accompagnés d'un brancardier avançaient. Si, à la fin de cette guerre, nous sommes vivants, retrouvons-nous à cet endroit. Et quel que soit le vainqueur, nous boirons ensemble.

— Cette guerre se terminera-t-elle ?

L'Allemand haussa les épaules :

— La réponse repose entre nos mains. Alors, rendez-vous le jour où les canons se tairont. Le jour même, insista-t-il. À la même heure.

— Le jour de l'armistice, répéta Chastelain, quand vous serez battu.

Heinrich von Mietzerdorf sourit.

— Je ferai tout pour vous décevoir, soyez-en certain. Mais je serai ravi de vous revoir.

Il salua et tourna les talons, rejoignant calmement son avion.

*
* *

Le 11 novembre 1918, l'escadrille fêtait la fin de la guerre. Louis Chastelain décolla et gagna Chaulnes. Sans difficulté, il retrouva le lieu de son écrasement. Un Fokker Dr 1 y était déjà posé. Sur son flanc, on voyait nettement l'ours et le dragon tenant un écusson.

Heinrich von Mietzerdorf l'attendait, debout, en civil, deux coupes de champagne en main :

— Cette tournée est pour moi, commença l'Allemand.

Sans doute, était-ce grâce à ce rendez-vous fixé bien avant, que ces deux hommes s'étaient accrochés et se retrouvaient vivants au *Plaza*.

61

Ils ne sont pas restés au *Plaza*. Trop de monde, a murmuré Louis, et Heinrich n'a pas insisté. Ils se mêlent aux badauds qui musardent sur les Champs-Élysées. Ils pourraient aller ainsi pendant des heures sans avoir à se parler. Ils ne se forcent à rien. Ils se savent amis. C'est arrivé comme une certitude, avant le 11 novembre 1918, mais le grand vide qui a suivi, l'incroyable idée qu'il devait, de force ou de gré, y avoir une vie hors de la guerre, les a encore rapprochés. Les autres pouvaient-ils les comprendre ? Heinrich von Mietzerdorf n'est retourné chez lui, au bord de la Baltique, que pour mieux s'en aller. Il a livré ses terres aux paysans voisins, signant la fin d'une forme ancienne et larvée de société fondée sur le servage. Il n'a gardé que l'immense demeure familiale. Il ne manque pas d'argent. Grâce à la prudente gestion de ses aïeux, il en détient assez pour s'offrir le train de vie d'un désœuvré. Il n'est pas marié, n'a pas d'enfant. Il aime voyager et vit à Paris. Il y est, pour beaucoup, parce que Louis s'y trouve.

— Un mois que tu as disparu ! grogne-t-il en feignant d'être fâché.

Il s'arrête et s'accroche à l'épaule de Chastelain :

— Elle est si belle que cela ?

— Ne tente pas de l'imaginer, sourit tristement Louis. Tu serais en dessous de la vérité.

— Pourtant, soupire Heinrich, cela n'a pas l'air de te réjouir. Au moins, a-t-elle réussi à mettre fin à tes idées noires ?

Soudain, Mietzerdorf devient sérieux :

— Depuis que tu la connais, prends-tu toujours cette cocaïne ?

Le visage de Chastelain se tend :

— Anastasia, commence-t-il...

— Une Russe, soupire l'Allemand. Ah ! Les Russes. J'ai connu une princesse absolument extravagante qui, après une nuit d'amour dont j'ai cru ne jamais pouvoir sortir vivant, m'a proposé une promenade à cheval et c'était en janvier. À l'aube ! Te rends-tu compte ? Il gelait à fendre les pierres, mais elle voulait que nous galopions nus. Nous nous trouvions à Innsbruck, en Autriche, dans un chalet perdu. Et je me souviens encore du froid effroyable qui est entré quand elle a ouvert la porte, sortant en tenue d'Ève pour se rouler dans la neige. Mais je peux te dire que j'ai pris mes affaires et que je...

— Heinrich...

— Mes histoires t'ennuient ?

— Je les écouterais jusqu'à ce que nous soyons vieux et j'aurais toujours un immense plaisir à te les entendre radoter, mais...

— Tu trouves que j'ai du plomb dans l'aile ? fait semblant de s'inquiéter Heinrich.

Chastelain soupire et sourit à la fois, mais son visage est tendu.

— C'est donc si grave que cela ? murmure l'Allemand.

— Il s'agit de la guerre.

— Ah non ! Tout est fini. Plus un mot là-dessus. Nous l'avons juré le 11 novembre sur le terrain de Chaulnes.

— Crois-tu vraiment que cette boucherie ne doive rien au hasard ? continue le Français.

— Nous voulions savoir qui était le plus fort, répond alors froidement l'autre. Et nous avons été emportés par la folie de nos seigneurs. Si tu veux me dire que le hasard s'appelle le Kaiser, le Tsar ou Clemenceau, alors je suis d'accord avec toi.

— Et s'il s'agissait de *Golgotha* ?

Heinrich fronce les sourcils et replace une mèche de ses cheveux :

— Le calvaire du Christ ? Qu'a-t-il à faire dans cette histoire ?

— Ce nom, Golgotha, ne te dit rien d'autre ?

— Non, rien. Et vas-tu finir avec ces mystères ? Qu'est-ce que cette chose... *Golgotha* ?

Le Français hausse les épaules :

— En fait, je n'en ai aucune idée.

— Et c'est pour cela que tu fais enfin appel au génial Heinrich von Mietzerdorf ! Tu as besoin de moi et tu reconnais ainsi que j'ai toujours été plus rusé que toi. Quand je pense que c'est la seule raison pour laquelle tu m'as fait signe. Sinon, tu roucoulerais avec la belle Anastasia...

— Heinrich, je ne plaisante pas.

— Je le constate sur ton visage, répond l'Allemand calmement. Et si je plaisante, c'est pour mieux me préparer au plus grave.

— Tu es encore en dessous de la vérité...

— Et tu veux que le bon vieux Fritz[1] partage ce fardeau ?

D'un regard, Louis le remercie :

— D'abord, il faut que tu m'écoutes.

— Ce sera long ?

— Pénible. Ce que tu vas apprendre de moi risque de te déplaire.

— Au moins, y gagnerai-je l'explication de l'air morose dont tu te sers pour séduire les femmes ?

---

1. Expression péjorative désignant un Allemand, et plus particulièrement un soldat.

— Oui, mais je crains tes réactions.

— Allons, tu peux tout me dire ! Je suis prêt à accepter le pire.

— Et à me pardonner ?

Mietzerdorf s'arrête de marcher :

— Le fait que tu m'invites à entendre ce qu'il y a, j'en suis certain, de douloureux chez toi est une preuve de la confiance que tu me portes. J'ai toujours accepté tes cadeaux. Pourquoi changer aujourd'hui ? C'est moi qui devrais te remercier. Alors, parle-moi et je t'écouterai tel un frère.

62

Heinrich n'a interrompu Louis que pour poser des questions précises. Certains points lui semblaient flous. Sur le rôle d'Anastasia, tout est clair. Sur celui de Chastelain, il n'a pas réagi. Il n'est pas là pour juger et il mesure le poids endossé par son ami. En revanche, il s'attache au rôle du Russe, Igor Kasparovitch. C'est le seul visage concret de *Golgotha* et il cherche un indice qui lui permettrait de consolider la thèse du Français.

— Parle-m'en encore, insiste-t-il. Le visage, le corps, qu'avait-il de particulier ?

Grand, fort, brun, yeux foncés. Le portrait est un peu court. Les vêtements ? Classiques. Et aujourd'hui, comment serait-il habillé ?

— Je ne vois que l'insigne dont m'a parlé Anastasia et que cet homme portait, soupire Louis. Selon elle, il s'agirait d'une sorte de broche en or, accrochée au revers de sa veste. Et il se pourrait qu'il y ait un lien avec celui qu'évoquait William Sturp.

— Ce travail d'enquêteur commence à me plaire, plaisante Heinrich. Je t'écoute.

— J'ai demandé à Sturp si l'homme qui l'avait approché lui avait donné son nom ou s'il savait où il habitait. Mais il ne put me répondre.

— Où se rencontraient-ils ?

— Leurs rendez-vous se tenaient dans un hôtel, le *Waldorf Astoria*.

— Jusque-là, rien d'intéressant, gronde l'Allemand.

— Attends ! Sturp m'a parlé d'un signe particulier qu'il affichait à la boutonnière. Mais était-ce le même que celui du Russe ?

— Peut-être, une décoration ? lâche Heinrich entre ses dents.

— Comment savoir ? s'agace Chastelain. Le Russe ne portait rien quand je l'ai vu. Mais en y repensant encore...

Louis hésite, éprouvant les nerfs de son ami :

— Ah ! Vas-tu me dire ce à quoi tu penses ?

— En sortant du bureau de Bontandier où se trouvait ce curieux visiteur, je me suis dit qu'il devait avoir un insigne au revers de la veste et qu'il l'avait enlevé peu avant car le tissu était encore marqué.

— C'est donc que ce symbole a un sens, exulte Heinrich.

— Peux-tu m'expliquer ce paradoxe ?

— S'il s'agit d'un signe, il correspond alors à un rang, un grade ou à un titre dans ce que tu appelles *Golgotha*. Songes-y comme à une secte qui reconnaîtrait ainsi ses membres. Parlons-en comme d'une organisation secrète. Ce sera notre convention. Et déjà, les choses sont un peu plus limpides.

— Si *Golgotha* se cache, pourquoi exposer son appartenance ?

— Justement, triomphe Heinrich. L'objet se montre quand le danger n'existe pas. Ce Russe aurait pris un risque en arborant cette distinction dans le bureau d'un colonel français. On pouvait lui demander l'origine de sa breloque. Trop dangereux. Non, il plastronne quand il se croit ou se sait en sécurité. Il l'a cru à propos de ta Russe, choisie intelligemment parce qu'elle n'avait rien de l'espionne. Crois-moi, ce type est très malin.

— Comment expliques-tu que l'homme qui voulait recruter Sturp ait lui aussi montré ce signe ? Et ne me dis pas qu'il s'agit d'une imprudence.

— Pourtant ce ne fut pas sa seule maladresse. Il a cité *Golgotha*. Pourquoi ? Parce qu'il se sentait protégé par l'anonymat. Impossible de remonter à la source. J'imagine aussi qu'il paradait pour épater ce garçon dont j'ai compris l'ardeur et la naïveté. Il voulait attiser sa curiosité, l'enrôler. Simplement matérialiser *Golgotha* et apporter ainsi la preuve de l'existence de cette organisation à celui qu'il voulait éblouir. Je ne peux te répondre précisément, s'énerve-t-il, mais je suis sûr que mon hypothèse est sérieuse. Ce petit objet est moins anodin que tu ne le penses.

— D'accord, convient Louis pour faire la paix, mais où cela nous conduit-il ?

— À nous concentrer sur cet indice. Est-ce la marque de *Golgotha* ?

— Si c'est le cas, autant chercher une aiguille dans une botte de foin, abandonne Chastelain.

— Que veux-tu dire par là ? demande Heinrich qui ignore l'expression.

— Aucune chance de trouver ce que l'on ne peut voir. Pendant la guerre, nous avions au moins les clochers des villages pour nous orienter.

— Rien d'autre ? s'exclame Heinrich en forçant son étonnement. En l'apprenant plus tôt, la guerre aurait tourné à notre avantage...

— Et qu'aviez-vous de plus pour nous battre, *Hauptmann* ?

L'intéressé se touche le front :

— La ruse, la raison, l'intelligence. En somme, le talent. Ah ! Ces Français, gémit-il en aggravant le trait. Réfléchis. Si ce *Golgotha* a joué un rôle dans la guerre, ce n'est pas en restant les bras ballants. Il a fallu utiliser des hommes, entrer dans le monde des affaires et de la politique, s'y fondre pour mieux le noyauter ou l'intoxiquer.

— Continue, murmure Chastelain, soudain intéressé.

— Des politiques, des hommes d'affaires, des diplomates et, même des militaires, complices ou victimes, ont croisé les silhouettes derrière lesquelles se trouve ton *Golgotha*.

— J'y ai pensé, glisse Chastelain. Mais que proposes-tu ?

— Parmi mes compatriotes, je compte quelques amis évoluant dans la sphère influante des gens que l'on dit toujours bien informés. S'ils ont croisé le nom de *Golgotha* ou, comme je l'espère, ont vu, ne serait-ce qu'une fois, quelqu'un afficher un signe particulier, ils me renseigneront.

— D'où te vient cette assurance ?

— Il me suffira de dire que c'est peut-être à cause de *Golgotha* que nous, les Allemands, nous avons perdu la guerre. Mon cher ami, ta quête m'attire et tu parles à un héros de guerre. Tu ne mesures pas l'importance de ce titre dans mon pays. Grâce à lui, je pourrais forcer certaines portes.

— Mais nous sommes à Paris ? Qui connais-tu ici ?

— Il reste les milieux diplomatiques, dit-il comme à lui-même. J'y ai toujours mes entrées. Et j'ai déjà en tête une ou deux personnes que la signature du traité de Versailles a fait venir en France.

Puis, sortant de sa rêverie, il relève la tête :

— Et toi ? Qui pourrais-tu interroger ?

Chastelain reste silencieux. L'armée ? C'est non. Et il ne fréquente pas l'aréopage ministériel. Il grimace sa réponse : il ne pense à personne.

— Il te reste Joseph Caillaux. Bon sang, Louis ! Secoue-toi !

Et Chastelain reconnaît que Heinrich pense très bien. Caillaux a en effet parlé de *Golgotha* à Anastasia. Donc, il en sait forcément quelque chose.

— Joseph Caillaux, murmure le Français. La piste a sans doute du bon. Mais, soupire-t-il aussitôt, il me paraît difficile de le questionner...

— Allons ! rugit Heinrich. Quel obstacle insurmontable s'opposerait-il à la ténacité d'un héros de guerre ?

— Des murs, mon ami. Très hauts et très bien gardés...

L'Allemand écarquille les yeux.

— Ceux d'une prison, ajoute Louis. Caillaux est incarcéré à la Santé. On l'accuse d'avoir comploté contre la sûreté de l'État pendant la guerre. Ses ennemis sont tenaces. Ils veulent sa peau[1]. Certains ont même juré de le faire fusiller. La procédure est en marche. Le procès suivra bientôt.

— Qu'a-t-il commis de si grave ?

— Un crime inexcusable en ces temps de gloriole : celui d'avoir voulu s'opposer à la guerre.

— En somme, rétorque derechef von Mietzerdorf, il fut l'ennemi de ceux qui ont tiré parti de ce désastre. N'y vois-tu pas un excellent mobile pour le faire taire... Et une bonne raison de nous rapprocher de lui ?

— Pour l'heure, l'affaire est délicate. Il accepterait de parler qu'il en serait parfaitement empêché.

— En France, est-il interdit de rendre visite aux prisonniers ?

— Non, souffle Chastelain. Mais je ne suis pas de sa famille, et pas plus l'un de son camp. On s'étonnera de ma demande et ce n'est pas en éveillant les soupçons que nous révélerons la vérité. Sans compter qu'en nous exposant, nous nous mettrons en danger.

Il serre la mâchoire :

---

1. Comme Louis Malvy, condamné par le Sénat en Haute Cour le 7 août 1918 à cinq ans de bannissement pour forfaiture, Joseph Caillaux va subir les foudres de la justice. Arrêté en janvier 1918, sous l'inculpation d'« intelligence avec l'ennemi » et de « complot contre la sûreté de l'État », incarcéré à la prison de la Santé jusqu'en septembre 1919 puis assigné à résidence dans une clinique de Neuilly, il passe devant la Haute Cour de justice en février 1920 pour simple « correspondance avec l'ennemi ». Condamné à trois ans d'emprisonnement et à la privation de ses droits politiques, il sera amnistié en octobre 1924.

— D'ailleurs, Caillaux accepterait-il seulement de me recevoir ?

— Dans ce cas, patientons bras croisés jusqu'à la fin des temps, se fâche Heinrich. Mais ne compte pas sur moi pour te tenir compagnie. Je t'ai vu plus courageux par le passé, grogne-t-il. Et plus déterminé !

— Soit, cède faiblement Chastelain. Étudions la manœuvre. D'abord, il faut trouver un prétexte, donc déposer une demande écrite et fournir un motif – car j'imagine que les visites sont soigneusement surveillées. En somme, nous laisserons des traces qui déboucheront sur cette question : que cherche le capitaine Chastelain ? Il convient donc de ruser, d'emprunter un chemin de traverse, de l'aborder discrètement.

— Le directeur ? insiste Heinrich que rien ne semble abattre. Il pourrait organiser une entrevue sans témoin. Tu ne le connais pas ?

Louis hausse les épaules :

— Non merci et je n'y tiens vraiment pas.

— Y a-t-il des soldats, des militaires dans la place, d'anciennes relations de la guerre ? Bon sang ! Il faut y mettre du tien.

— Qu'as-tu dit ? bondit le Français.

— Rien, puisque je serais incapable de donner le nom d'une des personnes demeurant dans ces lieux...

— Moi si ! Marcel de Montigny. Un médecin. Je l'ai connu pendant la guerre.

Il caresse la cicatrice de son visage :

— Il s'est battu des heures pour me sauver. Et de tous ceux que j'ai croisés, il est l'un des rares à s'être toujours placé du côté de la vie.

Il jette un regard en coin sur l'Allemand :

— Je ne parle que de ceux de mon camp.

— Merci pour cet hommage, mon ami, mais oublie les compliments. Et raconte-moi en quoi cet homme pourrait nous être utile.

— Ce médecin a été affecté à la prison de la Santé. C'est peut-être la clef qui ouvrira cette maudite porte.

— Et que lui donneras-tu comme raison pour expliquer ta visite à Caillaux, si du moins il peut t'aider ?

Chastelain sourit enfin :

— Notre passé commun ne m'obligera à aucun mensonge. Il ne posera pas de question. Il m'aidera, oui. Mais, tu l'as dit, s'il le peut...

63

Tout va vite à présent. Le 30 juin 1919, Chastelain se confiait à Mietzerdorf. Le 3 juillet au matin, ce dernier lui fait savoir qu'il souhaite le rencontrer d'urgence. Sa lettre portée en mains propres est précise et inquiétante : *«J'ai du nouveau et tu seras étonné. Tu avais raison. Ne fais rien sans m'avoir vu et entendu. Surtout, et si tu as pu progresser, n'approche pas la personne française dont nous parlions. Demain, même lieu. 12 heures. Bien à toi. H.»*

La personne française ? Caillaux. Mais Chastelain a déjà œuvré, obtenant un résultat inespéré. Il rencontrera le prisonnier grâce à un tour de force dont l'auteur est ce médecin, Marcel de Montigny, commandant pendant la guerre.

— Un coup de génie ! s'est exclamé Chastelain en apprenant la nouvelle.

— Ou de folie, a rétorqué Montigny.

Car la confrontation aura lieu. Mais dans des circonstances pour le moins singulières, et surtout dangereuses.

Pour ces raisons, le rendez-vous n'est plus déplaçable. Il se tiendra le 4 juillet. Ou jamais.

*
* *

— J'ai besoin de voir Caillaux. Et le plus vite possible, avait sobrement annoncé Chastelain à son vis-à-vis qui n'avait pas hésité à le recevoir chez lui, dès le soir du 30 juin.

Montigny n'avait marqué aucune surprise, restant maître de lui et se contentant de tendre un verre de vin blanc à son visiteur.

— As-tu retrouvé la sensation du goût ?

Il scrutait la blessure du capitaine et semblait satisfait du résultat :

— Je me demande, glissa-t-il en souriant, si cette marque d'héroïsme n'ajoute pas un peu plus à ton charme. Comme si tu avais besoin de cela pour plaire à la gent féminine...

Montigny, la quarantaine, était petit, maigre au point de paraître malade, et il fallait porter son attention sur son regard profond pour comprendre la force, la détermination de ce caractère solide, trempé, et peu sujet au doute.

— Caillaux, dis-tu ? avait-il repris doucement, faisant toujours mine de ne s'étonner de rien.

Chastelain avait simplement baissé les yeux et tel qu'il le prévoyait, le médecin ne lui avait pas demandé ses raisons, ajoutant simplement :

— Le mieux étant, du moins je l'imagine, de ne pas soumettre ta demande aux procédures habituelles ?

— En effet.

— Donc, le plus discrètement possible...

À nouveau, Louis n'avait fait qu'acquiescer en silence.

Marcel de Montigny s'était absorbé un instant dans ses pensées. Puis, il avait relevé la tête, fixant Chastelain avec intensité :

— As-tu l'intention de lui nuire ?

— Sur mon honneur, je jure que non. Et sois certain que je fais appel à toi pour une affaire d'une extrême gravité. Hélas, je ne peux en ajouter davantage, et ce, dans ton propre intérêt.

L'autre avait levé une main :

— Je ne veux rien savoir de plus.

— Toi seul peux m'aider à rencontrer Caillaux dans cette prison. En tant que médecin, tu parviendrais sans doute à le faire déplacer dans l'infirmerie de la Santé. Quelques minutes... Disons une heure.

Montigny avait rempli les verres :

— Papiers, formulaires, témoins... Et comment expliquer ta présence ? Non, ce n'est pas une bonne idée...

Et Chastelain aurait pu croire que le médecin se défilait, s'il ne l'avait pas connu aussi bien.

— Je songe à une autre chose... délicate. Laisse-moi y réfléchir. Je te contacte demain.

Il n'avait pas été nécessaire d'ajouter d'autres mots pour que ces hommes, au nom de leur passé, s'accordent mutuellement leur confiance. Ainsi, le 1er juillet, ils se retrouvaient chez Montigny. L'appartement semblait vide, comme déserté, sans témoin.

— Marie, mon épouse, est au cinéma... Je la soupçonne d'entretenir une relation platonique avec cette vedette, Rudolph Valentino. *The Delicious Little Devil*, son dernier film, vient de sortir. Je n'ai eu aucun mal à la convaincre d'entretenir sa passion secrète dans une salle obscure...

Mais aussitôt, il était redevenu sérieux pour jeter d'une voix glaciale :

— Le 4 juillet, Caillaux sortira de la prison de la Santé.

Chastelain n'avait pas bronché.

— Le soir même, il retournera à la Santé. Entre-temps, tu pourras le rencontrer chez lui, à son domicile. Et sans témoin.

C'était dit simplement, par un petit homme dont l'allure quelconque masquait donc un immense courage. C'était décidé, organisé, annoncé sans effets, sans manière, et avec assez de calme pour que Chastelain ne puisse douter. Montigny exfiltrerait Caillaux et organiserait une action dont les risques incalculables mettraient en péril son auteur. Profession, carrière, intégrité physique, Montigny y avait sans doute songé et, pesant le tout, avait pris sa décision. C'était peut-être ainsi parce qu'il avait sauvé ce visage, se sentant uni à lui par les liens de sang engendrés par la guerre.

— Au moins, peux-tu m'expliquer ce prodige ? n'avait pu s'empêcher de murmurer le capitaine.

— La grippe espagnole, mon cher ami. Comme quoi, elle peut aussi servir notre cause...

Il s'était assis dans le canapé avant de poursuivre :

— Caillaux est souffrant. Du moins officiellement, et je n'ai eu aucune difficulté à convaincre le directeur que son plus illustre prisonnier devait subir des examens approfondis en dehors de l'infirmerie. Tu n'imagines pas la tête de ce triste fonctionnaire quand je l'ai mis en garde contre une hypothétique infection de grippe espagnole dont l'ancien ministre risquait d'être la victime. Il s'est vu annoncer la nouvelle à ses supérieurs : « Messieurs, Caillaux est mort et le médecin Marcel de Montigny m'avait alerté, mais je n'ai rien fait... »

— Est-il vraiment en danger ?

— Un peu de fièvre dont la seule cause est l'humidité de ces lieux qui poussent un homme habitué à l'action à se laisser aller. Pourtant, il est coriace et animé d'une volonté de fer. Il ira à son procès, tête haute, et assure qu'il sera lavé des accusations de ses ennemis. Cependant, je lui sais un point faible : son épouse, Henriette. Sa seule maladie est là. Elle lui manque et c'est sans doute le premier, le vrai moteur de ses émotions, de sa vie. Aussi, tu devines comment il a pris la nouvelle quand je lui ai annoncé, ce matin, que je pouvais lui permettre de la revoir, en tête à tête, en toute intimité.

— Au moins, t'a-t-il demandé le prix de cette faveur ?

— D'abord, il n'y a pas cru. Puis, il s'est méfié. Pour le convaincre, le mieux était d'y mettre une condition. Caillaux vit au cœur des compromis, des tractations, des échanges. J'ai précisé qu'il lui faudrait te rencontrer, ce qui l'a surpris. « Chastelain, a-t-il lâché ? Parlez-vous de cet aviateur, héros de guerre ? » Ainsi, il te connaissait. Il m'a alors demandé les raisons de cet entretien. Je n'ai fait que répondre que j'en ignorais la cause, mais en lui assurant que tu ne lui voulais aucun mal. J'ai cru même utile d'ajouter que tu lui viendrais peut-être en aide... Ai-je eu raison ?

— Merci, avait répliqué Chastelain sans répondre à Montigny. Mais comment penses-tu t'organiser ?

— Compte tenu des formalités et des règlements à respecter, l'opération se tiendra le 4 juillet, dans trois jours. Et, sur ce point, rien n'est modifiable.

— Je m'y plierai, cela va de soi.

— Deux infirmiers m'accompagneront. J'en réponds. Ils attendront en bas du domicile des Caillaux. Ainsi, tu n'auras qu'à te présenter et sonner à la porte. Caillaux t'ouvrira. Ensuite, c'est à toi...

— Et où te tiendras-tu ?

— Je calmerai les infirmiers qui auront bien besoin de ma présence pour ne pas détaler... À six heures, nous monterons chez Caillaux qui m'a juré qu'il ne s'opposerait pas à moi.

— Et s'il s'enfuit ?

— Je ne crois pas. Je l'ai assuré que je ferais tout pour le déplacer au plus vite dans une clinique privée. La grippe espagnole ! Cette malédiction a bon dos...

*

* *

Depuis, Chastelain attend. Il devra se présenter au domicile des Caillaux à cinq heures précises. Plus aucun contact n'est prévu entre lui et Montigny. C'est pourquoi l'avertissement que Mietzerdorf lui a adressé ne l'a pas pour autant décidé à annuler le rendez-vous. *« Ne fais rien sans m'avoir vu et entendu. Surtout, et si tu as pu progresser, n'approche pas la personne française dont nous parlions»,* écrivait Heinrich. Mais que faudrait-il pour reculer ? *«J'ai du nouveau et tu seras étonné»,* annonçait encore l'Allemand. Plus grave, plus important que de rencontrer Caillaux ? Et comment informer Montigny qui a pris tous les risques pour lui venir en aide ? Il tranchera ces questions après avoir vu Heinrich. Pour l'heure, il s'en tient à l'essentiel. Ne plus rien faire, ne plus rien dire. Et ce principe s'applique aussi à l'égard d'Anastasia.

*

* *

C'est un nouveau signe du lent délitement qui les fait, tous deux, souffrir. Il y a trois jours, ils n'imaginaient pas de vivre loin l'un de l'autre. Hier, alors qu'Anastasia le pressait de questions, il a cependant évoqué une « pause » et employé ces mots : « Tant que nous n'y verrons pas plus clair. » Depuis, la Russe s'y résout. Mais, songe-t-elle, autant attendre que vienne l'éternité, puisqu'elle ne croit pas aux chimères de son amant. Sa conviction est faite. La rage affichée à trouver ce que cache *Golgotha* est un poison qui s'ajoute à la cocaïne. Louis s'y accroche, y pense comme à un antidote. Il voudrait que s'y diluent ses remords. Anastasia préférerait qu'il se plie à la fatalité, qu'il reconnaisse que le passé ne s'efface jamais. Mais elle s'adresse à un chevalier perdu, un Perceval ayant vu le Graal sans pouvoir le quérir. Et qui ne trouvera pas la paix.

— Tu te trompes ! hurlait-il hier, et c'était encore la même dispute.

Il claquait la porte pour la rouvrir aussitôt :

— Ou alors, tu m'as menti !

Et il était parti en bredouillant qu'il demandait pardon et réclamait encore une pause, un moment de répit. Un temps pour réfléchir.

Anastasia connaissait ces termes. Ils sonnaient comme une rupture.

* * *

Le 4 juillet à midi, Louis pousse la porte du bar du *Plaza Athénée*. Il a simplement brandi le bras. Heinrich s'est levé aussitôt et l'a attrapé par la manche. Il l'entraîne dehors. Il n'a jamais été aussi nerveux.

— Qu'y a-t-il ? demande Chastelain.

— Nous avons mis les pieds là où nous n'aurions pas dû.

— Bon Dieu ! Heinrich, que se passe-t-il ?

L'Allemand veut encore marcher, s'éloigner jusqu'à ne plus voir l'entrée du palace. Il tourne enfin la tête et se détend un peu. Il regarde Louis et tente de s'y prendre tendrement pour masquer son angoisse :

— Au moins ce que je vais t'apprendre nous met à égalité.

— Pourquoi dis-tu cela ?

— Toi et moi, nous ne sommes que de pitoyables pions. Nous avons vraisemblablement affaire à une entreprise immense dont les dimensions nous échappent.

— À la fin, cesse de parler par énigme. Donne-moi des faits précis.

— Coups de feu, par exemple ?

— C'est-à-dire ?

— D'abord, celui que tira Henriette Caillaux sur Calmette. Tu y ajoutes Sarajevo pour mettre le feu aux poudres. Et tu penses avoir fini ? Mais tu ne tiens qu'une partie du puzzle. L'affaire s'enrichit d'un épisode inédit. Un troisième coup de feu.

— Un autre assassinat ? murmure Chastelain.

Heinrich von Mietzerdorf ferme les yeux, sans doute, pour se donner du courage.

— Jaurès. Trois jours avant la déclaration de guerre. Ils ont éliminé le dernier des pacifistes. On m'en a donné la preuve.

*
* *

Chastelain s'est assis sur un banc qui longe l'avenue des Champs-Élysées. C'est en bas, sous les arbres. Il fait bon. Tout pourrait être aussi beau que cette journée d'été. Mais il y a les mots prononcés par Heinrich d'une voix hachée.

— Raoul Villain. Vois-tu de qui je parle ? commence-t-il.

— L'assassin de Jaurès. Oui, je connais le nom de ce tueur.

— Il avait adhéré à la *Ligue des jeunes amis de l'Alsace-Lorraine*. Et tout ce qui avait trait à cette région annexée par l'Allemagne en 1870 faisait l'objet d'une surveillance. Nos services pistaient cette organisation.

— Qui t'a appris cela ?

— Un conseiller diplomatique allemand résidant depuis peu en France, lâche Heinrich à regret. Et ne compte pas sur moi pour te donner davantage de détails sur sa mission présente. Mais à l'époque, avant la guerre, il était en poste dans les territoires que nous avions récupérés.

Chastelain ne peut s'empêcher de bondir :

— Et pourquoi pas « reconquis », pendant que tu y es ?

L'Allemand préfère en sourire :

— Le patriotisme à fleur de peau... Tu ne changeras jamais. Puis-je continuer ?

— Pardonne-moi, se reprend Louis. Je t'en prie.

— Donc, cet ami dirigeait la police secrète chargée de la sécurité intérieure.

— Tu recommences ! le coupe à nouveau le capitaine Chastelain.

— Mais que dois-je dire pour te plaire ? s'agace Heinrich.

— Il administrait vos services d'espionnage puisque vous occupiez par la force notre pays.

— La forme plutôt que le fond. Voilà donc ce qu'on appelle le génie de la France... Moi, je m'épuise à te donner des informations confidentielles ; et toi, que fais-tu ? Un cours sur l'arrogance, l'orgueil de ta syntaxe. À mon tour de te donner une leçon. Veux-tu oui ou non savoir ce que j'ai appris ?

— Plus encore que de vouloir toujours avoir raison.

— Voilà qui est mieux. Mais une dernière promesse. Tu oublieras aussitôt l'origine de mes sources. Je ne veux pas mettre en danger celui qui s'est confié. Nous sommes d'accord ?

— C'est entendu, répond précipitamment le Français. Je le jure sur notre amitié.

— Enfin, nous revenons à l'essentiel.

Chastelain saisit l'Allemand aux épaules :

— Laisse-moi d'abord te remercier. Ce que tu fais est... formidable. Je ne l'oublierai jamais.

Mietzerdorf se détend sur le coup et sourit :

— Quand je pense que j'espérais ne plus jamais entendre parler de cette guerre ! J'étais venu à Paris pour m'amuser et partager des moments agréables avec toi. Et voilà que nous retrouvons les ténèbres. Non, ne me remercie pas, car je ne vais qu'amplifier tes craintes. Ce *Golgotha* dont tu murmurais le nom a manipulé ni plus ni moins Raoul Villain, l'assassin de Jaurès.

— C'est donc que nous tenons une piste sérieuse, rugit Louis en se levant d'un coup. *Golgotha* aurait-il enfin montré l'un de ses visages ?

— Patience, tempère Heinrich von Mietzerdorf.

Le capitaine s'est rassis. Le mieux est d'écouter.

— Le 31 juillet 1914, à vingt et une heures, Jaurès est au café du *Croissant* où il discute avec des journalistes de *L'Humanité* d'un article écrit par lui pour tenter d'arrêter l'enchaînement des faits qui conduisent à la guerre. Il paraîtra dans l'édition du lendemain et il demande à ses amis ce qu'ils pensent du titre qu'il a choisi : « J'accuse ».

— Ce sont les mots employés par Zola pour dénoncer la cabale contre Dreyfus, l'interrompt Chastelain.

— Oui. Et Jaurès veut se servir de leur force pour parler d'autre chose. Il dispose d'une liste de noms qui auraient agi pour déclencher la guerre. Politiques, financiers, hommes d'affaires, marchands d'armes... Le scandale va éclater et c'est la dernière chance d'arrêter la mobilisation. Mais voilà une bombe qui n'explosera pas, car Villain arrive à vingt et une heures quarante et tire deux balles dans le dos de Jaurès. Le pacifiste s'effondre. Or, dans la panique, et comme par hasard, son article disparaît. Envolé. Pourtant, un témoin se souvient des accusés dont parlait Jaurès. Parmi eux, il citait *Golgotha*. Un nom étrange que personne n'aurait pu oublier.

Heinrich se tait. Il savoure l'effet de sa narration.

— Comment as-tu eu connaissance de ces détails ? expire Louis.

— Un de nos espions avait noyauté l'entourage de Jaurès, et, bien sûr, tu garderas cela pour toi. De plus, mon pays a cru pendant un certain temps que cet attentat aurait pu être organisé par l'État français. Jaurès gênait Clemenceau. Il freinait son désir de faire la guerre. Nous savions par nos infiltrés que, le jour de sa mort, Jaurès avait souhaité renseigner votre Premier ministre, Viviani, et qu'en son absence, il avait été reçu par Ferry, le sous-secrétaire d'État aux Affaires étrangères. Jaurès lui aurait dit qu'il disposait d'informations pouvant bloquer le déclenchement de la guerre. Pour créer un scandale, il n'y avait qu'un pas que les stratèges de l'état-major allemand ont tenté de franchir. S'ils pouvaient démontrer que le gouvernement avait joué un rôle dans le crime contre Jaurès, votre peuple de gauche rompait l'Union sacrée, les pacifistes s'opposaient à la mobilisation. Et nous, nous entrions en France... La politique, mon cher Louis ! Mais nous n'avons jamais pu exploiter cette thèse qui nous aurait peut-être permis de triompher en sauvant des vies.

Chastelain enregistre. Mietzerdorf veut encore avancer.

— Ce n'est pas tout, reprend-il. Jaurès aurait assuré qu'il tenait son dossier d'un homme bien informé. Je te donne son nom qui risque de te surprendre : Joseph Caillaux. Oui, le ministre voué aux gémonies aurait offert à Jaurès de quoi briser l'élan qui vous poussait vers la guerre. C'est donc la preuve qu'il s'agit d'un homme clé.

— As-tu fini ? questionne Chastelain d'une voix glaciale.

— Pas encore. J'ai appris ceci à propos de l'assassin de Jaurès. En surveillant la *Ligue des jeunes amis de l'Alsace-Lorraine*, nos services secrets – ou d'espionnage, comme tu voudras – ont découvert que Villain, avant de commettre son crime, avait été approché, et peut-être payé, par un homme sans nom, d'allure banale, mais qui, selon des témoins, portait à la boutonnière un insigne inconnu : une broche en or. Je parie une caisse de champagne qu'il s'agissait d'une chose ressemblant à celle qui figurait sur la veste du Russe Igor Kasparovitch, ou sur celle du type qui avait approché l'Américain Sturp.

Heinrich se tait quelques instants, laissant au Français le temps de s'imprégner de ce qu'il vient de lui raconter.

— Pourquoi les Allemands n'ont-ils jamais rien dit ? lâche ce dernier.

— L'assassinat de Jaurès se lisait comme une affaire française. Si sa mort compliquait la tâche de ton pays, pourquoi intervenir ? C'était la guerre. Et comment relier cette affaire à *Golgotha* dont personne ne sait rien ? Et y ajouter Sarajevo ? Non, il était impossible de déchiffrer le tout.

Il marque un temps avant d'ajouter :

— Maintenant, qu'allons-nous faire de ces révélations ?

Le capitaine Chastelain n'attend pas pour donner sa réponse :

— Demander à Caillaux ce qu'il a dit à Jaurès. Je le rencontre aujourd'hui, à cinq heures.

Et von Mietzerdorf entre dans la confidence.

PRINCIPE DE GOLGOTHA

Rapport du Neuvième Décemvirat Paragraphe 11

L'attentat contre le socialiste Jaurès est l'exemple d'un acte terroriste réussi. C'est l'application du Principe figurant dans le paragraphe 10.

1. Le terrorisme produit des effets considérables :

Les partis de gauche, opposés à la guerre, perdirent le plus habile des pacifistes. Dans la nuit qui suivit sa mort, le monde ouvrier annula la grève générale contre la guerre et, contaminé par l'hystérie d'un peuple aimanté par la revanche, il céda aux chimères du patriotisme en prenant le fusil. Jaurès n'était pas froid que son édifice s'effondrait;

2. La mise en scène d'un acte terroriste exige peu de moyens :

Un pistolet, deux balles et, pour simple décor, un café de la rue Montmartre. Jaurès regardait la photo d'un enfant au moment de sa mort. C'était celui d'un proche. L'émotion fut d'autant plus grande;

3. Les règles sont fixées par l'agresseur :

Villain a tiré dans le dos. Il n'y a rien à ajouter;

4. Le terroriste croit opérer pour une juste cause :

Villain fut choisi par le Scribe de Phénicie, un Frère Enrôleur, pour sa fragilité mentale et sa frénésie de vengeance. Il ne fut pas difficile de lui expliquer que le chef socialiste tué, il devenait un héros et donnait un sens à sa vie. Il suffit de le convaincre qu'il agissait pour lui;

5. Il est difficile de remonter à la source d'un attentat :

Le Scribe de Phénicie agit avec prudence. Il n'avait aucun nom et finança l'exalté en secret. Golgotha n'existait qu'à travers un signe dont le port était nécessaire pour alimenter et matérialiser le fantasme d'une obédience, d'un pouvoir occulte auquel sont sensibles les recrutés. Pour faire bonne mesure, il promit au pion qu'il ne serait pas condamné, s'il ne parlait que de lui. Son procès se tint après la guerre. Au tribunal, il dit : « Jaurès ? J'ai voulu supprimer un ennemi de mon pays. J'ai agi de mon propre mouvement. » On le crut, l'instruction ayant établi fermement qu'il ne disposait d'aucun concours. On salua son courage, sa franchise et l'acte d'un homme qui avait éliminé Jaurès par qui la défaite serait arrivée si ses idées avaient triomphé. Le peuple, par la voix de ses jurés, applaudit. Il considéra que ce n'était pas une faute d'avoir tué Jaurès. Et la famille de ce dernier dut payer les frais du procès. Villain fut donc acquitté, comme Henriette Caillaux. Le Scribe de Phénicie se chargea de l'installer à Ibiza où il vécut reclus. Plus tard, il commença cependant à divaguer, parlant même de ses Frères. On le prit pour un fou et il fut appelé ainsi. Prudent, le Décemvirat jugea préférable de l'éliminer. On confia la mission aux Républicains espagnols qui exécutèrent l'assassin de Jaurès, croyant en cela agir pour leur cause, et firent taire un pion, brisant ainsi l'ultime maillon qui menait à Nous;

6. L'attentat est un acte traumatisant pour l'État de droit :

L'assassinat de Jaurès a montré combien les institutions légalistes se montraient fragiles face à un acte violent et, pour elles, contre-nature. Frères de Golgotha, songez que le journal L'Humanité, *dirigé par Jaurès, se vendait à cent quarante mille exemplaires et accueillait les meilleures signatures. On y croisait Anatole France, Jules Renard, Léon Blum, Tristan Bernard, Octave*

Mirbeau, Henri de Jouvenel. De quoi faire trembler la guerre. Or, le 10 août 1914, on lit dans L'Humanité *: « Des entrailles du peuple, comme des profondeurs de la petite et de la grande bourgeoisie, des milliers de jeunes gens, tous plus ardents les uns que les autres, quittant leur famille, sans faiblesse et sans hésitation, ont rallié leurs régiments, mettant leur vie au service de la Patrie en danger. » Ainsi, l'institution n'a su résister politiquement et moralement au traumatisme de la mort de Jaurès;*

7. Plus l'attentat surprend, plus il réussit :

Prenant de vitesse les forces pacifistes exsangues et sans chef, il ne fut pas difficile, pour le président de la République Poincaré, de se jeter sur les députés et de déclarer, le 4 août, alors qu'on enterrait Jaurès : « La France sera défendue par tous ses fils dont rien ne brisera, devant l'ennemi, l'union sacrée. » La riposte fut donc impossible. Les dés étaient jetés. Pour extérioriser ses regrets et sa déception, il ne restait que la guerre, un ennemi bien connu, matériel et palpable;

8. L'attentat se taille, se concocte, se cisèle sur mesure :

La date choisie ne dut rien au hasard. Le 28 juillet, Vienne avait déclaré la guerre à la Serbie; le 29, Poincaré rentrait en France, après avoir rassuré le tsar. La France ferait la guerre aux côtés de son alliée. Le 30, l'empereur russe décrétait la mobilisation générale. Le 31 venait au bon moment. Seul Jaurès disposait des moyens et du soutien populaire pour arrêter le mouvement. Sans lui, Clemenceau pouvait à son tour mobiliser et galvaniser les masses. La guerre trouvait son rythme. Elle fut déclarée par l'Allemagne à la France, le 3 août, dans un concert parfait;

9. Le terrorisme permet de profiter des bienfaits de la prédiction :

Les chaînes de production de l'industrie étaient prêtes à réagir pour faire face à l'accroissement des commandes de l'État. Ce mauvais gestionnaire est bon payeur. Pour augmenter sa trésorerie, il n'a nul besoin de vendre plus, il lui suffit d'accroître les impôts. La guerre lui fournit ce prétexte. Le peuple comprend les privations. Et quand elles deviennent inacceptables, l'État recourt à l'emprunt auprès de ceux qu'il a nourris de ses commandes. Il s'affaiblit d'autant. Il devient misérable.

L'ultime échelon de la forfaiture fut atteint lors de cet assassinat car l'État accepta objectivement cet acte et ses conséquences. Il voulait la guerre et Jaurès y faisait obstacle. Il ne chercha pas la vérité, préservant ainsi l'impunité de Golgotha, et saluant cette Providence qui avait mis un fou en travers de Jaurès. Son invraisemblable mort fut donc acceptée, et assimilée – et c'est souvent le cas, comme à Sarajevo –, à un acte terroriste. L'État, le peuple se fient à l'évidence, prenant pour acquis ce qui est mensonge. Ainsi, le terrorisme dit ce que ses victimes ont envie d'entendre.

64

À cinq heures précises, Chastelain se présente au domicile de Caillaux. Dans la rue, il voit bien l'ambulance, mais n'accorde aucun regard aux deux infirmiers qui se tassent à l'avant du véhicule. Montigny est-il installé sur le siège arrière ? Louis met fin à ses questions en poussant la lourde porte de l'immeuble. D'un pas nerveux, il s'engage dans l'escalier. Déjà, il presse la sonnette. Il est trop tard pour reculer.

La première surprise vient de celui qui se présente. Il ne s'agit pas de Caillaux, mais de Montigny. Ce dernier est grave, tendu et, d'un geste presque brutal, il pousse Chastelain dans le vestibule, fermant sèchement la porte.

— La manœuvre est plus difficile que je ne le pensais, murmure-t-il. Peu avant notre départ de la Santé, le directeur a réclamé une copie des examens que je suis supposé effectuer sur Caillaux.

— Il se méfie ? s'inquiète Louis.

Le médecin hausse les épaules :

— Je crois plutôt qu'il se couvre. Compte tenu de la qualité de son prisonnier, il ne veut pas qu'on l'accuse de ne pas avoir pris toutes les précautions, dans l'hypothèse où celui-ci serait vraiment malade. C'est un réflexe de fonctionnaire. Il lui faut des papiers, des certificats prouvant sa diligence, et qu'il pourra brandir au cas où...

— Ce qui veut dire ?

— Nous devons passer par la clinique de Neuilly avant de retourner à la Santé. Dès lors, tu disposes seulement de quelques minutes. Suis-moi. Joseph Caillaux t'attend dans son bureau. Et fais vite ! Je viendrai te chercher...

Le parquet à points de Hongrie craque quand ils marchent. Les fenêtres d'un salon baigné de soleil sont ouvertes, laissant entrer les bruits joyeux de la ville, mais, désertant cette scène irréelle, Chastelain s'accroche à Montigny qui s'engage dans un couloir. Celui-ci est sombre. Une femme a ouvert la porte d'une chambre et, en voyant les deux hommes, l'a refermée aussi vite, sans dire un mot. L'apparition est blonde, élancée, distinguée. Louis se souvient des portraits que la presse populaire tirait de Mme Caillaux au moment de son procès. Elle était debout, face au tribunal, vertueuse et irréprochable. Elle défendait son honorabilité comme une tragédienne. Le visage croisé aujourd'hui semble apeuré. Louis ne l'a pas détaillé assez pour en dire davantage.

— C'est ici, souffle Montigny en poussant une autre porte sans même frapper.

L'ancien ministre est assis derrière une vaste table encombrée de livres, de dossiers, de lettres décachetées. Un épais parapheur trône devant lui. Louis a le temps d'y jeter un œil. À l'aide d'une plume soignée, il est écrit sur la couverture : *Haute Cour de justice.* Caillaux a pris le risque de se rendre chez lui pour revoir son épouse, mais aussi pour ces papiers qui pourraient le sauver ou l'accabler. S'en servira-t-il pour sa défense ? Les fera-t-il disparaître ? Il ne montre aucune émotion. N'eussent été ces traits tirés et ce teint gris, signes de l'isolement auquel il est contraint, rien ne prouve que cet homme est désormais maudit.

*

* *

— J'ai cru comprendre que, pour beaucoup, je vous devais ce très court moment de... vacances, cingle-t-il. Comment dois-je expliquer l'intérêt que porte un héros de la guerre à un paria comme moi ?

Caillaux ne s'est pas levé, n'a pas tendu la main, posant dans son fauteuil, solide et déterminé. Il siège – il serait plus juste d'en parler ainsi – et vient de se saisir du monocle dont il abuse pour édifier sa contenance. Il joue avec, en gardant le silence, puis se décide à lui rendre son usage. Il en a besoin pour parcourir le contenu d'une chemise qu'il vient d'ouvrir et sur lequel on peut lire : *Louis Chastelain*. En habile négociateur, Caillaux a tout prévu. Il y a trois jours, en apprenant de Montigny la tenue incontournable de ce rendez-vous, sans doute a-t-il fait appel aux rares soutiens qui lui sont restés fidèles pour se faire livrer un dossier circonstancié sur son visiteur. Il sait donc qui lui fait face, marquant ainsi un premier point.

— Ce n'est pas le soldat qui vient vous rencontrer, répond d'un ton calme le capitaine.

— Mais peut-être est-ce un espion que je reçois ?

Il s'empare d'un feuillet où sont détaillés les états de service de son visiteur.

— Ainsi, vous incorporâtes le bureau des Affaires balkaniques au temps du colonel Bontandier. C'était avant la guerre ?

Malgré les circonstances, Caillaux mène l'entretien, faisant preuve d'un aplomb redoutable.

— Oui, monsieur le ministre.

En entendant ce titre auquel il n'est plus habitué, le déchu lève un œil et affiche une grimace narquoise.

— Ce colonel est mort, je crois, reprend-il cependant sans ajouter d'autres commentaires.

— En effet, monsieur le ministre.

Il se tait un instant, pour étudier le visage du capitaine. Il s'attarde sur sa blessure. Il se forge un jugement.

— Un va-t-en-guerre, ce Bontandier, raille Caillaux. N'est-ce pas votre avis ?

— Il l'a démontré, répond-il prudemment.

— Vous travailliez avec lui au moment de l'attentat de Sarajevo ?

— C'est exact.

Et n'est-ce pas le bon moment pour se lancer ?

— C'est d'ailleurs ce sujet que je souhaite aborder avec vous.

Caillaux n'a pu éviter de manifester un signe d'étonnement. Ou d'inquiétude. Comme une faille infime dans son armure.

— Vous n'ignorez pas qu'à cette époque je n'étais plus aux affaires, se ressaisit-il. Vous en savez bien plus que moi, je suppose.

— Peut-être, murmure Louis, bien que je n'en sois pas certain. Au fond, il serait intéressant de comparer ce que vous et moi, nous croyons avoir compris de cette guerre.

— Hélas, le bilan est aussi rapide qu'évident, raille le politique. Un désastre, comme je l'ai toujours prédit.

— Oui, sur ce point, nous serons d'accord.

Caillaux a tiré un faible sourire :

— Vous faites preuve d'une belle audace en ces temps où il n'y en a que pour le triomphe de la guerre. Méfiez-vous ! J'ai appris à mes dépens le sort que l'on réserve aux esprits critiques.

— Parlez-vous de Jaurès, par exemple ?

Caillaux s'est figé. Lentement, il retire son monocle :

— Que sous-entendez-vous ? lâche-t-il d'une voix glaciale.

— Si nous comprenons pareillement les effets du conflit, nous pourrions être tout aussi d'accord sur ses causes.

Caillaux s'est levé :

— À la fin, que voulez-vous ?

— À vous, à votre épouse, je ne souhaite aucun mal. À ceux qui seraient responsables des neuf millions d'hommes morts, le pire châtiment que Dieu puisse imaginer. Je veux, pour eux, un calvaire éternel, une souffrance comme celle que connut le Christ sur la colline de Golgotha.

*

* *

Le visage de Caillaux s'est figé. Ce petit homme au crâne dégarni fait soudain son âge. Il n'est plus qu'une créature qui doute et qui a peur, un condamné en sursis.

— Qui êtes-vous, capitaine Chastelain ? souffle-t-il.

— Une victime comme vous, car j'ai acquis la certitude que nous avons été manipulés. Et pour vous en apporter la preuve, je vous dirai ceci : je connais le rôle que joua Anastasia Ivérovitch dans le drame qui vous a touché. Je sais la vérité sur Jaurès, ajoutant que vous l'avez vu peu avant qu'il ne soit tué. Pour Sarajevo, je fus informé d'un crime voulu et absous par les puissances de l'Europe, et en parlant ainsi, je me montre à vous librement, ne suis l'envoyé de personne, acceptant le risque de vous voir utiliser pour votre propre défense un secret qu'un soldat a juré de ne jamais révéler.

— Arrêtez-vous ! Je suis poursuivi devant la Haute Cour de justice, j'ai perdu ma liberté et le droit de soutenir mes idées. Je ne peux en entendre plus. Cet entretien est terminé.

Il se lève. Louis a perdu, pourtant, il part encore à l'assaut :

— Eh bien moi, monsieur, je ne renoncerai pas ! Et en vous taisant, vous m'obligerez à parler de vous et de ce que j'ai appris, sans votre accord. Et quel sera l'effet de mes révélations quand viendra l'heure de vous juger ?

*
* *

Peut-il aller plus loin ? Certainement pas, mais la menace a porté ses fruits. Caillaux réfléchit. Pour mesurer ce que l'autre sait exactement, il faudrait se découvrir un peu, discuter, parlementer et l'ancien ministre s'y connaît.

— Vous ne savez pas à qui vous vous confrontez, lâche-t-il entre ses dents.

— Je n'ai aucun don pour la peur !

Ce compliment que s'adresse Louis fait sursauter l'ex-ministre qui, d'une voix posée, ajoute :

— J'ai été comme vous, jeune homme. Je le fus jusqu'à croiser la route du mal.

— *Golgotha* ? tente Chastelain.

Caillaux ne bronche pas. Chastelain va se replier, mais la porte du bureau s'ouvre. Henriette se montre. Avant que son mari ne réagisse, elle s'avance vers le visiteur. Puis, se tourne vers Jo, le regard empli de larmes :

— Il faut que tu lui parles. Tu dois lui faire confiance.

— Henriette... supplie l'époux.

Mais elle est aussi décidée que ce jour où elle tira sur Calmette et, sans hésiter, s'adresse à Chastelain :

— Monsieur, j'étais dans ce couloir. Je vous ai entendu sans vouloir vous écouter. Et, si cela fut le cas, n'y voyez aucune curiosité, mais la peur qui me fait redouter, pour moi et mon mari, tout visage inconnu, depuis que l'univers entier s'acharne sur nous...

L'émotion fait trembler sa voix. Les drames qui se succèdent, ces épreuves devenues insoutenables, l'ont brisée, et il lui faut déployer une immense énergie pour se maîtriser.

— La trahison, capitaine, on en réchappe parfois, mais le doute vous suit pas à pas et, tel un poison, la confiance que vous donniez aux autres ne revient que malaisément.

— Henriette, chuchote Joseph. Je t'en prie, viens t'asseoir.

Mais elle lève un bras pour lui faire comprendre qu'elle va mieux et désire ajouter autre chose.

— Vous parliez fort, fait-elle en s'adoucissant, mais, dans vos mots, j'ai cru reconnaître une sincérité qui n'a plus cours dans notre entourage depuis que nous sommes maudits. Je vous sens décidé et fragile comme je l'étais aussi. Ne commettez pas l'erreur de croire que vous pourriez lutter seul. Monsieur, je vous dois cet aveu et qu'il serve à votre salut. Ce que vous appelez *Golgotha* existe. Mon époux m'en a parlé après mon procès. Il m'a expliqué pourquoi il s'était retiré des affaires, cédant à un ignoble chantage dont il restera à jamais la victime.

— Henriette ! intervient Caillaux pour tenter de l'arrêter.

Elle se tourne vers cet homme qu'elle regarde avec affection. Puis revient vers Chastelain :

— À mon tour de vous mettre en garde. Vous ne mesurez pas la puissance de ce à quoi vous songez vous attaquer, glisse-t-elle. Je connais le prix du sacrifice de Joseph et combien il souffrit de se taire pour me sauver.

Elle soupire, sonde une nouvelle fois son mari :

— Faut-il que d'autres que nous subissent ce maléfice ?

Il baisse les yeux, renonce à lui résister. Et c'est assez pour qu'elle se décide à conclure en sachant que ces mots seront dangereux, intrépides, mais qu'elle n'y renoncera pas.

— Monsieur, je vous devine honnête. Et si vous ne venez pas nous tromper, je conjure mon époux de vous dévoiler ce qu'il sait ; de le faire pour votre bien.

Caillaux n'a pas bronché.

— Joseph, répète-t-elle, en le suppliant. Tu dois lui accorder ta confiance. Qui sait, s'il ne peut nous aider ?

Il la regarde et ces deux-là s'aiment vraiment. S'y résout-il pour que quelqu'un sache en dehors de leur couple ce qu'ils ont vraiment connu ? Est-ce pour que ce capitaine témoigne devant Dieu, à défaut des hommes, qu'ils furent victimes d'une entreprise les dépassant ? Est-ce pour libérer son infortunée d'un poids qu'elle ne parvient plus à porter, même avec lui, et dire que son geste ne fut pas celui d'une criminelle ? Se confesser, enfin, pour s'absoudre de ce péché d'avoir tué qui la mortifie ? Il s'agit peut-être de ça. Caillaux pose les mains à plat sur son bureau. Il fixe son visiteur. Il semble enfin enclin à soulager la conscience d'Henriette.

*

* *

— Capitaine, posez vos questions. J'y répondrai, si je peux, lance-t-il à brûle-pourpoint. Et allez à l'essentiel car le temps presse.

— *Golgotha*, commence Chastelain, existe donc vraiment ?

— Selon moi, la réponse est oui, admet sans détour Joseph. Venons-en à mes questions. Comment connaissez-vous Anastasia Ivérovitch ?

C'est le jeu de la vérité. Il faut en passer par là. Chastelain y était préparé. Il avoue sa liaison.

— Elle est donc à Paris ? demande une Henriette tremblante.

— Oui, répond Louis sans hésiter.

— Sait-elle que vous êtes chez moi ? cingle Joseph.

— Je n'ai encore rien dit. Cela dépendra de cet entretien. À moi, voulez-vous ? Depuis quand croyez-vous à l'existence de *Golgotha* ?

— Par mes contacts avec le monde des affaires, j'ai toujours su qu'il existait des cartels privés liant des intérêts avec les milieux militaires et politiques. Mais *Golgotha*, c'est autre chose. Et bien plus dangereux.

Il baisse la tête pour ne pas avoir à regarder son épouse et sa voix s'éteint quand il ajoute :

— J'en ai eu la preuve après le... geste d'Henriette au *Figaro*.

Il se reprend aussitôt pour s'adresser à elle à la façon d'un ordre qu'il jette brusquement, comme à contrecœur :

— Maintenant, laisse-nous. J'expliquerai, dans le temps qu'il me reste, tout ce qui est possible. Je le promets et tu sais que je le fais pour toi.

— Merci, souffle Henriette qui s'éclipse, abandonnant les deux hommes à leur entretien.

Cette fois, ils entrent vraiment dans le vif du sujet.

65

Les minutes ont passé trop vite. Montigny a ouvert la porte du bureau et ce geste a suffi pour que Caillaux se lève. Il raccompagne encore son visiteur au seuil de l'appartement. Au moment des adieux, il précise que ce rendez-vous n'a, bien sûr, jamais existé et, s'adressant à Montigny, lance d'une voix sombre :

— Pour votre part, cela semble évident...

Puis fixant froidement Chastelain, il ajoute :

— Si nous devions nous croiser – je parle évidemment d'un cas qui se produirait après mon procès, dans l'hypothèse où celui-ci tournerait en ma faveur –, nous nous ignorerions. Je ne vous connais pas, je ne vous ai jamais rencontré et, en aucune circonstance, nous ne ferons mention de cet entretien.

C'est la condition imposée par le proscrit.

— Soyez certain, assène-t-il, que je me parjurerais s'il vous venait l'idée de me prendre à témoin. Ce que je vous ai confié est d'ordre privé. Vous ne pourrez en faire usage dans une action contre des tiers.

— Oui, si vous m'expliquez cette prudence.

— Le procès qui m'attend sera dur. Je ne m'en sortirai qu'en jouant la prudence. Aussi, chacun de nous restera dans sa partie. Ne comptez pas sur moi pour me joindre à votre croisade. La mienne se résume à ce mot : survivre. Pour le reste, je me sens désormais impuissant.

— Monsieur Caillaux, s'interpose Montigny. Nous devons partir.

— Je vous suis, répond sobrement son prisonnier. Accordez-moi cependant un instant afin d'embrasser mon épouse.

Montigny se tourne une dernière fois vers le capitaine, puis la porte se ferme, doucement, sur cette silhouette dont la fragilité cache un si grand courage. Pas un mot, non, pas un, mais un regard affectueux qui semblait dire : « Voilà, c'est fait. Tu as eu ce que tu voulais et dont je ne veux rien savoir... Ne te soucie pas du reste. Je m'occupe de tout. » Et pour remercier cet ami, Chastelain n'a pu, n'a su que baisser les yeux.

Dehors, l'ambulance patiente toujours. Louis se mêle au flot des passants et cale son pas sur le tempo de la rue. Cent mètres plus loin, il n'est plus qu'un point dans la masse. Alors, il s'arrête pour observer l'entrée de l'immeuble de Caillaux. Trois minutes s'écoulent avant d'entrevoir Marcel de Montigny et le passager clandestin. Ils s'engouffrent dans l'ambulance qui démarre aussitôt et fonce pour ouvrir un sillon dans la cohue. Fallait-il prendre tous ces risques, mettre en danger Montigny ? Chastelain refoule ses scrupules. Il pense en avoir appris assez pour rejoindre en courant Heinrich von Miezterdorf. Déjà, la question suivante brûle ses lèvres : maintenant, que feront-ils de tout cela ?

66

Heinrich n'en tire aucune satisfaction, mais sur tous les points, il avait vu juste. Du moins, quand Joseph Caillaux a bien voulu se confier à Louis Chastelain.

— Il a en effet rencontré Jaurès le jour de sa mort afin de lui parler d'une organisation secrète agissant pour le déclenchement de la guerre.

— *Golgotha* ?

— C'est aussi le nom qu'il lui donne.

Les deux amis se sont retrouvés dans l'appartement du Français qui a commencé son récit en racontant en détail les circonstances de son entrevue avec Caillaux. Il le fait volontiers et sur un ton léger car, peu avant, Montigny lui a téléphoné. Le retour au « bercail » s'est bien passé et, a ajouté le médecin en se retenant de rire : « Le directeur est satisfait des résultats. Son patient se porte à merveille. Il l'a même trouvé ragaillardi par sa petite *promenade*... » Ces bonnes nouvelles ont transformé Chastelain. Il exulte, ne peut rester en place, annonce qu'il regorge d'idées, de pistes, d'espoirs et l'on pourrait croire à une réunion de guerre. Porté par l'élan, il a tombé la veste, ouvert une bouteille de chablis, tranché le pain et le saucisson. C'est décidé. Il campera toute la nuit, s'il le faut.

— Garde ton calme, tempère Heinrich. Compose... avec l'esprit de Goethe, avance par étapes. D'abord, comment Caillaux connaît-il le nom de *Golgotha* ?

— C'est le point le plus flou, concède Chastelain. Il ne dispose pas de preuve formelle de l'existence de *Golgotha*.

— Alors, comment peut-il en parler ? cingle logiquement Heinrich.

— Il procède par recoupements. Il se sert de ses liens avec le milieu des affaires, mais on l'accuse de s'y être égaré. Cela le rend prudent.

— Ce n'est donc qu'une intuition ?

— Oui, bougonne Louis. Mais je pense qu'il en a dit moins qu'il ne sait. Il cite un certain Minotto, un comte italien affairiste, doublé d'un espion. Selon Caillaux, cet homme aurait prononcé devant lui le nom de *Golgotha*.

— À quelle occasion ?

— Après l'acquittement de son épouse, les Caillaux ont entrepris un voyage en Amérique du Sud. Bien qu'écarté du gouvernement, Joseph avait été chargé de négocier dans la région la livraison de matières premières à la France pour les temps de guerre. À cette occasion, il fut en contact avec un groupe d'industriels qui voyait dans ce conflit un biais pour s'enrichir. Loin de l'Europe, les langues se déliaient. L'impunité qu'offre la distance facilitait les confidences. À Buenos Aires, Caillaux rencontra Minotto. Celui-ci se vanta d'avoir outrageusement spéculé, connaissant par avance la date exacte du début des hostilités, et affirmant même être protégé par *Golgotha*.

— Caillaux l'a pressé de questions ?

— Ce fut inutile. Depuis l'assassinat de Calmette par son épouse, il connaissait l'existence de cette organisation.

— Comment ?

— Un homme l'a contacté après la mort du journaliste, l'assurant du salut de sa femme s'il quittait ses fonctions politiques. Et cela a suffi pour qu'il devine le complot. On s'en prenait au pacifiste. C'est donc que l'on voulait la guerre. Et ce « on », pour Caillaux, s'appelait *Golgotha*.

— Cet homme, ce messager, portait-il un insigne ?

— Oui. Une broche en or. Une étoile aux branches ciselées ornées de diamants.

— *Gut*, jubile Heinrich. Et qui se cache derrière cette organisation, selon lui ?

— Il croit à une entente fondée sur l'argent.

— C'est un peu court, bougonne l'Allemand. Des faits ! Il nous faut des noms, des dates, des lieux ! Le reste n'est que spéculation...

— Il dispose d'un dossier sur un dénommé Basil Zaharoff, reprend Chastelain. Il s'est posé cette question : à qui a profité le crime ? Or, la guerre a rapporté des centaines de millions à ce marchand d'armes. Zaharoff a vendu au seul Royaume-Uni cinquante sous-marins, autant de navires de surface, des dizaines de milliers de canons, de torpilles, de mitrailleuses et plus de cinq mille avions. Tout cela ne s'est pas fait sans aide. Caillaux aurait des noms, des dates, et même, je le crois, des preuves de virements bancaires discutables. Mais il n'a pas voulu m'en dire plus. Il a juste ajouté qu'il trouvait étrange que le décret élevant Zaharoff au rang de chevalier de la Légion d'honneur ait été signé le jour de l'assassinat de Jaurès. Il ne croit pas à la coïncidence. Selon moi, il possède d'autres... éléments pour le cas où il se sentirait menacé. Il doit y penser comme à une sorte de monnaie d'échange, de donnant-donnant dans l'hypothèse où ses ennemis se feraient menaçants. Et, si cela survenait, j'y verrais la preuve de l'existence de compromis boueux au plus haut niveau des États.

Heinrich se détend. Le dossier avance. Il passe au point suivant.

— Jaurès ? Qu'a-t-il dit à son sujet ?

— Quelques heures avant sa mort, Caillaux a raconté au dernier des pacifistes ce qu'il supposait – ou soupçonnait – à propos d'un cartel qui œuvrait pour la guerre. Il a livré certaines pièces et fait jurer au patron de *L'Humanité* de ne jamais le citer. Caillaux redoutait qu'on s'en prenne de nouveau à lui et à son épouse. N'oublie pas qu'il vivait sous le coup d'un chantage. En revanche, Jaurès était libre d'agir. C'est pourquoi il décida de dénoncer le complot en écrivant un article. Mais il s'engagea aussi à ne pas livrer ses sources et à ne parler, du moins dans l'article, que de Basil Zaharoff. Il voulait ainsi illustrer cette menace dont le nom pouvait être *Golgotha*. Caillaux donna son accord et trouva même le titre.

— « J'accuse », murmure Heinrich. Mais cet article a disparu...

— Et Caillaux, poursuit calmement Chastelain, a assisté en spectateur impuissant à l'enchaînement des faits dont il devinait la fin depuis l'attentat de Sarajevo.

— Bon sang ! enrage Mietzerdorf. Comment a-t-il pu se taire ?

— Je le comprends, plaide Chastelain. Il n'avait plus de pouvoir. Il était proscrit. Sa femme avait assassiné un homme, et lui-même se savait harcelé. Hurler quand personne ne désire t'entendre ? L'opinion voulait la guerre. Qui aurait cru ce dirigeant déchu ? Il n'était plus que le mari d'une criminelle et on l'accusait de forfaiture. On aurait soupçonné son engagement pacifiste. Et pour avertissement, il y avait la mort de Jaurès. Ne valait-il pas mieux qu'il reste vivant ?

Heinrich n'est pas convaincu.

— Sinon, nous ne l'aurions jamais entendu, insiste Louis.

Mais ce n'est pas encore assez.

— Et il n'aurait pu me donner ceci.

*

* *

Il sort délicatement de sa veste une lettre pliée en quatre. La plume est nerveuse. Il y a quelques ratures. C'est écrit d'un jet.

— Voici l'article de Jaurès. Celui qui avait disparu. Il s'agit du projet que le tribun socialiste a rédigé en présence de Caillaux. Dicté et écrit sur le vif, avant la version finale destinée au journal. Tout y est. Y compris le nom de *Golgotha*. Caillaux l'a récupéré avant de quitter Jaurès. Et jusqu'à ce jour, il n'en avait jamais parlé.

PRINCIPE DE GOLGOTHA

Rapport du Neuvième Décemvirat
Paragraphe 12

Au-delà des chiffres – singuliers et saisissants –, la Grande Guerre de 1914-1918 a donné plus de force au Principe de Golgotha que toutes les doctrines et les dogmes vénérés par le monde politique. La der des ders, *ainsi qu'on l'appelait, non sans humour, a prouvé l'incapacité des États à régler – simplement normaliser – une crise humaine. Quelle est donc cette invention dont la finalité est de servir son prochain et qui prouve, tant dans les situations de paix qu'en période de guerre, qu'elle ne sert à rien, et produit le pire ? L'État est incapable de rendre ce qu'il prend, et, tout autant, de protéger celui qui lui confie son sort. Il ne sait qu'appauvrir. Il ne sauve ni ne libère. Il n'égalise ni ne fraternise. Il se dit providence et fait la guerre. Il fabrique le vice et la haine, il corrompt toutes les espèces. Il n'est en aucune sorte une solution, mais un péril.*

Ce constat est si grave que l'État, après avoir détruit les richesses des générations éteintes, ruine celles des survivants – les miraculés de ses exactions. La Première Guerre mondiale n'a pas réglé les conflits qui divisaient les peuples, mais les a amplifiés, sécrétant le désastre suivant. La lecture du traité de Versailles est accablante. On se prend à croire, Frères de Golgotha, que ses inventeurs ont conçu ce « règlement » de la paix dans le seul dessein de l'enterrer. À combien se sont-ils mis pour produire cet acte suicidaire ? Peut-on croire qu'autant d'intelligences n'aient pu réussir ? Oui, il serait tentant d'accuser la bêtise des hommes. Mais la vraie raison n'est pas là. L'État, à nouveau, a voulu se servir et se fortifier. L'État n'a rien souhaité régler puisqu'il lui fallait céder sur l'orgueil, rendre un peu de son pouvoir, partager, en somme. Or nous savons qu'il ne sait rien de ce mot. L'État prend, vole, spolie ses propres citoyens. Pourquoi ne réserverait-il pas un sort aussi consternant à ceux qu'il déteste au point de leur faire la guerre ? Confier le règlement de la paix aux États, à ceux qui ont produit la guerre, revient à demander au criminel de rendre la justice. Et les masses subjuguées suivent la cadence, espèrent en un miracle, se laissent berner par ceux-là mêmes qui ne leur ont offert que du sang, que des larmes.

Les vainqueurs sont-ils sortis plus forts de la guerre ? On venait à peine de tuer le dernier soldat que l'Entente des gagnants s'effritait. Ah ! quelle saillante douleur d'apprendre que vaincre – c'est-à-dire tuer – est une chose, mais que de se proclamer vainqueur en est une autre. Dans ce petit détail tiré du vocabulaire gît l'abomination des États. De vainqueur, il ne peut y en avoir qu'un. Et, en 1918, aucun État ne voulut céder ce titre. Pourquoi Foch signa-t-il si vite l'armistice ? Était-ce pour sauver des vies ou, plus misérablement, parce que l'Angleterre craignait que la France ne détruisît l'Allemagne ? À Clemenceau qui lui reprochait d'avoir suivi le conseil de cet allié, Foch répondit qu'en faisant durer la guerre, il offrirait à l'Amérique le profit d'une grande victoire et qu'il n'en était pas question. D'ailleurs, après avoir organisé la mort de millions d'hommes pour détruire l'Allemagne, on décida de l'épargner un peu, car c'était un rempart contre les Rouges de Russie. Quel beau casse-tête, la politique, et son appendice diplomatique, alchimie de coups tordus, de chausse-trapes, de trahisons ! Un bel exemple pour ces peuples à qui l'État impose sa morale. Ainsi, le traité de Versailles n'eut que ce seul résultat jubilatoire : il ne réglait rien.

Le Décemvirat se réunissait, le 6 août 1919, dans le Sud espagnol, en Andalousie. L'hacienda du Fils de Canaan, ce Frère Magistrat, était un paradis sur terre. Partout où le regard portait, ce n'étaient que vallons et collines, champs d'oliviers et de blés, pâturages immenses, troupeaux aux têtes innombrables, dont l'élevage renommé d'une lignée de taureaux livrés chaque année, au moment de Pâques, aux arènes de Séville. Des hommes montés à cheval, et vêtus de vestes de couleur carmin, étudiaient infatigablement le caractère de ces vaillants guerriers, excitant le sang de l'animal à l'aide de longs pieux aiguisés qu'ils plantaient dans ses flancs ou dans son cou pour éprouver sa férocité. J'avais quitté la chambre que j'occupais pour chercher la fraîcheur sous un préau décoré de fontaines d'eau pure et de plantes verdoyantes. Une jeune servante s'avança et me proposa à boire. Ses yeux ne regardaient que le sol. Je pus détailler sa taille légère, ses bras nus et très fins, sa chevelure de jais qui retombait sur ses épaules et la rendait plus désirable. Elle semblait docile. Le Fils de Canaan savait recevoir.

J'avais l'esprit ailleurs. Je devais me concentrer sur le rapport politique que l'Archange m'avait demandé d'établir sur les conséquences de la guerre. Agios de Sparte se chargeait des aspects économiques et les nouvelles s'annonçaient excellentes. Le Levantin, ce jeune Frère dont j'avais découvert l'existence à Venise, en 1914, devait aussi intervenir. Il exposerait les développements de nos intérêts dans le domaine du pétrole, les armes étant, pour un temps, un secteur dévalué. C'était la première fois que j'étais autorisé à m'exprimer au sein du Décemvirat et l'émotion me gagnait. Mon intervention se ferait sans note. De même, il m'était interdit d'en prendre. Le secret reposait également sur cet apprentissage.

Pour ma part, le traité de Versailles se présentait comme l'ultime avatar de la décadence des États. L'Alle-

magne perdait ses colonies, une partie de son territoire et ses droits militaires. Son sort était réglé sur le plan industriel et économique puisqu'elle devait accorder la clause de la Nation la plus favorisée à tous les vainqueurs et se voyait privée de la propriété de ses brevets. Ce pays était fini. Je le dis. Mais en m'exprimant ainsi, je compris que l'Archange ne partageait pas mon point de vue. Troublé, j'attaquai le point suivant, plus décidé que jamais à prouver le succès de notre Principe. La France, affirmai-je, ne tirait aucun avantage substantiel de la guerre et en sortait affaiblie. Clemenceau méritait le titre de « Perd la Victoire ». Je survolai ensuite l'effondrement des Empires austro-hongrois et ottoman, réjouissant bilan d'une guerre qui cisaillait les puissances et multipliait les États aussi arrogants que petits. J'en vins à la Russie qui épuisait l'espoir inatteignable du socialisme dans des querelles intestines et meurtrières. La Révolution, entamée en 1917, n'en était qu'à ses débuts et promettait une longue période d'incertitudes et de déchirements. Blancs contre Rouges, une nouvelle bataille se livrait et le peuple affamé, déchiré, prenait tous les coups, annonçant des millions d'autres morts. Ainsi, le délabrement du tsarisme se poursuivait alors que les restes de son chef et de sa famille croupissaient depuis peu dans la chaux vive. Enfin, je conclus sur les ambitions du chef de l'État américain, Woodrow Wilson, un homme petit. Il me semblait que sa volonté de créer une Société des Nations sonnait la fin des États souverains. Je citai ses mots : la libre détermination des peuples, l'autonomie de ceux d'Autriche-Hongrie, la liberté de navigation et de commerce, la fin de la diplomatie secrète, et, même si cela nous pénalisait, la réduction des armements. « Golgotha avance », ai-je lancé naïvement. Et je me permis de solliciter la sagesse du Décemvirat pour perpétrer le coup de grâce.

Les regards me quittèrent pour se porter sur l'Archange. C'était à lui de réagir, et d'abord, en donnant son avis sur le rapport que j'avais produit. Il commença par les félicitations d'usage et, sans attendre, il en vint au fond. «Je vois, dans l'exposé de Chimère, deux façons de lire cette guerre et je pose la question : à quoi a-t-elle servi? Sur le plan financier, le profit n'a jamais été aussi élevé, mais je rappelle au Décemvirat que la finalité de notre cause n'est pas l'enrichissement. Du moins, pas uniquement. L'argent est un moyen dont nous maîtrisons l'usage. N'en tirons aucune gloire. C'est un triomphe facile, puisque nous en connaissions le début, le milieu et la fin. Maintenant, que regardons-nous? Des États moribonds. Qu'imaginons-nous? Comme pour les taureaux du Fils de Canaan, leur donner la mort. L'hypothèse se tient et l'affaire est tentante. Mais le bilan de la guerre nous apprend aussi que la disparition des États est chose peu aisée. Ce Neuvième Décemvirat affronte les mêmes affres que celles que connurent nos Frères précédents. L'État est immonde, mais doué d'une capacité de survie exceptionnelle. Je ne partage pas le point de vue de Chimère sur la fin des États et j'en suis désolé. Je les crois plus résistants. L'Allemagne se redressera. Ma conviction porte un nom : l'humiliation. Et cela lui suffira. En quoi ce sursaut nous sera-t-il utile? Peut-être à porter le coup de grâce, quand l'idée de la guerre resurgira. En attendant, je pense préférable de s'en tenir à cette idée : faire en sorte que les États vaincus et vainqueurs ne redeviennent jamais les puissances qu'ils ont été. Le serpent procède ainsi. D'abord, il tue sa proie avec son venin, mais attend pour la manger qu'elle se décompose et pourrisse. Il le fait pour ne pas s'empoisonner. Il me semble que nous avons dépensé une énergie considérable pour que cette guerre éclate. Les risques pris étaient élevés. Il a fallu recruter de nombreux ouvriers, agir parfois à visage découvert. La force de Golgotha est son hermétisme. Or, je ressens une inquiétude. Sommes-nous certains de vivre toujours dans le secret? Pour moi, le moment est venu de s'assoupir en veillant à ce que les États d'hier ne soient plus ceux qu'ils furent. Voilà mon avis sur l'Europe. Et aussitôt, j'en viens à cette Amérique qui monte. Par cet effet de balancier que nous avons déjà connu, ceux qui meurent se voient remplacés par d'autres. L'Amérique sera la puissance de demain. Je note, tout d'abord, que ses positions sont encourageantes et nouvelles par rapport aux vieux États. Elle parle de liberté, pense à un univers sans frontières et, comme le rappelait Chimère, l'idée d'une Société des Nations pourrait achever les États, débouchant sur un monde sans barrières, sans lois nationales, donc plus facilement contrôlable. Bien sûr, nous ne confierons pas cet espoir au destin. Nous veillerons à ce que les États se ruinent et se déchirent, sans quitter des yeux l'Amérique. Si la tentation totalitaire de dominer le monde lui survenait, nous créerions la guerre. Dans ce cas, nous userions de toutes les armes. Le seul emploi des moyens financiers dont nous disposons nous permettrait, par le jeu de la spéculation et de la crise boursière, de ruiner ce pays si attaché à l'argent. Aussi, je propose d'observer patiemment les effets de cette guerre, sans triomphalisme ni résignation et de ne décider qu'ensuite. »

L'Archange se montrait prudent. À l'action, il préférait l'attente et le Décemvirat trancha en sa faveur. Longtemps, j'ai cru que la décision se joua sur le fait que j'étais jeune et fougueux. Pourtant, d'innombrables solutions se présentaient : exporter la révolte rouge, attiser la famine dans les pays vaincus, désorganiser la reconstruction en fomentant grèves et faillites, financer l'anarchisme et multiplier les attentats, soulever les peuples des colonies exploités et saignés par la guerre, éventer le montage honteux de Sarajevo dans lequel s'étaient compromis les gouvernements. Oui, les États pouvaient sombrer, mais le Décemvirat avait choisi une autre voie et, mûrissant mon échec, j'en vins à me persuader que l'effroi enfanté par cette guerre jouait son rôle. La chaleur de Séville n'expliquait pas totalement l'abattement du Décemvirat. Les Magistrats semblaient eux-mêmes consternés par les conséquences de la guerre sur les peuples. La boucherie et la ruine qui lui servaient de cadre les exté-

nuaient, comme si leur conscience s'éveillait. Sans l'avouer, ils réclamaient une pause, ai-je conclu, quand je continuais à croire que notre Principe s'imaginait dans l'urgence. Mais je me trompais. Le Décemvirat n'avait pas renoncé.

La nuit, alors que je dormais avec la jeune servante, l'Archange frappa à ma porte. Il souriait et le dépit s'envola. Il m'invita à sortir pour marcher : « Pour comprendre ma position, celle qui vous a déçu, il vous faut connaître certains faits. En premier lieu, le nom de Golgotha circule. De même, notre insigne a été trop vu. Notre Principe repose sur le secret. Une fissure suffit pour qu'il s'écroule. En deuxième lieu, ne jugez pas la puissance de Golgotha à ses moyens matériels. Sa vérité se fonde sur les certitudes du Décemvirat. Avant d'engager ce qui sera notre prochain combat, il ne lui faut souffrir d'aucune dissension et retrouver son énergie. Je me suis opposé à vous car vous n'auriez pas été suivi et je vous veux incontesté pour le moment où vous devrez jouer un rôle très important. » Il se retourna et partit. Le souvenir de ce jeune Américain approché par Agios de Sparte me revint. La peur m'étreignit. Les risques dont parlait l'Archange venaient-ils de là ? « Ne craignez rien, me lança-t-il de loin. Il est mort à la guerre. Maintenant, profitez de la paix puisqu'elle ne durera pas. »

67

Agir ou se taire ? Au matin du 5 juillet 1919, le débat se résume ainsi. Le Français et l'Allemand en ont parlé toute la nuit et le plus décidé des deux est Louis. Si on l'écoutait, il faudrait écrire ce qu'ils savent, y joindre l'article de Jaurès et se précipiter dans les rédactions des journaux. Qu'ils soient de gauche ou de droite n'a aucune importance. Il y a de quoi plaire à toutes les factions. Les pacifistes, les socialistes, les *Camelots du roi*, les patriotes, et surtout le peuple qui compte dans chaque famille au moins un mort. Chastelain avance, imagine une manifestation géante qui, partant de la Bastille, et déroulant jusqu'à la République son flot continu d'innocents dupés, réunirait en uniforme bleu les hommes encore vivants, et puis les veuves des autres et les orphelins, et encore les gueules cassées et, dans un élan de fraternité européenne, cette vague grossirait encore et deviendrait un ouragan, porté par la multitude des citoyens meurtris par la guerre. Victorieux et défaits défilant en se serrant les coudes jusqu'aux marches du Parlement, et obligeant les députés à se joindre à eux pour juger les coupables. Chastelain y pense sans doute comme un moyen de se libérer, de s'absoudre, de se pardonner. Mais Heinrich von Mietzerdorf est plus prudent. Plus réaliste aussi.

*
* *

Son esprit réclame la rigueur. Pour frapper l'imaginaire, pour soulever les Nations, pour galvaniser l'opinion, il faut des éléments précis et une accusation sans appel. Pour se lancer dans cette croisade, il veut des arguments simples qui éclaircissent ces trois questions : qui, comment et pourquoi ?

— *Qui* ? commence-t-il. Qui est *Golgotha* ? insiste-t-il.

Louis ne peut que répéter qu'il s'agit d'un cartel, d'une entente, d'un groupe. Heinrich grimace et frotte sa joue mal rasée. Voilà une réplique qu'il juge imparfaite. Ce n'est pas ainsi, sur des rumeurs, du flou, de l'artistique, a-t-il même ajouté, que l'on soulèvera le monde.

Comment ? L'Allemand se propose de répondre. Concussion, malversation, il prend pour hypothèse que ce sont les armes de *Golgotha*. Mais a-t-on des exemples précis ? Les journaux sont remplis de scandales et d'affaires nauséeuses. Ajoutons-y l'accusation de crimes et d'attentats, mais ce n'est qu'une hypothèse. Il en faut davantage pour créer l'indignation.

Enfin, vient le *pourquoi* ? Et c'est encore plus vague.

*
* *

— L'argent, tout simplement, le profit, s'agace Chastelain. C'est toujours la même raison.

L'Allemand est plus sceptique :

— Ça ne colle pas avec l'histoire de l'Américain William Sturp. Tu m'as dit que l'individu qui portait un insigne lui avait parlé de reconstruire le monde en détruisant celui qu'il connaissait. Dans ce milieu, j'imagine que ce n'est pas le discours qu'on tient à un homme de main au moment de le recruter. On l'appâte avec des sommes rondelettes et des comptes bancaires bien remplis. Mais supposons, puisque cela semble plus simple, qu'il s'agisse d'un lobby d'affairistes. Ton affaire est banale, car personne n'ignore que certaines cliques ont tiré profit de la guerre, et tu y ajoutes un monde obscur, gouverné par des personnages au dessein énigmatique. Pour dénoncer ceux de *Golgotha*, il faut, mon cher ami, que tu donnes des noms.

— Tu oublies l'article de Jaurès, espère triompher Louis.

Heinrich s'empare de la feuille qui est posée sur la table. Le texte est très court. Au recto, l'accusation. Au verso, trois noms qu'une plume a rayés et un seul clairement entouré. C'est celui de Zaharoff.

— C'est un brouillon, mais ta prise reste intéressante, concède-t-il. Toutefois, je me demande pourquoi Caillaux te l'a donnée.

— À mon sens, il l'a fait pour sa femme. Lui, il ne bougera pas, de peur que sa situation n'empire. N'oublie pas qu'il sera bientôt jugé. Si on le condamne, il se morfondra à la Santé et, de plus, il ne reviendra jamais aux affaires. Or, il le veut. Il me l'a dit. Il désire sa revanche. Cet habile politicien sait que, pour s'en sortir, il doit se montrer docile et ne heurter personne, pas même ses ennemis. Sortir l'article de Jaurès revient à s'en prendre à la guerre. Même si cette cause est noble, la meute se jettera sur lui, le traitant de pacifiste et faisant resurgir ses relations avec les milieux financiers allemands. Il coulera pour de bon. En revanche, si un capitaine, de surcroît héros de guerre, accompagné de...

— Tu veux parler de moi ?

— *Jawohl, Hauptmann* Heinrich von Mietzerdorf. Donc, si ces deux personnes, dont le patriotisme envers leurs pays est prouvé, enfourchaient leurs montures et se jetaient à l'assaut, le testament de Jaurès leur servant de glaive et de bouclier, je crois qu'il ne serait pas contre et en tirerait même une certaine satisfaction. Voire le moyen de se remettre en selle en apparaissant comme la victime.

— Tu es certain qu'il pense à nous comme aux Grecs prenant Troie par la ruse ?

— J'explique ainsi qu'il m'ait confié si facilement l'écrit de Jaurès, répond-il logiquement. Et je précise qu'il ne m'a pas interdit d'en faire usage.

— Soit, ronchonne Heinrich. Étudions encore ce précieux document.

Il le prend et le lit entièrement.

*
* *

« Il faut la guerre et la mort de Jaurès... » « Herr Jaurès ne vaut pas les douze balles du peloton d'exécution, une corde à fourrage suffira... » Voilà des menaces qui me rendent sûr de moi et me donnent envie de me battre pour la paix, de croire que le combat n'est pas perdu. C'est pourquoi je supplie les vivants de lutter contre le monstre qui apparaît à l'horizon et dont le nom pourrait être Golgotha. Je n'ai peur ni de ceux qui se cachent derrière, ni de la mort. Demain, quand ils comprendront, en me lisant, ma rage à vouloir la paix, ils me maudiront et voudront m'abattre. Mais ensemble, nous les ferons reculer. Nous résisterons à leur barbarie.

Voilà peu, au Pré-Saint-Gervais, nous étions cent cinquante mille rassemblés pour dire non à la guerre. Nous sommes toujours les plus nombreux. Donc, rien n'est perdu. Le péril se veut grand, mais il n'est pas invincible. Son nom, je le répète pour que chacun le déteste, le hurle : Golgotha – *qui pousse le peuple à brandir sa torche pour que brûle sa vie. Mais qui est* Golgotha*? me demandez-vous.*

Alors, j'accuse les affairistes, les marchands d'armes, l'engeance odieuse du capitalisme de vouloir fomenter une guerre universelle qui mettra aux prises tous les continents. À eux qui veulent la guerre, je la déclare solennellement. Je veux leurs têtes. Je veux qu'on les juge, les condamne, car il se pourrait que le drame ne repose qu'en leurs mains. Puisque le temps presse, je les accuse brutalement de vouloir une planète rougie par le sang des hommes et je livre un nom pour tous ceux qui se cachent et pour qui vos fils, vos maris, vos amis devraient mourir. Demain, j'en livrerai un autre. Et je procéderai ainsi, jusqu'à les démasquer tous et les punir. Car il se pourrait que pour eux, le temps soit aussi venu d'avoir peur.

JEAN JAURÈS, le 31 juillet 1914.

*
* *

Heinrich repose la feuille et soupire profondément :

— *Il se pourrait que*... Belle nuance de la langue française. Je n'aime pas cette prudence. Elle affaiblit l'accusation.

— C'est une tournure de style, s'entête Chastelain. Ces gens étaient connus et Jaurès écrivait dans l'urgence. Il a tenté de dresser un ultime barrage. Lis toi-même. Au verso, le premier nom livré est celui de Basil Zaharoff.

— Les trois suivants sont barrés, grommelle Heinrich. Et ce sont des inconnus : Jonathan Garrett, Richard Kessler, Wilfred Mein.

— Mais tu reconnais ainsi qu'on peut les déchiffrer... Crois-tu que l'on allume la mèche et jette une bombe contre ces hommes sans prendre de gants ?

— C'est exactement ce qui me dérange. La situation est dramatique, la paix est en train de perdre et Jaurès agit avec réserve. Il parle de donner un nom par jour. Distiller de si graves accusations quand la guerre frappe à la porte ? Cette prudence, ce soupçon entretenu par lui s'apparentent à un effet de manches. Non, je n'en démords pas. Jaurès accuse, mais il manque de preuves indiscutables.

— Possible, marmonne Louis en reposant l'article. À moins qu'il ne veuille ménager son effet en livrant en premier le nom le plus connu.

— Son accusation était fragile, voilà tout.

— Sans doute, ajoute le Français en repartant à l'assaut. Mais je le comprends. Basil Zaharoff bénéficie de puissants appuis au sein même du gouvernement. Jaurès a cité ce nom en se fiant à Caillaux. Mesures-tu le courage du socialiste ? Caillaux est radical. Il pense que le marchand d'armes pourrait avoir des liens avec *Golgotha* et Jaurès met, sans hésiter, sa crédibilité en jeu sur la parole d'un homme qui traîne un lourd passé. Moi-même, je n'ai pas vu le dossier sur Zaharoff qu'a évoqué Caillaux. Je dois lui faire confiance. Et c'est le cas.

— Serait-il prêt à témoigner en jurant qu'il disait la vérité ?

Chastelain ne répond pas. L'ancien ministre lui a fermement fait comprendre qu'il refuserait.

— Il est évident, reprend Heinrich, que Basil Zaharoff s'est enrichi en vendant des armes. S'en est-il caché ?

— On dit qu'il est l'homme le plus fortuné du monde, rétorque Louis sur la défensive.

— Quelle nouvelle ! Crois-tu qu'elle soit suffisante pour en faire un coupable ?

Chastelain se mure dans le silence.

— D'accord, bougonne Mietzerdorf. C'est un corrupteur parce que c'est écrit. Mais ceux à qui tu montreras la lettre de Jaurès n'ont-ils pas aussi les mains sales ? Zaharoff fréquente les sphères politiques et les portes s'ouvrent pour lui. Il est décoré, honoré et tu voudrais que les mêmes qui le craignent, ou le respectent parce qu'ils sont ses complices, ouvrent les oreilles et les yeux quand tu leur diras que ce puissant personnage est un criminel ?

— C'est bien ce qui freine Caillaux, reconnaît Louis.

— En habile politicien, il se tait. Il connaît le pouvoir de Zaharoff.

— Il a eu la franchise de me mettre en garde. Et pour mesurer le poids du marchand d'armes, il a pris soin de me rappeler que Poincaré lui avait remis la Légion d'honneur le jour où Jaurès fut assassiné.

— Tu me l'as déjà dit, raille Mietzerdorf. Sans douter de Caillaux, son information n'est pas gratuite. Voulait-il que tu en déduises que cette décoration prouvait la collusion entre Poincaré et Zaharoff – et donc, *Golgotha* ? Caillaux et Poincaré sont ennemis. Et tous les coups se font en politique... Alors, méfiance. Nous ne disposons que d'indices obscurs et de notre intuition. Crois-moi, nos déductions, malgré la foi que nous y attachons, ne suffiront pas à éveiller l'intérêt. Espères-tu alerter les élus, saisir les juges sans savoir si certains d'entre eux n'ont pas de liens avec *Golgotha* ? Penses-tu dire qu'un colonel, mort en héros, était au courant pour l'attentat de Sarajevo ? Tu seras lynché par l'armée et je ne donne pas un jour avant que tu ne sois occis dans une ruelle sombre et sans témoins. Alors, on parlera de toi comme d'un déséquilibré, d'un soldat détraqué par la guerre. On soufflera l'idée que tu prends de la cocaïne. Et tu n'auras que moi pour fleurir ta tombe. À moins, bien sûr, qu'on ne me fasse aussi la peau.

— Alors, que proposes-tu ? enrage Chastelain.

— Retrouver Anastasia Ivérovitch qui, je te le rappelle, a aussi son mot à dire, répond-il d'une voix calme. N'est-ce pas grâce à elle que tu as levé une partie du voile ? Te souviens-tu qu'elle a eu le courage de parler la première, avouant son rôle auprès de Mme Caillaux ? Ne crois-tu pas que tu lui doives la vérité ?

Heinrich touche encore sa barbe :

— Un bon bain, du café et tu me la présentes. D'ailleurs, je suis impatient de voir celle qui, à tes yeux, est la plus belle femme du monde.

68

— Ni se taire ni agir. Mais ne jamais oublier.

Anastasia avait écouté sans prononcer un seul mot. Puis, elle avait donné son avis. C'était toujours le 5 juillet 1919 et le jour s'achevait.

Plus tôt, Louis s'était présenté à l'appartement de la comtesse pour lui annoncer d'importantes nouvelles et il réclamait un entretien qui lui permettait d'espérer qu'ils arrêteraient une position commune. Le ton solennel employé et le fait qu'il soit resté sur le pas de la porte, hésitant à s'approcher d'elle, renseignaient douloureusement Anastasia Ivérovitch. Un bouleversement irréversible de leur relation se produisait. Louis ne put s'empêcher de jeter un regard dans l'entrée. Les malles déposées quelques jours avant par le groom du *Ritz* avaient retrouvé leur place. Elles étaient fermées, prêtes à partir, elles aussi. L'appartement paraissait débarrassé de ces petits détails qui attestaient, il y a peu, qu'une femme y vivait.

Anastasia avait donné son accord. Oui, il semblait préférable que l'on discutât au plus vite. Maintenant ? Oui, tout était possible. Louis avait enfin pris tendrement la main de sa maîtresse qui, elle, appelait un baiser, et lui s'était échappé dans l'escalier, timide et gêné, saisissant le prétexte que son ami Heinrich von Mietzerdorf l'attendait au *Plaza* et que cela ne lui prendrait pas de temps. Des mots jetés pour fuir leur tête-à-tête.

*
* *

Les présentations s'étaient faites rapidement. Heinrich se voulait léger, affirmant que la description d'elle par Louis était si parfaite et si touchante qu'il aurait pu la reconnaître sans qu'elle lui soit présentée. Anastasia s'était forcée à sourire, répondant que ce compliment montrait combien Louis se laissait emporter par sa fougue dont on pouvait espérer ou craindre le meilleur ou le pire. Heinrich fit mine de ne pas comprendre ce qu'il y avait d'inquiétant et de menaçant dans ces mots et se moqua encore de l'exaltation de son ami dont les excès trahissaient l'âme romantique, française en diable, pardessus laquelle il fallait passer pour trouver la vérité.

— Je suis le premier à me plaindre de son caractère difficile, soupira exagérément Heinrich. Voyez quels efforts il m'a fallu pour le convaincre de faire enfin votre connaissance.

Il se tourna vers Chastelain qui donnait le sentiment de détester cette scène.

— Tu as de la chance, Louis, lança-t-il en forçant le ton. Anastasia est une femme ravissante et, de plus, elle te supporte. Ce n'est pas à moi qu'un tel bonheur arriverait.

— Peut-on s'installer au salon ? répondit simplement le Français en s'adressant à la Russe.

*
* *

Louis et Heinrich avaient parlé l'un après l'autre pendant un long moment. Ils avaient exposé calmement ce qu'ils croyaient savoir et si quelqu'un avait surpris leur réunion sans les connaître, il aurait pensé au ralliement de vieux amis. Anastasia profitait du moment et ne cherchait pas à y mettre fin, puisqu'il pouvait s'agir du dernier. Très vite, elle avait compris que les deux hommes avaient poussé l'enquête et qu'ils disposaient d'éléments sérieux laissant penser que, de l'assassinat de Calmette à celui de Jaurès, en passant par Sarajevo, trois coups de feu avaient décidé du sort de la guerre et qu'ils étaient liés en une seule et même machination portant le nom de *Golgotha*. Mais, par un étrange effet, la monstruosité de ce qu'ils annonçaient ne l'atteignait pas plus que cela. Depuis longtemps, elle avait payé pour avoir obéi au tsar et à son envoyé Kasparovitch. Elle avait fui son pays, errant, l'esprit nomade, à la recherche d'une vie enfin reposée. Elle croyait l'avoir trouvée avec Louis, et maintenant, tout risquait de s'effacer. Demander à son cœur de redevenir apatride ? C'était injuste, trop dur. Elle détestait *Golgotha* pour le mal que le mot continuait à faire et qui menaçait son présent. Nichée dans son silence, elle regardait ces deux hommes, et s'imaginait les connaissant d'avant. La guerre n'existait plus. Louis l'aimait car elle savait combien elle lui plaisait. Et il n'y avait pas un jour sans qu'il prouvât son désir. Apaisée par ses caresses, elle s'accrochait à son bras d'ange gardien pour un déjeuner, une marche aux Tuileries, une sortie au champ de courses de Longchamp. Et si elle croisait Henriette Caillaux au théâtre, ou au salon de thé, c'était en amie sincère. Et si...

Au cours de ces minutes, elle ne fut attristée que par le récit de l'entretien chez les Caillaux. Elle se mordit les lèvres, n'osant demander si on avait parlé d'elle. La présence d'Heinrich ajoutait à ses souffrances. Elle aurait voulu disparaître.

— Qu'en penses-tu, Anastasia ?

*

* *

Louis l'avait sortie de ses rêveries en la questionnant froidement. Il avait tout dit. Il attendait son avis. Et elle avait répondu ce qui comptait pour elle – « ne jamais oublier » –, mais en pensant d'abord à leur liaison. Il n'avait pas compris, ou fait semblant, pour cacher son malaise. Heinrich les observait en silence et mesurait la douleur qui s'était installée entre les amants. De l'amour aux regrets, quel sentiment les réunissait à présent ? Heinrich pensait que lui, l'officier vaincu, occupait peut-être la moins mauvaise des places.

— Que veux-tu dire par *ne jamais oublier* ? murmura Louis.

Anastasia aurait pu répondre qu'il y avait un temps pour souffrir et un autre pour vivre, que le passé ne se rattrapait jamais, que le présent se vivait, et le futur s'espérait, qu'elle offrait sa beauté à un homme qu'elle désirait, qu'elle voulait habiter avec lui, dans le Sud, où les attendait une maison dominant la mer, et que toutes les saisons allouaient à ce paradis ses plus belles couleurs. Mais elle n'avait ajouté que cela :

— Ne jamais oublier le mal, sauf s'il nous prive du bien. Ne crois-tu pas ?

*
* *

Louis était resté de marbre, et devant tant d'injustice et de malheur qu'ils se donnaient l'un à l'autre, Heinrich lui-même se désespérait. Il suffisait de peu, d'un si petit effort pour que les malentendus s'effacent. Mais Louis s'était confié à Heinrich avant de retrouver Anastasia, avouant son désir, sa passion pour elle et n'imaginant pas de pouvoir s'en passer, et redoutant tout autant chaque mot, chaque geste d'une femme qui lui rappellerait toujours d'où l'un et autre arrivaient. L'enfer, avait dit Louis, il le voyait dans son passé et Anastasia l'évoquait. Mais quand, au prix d'un sacrifice insupportable, il se décidait à la quitter, l'enfer s'ouvrait encore. Heinrich, suppliait-il, que fallait-il faire pour ne renoncer à rien, ni à elle ni à ce qu'elle réveillait en lui, chaque fois qu'il croisait son regard ?

— Oui, avait chuchoté Heinrich sans relever les yeux, nous devrions peut-être garder cette histoire pour nous seuls. Sans l'oublier, mais sans qu'elle ne nous empêche de vivre...

Et Heinrich avait proposé sa solution.

*
* *

Ils sont tombés d'accord. Mais leurs âmes sont-elles plus légères ? Ils acteront leur part de vérité. Ce qu'ils en feront ? Le temps ou l'histoire décidera pour eux.

— Pour le moment, nous nous contenterons d'écrire, suggère encore Heinrich. Ailleurs, d'autres que nous sont peut-être parvenus aux mêmes conclusions ? Si Joseph Caillaux s'en sort, qui dit qu'il ne se décidera pas à parler ? Je t'ai donné mon sentiment, Louis. Nous ne disposons pas de preuves formelles. Attendons. Le temps passe et la vérité vient toujours à éclore. Notre seul atout est la discrétion. Si nous soupçonnons l'existence de *Golgotha*, ce n'est pas le cas inverse puisqu'on ignore tout de nous. Cela nous donne un avantage. Pourquoi sacrifier ces maigres cartouches en attaquant maintenant ? Patience. Et quand le moment sera venu...

— Et si l'un de nous trois désire faire connaître ce que nous aurons consigné ? demande encore Chastelain.

— Alors, nous respecterons sa décision, répond aussitôt Heinrich. Je propose même que nous en fassions une obligation. Si la guerre menace encore, nous publierons la lettre de Jaurès et notre témoignage.

— Et si les hommes deviennent enfin raisonnables, ce secret restera enfoui, ose faiblement Anastasia.

— Le deviendront-ils enfin ? s'interroge sombrement Heinrich. Sinon, le passé nous servira alors. En attendant, et puisque les morts ne reviendront pas, je ne crois pas nécessaire de convoquer de nouveau la souffrance qui, elle, n'est pas réparable. Quoi que l'on fasse, personne ne changera ce qui s'est produit. Parler et voir éclore de nouvelles rancunes ? Jouer avec le feu pour de simples suppositions ? Il me semble que le sang a assez coulé et qu'aujourd'hui, il faut soigner les cœurs endoloris. En revanche, si de funestes gouvernants – alliés ou non à des engeances misérables dont le nom pourrait être *Golgotha* – attisent la haine et veulent la guerre, je jure de déterrer notre témoignage et d'œuvrer sans relâche pour empêcher la renaissance du drame que nous avons vécu. Louis, crois-moi, ce qui est fait n'est, hélas, pas amendable. Agir avec honneur, c'est, désormais, défendre l'avenir. Enfouir ce passé, c'est aussi jurer de ne jamais l'oublier. À ce prix, nous sauvons l'essentiel sans compromettre le futur, puisque nous nous engageons à vivre en demeurant éveillés. Je ne vois pas de meilleure façon de comprendre enfin le sens de notre histoire et de l'accepter. Un pacte que nous passerions à trois et qui nous expliquerait pourquoi le sort nous a mis à cette place ? Je trouve l'idée constructive et je te dirai ceci. Tu n'aurais pu empêcher la guerre. Pas plus que vous, Anastasia, ou moi. Mais, grâce à ce que chacun de nous a connu, nous sommes armés pour combattre la suivante. À nous de ne pas refuser la chance que nous tend le destin. Hasard ou fatalité, il nous conjure de transformer le chaos de nos âmes en promesse.

PRINCIPE DE GOLGOTHA

Rapport du Neuvième Décemvirat
Paragraphe 13

Comme tous les organes vivants, l'État rejette de la matière à son image. Ces excrétions lui servent à survivre et à se reproduire. La plante donne des graines et de l'humus qui, à leur tour, font naître une plante. Ce cycle de la vie fonctionne idéalement dans l'ordre naturel. C'est autre chose pour les inventions humaines, par essence imparfaites puisqu'elles ne sont que les pâles copies des créations existantes. L'État, cet organe fabriqué artificiellement, ne peut sécréter qu'une dégénérescence de sa constitution originelle puisque le corps initial a lui-même été conçu dans l'erreur. Ainsi, plus le temps passe, plus les métamorphoses qu'il élabore se trouvent dépravées. Qu'on le regrette ou pas, l'État ne peut qu'aggraver les fautes de sa matrice. La mère patrie existe, mais elle est viciée, transmettant à sa descendance ses maladies incurables. Ainsi, plus l'État croît, plus il se fragilise. Plus il prétend se moderniser, plus il est obsolète, périmé, inadapté. Le passé – ou l'histoire – ne raconte que ce paradoxe : la création brinquebalante, l'éclosion maladive, puis la lente agonie des États souffreteux et étouffés par leurs propres inepties. Leur délitement est une constante, leur putréfaction une fatalité. Les nouveaux, ceux qui naissent pour les remplacer, promettent bien de se réformer et jurent de corriger les fautes passées. Les mots changent, mais jamais les idées. Il s'agit toujours d'un corps impur, incompétent, impuissant et personne ne peut amender ses vices. Seule sa disparition met fin à ses absurdités. Et l'on ne procède jamais autrement pour un objet souillé par la peste : on le brûle, on le détruit. C'est aussi la finalité de la guerre.

Quand la guerre ne vient pas immédiatement à bout des États, elle génère un très lent pourrissement, une décadence qui gangrène le corps social et l'organe dans son ensemble. Vainqueurs ou vaincus, promettait l'Archange, il n'y avait pas de différence. Le poison faisait ses ravages et, à l'exemple du serpent, une créature naturelle, il suffisait d'attendre que l'ancienne puissance européenne se désagrégeât d'elle-même. Patienter en observant sa décomposition, c'était ainsi que l'Archange proposait au Décemvirat de consommer la victoire. Le serpent, avait-il dit, ne procédait pas autrement. Il avalait sa proie quand celle-ci n'était que charognerie. Et c'est ainsi qu'il parvenait à se reproduire idéalement.

L'affaiblissement des États favorisait également l'épanouissement de nos intérêts industriels et financiers. Sans ressources, désorganisés et ruinés pour certains, ils se trouvaient contraints de soulager la pression de leurs contrôles. La libéralisation des échanges connut alors sa pleine expansion et, grâce au progrès foudroyant de la technique, comme seule la guerre y parvient tant les hommes deviennent inventifs, forcenés pour triompher de leurs ennemis, l'économie profitait pleinement de l'essor de la reconstruction. Le sujet principal était la redistribution de nos intérêts dans de nouveaux secteurs dont le pétrole où notre filiale anglaise excellait. L'Archange s'était rapproché d'un ouvrier remarquable, Henry Deterding, spécialiste des questions pétrolières et chef d'un conglomérat puissant de l'énergie. Cet homme, mi-anglais, mi-hollandais, pouvait bien être, sans le savoir, le prochain Zaharoff.

Lors d'une réunion du Décemvirat à Anvers, l'Archange dressa le portrait d'Henry Deterding, montrant combien il pouvait nous servir à combattre l'empire émergeant de la Russie communiste, dont l'opacité, la violence, les visées tyranniques étonnaient le Décemvirat. Profondément hostile au marxisme, Deterding occupait une place idéale pour fomenter cabales et conspirations visant à l'invasion ou à la destruction des Soviets. Les champs pétrolifères de ce continent seraient la monnaie d'échange et il sembla possible d'organiser un contact entre cet ouvrier et le Léviathan de Job, notre Frère Enrôleur, dont nous avions salué la réussite lors de l'affaire Caillaux et de l'assassinat de Sarajevo. Ses origines russes, sa domiciliation à Londres, où il se mêlait aux exilés de Russie, lui offraient une couverture idéale. Cependant, l'Archange refusa de cautionner cette démarche. Il voulait attendre. De même, il n'avait pas jugé nécessaire de sonder plus à fond Deterding, ne lui laissant pas entendre qu'au nom d'intérêts privés, il pouvait soutenir financièrement sa croisade contre les Rouges. L'Archange avait ses raisons et assurait au Décemvirat que la situation de l'après-guerre, telle qu'elle s'annonçait, représentait un immense progrès pour le Principe de Golgotha. Le marché libre reprenait confiance et les capitaux trouvaient le chemin des investissements. Dans un monde gagné par le capitalisme, l'esprit communautaire perdait de sa puissance et l'homme se sentirait bientôt de plus en plus seul. Ainsi, sa foi en l'État serait mise à mal. C'est pourquoi il recommandait une sorte de pause dans le combat, exigeant toutefois l'entretien du pourrissement des systèmes par l'injection de crises financières dans les rouages des États, une arme qui nous offrait une grande marge de manœuvre.

Se contenter de l'attente, d'une position moyenne, médiocre, alors que le fruit demandait à tomber ? À Séville, l'Archange avait calmé mon ardeur. Le secret, la première force du Principe, avait été mis à mal et la mort de la jeune recrue américaine d'Agios de Sparte ne le rassurait pas pour autant. « Vous avez rencontré Joseph Caillaux pour lui proposer, en échange de son silence, la liberté pour sa femme, me dit-il. Mais n'avez-vous pas été imprudent ?» Il montrait le signe que je portais. « Ce n'est qu'un détail, ajouta-t-il. Mais est-on sûr qu'aucun ne nous ait nui ? Le poison que nous glissons dans les veines des États, nous devons aussi nous en méfier.»

Il désirait une trêve pour, disait-il, faire oublier ces scories qui pouvaient atteindre les entrailles de Golgotha. Il voulait aussi que le Décemvirat retrouve sa force, sa rage de triompher. Moi, je mis les dispositions de son esprit sur le compte de la vieillesse, quand lui parlait de sagesse et de prudence. J'ignorais que la guerre lui avait fourni de nouvelles convictions, et qu'il pensait à un autre projet beaucoup plus ambitieux dont il aurait sans doute accéléré la mise en place s'il avait su que certains détails dont il redoutait les effets gagnaient inexorablement le cœur de Golgotha, démontrant ainsi, et bien après sa mort, combien l'Archange, ce Très Haut Magistrat, était clairvoyant.

Troisième partie

L'ENFER

PRINCIPE DE GOLGOTHA

Rapport du Neuvième Décemvirat
Paragraphe 14

Il n'y a ni bien, ni mal, ni vertu chez l'homme, je l'ai écrit. Il n'y a que la vie et rien ne lui est supérieur. L'homme en est convaincu puisqu'il lutte désespérément contre ce qui s'y oppose en sachant qu'il n'existe que l'action et la réaction pour la défendre. Rendre coup pour coup ? C'est ainsi que procède la vie. « Seuls triompheront les Forts. Car toute autre Vérité est illusoire. » Cette dédicace figurait dans Le Prince *de Machiavel que l'Archange avait offert à Nicolas II. Et après la guerre, rien ne semblait plus vrai. Mais comment les survivants accueillaient-ils ce monde épuisé, éreinté, dont la finalité consistait à détruire la vie ? Doutaient-ils des États ? Comprenaient-ils combien ils étaient nuisibles ? Accepteraient-ils de se révolter, d'être Forts, de se débarrasser enfin d'eux ?*

L'Amérique montrait des signes encourageants, et pendant que l'Europe s'effondrait et doutait, l'idée de la liberté gagnait peu à peu les esprits. Les peuples se détermineraient seuls, les Nations l'emporteraient, le capitalisme dont la seule contrainte était la loi du marché triomphait. On murmurait, ici et là, que l'idéal communautaire, qui avait exigé le sacrifice de tous sur l'autel de la collectivité, n'était que fadaises – et combines cruelles – concoctées par la cuisine des petits chefs de la politique, ces apprentis sorciers déclinant à l'infini une recette appelée patriotisme et dont le dessein se résumait à la vengeance servie par l'orgueil, la haine, le mépris. En quoi l'Allemand et le Français se sentaient-ils concernés par ces préoccupations odieuses n'entretenant aucun rapport avec l'existence de chacun? Non seulement, le particulier n'y gagnait rien, mais la société et le corps social ne s'en trouvaient aucunement grandis. Ne valait-il pas mieux travailler pour son compte, s'enrichir, bâtir, en un mot, jouir des bienfaits de la vie? De sorte que, désormais, on voulait son propre bonheur. Être libre, c'était espérer selon soi-même, affranchi du groupe. Se déclarer individualiste.

L'État s'en trouvait d'autant affaibli puisque l'unité des citoyens, qu'il ne fabriquait à l'exemple de la lutte des classes qu'en échafaudant des conflits, siégeait à l'opposé de la réussite personnelle. Se battre pour son profit (au lieu de détruire), accumuler (au lieu de tuer) pour transmettre et ne jamais manquer, voilà ce qu'édictait le bonheur matériel. Une promesse égoïste, mais parée de belles allures, et beaucoup plus séduisante que la guerre dont pas un, à l'exception de Golgotha, ne comprenait, ou ne recueillait, les avantages.

L'intérêt privé contre celui que l'on nomme général, la défense de ce que chacun a d'unique et de si précieux, voilà un idéal que n'aurait pas démenti le Principe de Golgotha et le début de ce programme sonnait juste. Au nom du « combat pour la vie », life is a struggle, *les descendants des colons de l'Amérique, survivants d'un monde hostile, avaient créé un modèle économique fait de luttes et de sauvagerie aux effets redoutables pour les États. Derrière un slogan un peu épique, sanctifiant le courage et couronnant le travail, se cachait un système fondé sur une agressivité sans limites, où seul le meilleur triomphait. Pour cette jeune nation sans complexes, et sûrement plus immorale qu'elle ne se l'avouait, se battre signifiait étouffer, briser l'échine des concurrents jusqu'au triomphe d'un seul. En conséquence, on assista, en quelques années, à la multiplication d'immenses puissances largement émancipées des États. Ford, Morgan, Rockefeller... Il fallait s'habituer aux noms de ces nouveaux Forts qui tenaient désormais compagnie aux Zaharoff, Rothschild et autres Deterding. Finances, pétrole, acier, électricité, transports, chimie... Peu à peu, ces clans fortunés, ces dynasties milliardaires accentuaient leur domination puisque rien n'est supérieur à l'économie, y compris en temps de paix. Ainsi, par le contrecoup de l'affaissement des États, cette classe nantie et animée par le profit prenait de l'ascendant et le Décemvirat aurait pu y voir la consécration de la thèse de l'Archange qui défendait le dépérissement naturel des États après la guerre si, ailleurs, ces potentats, dont Golgotha avait pour beaucoup facilité la naissance sans même qu'ils ne le sachent, ne s'avéraient menaçants pour notre Principe même.*

Bien que grave, le danger ne se montrait pas et restait impalpable, tant l'économie sait se faire discrète. Dans les premiers temps de l'après-guerre, les risques n'avaient rien d'évident. Golgotha, par le biais de ses consortiums, pensait contrôler la situation. Des ouvriers placés à la tête de nos compagnies rendaient compte aux Très Hauts Magistrats chargés de la marche des affaires. L'Archange, le Consolateur des Éphésiens ou le Veilleur de Salonique, qui, à Venise en 1914, nous avait exposé les promesses du pétrole, manipulaient banquiers, intermédiaires, négociants et industriels, récompensant ou sanctionnant l'économie selon les intérêts de Golgotha par le biais principal des places boursières, dont New York, la désormais rivale de Londres. Et rien, absolument rien, ne permettait d'annoncer le drame sous-jacent dont le Décemvirat prit connaissance lors de sa réunion, à Londres, chez le Veilleur de Salonique, en décembre 1928.

Dix années s'étaient écoulées depuis la fin de la Première Guerre mondiale et, depuis la séance de Séville, aucun changement stratégique n'avait été opéré. Golgotha assistait en silence au désastreux spectacle des sociétés européennes incapables de se ressaisir moralement, hantées par la peur maladive d'une dépression industrielle, et immobiles face à la montée des extrêmes et des tyrannies en Espagne, en Italie et bientôt en Allemagne. Ce dernier pays était particulièrement surveillé par le Décemvirat qui avait délégué le Scribe de Phénicie, le Frère Enrôleur de Villain, l'assassin de Jean Jaurès, pour approcher des hommes intéressants et actifs comme Alfred Hugenberg, le chef du parti national allemand associé à Adolf Hitler et son complice Heinrich Himmler, le commandant du corps d'élite des SS.

L'assemblée du Décemvirat ne prévoyait pas d'ordre du jour aussi intense que celui de Venise, de Clairvanden au Luxembourg ou de Séville. Le cycle des affaires était bon, la bourse grimpait, et, pour tout dire avec sincérité, l'Archange et moi étions surtout intéressés par la présentation d'une nouvelle technologie portant le nom de Televisor.

La résidence du Veilleur de Salonique se trouvait à Eaton Square, Belgravia district. Ce quartier de Londres connut un succès foudroyant après la War World II, *mais en 1928, l'adresse était moins courue, et plus discrète que Belgrave Square. Pourtant, cette rue calme et secrète abritait les plus beaux hôtels particuliers de la ville. Celui qu'occupait le Veilleur de Salonique était semblable à ses nobles voisins. Il s'agissait, en apparence, d'une grande maison construite dans un stuc blanc, immaculé et agrémenté de fenêtres serties de briques dont l'éclat laissait deviner qu'un valet flegmatique les astiquait régulièrement, combattant ainsi les assauts du climat océanique. Mais ce jour-là, il faisait étrangement beau. Je crois me souvenir qu'il ne neigeait pas, et même, qu'il ne pleuvait plus. En gravissant les marches de l'hôtel particulier, l'Archange m'informa, non sans humour, qu'une des maisons voisines du Veilleur de Salonique se trouvait occupée par l'honorable Stanley Baldwin, Premier ministre du Royaume-Uni en 1923-*

1924. «Pouvait-on trouver meilleur repaire?», gloussa mon mentor en me poussant doucement vers l'entrée.

Un domestique stylé, comme en possèdent les Anglais, nous ouvrit la porte avant même que nous ne sonnions. Il s'effaça en nous saluant d'un mouvement de tête révérencieux et, nous ayant débarrassés de nos épais manteaux, nous conduisit au premier étage où se trouvaient déjà d'autres Très Hauts Magistrats du Décemvirat.

À chacune de nos rencontres, je mesurais le poids des années qui, peu à peu, marquaient les plus anciens. Le Consolateur des Éphésiens semblait le plus âgé et le Levantin, sa jeune recrue, prenait de plus en plus d'ascendant. Agios de Sparte, en revanche, n'avait toujours pas recruté celui qui lui succéderait. Échaudé par l'échec américain, il reculait l'échéance. Et s'il venait à mourir sans avoir réglé la question, qu'adviendrait-il? L'Archange soupirait, mais ne me répondait pas.

Les huit autres Très Hauts Magistrats paraissaient disposer encore de temps, mais deux d'entre eux avaient, par prudence, fixé leur dévolu. Je découvris Simon de Carthage qui accompagnait le Sage de l'Euphrate, et Eustache d'Égée, aux côtés du Très Haut Magistrat portant le nom du Septentrion. À l'exception du Fils de Canaan qui avait l'air très préoccupé, tous nous saluèrent avec chaleur et gentillesse et se détournèrent aussitôt pour s'intéresser à l'invention présentée par le Veilleur de Salonique. La télévision! Il s'agissait d'elle.

Pour que vous compreniez, Frères de Golgotha, combien la suite fut douloureuse et brutale, je dois parler de ce moment divertissant. Posée sur une table, une boîte que je ne peux mieux comparer, cinquante années plus tard, qu'à un antique poste de radio, attirait le Décemvirat. Chacun des Magistrats prenait place à son tour devant des jumelles et y plongeait les yeux avec amusement. L'Archange se prêta à ce jeu, mais ne montra pas d'intérêt particulier. Quand mon tour vint, je découvris dans la «petite fenêtre» une image microscopique striée de rouge et de noir et de lignes entre lesquelles je crus deviner la silhouette hachée d'un homme poussant une chansonnette. Je le voyais et l'entendais donc, mais assez mal, et nettement moins bien qu'au cinéma. À quoi pouvait servir ce bricolage ?

Le Veilleur de Salonique surprit ma moue et comprit mes doutes. Aussitôt, il réagit avec fougue : « On filme l'artiste de la BBC alors qu'il se trouve dans un studio de la radio britannique, et l'incroyable progrès vient du fait que son image nous parvient dans l'instant qui suit. C'est le Televisor, l'invention d'un Écossais portant le nom de John Logie Baird. Bientôt, on pourra l'acheter pour la somme de dix-huit livres sterling. »

Il ne tarissait pas d'éloges pour ce qu'il jugeait révolutionnaire. L'Archange se montra perplexe et lui demanda d'autres explications. Comment parvenaient ces images ? « Par les ondes, répondit notre hôte. Des centaines de gens peuvent les regarder en même temps. Dans peu de temps, des milliers. Et un jour, des millions. » Le Veilleur de Salonique croyait à une découverte fondamentale : « L'État britannique créera dans quelques mois la télévision publique. Je surveille cette affaire et j'ai pris des informations auprès de l'inventeur. J'envisage de racheter sa société, la Baird Company. »

« Qu'en fera-t-on ! maugréa l'Archange en s'écartant pour laisser la place aux Magistrats qui voulaient voir le spectacle. Nous avons assez de travail à contrôler le cinéma, la presse écrite, la radio. » Et moi-même, en ce jour de décembre 1928, je ne mesurais pas l'importance d'une invention dans laquelle le Décemvirat investit, par la suite, des capitaux considérables afin de noyauter les grands networks *d'Occident.*

Quand les Très Hauts Magistrats se trouvèrent au complet, et totalement informés des promesses lointaines du Televisor, le Veilleur de Salonique invita ses pairs à passer dans un salon du premier étage et à se réunir autour d'une table ronde en acajou massif, marquetée d'ivoire et dont les pieds se terminaient en reproduction de griffes animales acérées. L'œuvre se voulait massive, pompeuse. Son installation avait dû réclamer de puissants bras. Et la pièce affichait cette même lourdeur, et cette raideur propre au style George III ou victorien des riches demeures anglaises. Les murs, lambrissés pour la partie basse, cédaient plus haut la place à un papier peint dont le motif déprimant consistait en la répétition lancinante de larges bandes grises et nacrées. Mes origines latines ne me lâchaient pas. Je préférais Venise, Séville ou cette maison figée dans une île perdue de la mer Égée où je vis aujourd'hui. Mais, en ce temps-là, je m'acclimatais aux vœux de l'Archange qui s'était fixé à Anvers.

À Londres, une pluie fine se décida finalement à tomber. Le Sage de l'Euphrate, habitué au climat espagnol, demanda s'il était possible de raviver la cheminée dans laquelle mourait une tourbe humide et à peine rougeoyante. Je vis de suite que cette demande, parce qu'elle retardait le début de la séance, agaçait le Fils de Canaan qui avait déjà pris place et se tenait prêt, les mains serrées contre sa bouche dans une sorte de prière muette ou de contenance destinée à calmer son impatience. Je notai également qu'au mépris des conventions fixées par le Décemvirat qui interdisait toute trace écrite, si j'excepte les rapports de ses Très Hauts Magistrats, il s'était muni d'un épais dossier enfermé dans une chemise de couleur bleue. La table ne pouvant accueillir que dix sièges, on demanda au Levantin, à Eustache d'Égée, à Simon de Carthage et à moi, Chimère, de nous asseoir sur des chaises installées à l'écart. Ainsi, je profitais d'un point de vue général. Et je me souviens exactement de ce qui se produisit et dont je dois à présent vous parler, Frères de Golgotha.

Alors que le Veilleur de Salonique se félicitait de la présence du Décemvirat, décrivant le bonheur qu'il ressentait à le recevoir, et avant même qu'il puisse s'assurer si chacun des présents se savait en bonne santé, le Fils de Canaan leva une main pour prendre la parole et cette procédure inhabituelle mit fin aux conventions d'usage.

« Je prie le Décemvirat de pardonner mon impatience, dit-il. Mais je crains plus encore d'avoir à lui transmettre de désagréables nouvelles. » Il but de l'eau avant d'ajouter sombrement : « Tout indique que Golgotha n'est plus impénétrable. L'oxydation de notre système s'est produite. Et la rupture du secret, l'alpha de notre Principe, risque de nous détruire. »

Un silence de mort suivit les paroles du Fils de Canaan. Si ce dernier parlait vrai, qui fallait-il accuser ? Un instant, il me vint l'idée que le responsable se trouvait autour de la table et je ne fus pas le seul à échafauder une hypothèse aussi cruelle. S'agissait-il d'une maladresse ou d'un acte volontaire ? Chacun s'observait, cherchant par où, et d'où venait le danger. Alors, le Très Haut Magistrat prononça un nom et tous, nous comprîmes la gravité de ce moment dont Golgotha était la victime.

69

Une confession et trois auteurs. En 1919, la comtesse Ivérovitch, Heinrich von Mietzerdorf, Louis Chastelain en sont là. Anastasia, plus que Louis, espère que ce serment resserrera leur union ; que le temps peu à peu viendra à bout de leurs désillusions. À moins que le sort finisse par décider d'une autre fin ? Alors, leur histoire s'achèverait, un matin ou un soir, quand un silence de trop, une incompréhension de plus s'ajoutant aux autres, se poseraient entre eux.

Au fil de ces jours décisifs, Heinrich est témoin du délitement d'un amour où la passion domine, mais que la raison consume et décide de rendre impossible. Depuis le moment où ils ont couché leur histoire sur le papier, le barrage de la gêne s'est installé, comme une mise à nu qui leur semblerait indécente. Et ce mal insidieux progresse, détruit leur avenir. Anastasia ne peut oublier que Louis a vu Caillaux et son épouse, faisant en cela resurgir le rôle trouble qu'elle a tenu. Ses actes sont plus que jamais présents, rappelés sans cesse et de manière cruelle dans les regards qu'ils s'échangent depuis qu'ils n'osent plus se parler. Louis n'est pas en reste. Les jours passent sans rien modifier du mal qui le ronge. La rédaction froide de son rôle dans l'attentat de Sarajevo a ravivé la question obsédante de son honneur de soldat. Dans son texte, il n'a pas cherché à s'excuser. Plaider sa cause, c'est ce qui lui manque le plus. Il devient nerveux, distant. Il s'énerve pour un rien. Quand il ne cède pas à la cocaïne, il déclare qu'il faut attaquer, partir à l'assaut. Est-ce pour rejouer la scène de sa vie qui le rend malheureux et dont il voudrait tout changer ? Heinrich, lui, compose et sert d'arbitre. À ce titre, il serait sans doute le mieux placé pour conserver le récit de ce trio ainsi que le précieux manuscrit de Jean Jaurès remis par Caillaux. Mais ils ont décidé de procéder différemment. Leur histoire est d'abord scellée dans trois lettres ne se comprenant que par leur réunion. La partition se lit en additionnant les trois morceaux qui, chacun, ont été codés. Ainsi, leur confession ne peut s'utiliser qu'en cas d'unanimité. Et pour ne tenter personne, chaque morceau, écrit selon une clef de lecture savante dont Louis a tiré l'idée de sa formation passée, est en lui-même illisible. Chacun ne va pas sans les trois. C'est la règle. C'est leur pacte. De même, le témoignage de Jaurès a été découpé en trois parties détenues pour un tiers par chaque conjuré qui ne peut donc agir séparément. Mais, par cette méthode, vont-ils se rapprocher ou se détacher davantage ? Dit-elle qu'ils doutent ou, à l'inverse, qu'ils se sentent solidaires ? En agissant ainsi, Anastasia comprend qu'ils pourraient s'éloigner, vivre loin l'un de l'autre. Se dire adieu ? S'ils restaient unis, auraient-ils besoin d'un procédé dont l'usage se conçoit quand on envisage de se séparer ?

*

* *

Louis n'a pas répondu à cette question. De même, il n'invente plus de fausses excuses quand son absence se prolonge. Un jour, pour débuter. Puis, deux. Maintenant, il ne donne plus de signe de vie pendant plusieurs semaines.

Mais un jour de septembre 1919, alors qu'il se décide enfin à rejoindre l'appartement d'Anastasia, personne ne répond. Il tambourine, il s'énerve, écoute même à travers la porte. Quand il frappe plus doucement, un écho glacial, creux, l'informe que l'appartement est vide. Soudain, il entend un pas dans l'escalier. Celui-ci est lourd. Il se penche, espère encore et craint déjà. Il s'agit du concierge, la main accrochée à la rampe. Qui souffle et grommelle à la fois. Sa respiration est pesante, épuisée. Ses poumons font entendre le sifflement du gazé. Depuis la tuerie du Chemin de Dames, en 17, n'est-il pas plus mort que vivant ?

— Ah ! Mon capitaine. Crénom, que c'est haut...

Il salue comme il s'en souvient et ôte sa casquette. Il fut brigadier. Il craint et respecte l'uniforme. Il a quarante ans, en fait quinze de plus. Il fut un bon soldat. Blessé trois fois, mais jamais dans le dos.

— Je vous cours après depuis tout à l'heure. Je vous ai vu passer en trombe. Le temps de m'arracher du fauteuil, d'ouvrir la porte de la loge...

Il est désolé, malheureux, et ne sait comment annoncer la suite.

— La comtesse est partie ? l'aide Chastelain.

— Il y a trois jours, murmure le concierge en baissant les yeux.

Il fouille dans sa poche et finit par trouver ce qu'il cherche dans son gilet.

— C'est pour vous. Une lettre.

Il ne sait plus quoi dire. Alors, il s'empare de la rampe. Descendre ne sera pas plus facile.

— J'ai une adresse, dit-il sans se retourner. C'est à Beaulieu, il me semble. Ça se trouve dans le Sud. Sur la Côte d'Azur. Je vous la donnerai quand vous serez en bas.

— Rien ne presse, répond doucement Chastelain. Cela vous ennuie si je lis la lettre ici, sur le palier ?

— Mon capitaine ! bredouille-t-il. Vous faites comme vous voulez.

— Laissez tomber ce titre, répond Chastelain. J'ai démissionné hier. Je ne suis plus militaire.

Le concierge s'est arrêté. Il campe prudemment, les pieds posés à cheval sur deux marches.

— Ah bon ? Et qu'est-ce que vous allez faire ? Vous irez du côté de la Méditerranée ?

Chastelain se force à paraître joyeux et brandit l'enveloppe :

— La réponse se trouve dans ces lignes, brigadier...

PRINCIPE DE GOLGOTHA

Rapport du Neuvième Décemvirat
Paragraphe 14 (suite)

« La trahison vient d'abord de Basil Zaharoff », murmura le Fils de Canaan.

À Londres, le vent redoublait et une fenêtre mal fermée s'ouvrit violemment. La crémone heurta le mur, marquant le papier peint. Simon de Carthage se leva pour repousser le battant et ne revint pas à sa place sur-le-champ, préférant rester debout. D'un geste, le Septentrion lui ordonna de se rasseoir. Le Sage de l'Euphrate, de qui aurait dû venir cet ordre puisqu'il l'avait recruté, serra la mâchoire. Jamais je n'avais vu le Décemvirat oint d'une telle émotion. Mais négligeant l'incident, le Fils de Canaan entreprit son récit d'une voix monocorde.

Tout venait de Maria del Pilar, épouse de Zaharoff décédée après seulement dix-huit mois de mariage. Âgé de soixante-quinze ans, Zaharoff avait attendu trente ans pour obtenir la main de cette femme demeurée fidèle à son premier époux, le duc de Marchena, un Andalou interné pour folie jusqu'à sa mort, qui seule libéra Maria. L'attente s'expliquait par la piété ridicule de cette dévote refusant de vivre dans le péché. Le Décemvirat n'ignorait rien de cette passion sans émois puisque Maria del Pilar avait rencontré Zaharoff par le biais du Fils de Canaan qui, vivant en Andalousie, connaissait le duc de Marchena. Quand la folie de celui-ci devint certaine, le Fils de Canaan se rapprocha de Maria, encourageant sa patience et recueillant indirectement des informations sur la vie privée de Zaharoff. Il fallait s'y faire. L'attachement des tourtereaux se révélait aussi niais que sincère. Les confidences de Maria del Pilar au Fils de Canaan l'attestaient. Ce rapport provoquait l'étonnement du Décemvirat, mais Basil Zaharoff, un être machiavélique, intraitable, un corrupteur, un fabricant de mort sans morale était aussi un vieillard peu dégourdi, et contrit d'amour platonique pour son Espagnole. Son point faible était là et Golgotha le savait.

Dix-huit mois s'étaient donc écoulés après ce mariage improbable quand la nouvelle tomba : Maria del Pilar souffrait, agonisait, réclamait son retour au pays. L'Archange, qui maintenait le contact avec Zaharoff, soutenait que cet ouvrier cachait son chagrin et se voulait toujours aussi dur en affaires. Cette distance, cette froideur mirent en alerte le Décemvirat. La maladie soudaine, étrange et inattendue de Maria Zaharoff pouvait-elle s'expliquer ? Le Fils de Canaan fut chargé de se rapprocher d'elle et le mobile était trouvé. Elle dépérissait et il vivait en Andalousie. N'était-il pas un ami ? En se rendant à son chevet, il apprit qu'elle souffrait d'une infection grave. Saisissant la main du Très Haut Magistrat, l'innocente suppliait cet homme sans foi ni croyance de prier pour elle, une pauvre pécheresse punie par Dieu pour avoir dormi dans un autre lit que celui de l'homme dont l'union avait été bénie une première fois par un prêtre. Le Fils de Canaan compatissait faussement, mais tendait également l'oreille, car la mourante parlait à présent d'une juste sanction pour avoir épousé un misérable aux mains tachées du sang de millions d'hommes. Zaharoff, murmurait-elle comme parlant à un confesseur, avait pactisé avec le chaos et la mort dont le nom sur terre était Golgotha, la colline où le Christ avait vécu son calvaire. Elle avait découvert l'aspect monstrueux – le double visage de son mari – au fil de leur courte vie commune. Elle ne désirait plus qu'obtenir le pardon des

Cieux, multipliant les actes de repentance qui épuisaient ses dernières forces.

Le Fils de Canaan n'en sut pas davantage. On lui rapporta plus tard qu'elle s'était éteinte dans d'atroces souffrances, loin de son époux, gémissant et lâchant d'une voix exaltée des noms étrangers que les rares témoins espagnols attribuèrent à son époux qui fréquentait la planète entière. Seul le Fils de Canaan comprit qu'un danger venait de naître. Mais de quelle nature et de quelle importance ?

Son dernier compte rendu au Décemvirat datait d'un an. Depuis, rien. Zaharoff avait-il lui-même empoisonné son épouse par peur de la voir le trahir ? Était-ce parce qu'il avait commis l'erreur de parler et le regrettait ? Mais la pire des hypothèses consistait à croire que Zaharoff avait rassemblé des informations sur Golgotha, qu'il les avait imprudemment consignées et qu'elles avaient été découvertes par Maria del Pilar. Les conjectures se multipliaient, les esprits s'échauffaient, brisant la sérénité du Décemvirat. Bientôt, des regards ambigus se tournèrent vers l'Archange, chargé pour l'essentiel des contacts avec le marchand d'armes. Pourtant, le Très Haut Magistrat n'en demeura pas moins impassible, renouvelant les appels au calme. Bien sûr, il fallait se méfier, mais il contrôlait son ouvrier. Il le tenait puisqu'il disposait des preuves de ses malversations. Il ne manquait pas d'atouts pour accabler et faire tomber Zaharoff qui le savait aussi, et tout en mesurant la gravité du problème, il se montrait toujours confiant. La fuite était connue grâce au Fils de Canaan et, affirmait-il, colmatée depuis la mort « miraculeuse » de cette femme.

Parlait-il ainsi parce qu'il se sentait particulièrement visé par cette affaire ? Je ne le crois pas, Frères de Golgotha. Le Décemvirat n'a rien de commun avec les tribunes politiques. Ici, et vous le savez, pas un des Très Hauts Magistrats ne défend sa place ou son rôle. Il n'est pas élu et ne dépend de personne. Sa souveraineté s'appuie sur lui seul. Sa force est donc infinie pour le temps où il siège. Et pour apporter la preuve de la bonne foi de l'Archange, j'ajouterai qu'il utilisait aussi les difficultés que nous connaissions pour montrer combien la discrétion et le secret – thèse dont il s'était fait le héraut depuis la fin de la guerre – lui paraissaient de rigueur, répétant continuellement que les risques pris pour déclencher le conflit continuaient à produire leurs effets. Le Décemvirat avait, trop de fois, usé d'alliances qui augmentaient la perméabilité de son édifice, puisant ainsi dans ce constat de nouvelles raisons pour justifier sa patiente attente.

Mais de son côté, et selon le même Principe qui protégeait l'Archange, le Fils de Canaan s'entêta sur une autre piste. Faisant cavalier seul, il ne lâcha pas Zaharoff et, sans avoir à demander l'accord du Décemvirat, il le fit espionner, chargeant le Scribe de Phénicie de recruter les hommes idoines pour cette mission. Mois après mois, il se rapprocha ainsi du marchand d'armes. La dernière manœuvre – l'ultime étape, selon le Fils de Canaan – consista en un cambriolage de sa demeure. Et plus encore qu'un service de table en or massif, subtilisé pour donner du crédit au fric-frac, le butin se révéla gros, comme il l'annonça à Londres.

Le Fils de Canaan ouvrit enfin la chemise bleue posée devant lui et se saisit de la première feuille qu'il montra au Décemvirat. « Ce sont les Mémoires de Basil Zaharoff », dit-il simplement. Et il présenta la feuille au Veilleur de Salonique qui se trouvait à sa gauche.

À l'âge que j'avais, trente-cinq ans, ma vue était assez bonne pour qu'en tirant le cou, je puisse déchiffrer l'écriture régulière et serrée qui remplissait cette page. Mais je retins mon impatience. L'Archange n'avait pas encore lu cette autre pièce extraite du manuscrit que le Fils de Canaan lui tendait à présent, le regard fixe et sans montrer d'émotion. Bientôt, les Très Hauts Magistrats eurent chacun de quoi nourrir leurs craintes. Le récit de Zaha-

roff racontait bien sa vie. Et celle de Golgotha s'y mêlait à chaque instant.

« Mais ce n'est pas tout », ajouta le Fils de Canaan en s'adressant au Décemvirat rendu muet par l'étendue des révélations.

70

La lettre d'Anastasia peut se résumer ainsi : « Je t'aime, mais je te quitte. » Louis l'a lue devant la porte close de ce qui fut l'appartement de la comtesse Ivérovitch.

En retrouvant le concierge, il apprend les détails de son départ. En deux jours, tout était fait, les valises emportées par de solides gaillards, et, le lendemain, les malles qui suivaient.

— Si vous voulez, j'ai les clefs, propose le concierge. Mais là-haut, c'est vide.

— Je vous remercie, brigadier, répond Chastelain.

Il lui serre la main et l'autre hésite à faire de même. La manie du salut ne passera jamais. Il se décide enfin, un peu gauche, l'œil fixé sur ses chaussons de laine, et se détache aussitôt pour saisir un morceau de papier posé là, sur la cheminée.

— C'est son adresse, marmonne-t-il. Celle de la comtesse.

Mais Chastelain ne prend pas le papier.

— Je la connais, dit-il. Merci pour tout. Prenez soin de vous.

*

* *

Un mois plus tôt, Anastasia, Heinrich, Louis s'étaient revus et cela ressemblait à des adieux. L'Allemand avait organisé la rencontre, offrant aux deux amants une dernière chance. Il les avait invités chez lui, dans son repaire de Saint-Germain-des-Prés, en leur demandant d'apporter la part de la confession que chacun possédait. Il avait une idée et voulait en parler. Pour l'occasion, Heinrich s'était aventuré dans un souper composé de caviar, de blinis, de vodka et de quelques chandelles pour éclairer la table. Louis buvait beaucoup et fumait cigarette sur cigarette. Excédée par cet homme qui s'efforçait de ne pas desserrer les dents, Anastasia s'était levée brusquement :

— Merci, Heinrich pour ce dîner. Mais je ne me sens pas bien. Je vais rentrer. M'accompagnerez-vous, le temps de trouver une voiture ?

Louis n'avait pas bougé, emmuré dans son silence.

— Attendez, Anastasia, répliqua son hôte. J'ai une annonce à faire.

Louis écrasa sa cigarette à peine entamée. Anastasia hésita et finit par se rasseoir.

— Je vais quitter Paris, dit sobrement l'Allemand.

Il s'efforçait de présenter cette nouvelle comme un choix heureux. Il parlait de voyager vers le lac de Côme, d'étudier un plus vaste périple qui l'entraînerait en Turquie et sur les traces de l'Empire ottoman, avant de retrouver son pays, via l'Autriche.

— C'est un peu nostalgique, je vous l'accorde, mais j'ai envie de respirer l'air de l'ancienne Autriche-Hongrie...

Anastasia songea à sa Russie et son regard se troubla. Louis aurait pu initier un geste, prononcer un mot pour adoucir sa peine, mais il écoutait Heinrich. Du moins, il s'entêtait dans cette attitude distante.

— Aussi, reprit l'Allemand, et puisque je crains de ne pas vous voir pendant un certain temps...

Il marqua une pause, sondant tour à tour le Français et la Russe. Puis, soupira exagérément :

— Le fait de vous annoncer mon départ vous réjouit-il ou vous attriste-t-il ? Au moins, répondez-moi.

— Continue, lança froidement Louis.

— Eh bien ! s'énerva l'Allemand. Si c'est ainsi que tu me dis adieu.

— De tout mon cœur, je souhaite vous revoir, glissa Anastasia.

— C'est aussi pour ça, pour votre gentillesse, la flatta-t-il, que vous êtes irremplaçable, chère comtesse.

Cette dernière sourit faiblement :

— Si elle vous manque, venez la retrouver sur la Côte d'Azur.

Heinrich écarquilla les yeux, faisant mine de ne pas comprendre. Mais, en levant la main, elle mit fin à cette comédie :

— Ne forcez pas votre talent, Heinrich. Vous savez que la situation est... trop dure. Moi-même, je vais quitter Paris.

*

* *

Elle se tut, cherchant le regard de Louis qui se décida à tourner le visage, montrant ainsi sa cicatrice, reflet de la blessure plus profonde qui hantait sa vie. Devait-il réagir ? Faire un mouvement vers elle, prononcer une parole pour que le cours des choses s'en trouve bouleversé ? Il pensa qu'il était trop tard ; ou encore, qu'il s'était lui-même montré trop lâche – trop injuste ? – ; qu'elle avait choisi pour eux, comme ce jour où elle lui avait laissé croire, d'un air innocent, à la perte de ses clefs. Et puisqu'elle décidait de rompre...

Il ramassa son paquet de cigarettes. Il n'avait qu'une envie : les quitter sur-le-champ. Dire adieu et retrouver la cocaïne. Mais il tiendrait combien de temps, après ce saut dans l'inconnu ?

— Tu oublies la confession, cingla Heinrich. J'ai dit que je voulais en parler. Assieds-toi !

Sans attendre, il sortit de sa poche la partie qu'il avait écrite et la posa sur la table.

— Les avez-vous ? demanda-t-il tout aussi sèchement.

Anastasia se saisit aussitôt d'un petit sac en cuir orné d'un fin fermoir en argent. Sans répondre, Louis glissa une main dans sa veste.

— Donnez-les-moi.

Heinrich exhiba alors un stylo et écrivit en haut de la première page de son propre récit : *Il faut toutes les lignes*. Puis, il prit celui d'Anastasia et nota : *et il faut tous les mots*. S'emparant des feuillets détenus par Louis, il inscrivit : *et il faut n'en lire qu'un sur trois, une sur deux.*

Sur quatre lignes de six mots, le texte s'écrivait ainsi :

Il	faut	toutes	les	lignes	et
il	faut	tous	les	mots	et
il	faut	n'	en	lire	qu'
un	sur	trois,	une	sur	deux

Ce qui donnait, une fois codé :

Il	tous	sur	faut	qu'	les
lignes	en	et	et	un	trois,
toutes	n'	deux	les	mots	une
il	il	lire	faut	sur	faut

Sur quatre lignes, le rébus était complexe. Sur cent, il devenait opaque. Sans les trois lettres, la lecture s'avérait impossible; et sans le code, le décryptage infiniment improbable.

— Pourquoi livres-tu la clef qui permettra de déchiffrer nos trois lettres ? s'emporta Louis.

— Pour que celui qui les détiendra puisse nous comprendre.

Il reprit en main la missive écrite par Louis et lut à haute voix :

— Au long loin cours Caillaux période du prince hiver mois noms glaciale de notre petit mars...

Il revint vers le Français :

— « Au cours du mois de mars... » Pour lire la suite, rendez-vous à la ligne trois. Sans connaître ce code qui fonctionne comme un rouage sans fin, je doute qu'on puisse jamais savoir ce que nous avons voulu dire. Du moins, je l'imagine.

— C'est bien ce que nous désirons ! jeta Chastelain en haussant les épaules. Nous seuls devons en disposer.

— La belle histoire que voici ! Mais elle ne fonctionne que si nous restons ensemble. Or, ce n'est plus le cas, lança Heinrich froidement. Je pars, Anastasia en fait autant. Et toi ?

— Je ne sais pas encore, grommela son ami.

— Et si je meurs ? Ou l'un de vous deux ? Que deviendra ce que tu considères désormais comme l'essentiel de notre vie ?

Louis ne répondit rien.

— Moi, j'y ai réfléchi. Et puisque nos chemins semblent devoir se séparer, j'ai cherché une solution. Et je crois l'avoir trouvée.

Heinrich quitta la table pour saisir trois enveloppes dans lesquelles il glissa chaque morceau original de leur confession ainsi que le texte de Jaurès partagé jusque-là en tiers.

— Je vais poster ces trois lettres lors de mon passage en Suisse.

— Pourquoi ce pays ? s'inquiéta Anastasia.

— Elles seront datées, oblitérées. Au moins, on saura quand elles furent écrites. Mais, direz-vous, je pourrais le faire depuis la France ou d'Allemagne ou d'Autriche. Cependant, j'ai eu l'idée d'y ajouter un *petit détail* qui les rendra uniques. Et, ajouta-t-il en baissant la voix, je dirais même inestimables. Après l'avoir reçue, il vous suffira de garder celle qui vous revient sans la décacheter.

— Quel est donc ce mystérieux *détail* ? s'impatienta Chastelain.

L'Allemand se servit un verre de vodka qu'il but d'un trait :

— Patience, mon ami... Étudions d'abord le cas où l'un de nous disparaîtrait. Hélas, il faut envisager l'hypothèse. Et c'est ici que mon procédé gagne en intérêt, car chaque lettre, après son passage en Suisse, sera si précieuse, si rare qu'elle aura assez de valeur pour expliquer que chacun l'ait gardée et que nous ayons désigné quelqu'un – l'un de nous, bien sûr – comme nouveau détenteur du bien. Un héritage, en somme, que moi, von Mietzerdorf, pour prendre un exemple, j'offrirai par contrat à vous, Anastasia ou bien à toi, Louis, si tu me promets de changer d'attitude...

— Et si je venais à mourir, intervint Chastelain qui avait compris et se piquait au jeu, je n'aurais qu'à désigner Anastasia comme héritière de cette lettre pour que les trois soient à nouveau réunies.

Avant de poursuivre, Heinrich s'accorda le temps d'allumer une cigarette chapardée dans le paquet de Louis :

— J'ajoute que si l'un de nous désire que les lettres soient publiées de son vivant, leur réunion sera obligatoire. Mais si personne n'en fait la demande avant la disparition de notre trio, ces lettres ne périront pas. Un descendant – duquel de nous ? –, désigné par le dernier de nous trois, en deviendra propriétaire. Connaissant l'importance du legs, j'imagine que nous veillerons tous à choisir un... honorable correspondant. Et comptons alors sur lui pour faire le meilleur usage de ce précieux sujet. Oui, confions au destin ce que nous avons écrit, et faisons-lui confiance.

Il versa la vodka dans les trois verres et leva le sien :

— Au moins, n'est-ce pas une belle façon de demeurer unis ?

Il but d'un trait, se servit à nouveau et ajouta en dressant le bras :

— Et de garder l'espoir de nous revoir ?

Chastelain se tourna vers Anastasia et fit tintinnabuler le cristal de son verre contre celui de sa voisine :

— Je trouve l'idée d'Heinrich excellente. Et si tu acceptes, je ferai de toi, par testament, l'héritière de la lettre dont je serai dépositaire. Si je meurs, tu la recevras. Es-tu d'accord ?

Et elle répondit oui puisqu'elle gardait l'espoir de le revoir vivant. Mais avant qu'elle ne lui propose la réciproque, Louis se retourna vers Heinrich :

— Je serais honoré de garder la lettre que tu as écrite, Heinrich.

— Alors, répondit ce dernier, je recevrai celle composée par Anastasia.

Et il sut que ces mots augmentaient le chagrin de la Russe. Pour chasser la gêne qui de nouveau s'installait, il reprit en forçant la voix :

— Mais pourquoi ai-je choisi la Suisse pour nous expédier les lettres ?

Il afficha un énorme sourire :

— Voici donc le secret qui rendra ces missives inestimables. Et mon astuce, en forme de petit *détail*, vaut bien le code que tu nous as trouvé, mon cher Louis.

PRINCIPE DE GOLGOTHA

Rapport du Neuvième Décemvirat
Paragraphe 14 (suite)

Le Décemvirat n'eut pas besoin de lire la totalité des Mémoires de Zaharoff. Le Fils de Canaan avait étudié le document et livra sa synthèse à haute voix sans recourir aux notes. «Le premier danger vient de Zaharoff lui-même. Il révèle tout d'abord que l'origine de sa fortune s'explique par des capitaux fournis par Jonathan Garrett.» Il se tourna alors vers le Très Haut Magistrat mis en cause. L'Archange, puisqu'il s'agissait de lui, ne broncha pas. Il fixait un point imaginaire, le regard braqué sur l'âtre de la cheminée. «Le marchand d'armes, continua le Fils de Canaan, précise qu'il s'agit du nom d'emprunt d'un des dirigeants d'une organisation opaque dont la surface financière dépasse ce que l'entendement humain pourrait imaginer. Sans comprendre entièrement son dessein – car les décisions de cet homme ne se fondent pas sur le seul profit –, il devine la présence d'un groupe secret, restreint en nombre et pilotant à distance les événements politiques, diplomatiques, militaires. L'idée générale qu'il retient est la volonté affirmée de cette assemblée de vouloir la guerre et, puisqu'il ne peut que raisonner ainsi, en déduit que le désir de puissance est son moteur.» Le Fils de Canaan s'arrêta pour observer l'Archange. L'orateur semblait navré, je crois même attristé, d'avoir à livrer ce qu'il avait appris.

« Continuez », intervint l'Archange sans se détacher de ce point, à lui seul connu, qu'il fixait.

« En recoupant certains passages de ces Mémoires, j'ai deviné que Zaharoff n'était pas le seul à penser ainsi. Il cite plusieurs complices et relations politiques ou militaires qui tirent les mêmes conclusions et pour s'être aventuré à en parler à quelques-uns, il a établi une liste de noms qui pourraient faire partie d'une secte, puisqu'il l'évoque ainsi, intitulée Golgotha. Il décrit également et parfaitement le signe que chacun des membres porte : une étoile à dix branches. » Le Fils de Canaan reprit sa respiration avant de poursuivre : « Non sans cynisme, il dit avoir fait espionner ceux qu'il a approchés. L'Archange, affirme-t-il, vit à Anvers, ainsi que l'un de ses associés plus jeune. Et il livre Chimère. »

Je fus frappé au ventre. Une peur comparable à celle que j'avais éprouvée lors de l'attentat raté de Rome liquéfia mon cerveau et je suppliai en silence l'Archange de me regarder enfin, de m'apaiser, de m'assurer qu'il s'agissait d'un mauvais rêve. Il allait redresser la tête, annonçant d'un air supérieur que Zaharoff n'était rien qu'un insecte abject que nous allions écraser. Mais le Très Haut Magistrat restait figé, absent, et comme indifférent aux paroles du Fils de Canaan.

« Il dit encore connaître un Russe, ancien conseiller du tsar, dont le rôle fut capital dans l'organisation de l'assassinat de Sarajevo. Bien sûr, il parle du Léviathan de Job. Est-ce tout ? Si j'excepte mon cas et ceux du Sage de l'Euphrate et du Septentrion, aucun Très Haut Magistrat n'est épargné. » Cette annonce ne troubla en rien le Décemvirat qui écoutait calmement le Fils de Canaan, attendant la fin de son exposé pour prendre l'exacte mesure de la tragédie. Ainsi, la sérénité unanime eut pour effet de m'assagir. D'ailleurs, l'orateur s'exprimait encore, m'obligeant à me concentrer. « Ce premier danger en cache un second. Se sentant âgé et considérant avec raison que sa vie s'achève, Zaharoff a décidé de mettre en ordre ses affaires et sa conscience. Non seulement il

entend publier ses Mémoires dont je crains qu'il ne possède un double, mais il aurait l'intention de nuire à Golgotha. En se plaçant sur le terrain économique, on pourrait dire qu'il désire éliminer un concurrent. Pour cela, il veut unir le clan des puissances financières tel un groupe d'actionnaires qu'il informera de l'existence de Golgotha et que cette union servira à détruire. En somme, cet ouvrier misérable, cet assoiffé de pouvoir, a décidé de s'affranchir de notre Principe sans savoir ce qu'il recèle, et, pour cela, il entend convaincre les chefs industriels de l'Amérique de se défaire de leurs alliances avec nos consortiums. »

« Est-ce un projet qu'il rumine ou a-t-il engagé des démarches auprès de nos ouvriers américains ? », intervint brusquement l'Archange. Le Fils de Canaan hésita longuement avant de répondre. « Je pense qu'il ne s'agit encore que d'une menace. Et j'en ai fini. » Le Fils de Canaan se tut. Le Décemvirat se tourna alors vers l'Archange, sans qu'aucun des Très hauts Magistrats ne montre une quelconque frayeur.

« Il faut d'abord vous remercier, commença l'Archange. Le détail de votre rapport est précieux et nous renseigne une nouvelle fois sur les risques d'oxydation dont j'ai tant parlé. J'en suis, et j'y vois comme une sorte d'ironie, la première victime. Zaharoff m'a trompé. Il sera puni. Et nous déciderons comment. Pour les erreurs et les imprudences commises, je demande au Décemvirat le pardon. » Il leva les yeux et fit le tour de la table. Le silence servit d'approbation. « Maintenant, reprit-il sans montrer plus d'émotion, que doit-on faire ? Quels choix se présentent ? Faut-il tuer Zaharoff ? Sévir gravement en punissant les ouvriers que nous avons enrichis et qui songeraient désormais à nous contrarier ? Toutes les options s'étudient, se calculent. Il nous faut aussi parler des États. J'ai sur ce point de mauvaises nouvelles à vous annoncer. Et je me demande s'il n'est pas désormais temps de mettre fin au silence, au repli, à l'oubli que je ne cesse de recommander depuis bientôt dix ans. En somme,

devons-nous réveiller Golgotha, ranimer la haine, la souffrance, la peur, conformément à notre Principe ? Zaharoff voulait nous détruire. Désormais, nous le savons et c'est notre avantage. Eh bien, je propose de le surprendre en montrant que le mal que nous pouvons faire, et qu'il craint, est pire encore que ce qu'il imaginait. Reprendre la guerre ? Ce moment est peut-être venu. »

71

C'est seulement au printemps 1920 que les lettres promises par Heinrich von Mietzerdorf parviennent à leurs destinataires. Louis a quitté l'armée et vit replié sur lui dans une maison familiale, un peu à l'abandon, située sur les bords de la Loire, non loin de Saumur. Il a quitté Paris brutalement, n'y revenant que pour de rares occasions. Et ce départ, comme celui de l'armée, ressemble à une désertion. Il ne cherche pas à entrer en contact avec Anastasia, évadée sur la Côte d'Azur. Il garde l'adresse dans un portefeuille qu'il ne quitte jamais. Parfois, il s'attable et commence à lui écrire. Mais les mots ne viennent pas, sa plume reste de plomb. Il froisse les feuilles, les déchire et les jette. Dans sa chambre, il y a la cocaïne. Elle seule lui fait perdre la conscience du temps qui passe.

Heinrich lui a envoyé la part de la confession qu'il doit conserver en y joignant une lettre dans laquelle il raconte la fin de son voyage et son retour prochain sur les terres de son domaine en Poméranie, le long de la mer Baltique. Ses phrases se veulent légères, amusantes. Heinrich détaille comment il a acheté un avion et traversé l'Adriatique, musardant sur la côte du Monténégro et remontant par la suite jusqu'aux Alpes avant d'entreprendre la descente vers la Suisse « où j'ai trafiqué le colis que tu attendais tant ». Heinrich plaisante à propos de son envoi et livre l'explication sur le mystère qui l'entoure. « Beau travail, n'est-ce pas ? », se félicite-t-il lui-même. Il est vrai que si Louis ne le savait pas, il n'aurait jamais trouvé en quoi cette lettre est une œuvre unique, originale, reconnaissable entre toutes. Heinrich ne résiste pas au plaisir de citer le nom du remarquable artiste à qui il doit ce travail, Alfred Wing, et fournit ces précisions : « Il a été formé par Fournier, un génie installé à Genève et mort, hélas, en 1914. Pour les autres détails (très confidentiels), j'attends de te voir. Alors, je te livrerai ma rocambolesque histoire qui, je suis sûr, amusera un ancien espion. » Puis, Heinrich revient sur leur confession et, d'un coup, se fait sombre : « Mon expédition tire à sa fin. De tous ses enseignements, je retiens que le monde va mal. De l'ancien empire de l'Autriche-Hongrie à l'Allemagne, j'ai vu les signes annonciateurs d'une nouvelle tragédie. Les peuples ne songent qu'à la vengeance. Et je crains que les efforts entrepris dans mon pays par Gustav Stresemann pour se rapprocher de la France ne suffisent pas à retenir les partisans de la guerre[1]. Ce que nous redoutons tant se produira un jour. La guerre menace chez nous comme chez vous. Aussi, garde notre secret précieusement. Il pourrait devenir cruellement nécessaire plus vite et plus certainement que tu ne le crois. »

Louis range son secret dans un coffre à souvenirs, là-haut dans le grenier. À quoi pourrait-il servir dorénavant ? Il fallait agir sur le coup ! s'énerve-t-il. Parler encore de la Grande Guerre en expliquant aux survivants qu'ils ont été bernés ? Personne ne souhaite déterrer les horreurs du passé. Et quand il sera trop tard, quand la guerre menacera de nouveau, à quoi sera utile leur confession ? N'en tirera-t-on pas de nouveaux

1. Heinrich von Mietzerdorf fait référence à la Realpolitik menée par Stresemann visant à rapprocher l'Allemagne des pays européens et qui réussit, par son action diplomatique, à replacer pacifiquement son pays sur le devant de la scène internationale.

motifs pour se venger, se haïr ? Louis songe encore à Caillaux. Est-ce de lui qu'il faut attendre un secours ? Il lit dans les journaux qu'un jour, quand son purgatoire sera soldé, il redeviendra chef de parti et sans doute ministre. Les observateurs le prédisent. Que fera-t-il, alors ?

*
* *

Anastasia a glissé la lettre d'Heinrich dans une boîte à bijoux qui ne quitte jamais sa chambre. En l'ouvrant, son pouls bat plus vite. Sous le petit couvercle, dans un tiroir caché, nichent ses derniers trésors. Cette broche lui vient de sa mère ; ce collier, elle le portait à la cour du tsar Nicolas II. C'était au palais de Tsarskoïe Selo. Anastasia ferme les yeux. Un instant, il lui semble entendre l'orchestre de la salle de bal. Mais son téléphone sonne et il faut qu'elle sursaute à chaque fois comme si la peur ne la lâchait pas. Que pourrait-elle craindre ? Ce soir, encore, on viendra la chercher pour la conduire au dîner qu'organise un prince blanc de Russie dans sa propriété romantique, accrochée à la corniche qui longe la côte jusqu'à la lisière de Monaco. Son cavalier est bel homme et riche. Il se battrait en duel pour que la comtesse s'accroche à son bras. Cela fait six mois qu'il lui fait une cour assidue, la couvrant de fleurs, de cadeaux, de soupirs à fendre l'âme du cœur le plus insensible. Mais Anastasia ne cède pas. De même, elle ne répond pas au téléphone. Louis ne connaît pas son numéro. Et s'il voulait reprendre attache, il écrirait.

Elle tourne les yeux vers le cadre où pâlit la photographie de ses parents. Ici, dans le Midi, il n'y a pas de neige. Il ne fait jamais vraiment froid. Elle soupire et tend le bras vers un flacon de parfum, pièce unique dessinée par Fabergé. Elle le vendra sûrement pour faire face aux dépenses, à la frénésie qui gagne les exilés de la Côte d'Azur jetant les vestiges de leur splendeur ternie sur le tapis vert des casinos. Au moins, elle ne voit pas passer les nuits. Et s'enivrer ainsi est une façon commune de laisser filer le temps. De se fondre dans la masse des parias, des désœuvrés de la Riviera. Le téléphone grésille encore. Il faudrait répondre. Pourquoi imagine-t-elle qu'en décrochant, elle pourrait entendre la voix d'Igor Kasparovitch ? Il dirait qu'il a besoin d'elle. Qu'il faut obéir, se soumettre puisqu'une nouvelle guerre va éclater. Il surgirait dans sa vie et le cauchemar reprendrait. Bien sûr, elle ne parle jamais de cela. Louis seul pourrait la comprendre. Elle viendrait se nicher dans le creux de ses bras. Elle n'aurait plus peur.

Heinrich lui écrit parfois. Il promet de venir, mais il ne le fait pas. De même, il ne parle jamais de Louis dans ses lettres.

Le téléphone ne cesse de tinter. Anastasia se décide enfin et reconnaît la voix chaude de son chevalier servant. Il appelle pour murmurer qu'il arrive. Anastasia est prête. Elle ferme le petit coffret à bijoux. En passant devant le miroir, elle détaille sa personne. Rien ne pourrait dire combien souffre cette jolie femme qu'elle regarde et qui se force pour lui sourire.

PRINCIPE DE GOLGOTHA

Rapport du Neuvième Décemvirat
Paragraphe 14 (fin)

Quarante ans plus tard, je revois chaque détail de ce jour capital de décembre 1928. La révélation de l'affaire Zaharoff obligeait Golgotha à se mettre dans la peau de la proie, à réagir comme une bête traquée. Et dans ce cas, la loi du prédateur s'appliquait naturellement : seul le plus fort triompherait. Au fond, l'épreuve ressemblait à une sorte d'exercice fondamental qui permettrait d'estimer notre supériorité. Si Golgotha s'en sortait, si Golgotha l'emportait sur les lois, les États, et maintenant sur l'économie, la preuve serait établie que rien ne résistait à son Principe. Mais, pour cela, il fallait passer de la crainte au défi. Faire abstraction de la peur, de l'appréhension. Considérer froidement le sujet et analyser la situation comme une occasion exceptionnelle de mettre en pratique notre théorie. Mais sans oublier que ce franchissement, s'il se produisait, comportait quelque chose d'irrémédiable dont les risques étaient incalculables.

J'en parle, aujourd'hui, avec le recul que m'offre le temps. Mais à l'instant où l'édifice menaçait de s'effondrer, il fallait croire, Frères de Golgotha, et montrer un courage à toute épreuve car de tous les choix qui se présentaient, seuls deux pouvaient être retenus : l'attaque ou le repli.

Chasseur ou chassé ? À Londres, dans la demeure du Veilleur de Salonique, les esprits y songeaient sans montrer la moindre émotion, et cette force de caractère partagée unanimement par les Dix Très Hauts Magistrats m'apaisait et me montrait le chemin à venir, quand le Levantin, Eustache d'Égée, Simon de Carthage, et moi, Chimère, nous deviendrions le Futur de Golgotha, puisque nous apprenions encore.

L'Archange avait demandé une pause pour que chacun réfléchît et se définît par rapport aux informations livrées par le Fils de Canaan. Pendant ce laps de temps, les Très Hauts Magistrats pouvaient librement spéculer sur les risques et imaginer les moyens d'y faire barrage, notre hôte ayant fixé la reprise de la réunion à dix-huit heures précises.

À l'inverse de ses Pairs, l'Archange ne souhaitait pas rester enfermé. Il voulait flâner dans les rues de Londres qu'il adorait. À mon grand étonnement, il se montrait détendu et ne semblait pas marqué par les révélations du Fils de Canaan. « Au moment où nous engagerons de grandes décisions, il faudra être calmes et sereins, d'autant que nous soumettrons un avis au Décemvirat. Le mieux est de prendre l'air, de marcher. Venez, me dit-il, je vais vous montrer Savile Row. »

Coincée entre Bond Street et Regent Street, cette rue de Mayfair accueillait de prestigieux tailleurs tels que French & Stanbury, Rogers & Co, Kilgour, Huntsman & Sons, Gieves & Hawkes, Anderson & Sheppard. L'Archange avait jeté son dévolu sur Henry Pool & Co pour la qualité de son coupeur en chef, spécialiste du bespoke tailoring, *cette inestimable facture du sur mesure obtenue, comme son nom l'indiquait, grâce à et seulement après une longue discussion avec son client. Depuis des décennies, l'Archange rendait visite à cette maison et n'avait plus besoin qu'on prenne les dimensions de ses jambes ou de ses bras. Invariablement, il choisissait des tenues* dark suits, *aussi sombres que leur nom, et s'était fait à la mode des costumes complets, composés du gilet, de la veste sans épaulettes et des pantalons, taillés dans le même tissu pure laine.*

John, le premier vendeur de chez Henry Pool & Co, se précipita pour nous ouvrir la porte. Il salua respectueusement l'Archange et jeta un regard étonné sur mes vêtements d'origine italienne. Puis, il fit venir le coupeur en chef qui se présenta aussitôt en bras de chemise, surpris par cette visite inopinée, ce qui força John à un discret rappel à l'ordre. Il réapparut muni d'une veste et, l'incident étant clos, on nous fit asseoir afin de nous présenter la dernière collection de tissus fabriqués par le drapier Holland & Sherry, en insistant sur la qualité d'un prince-de-galles aux fines rayures de gris clair qui rivalisait avec un cachemire de souche écossaise.

L'Archange interrompit cet exposé en indiquant que son choix était fait. Il commanderait trois costumes à la coupe classique, quelques chemises, et y ajouterait exceptionnellement des vestes en tweed et en mohair. Un choix qui fut complimenté par le vendeur qui ne manqua pas de rappeler à son client que ces matières chaudes étaient appropriées à la campagne et à l'activité sportive de la marche. Et il courut chercher les échantillons de tissus dans cette matière.

Profitant de son absence, l'Archange me dit : « Faites votre choix. Puis, on prendra vos mesures. Ne vous privez pas. Prenez le nombre qu'il vous faudra. Soyez attentif à la sélection du tweed, idéal pour la chasse qui se prépare. Il y a de belles couleurs qui vous rappelleront la liberté créative des Italiens. Voyez cette teinte verte. Elle est obtenue en trempant la laine dans un bain de bruyère et d'ortie. Ce jaune n'est-il pas inouï? Devinez-vous que l'on doit ce miracle à la racine de bruyère, quand l'iris donne ce bleu profond? Et ce violet, qui sied à votre âge, est fabriqué à base de baies de sureau. Allons, prenez sans compter. Ces costumes résisteraient à l'éternité et il se peut que nous ne revenions pas ici avant longtemps.» Il se tourna et plongea ses yeux bleus dans les miens : « Quand tout sera fini, que restera-t-il de ce monde que nous allons ruiner et détruire ?» Je compris à l'instant que l'Archange parlait du combat qui se préparait et qu'il s'en trouvait revigoré. Je crois que ce prédateur supérieur aimait le sang par-dessus tout.

Le premier vendeur revenait déjà, les bras chargés de morceaux de tissu. Le choix fut rapide. Puis, on passa à mes mesures et quand tout cela fut fait, le Très Haut Magistrat paya et donna le nom de Jonathan Garrett et l'adresse habituelle de livraison, à Anvers. « Eh bien, soupira-t-il, alors que nous sortions d'Henry Pool & Co. Il faut en finir. On nous attend à Eaton Square, et sur le chemin du retour, je dois encore vous parler du plan que je vais présenter au Décemvirat. Je veux votre accord, savoir si vous m'approuvez, car il se peut que vous soyez bientôt seul pour assumer les suites de ce que j'entends exécuter.» Il me prit par le bras : « Dans l'hypothèse où le Décemvirat accepterait de se battre.»

À dix-huit heures, la réunion reprit. Le Veilleur de Salonique fixa une heure limite. À minuit, le Principe de la riposte devait être arrêté. Il proposa ensuite à l'Archange de prendre la parole. Et ce dernier, d'une voix calme et déterminée, dit ceci :

« Très Hauts Magistrats de Golgotha. Ce matin, le Fils de Canaan nous a heureusement appris le danger qui menaçait notre Principe. Il nous faut y répondre et ce que je propose ici, c'est la mise à mort.» Il respira lourdement avant de reprendre : « Non pas la mort d'un homme, mais celle d'un système entier.» Et pas un des très Hauts Magistrats ne sembla étonné. « Je propose, reprit-il sans élever la voix, la destruction de ceux qui envisageraient de s'affranchir ou de s'émanciper de Golgotha. Je parle de l'économie, le premier pouvoir, et je veux que l'on sache qu'en tant de paix ou de guerre, il n'est rien de supérieur à notre Principe. Dans l'ordre des choses, seul le plus Fort triomphe et règne. Il est temps de le faire savoir en déclarant la guerre au pouvoir économique qui, Zaharoff nous l'apprend, croit dominer le monde.»

Il frappa la table du poing : « Car il n'y a ni loi ni règle qui nous soit opposable. »

Le Consolateur des Éphésiens leva une main : « Quel sens donnez-vous au mot guerre ? » L'Archange répondit posément : « Ruiner l'économie. » Le Septentrion intervint : « Quel sens donnez-vous au verbe ruiner ? » L'Archange sourit : « Le profit n'est pas notre but et nous le méprisons fondamentalement. L'argent n'est qu'un moyen dont l'usage est limité à la défense de nos intérêts. Or ils sont menacés. Si nous n'agissons pas, le danger augmentera. Nos possessions seront mises en cause, attaquées. Nous perdrons ce qui fait notre puissance. Nous sommes donc condamnés à l'action. Et de quel moyen disposons-nous ? L'argent, qui n'est, en effet, qu'un moyen. C'est pourquoi je propose d'utiliser ce que Golgotha a de fort pour détruire ce que l'économie a de précieux. Ainsi, l'arme et le remède portent le même nom : l'argent. Il terrassera ceux que nous avons enrichis. » Les Très Hauts Magistrats s'interrogeaient en silence. L'argent n'était pas un souci. Mais comment pouvait-il se combattre lui-même ? « En provoquant une crise boursière planétaire dont l'économie ne se remettra pas, reprit l'Archange. En créant une situation nouvelle où l'argent qui nous menace ne vaudra plus rien. » Le Sage de l'Euphrate décida de s'interposer : « Dans cette crise financière, en supposant qu'elle soit possible, nous perdrons nous-mêmes la richesse de nos consortiums placée en bourse. » L'Archange sourit à nouveau : « La remarque est juste, sauf à organiser cette crise financière comme un acte terroriste. Selon notre Principe, un attentat se prépare, se déclenche librement et permet d'anticiper ses effets. Jusqu'à présent, les exploits que nous avons commandités ont toujours été isolés. Mais qu'en serait-il d'une bombe planétaire dont les effets, par le jeu des flux et des mouvements financiers, seraient incalculables ? Une mèche allumée ici ou là et dont les déflagrations se répercuteraient mondialement ? L'argent rend cette opération possible. Et nous n'en manquons pas.»

«Continuez, je vous prie», murmura le Veilleur de Salonique.

«Ce que je propose est une opération majeure organisée sur la place financière de New York. Une chute catastrophique et brutale des cours de la bourse. Une attaque suicidaire, d'autant plus efficace qu'elle sera invisible. Qui porte le coup? Qui frappe? La confiance ne survivra pas à cette agression qui provoquera une chute vertigineuse des cours et détruira la valeur des principales compagnies cotées en bourse. L'effet sera rapide, implacable, exécutoire. Et général.»

Le Décemvirat enregistrait. Moi, je n'avais qu'à observer puisque je connaissais le plan audacieux de l'Archange.

«Nous y perdrons beaucoup, continua-t-il. Peut-être le quart ou la moitié de nos actifs, mais cette part sera négligeable par rapport aux possessions des autres. Nous serons toujours plus forts, et plus fortunés qu'eux. De plus, étant à l'origine du chaos, seul Golgotha sera en mesure d'amortir ses effets.»

Il s'assura, respectueusement, qu'aucun des Très Hauts Magistrats ne désirait prendre la parole. Chose faite, il continua : «La veille du jour choisi par le Décemvirat, les consortiums recevront l'ordre de vendre massivement les obligations et les actions de Golgotha. Bien sûr, aucun ouvrier ne sera informé de cette décision générale. Chacun croira donc agir seul. Mais, par son effet d'ensemble, et par son volume exceptionnel, l'opération, menée de concert, provoquera la chute brutale des cours. Le lendemain, saisissant le prétexte que nos intérêts sont aussi menacés, nous recommencerons, et le jour d'après, s'il le faut, et ainsi, jusqu'à entraîner les autres dans la nasse en créant un mouvement de panique et de doute, d'autant que les liquidités viendront à manquer. La bourse vit à crédit. Elle achète pour revendre en pariant sur un profit futur, mais ne peut rembourser comptant. Elle ne possède rien. Quand il faudra payer des actions achetées cent et ne valant que dix, les faillites se produiront en cascade. Les spéculateurs qui vivent à crédit, les banques qui les financent, les employés confiants dans leurs entreprises, les porteurs qui placent leurs petites économies, les retraités, tous seront ruinés. L'argent manquera et sera dévalué. L'économie brisée nous suppliera pour que nous lui prêtions de quoi se financer. Et nous poserons nos conditions.»

Les regards se croisèrent. On voulait encore réfléchir.

«Ce n'est pas tout, ajouta l'Archange. La dépression provoquera une chute brutale de la production et une crise générale de l'emploi. Les entreprises licencieront. Le séisme social dévalorisera la classe politique paralysée par l'ampleur du problème. Et j'y vois le moyen de mettre fin à cette ère de paix à laquelle rêvent les peuples.»

«Il est vrai que les États semblent décidés à s'entendre», lâcha le Septentrion avec rage.

«Oui, renchérit l'Archange. De l'Allemagne à la France, pour ne parler que de ces pays, la mode est à la paix. La Realpolitik de monsieur Stresemann pousse l'Allemagne vers ses anciens ennemis. Et depuis 1924, date du plan Dawes qui a soulagé l'Allemagne de sa dette de guerre, les capitaux reviennent. Les usines fleurissent, les salaires augmentent. Et le peuple panse ses plaies. Si j'ajoute que les frontières entre l'Allemagne, la Belgique et la France sont désormais garanties par les accords de Locarno, que reste-t-il pour se faire la guerre? Se battre contre l'URSS? C'est désormais impossible depuis le traité de Berlin. Et depuis deux ans, l'Allemagne siège même à la Société des Nations. Voyez le résultat! Le prix Nobel de la paix a été remis à Aristide Briand et à Stresemann. Les ennemis d'hier s'embrassent et signent le pacte de Kellogg qui interdit à l'homme de se faire la guerre. Oui, les États retrouvent leur puissance et l'économie nous trahit. Frères de Golgotha, le danger est immense et plus grave que les Mémoires de Zaharoff. Mais imaginez maintenant un monde en crise, une éco-

nomie brisée, des peuples affamés, sans salaires et ruinés, une classe politique incapable de fournir des réponses. Voyez-vous l'élan pour notre Principe ? Pour résoudre la crise que nous aurons créée, de quel moyen disposeront l'État et l'économie ? Ils choisiront le plus évident, le plus brutal si l'attaque est brutale – et elle le sera. Ils se recroquevilleront sur eux, oublieront les élans fraternels pour ne penser qu'à sauver leur peau. La loi naturelle prendra le dessus et, dans un monde cerné par le malheur, ils emprunteront les habits du prédateur. Qui est le plus fort, qui survivra ? Pour le savoir, ils déterreront ce qu'ils connaissent et maîtrisent le mieux : la guerre, puisque le combat suivant sera de tenir. Simplement de subsister. Pour cela, ils recommenceront à se maudire et se tourneront vers les extrêmes qui, eux, leur offriront le seul programme qu'ils espèrent : le pain des autres pour durer. Hier, la revanche; aujourd'hui, la misère. Il s'agit du même programme : briser l'État et prendre le dessus sur l'économie, en créant un chaos que pas un de nos ennemis ne pourra surmonter. »

L'Archange se tut. Le Septentrion demanda la parole : « Croyez-vous que les peuples soient à nouveau prêts à se laisser entraîner par les extrêmes ? » L'Archange lui répondit aussitôt :

« Voilà peu, le Décemvirat se félicitait des progrès accomplis par le Scribe de Phénicie, notre Frère Enrôleur, qui avait approché cet Adolf Hitler. En voilà un qui ne croit ni au bien ni au mal et prouve par ses textes, ses discours, ses actions qu'il existera toujours un désir de se détester et un homme pour éveiller la haine. Hitler y parviendra-t-il ? Tout porte à le croire. Il passionne et progresse chaque jour. Ce qui lui manque ? Une crise à la hauteur de son ambition et qui lui donnera le moyen de prendre le pouvoir. Hitler ? Lui, il voudra la guerre et ne pourra l'infliger qu'en s'imposant grâce à une situation exceptionnelle que Golgotha imaginera, construira, déclenchera. Vous me demandez si la crise financière que je propose au Décemvirat peut provoquer la guerre entre *les États et si, pour cela, les peuples seront prêts, une fois encore, à entendre la folie de leurs chefs ? Ma réponse est oui. Maintenant, décidez.»*

Le Décemvirat réfléchissait. Mais convaincu par cet exposé, le Veilleur de Salonique suggéra de passer au vote, si aucune question ne se présentait. «Quelle décision pour Zaharoff ?», lança Agios de Sparte.

L'Archange se tendit pour la première fois : «Je lui accorderais bien la mort, mais il me semble que ce choix jouerait contre nos intérêts. Il faut de la patience et de la sagesse. Zaharoff n'est déjà plus un danger puisque nous connaissons ses projets. Et pour le lui prouver, je propose que nous lui rendions ses Mémoires et qu'il devine la suite s'il lui venait l'idée d'en faire usage. Il est intelligent. Par notre réaction, il comprendra que nous ne redoutons rien. Ensuite, nous aurons besoin de lui si la guerre revient. C'est un fourbe, mais le meilleur expert dans la vente d'armes. Et je pense à lui pour une autre mission.» L'Archange se détendit. «Nous en ferons notre messager, dit-il au Décemvirat. Quand la crise sera là et que tous en souffriront. Il parlera à ses alliés de l'économie et leur dira, si nous le décidons, d'où vient la puissance.»

«Ne craignez-vous pas, si nous le décidions, que nous y perdions aussi nos secrets ?», dit encore Agios de Sparte. L'Archange haussa les épaules : «Il semble que ce ne soit pas la première fois qu'une faille fasse trembler notre édifice, et sans que nous le décidions.» Agios de Sparte baissa les yeux. Le souvenir de la recrue américaine restait vif. Mais le Très Haut Magistrat qui m'avait recruté n'insista pas et revint à son sujet : «Le mal est fait. Pourquoi se lamenter ? Dans ce que j'ai entendu des Mémoires de Zaharoff, je ne retiens que des noms dont les vies demeurent mystérieuses. Peu connaissent nos visages et n'est-ce pas l'apanage des milieux d'affaires que de se faire discrets et de travailler dans l'ombre ? Nous ne sommes pas différents de ceux qui pourraient nous nuire. Ils s'épanouissent dans un monde en sachant

combien il est dangereux de trahir ses secrets. Aussi, avant de parler, ils agiront avec prudence. Pour ceux qui s'y résoudraient, le résultat sera incalculable, un mot que déteste le cénacle financier. Pour nous qui y sommes préparés, il nous suffira d'en amortir les effets. Et quand bien même, certains de nos noms, de nos visages viendraient à apparaître, qui pourrait les unir, les rapprocher ? Qui, soupçonnant l'existence de Golgotha, pourrait non pas proclamer ou bien encore présager, mais prouver irrévocablement que nous formons un tout indivisible ? Combien se sont déjà essayés à dénoncer un aréopage puissant agissant sur le monde ? Mais aucun n'a jamais pu démonter sans appel qu'il s'agissait d'un vrai pouvoir, d'un véritable danger. »

Son assurance conforta le Décemvirat, mais le Veilleur de Salonique s'interposa : « L'insigne ? Zaharoff en parle. N'y voyez-vous pas une raison pour l'éliminer ? » L'Archange grimaça : « Je ne la juge pas suffisante. À l'avenir, limitons-en l'usage et le port. » Il se tourna vers Agios de Sparte : « Et montrons-nous davantage prudents. »

Et il se tut. Il en avait fini.

Avant minuit, la décision fut prise à l'unanimité. Il y aurait une crise financière et elle serait planétaire. L'attention serait détournée, les soupçons et la menace aussi. Au bout du compte, Golgotha devait logiquement triompher. Du moins, le raisonnement se tenait.

Au cours des heures suivantes, le Décemvirat travailla d'arrache-pied pour arrêter les modalités de cette riposte fatale. Le *Black Thursday* était né, dix mois avant sa réalisation.

Dans l'Apocalypse, il était écrit que, le jour venu, le quart des humains mourrait de la guerre et de la faim. La prédiction se mettait en place. Et le monde marchait vers son calvaire dont l'ultime étape avant de s'incliner devant Golgotha serait une crise planétaire aux effets foudroyants. Elle engendrerait la famine et la ruine.

Elle raviverait la haine. Elle pousserait les peuples à se détester, réveillant, dix ans plus tard, l'hydre de la guerre dont les États avaient, dix ans plus tôt, promis l'extinction.

72

Ce matin d'avril, il fait un temps merveilleux sur le bourg de Saint-Paul-de-Vence. Isaac Bernstein ouvre les volets de sa maison située dans une ruelle aussi étroite que raide et dont l'ascension se fait lentement, en saluant des gens qui passent et avec qui l'on prend le temps de parler des citadins de Marseille, de Nice, de Paris qui bientôt vont arriver, quand ce sera la saison. À moins que la guerre ne vienne, encore.

Isaac Bernstein sourit des bavardages des joueurs de pétanque qui, profitant de la fraîcheur, s'affrontent non loin de *La Colombe d'Or*, un hôtel annexé par une tribu de peintres excentriques et géniaux qui remboursent souvent le prix de leur pension en tableaux. Bernstein, galeriste et expert brillant de Paris, les fréquente en ami et n'est pas le dernier à leur tendre la main. À cinquante ans, il dispose d'une aura méritée et ses choix, ses conseils ne sont pas contestés. On apprécie, chez cet homme discret et séducteur, un goût aussi solide que la parole. Les collectionneurs lui savent gré de ce *fair-play* qui consiste à savoir vendre comme acheter, et il arrive qu'un client, s'il lui vient des difficultés financières, s'entende proposer la reprise d'une œuvre acquise en des temps meilleurs. Après la crise de 1929, ce fut le cas. Pourtant, Bernstein ne se rangea pas dans le camp de ceux qui profitèrent de la situation. Combien se sont vu offrir son soutien quand les cours s'effondraient ? Puis, la crise s'est effacée – à moins que le monde ne s'y soit fait, reprenant sa marche chaotique. Les années ont passé, dix se sont écoulées depuis cet ouragan d'abord boursier, bientôt social et moral, et dont la vie est sortie hébétée, exténuée, mise à sac. Le curetage a saigné les faibles, rabougri les forts, infectant les esprits d'une lèpre insoignable : le doute et la peur. À présent, comment échapper aux vociférations d'Adolf Hitler, ce *Führer* qui provoque la civilisation et la conjure de se mesurer à lui ? En 1939, les conversations tournent de moins en moins autour de l'art, mais Isaac Bernstein prétend que c'est en s'y intéressant que l'esprit triomphera de la barbarie. Aussi, refuse-t-il de lâcher prise, et s'entête-t-il à exposer, à soutenir de nouveaux talents, présentant l'art comme une valeur refuge alors que monte le bruit des bottes. C'est le meilleur moment pour se tourner vers la création, martèle-t-il. Et lui-même donne l'exemple en venant au secours des artistes à qui il concède de solides avances sur des travaux qui n'en sont qu'au stade de l'ébauche. Ainsi, Isaac Bernstein a gagné le pari difficile de la confiance. Une qualité qui, dans ce métier, n'a pas de prix et qui, en trente ans, l'a rendu aisé, mais surtout riche en amitié.

Hier matin, Henri Matisse lui a rendu visite. Le peintre lui a parlé de son voyage dans le Pacifique, de sa découverte de nouvelles lumières. Puis, ils se sont rendus au restaurant de *La Colombe d'Or* où Pablo Picasso les a rejoints. Bernstein arbitre la confrontation de deux géants. Rivaux ou complices ? Envieux ou subjugués ? Sur une nappe en papier, ils ont fini par dessiner leur fraternité artistique, rivalisant de génie et d'audace. Isaac Bernstein voit dans leur travail un nouveau chef-d'œuvre et ces artistes lui ont offert le morceau de nappe qu'il jure d'encadrer et d'accrocher dans son salon. Les peintres se sont moqués gentiment de lui, sachant que les murs de la maison de Saint-Paul ne peuvent rien accueillir tant ils sont recouverts de couleurs, de formes, de tableaux. Bernstein annonce qu'il peut toujours installer le croquis dans son bureau de Paris, rue Bonaparte, à Saint-Germain-des-Prés. Matisse connaît le lieu. Il raconte qu'il y règne le même capharnaüm qu'ici, doux refuge du Midi. L'expert est un père nourricier pour les créateurs, mais il sait aussi accumuler les trésors.

Le loup grillé, capturé le matin dans les rochers du Cap-d'Ail, fait son apparition. Une bouteille de vin blanc de Cassis débarque sur la table. Mais dès le premier tour, on réclame sa sœur. N'est-ce pas le paradis ? Et tout y irait bien, si, en refaisant le monde, ils n'en venaient à parler eux aussi de la guerre. Picasso s'en prend à l'Allemagne de Hitler et raconte une histoire à propos de *Guernica*, l'œuvre qu'il composa, en 1937, après le bombardement par l'aviation nazie de la ville qui donna son nom au tableau.

— Lors de l'Exposition universelle de Paris dédiée à la paix, je me suis rendu dans le pavillon espagnol où était exposé ce tableau. Mais dans l'entrée, je tombe sur un officier allemand qui me demande si j'en suis le créateur. Rendez-vous compte. Ce type avait peut-être bombardé la ville où plus de mille cinq cents innocents étaient morts et il m'interrogeait d'un air intéressé.

— Que lui avez-vous répondu ? demande Isaac Bernstein.

— Guernica ? Mais c'est votre œuvre, mon vieux !

— Cher ami, méfiez-vous, met en garde l'expert d'un air mi-inquiet, mi-amusé. Ce monsieur Hitler va vous faire les gros yeux et je crains que vous ne soyez plus le bienvenu en Allemagne.

— Qui voudrait se mêler à ces gens qui pillent, brûlent, détruisent ?

— Sûrement pas moi, murmure Bernstein qui connaît le sort réservé aux Juifs par ceux qui, parvenant à fuir leur pays pour rejoindre la France, patrie des droits de l'homme, racontent et témoignent.

— L'art triomphera de ces rustres, enrage Picasso.

Et chacun lève son verre pour trinquer à cet espoir.
— À la liberté !
— À ceux qui s'en inspirent !
— À la beauté des muses, ajoute Bernstein en portant le regard sur la jeune servante qui s'avance en souriant, les bras chargés de salade, de pain et de fromage.
— Il y a quelqu'un qui vous demande dans le téléphone, monsieur Bernstein, chante-t-elle.
— Une femme ? s'interpose aussitôt Picasso.
— Avec un drôle d'accent, souffle-t-elle en hochant la tête. Elle ne serait pas française que cela ne m'étonnerait pas.
— Allez-y, Isaac, lance Matisse en éclatant de rire. Nous deux, nous nous contenterons de cette nourriture terrestre.

*

* *

— Isaac ? interroge une femme.
Bernstein a reconnu la voix si douce, si sensuelle, si particulière de la comtesse Ivérovitch.
— Anastasia, quel plaisir de vous entendre.
— Je vous dérange pendant le repas, mais...
— Vous éclairez ma journée ! rétorque cet homme célibataire, et un peu amoureux de la belle Russe.
— Je suis dans le besoin, Isaac. C'est pourquoi j'ai cherché à vous appeler chez vous. Et votre employée...
— Lucette.
— Oui, c'est elle qui m'a dit où je pouvais vous joindre.
— Est-ce si urgent ?
— Un banco au *Palm Beach*, soupire-t-elle. Hier soir, une suite à cœurs a tué mon carré de valets.
— Voulez-vous que je vous prête un peu d'argent ?
— Je vous en dois beaucoup. Trop. Et j'aurais refusé votre aide si je n'avais pas soudain pensé que je rêve de me débarrasser d'objets du passé qui ne sont pas sans

valeur. Vous y trouverez peut-être votre compte. Du moins, en partie, puisque j'ai fait le calcul et la somme que je vous dois est...

— Oubliez ça, la coupe-t-il. Et fixons plutôt un rendez-vous.

— Demain ? Voulez-vous que nous déjeunions ?

— Je viendrai vous chercher et nous irons à *La Réserve*.

— Vous me sauvez encore...

— À une condition.

— Acceptée ! lance-t-elle joyeusement.

— Ce soir, ne jouez pas au casino.

— J'ai promis au marquis de Fellance de lui prêter mon bras, minaude-t-elle.

Et dans ces mots qui lui font mal, Isaac comprend combien il est attaché à la comtesse.

*

* *

La rencontre avec Anastasia remonte à deux ans. Ils se trouvaient à bord du *Vent Debout*, un canot à moteur qui faisait la jonction entre Nice et Beaulieu, en ces temps où la route ne reliait pas ces lieux. Et pour rejoindre *La Réserve*, un merveilleux restaurant de poissons, situé au bord de l'eau, il n'existait que ce moyen tourné en agréable aventure, du moins tant que le sirocco, un vent du sud, ne se levait pas. Car, alors, la houle se formait et la gîte menaçait l'allant du bateau. Cependant, le 3 septembre 1937, une poignée de courageux avaient bravé la colère de Neptune pour gagner *La Réserve* où siégeait le royaume de la gourmandise[1]. Daurades, poulpes, crustacés, rougets, beaux yeux, pageots, soupe de pointu et de capelan, le tout

1. Appelé le roi des restaurants et le restaurant des rois, *La Réserve* fut transformée, après la Seconde Guerre mondiale, en un hôtel réputé.

mélangé à l'anis, au citron, au thym, à l'olive, à la tomate, au basilic, au laurier. Grâce au talent du maître cuisinier Pierre Lottier, c'était bien le roi des restaurants. Et ce titre méritait d'affronter le roulis de *Vent Debout*.

Solidement campé sur les jambes, le groupe engagé ce jour-là dans ce voyage faisait front et, de cette entreprise joyeuse, naquit une solidarité qui poussa les convives, enfin arrivés à bon port, à faire table commune. La comtesse Ivérovitch, accompagnée d'un homme empressé, se retrouva placée en face de Bernstein. Et dès les premières minutes, une complicité naquit entre eux, d'autant que le chevalier servant d'Anastasia ne se remettait pas de la traversée. Gémissant et râlant, le pauvre se fit porter pâle et, quittant la table, et les plaisirs de *La Réserve*, il abandonna la comtesse, ce qui favorisa son rapprochement avec l'expert en art.

*

* *

Depuis, ils se voient souvent, même si Isaac a renoncé à l'espoir d'une relation fondée sur d'autres sentiments que l'affection. Ainsi, pour rien au monde, il ne manquerait à l'appel d'Anastasia. Quitte à se fâcher avec ses amis peintres qui, à la *Colombe*, et deux ans plus tard, réclament sa présence...

*

* *

Picasso fait entendre sa voix. Il exige de Bernstein qu'il s'explique sur la personne qui l'appelle en plein repas.

— Ferait-elle un beau modèle ? l'entend-il hurler.

— Je dois vous laisser, Anastasia. Pablo Picasso a décidé de faire la révolution dans le restaurant.

— Pardonnez-moi.

— À la condition, plaisante-t-il, de jouer seulement avec l'argent du marquis de Fellance.

— Souhaitez-vous que je ruine tous les hommes de la Riviera ? dit-elle en éclatant de rire.

— Vous n'imaginez pas combien ils y sont prêts, pour plaire à vos yeux.

Anastasia soupire, mais ne relève pas. Elle reste silencieuse un instant et se décide à conclure.

— À demain, Isaac.

— À demain, comtesse.

En retournant à la table, Picasso presse Bernstein de questions sur son énigmatique correspondante. Mais il n'apprend rien. Ou plutôt un détail qui attise un peu plus sa curiosité : cette femme est libre et très belle. Pourtant, personne ne l'a vue céder à l'un des nombreux soupirants qui se jettent à ses pieds.

— Quel est donc son mystère ? s'intéresse Matisse.

Isaac Bernstein hausse les épaules. Il ne sait.

— Mais un jour, je l'apprendrai peut-être...

Et Isaac Bernstein vit avec cet espoir.

73

L'expert en art s'est levé tôt. Avant d'attaquer la journée, il a effectué une marche dans le village de Saint-Paul, désireux d'entretenir ainsi son physique irréprochable de quinquagénaire. Grand, élancé, Isaac séduit naturellement, sans forcer son talent, sans jamais chercher à mettre en avant une virilité pleine d'assurance et dont il mesure les effets. Les traits de son visage expriment une infinie tendresse, une douceur rehaussée par des yeux d'un vert limpide qu'un front large et étonnamment lisse met davantage en valeur. Il porte, comme à l'habitude, une chemise blanche déboutonnée au col et dont les poignets sont retournés, découvrant un peu plus la délicatesse de ses mains et sa peau dorée par le soleil provençal. Il marche d'un pas rapide, sans effort, pour combattre le temps qui lui manque car cet homme est toujours au travail. Déjà, il franchit le seuil de sa maison, ignorant le regard d'une jeune femme qui passait et a détourné la tête, attirée par cette silhouette élégante. Mais il ne songe qu'à son programme.

Quelques coups de téléphone à Paris et un rapport qu'il vient de rédiger sur la succession Maillol et consorts dont l'imbroglio juridique vaut bien la valeur des biens mis en cause. Renoir, Van Gogh, Rembrandt, David... Quarante pièces exceptionnelles qu'il lui faut estimer en tenant compte des demandes qui affluent pour acquérir ces chefs-d'œuvre dès qu'ils seront sur le marché. Mais une vente sera-t-elle nécessaire tant le marché est haut ? Bernstein a raison. La guerre qui menace pousse les acheteurs fortunés à spéculer sur l'art. Et lui-même finit par s'en inquiéter. Plus l'or monte, plus l'art fait de même, plus la crise se précise. Le souvenir de 1929 est encore vif, quand la bourse de New York s'est effondrée brutalement, provoquant la faillite de l'économie. Ce n'est pas ainsi, en profitant du malheur des uns, que cet expert imagine son métier. L'art et l'argent, oui. Mais spéculer sur la haine que Hitler est en train d'attiser, Bernstein ne le veut pas.

Bientôt dix heures. Le rendez-vous avec Anastasia se précise. Isaac en ressent un bonheur immense. Et c'est toujours ainsi. En passant devant le fleuriste, il achète des roses de Vence. Leur parfum embaume. Un coup d'œil au ciel. La journée s'annonce magique.

*

* *

Anastasia Ivérovitch occupe une maison construite sur la moyenne corniche qui surplombe Beaulieu et la plage de la Petite Afrique. La route sinueuse exige une attention de chaque instant. Le conducteur doit résister à la tentation de tourner le regard vers la mer qui se montre et se cache au détour des virages. Il faut être attentif ou rouler à faible allure. Isaac a pris le parti de musarder et de laisser venir à lui le soleil qui tape à midi sur les ailes blanc et noir de son cabriolet Citroën traction 11BL cabriolet, l'un des derniers modèles du constructeur français, particulièrement confortable et rapide. Bernstein en a fait l'expérience en quittant Paris pour rejoindre Saint-Paul-de-Vence. Mais aujourd'hui, rien ne presse. La capote repliée, il se laisse bercer par le ronronnement de son fauve. Quelques minutes encore et il embrassera Anastasia. Dans un lacet, il vient d'apercevoir sa maison construite en pierre du pays. La bâtisse est solide, carrée comme un fort. L'apparence est trompeuse. Tout y est volupté. Les fenêtres du salon ouvrent sur une terrasse qui invite à contempler la mer. On y reste des heures, à parler sans importance, et le thé glacé d'Anastasia apaisera tous les désirs.

*
* *

Au dernier moment, il voit le vélo de Fanny, la jeune fille qui fait le ménage et les courses, mais s'occupe en réalité de l'intendance, petits détails dont Anastasia se moque. Parfois, quand il se rend ici, Isaac la croise à pied, poussant sa bicyclette dans la montée. Le porte-bagages déborde de victuailles, de bouquets de fleurs coupées, de journaux de la ville. Alors, il arrête sa voiture, embarque l'engin qu'il installe comme il peut et ils font le chemin ensemble.

— Comment se porte la comtesse ? demande Bernstein à chaque fois.

Invariablement, Fanny soupire et dit qu'elle la trouve toujours triste.

*
* *

Isaac klaxonne pour annoncer son arrivée. Le cabriolet Delahaye 135 de la comtesse n'est pas à sa place habituelle. Sans doute se trouve-t-il dans le garage puisqu'ils prendront la Traction pour se rendre à *La Réserve*. Mais pendant qu'il se gare, Fanny sort de la maison et ne lance pas son joyeux bonjour. Les yeux rougis par les larmes, elle se jette dans l'escalier pour tomber dans ses bras. Il s'est produit un drame. Et Fanny ne dit rien. Alors Bernstein, le souffle soudain court et le pouls emballé, se précipite à l'assaut des marches.

— Elle n'est pas là, sanglote Fanny. Elle ne sera plus jamais là.

Isaac s'immobilise, se retourne. Hébété, ces mots, il ne les comprend pas.

— Que s'est-il passé ? murmure-t-il enfin.

— Elle est morte, parvient à glisser Fanny entre deux sanglots.

La douleur rentre dans la tête. Pourtant, il ne réalise toujours pas.

— Cette nuit, en revenant chez elle, madame la comtesse a eu un accident en voiture.

— Où ? Quand ? hurle Bernstein.

— Sur la corniche, répond-elle d'une voix hachée... La voiture a basculé... Elle s'est écrasée en bas. Plus rien...

Fanny s'interrompt pour libérer une plainte et tend les bras vers Isaac, l'implorant de secourir son chagrin.

— Monsieur, ne me laissez pas seule ici...

— Venez, dit Isaac.

Il lui prend la main, enlace son épaule, l'aide à rejoindre le perron. Il entre dans la maison. Pourquoi espère-t-il encore voir le sourire d'Anastasia et l'entendre dire : « Bonjour, Isaac. Avez-vous regardé la mer en venant ici ? Non, bien sûr, puisque vous conduisiez prudemment. Venez près de moi. Allons sur la terrasse pour l'admirer. Entrez avec moi dans ce paradis. »

74

La maison est comme il l'a laissée lors de sa dernière visite. Tout appelle le souvenir des mots, des rires, des regards qui ne s'avouaient pas tout. À cette peine aussi injuste que brutale, à ce manque infini qui débute et fait déjà mal, s'ajoute la voix lancinante répétant à la tête que c'est fini, qu'elle ne reviendra jamais. Impossible d'accepter. Tout d'elle est là. Elle devrait entrer par cette porte et reprendre la conversation légère de la veille, car le temps n'a jamais eu de prise sur eux. Oui, de quoi parlaient-ils ? Quel échange en suspens réservaient-ils à ce rendez-vous manqué puisqu'elle vient de partir sans rien préparer, sans laisser de billet ? À quelle trace s'accrocher pour la rattraper ? Un châle en soie repose sur le piano, un livre est ouvert, posé sur un fauteuil en cuir. Comme marque-page, Anastasia a choisi une fleur séchée. Isaac croit reconnaître celle qu'il cueillit pour elle lors d'une promenade dans les Gorges du Loup. Il secoue la tête, fait un pas, voit cette tasse de thé mi-pleine, un souvenir éphémère d'Anastasia vivante. Il secoue la tête. Décidément, il ne veut pas y croire.

*
* *

— J'étais venue ce matin pour aider la comtesse à rassembler des choses... Des objets, se reprend Fanny, qui étaient pour vous.

Elle montre la table de la salle à manger. Bien rangés, on trouve un peu de tout. Des œufs de Fabergé, des colliers, un coffret à bijoux, des cadres, des photos, des tableaux ; le meilleur et le pire d'une vie.

— Nous avions commencé à faire du tri. Il y en a plein encore là-haut. Quand je suis arrivée, elle n'a pas répondu. Et puis le téléphone a sonné. C'était la gendarmerie de Cannes. Ils disaient que la comtesse Ivérovitch était morte et ils demandaient si elle avait de la famille. J'ai dit qu'il n'y avait personne ici. Et ils ont répété plusieurs fois de les attendre. Ils vont arriver.

Elle tombe en larmes :

— Qu'est-ce qu'on va devenir ?

— La comtesse n'avait pas de famille ? insiste Isaac.

Fanny hausse les épaules :

— Elle n'en parlait pas. Hier, elle disait qu'un jour, tout irait aux pauvres et qu'elle m'en offrirait aussi.

Elle s'assoit. Ses jambes ne la portent plus.

— Fanny ?

— Oui, monsieur, pleurniche-t-elle.

— Je crois que nous avons besoin d'un bon café et d'un peu d'eau-de-vie. Vous croyez que vous pouvez vous occuper de cela ?

*
* *

C'est ce qu'il fallait. Un geste habituel qui l'empêche de réfléchir. Elle se lève comme un automate et marche vers la cuisine. Isaac reste un moment sans bouger. La maison est silencieuse. Par une fenêtre ouverte, il entend la mer. Le vent monte, porte haut. Un papier s'envole de la table où reposent les objets qui lui étaient destinés. Bernstein le ramasse. Puis, allant timidement à la table, saisit une photo. Une datcha sous la neige.

Un couple et une jeune fille qui fut la comtesse. Il y a encore un étui à cigarettes, un exemplaire du *Prince* de Machiavel. Il s'approche une dernière fois d'Anastasia et prend le coffret à bijoux qu'il caresse et ouvre pour retrouver le souvenir de cette femme.

— Vous pouvez regarder, dit Fanny qui revient de la cuisine. Tout est pour vous. La comtesse me l'a dit.

*

* *

Isaac repose le coffret et va pour le refermer, mais ses doigts accrochent le creux d'une fente découpée dans le bois. Le socle bouge et cache un autre tiroir. Entrer dans ses secrets, revivre avec elle ? Cette seule émotion explique l'audace de son geste qui pourrait, aux yeux de certains, relever de la profanation. Dedans, dessous, il y a en effet un rangement où reposent sagement deux enveloppes. L'une contient un pli cacheté ; l'autre une lettre, et un autre pli également scellé. La lettre est fatiguée, tant le papier, plié et déplié cent fois, est chiffonné, meurtri, prêt à rendre l'âme. Isaac a pris le tout. Pourquoi cette correspondance se trouve-t-elle dans ce coffret qu'elle souhaitait lui donner ? A-t-il vraiment le droit de regarder ? La réponse ne se fait pas attendre. L'expert inspecte déjà une des enveloppes qui n'a pas été ouverte et note un *détail* qui ajoute au mystère. Procédant comme toujours, il soupèse sa prise, la faisant sienne peu à peu. Il s'attarde sur le recto, étudie l'oblitération qui livre une première information. La lettre vient de Suisse et, en caressant par instinct le timbre, il comprend d'emblée sa rareté et sa valeur : il n'existe pas. Bernstein se reprend. Il en a l'apparence, mais c'est un dessin, une imitation peinte directement, et à la perfection, sur l'enveloppe. En fait, il s'agit même d'un tableau minuscule et précis, une création miraculeuse dont les fausses ombres, qui renforcent l'illusion du papier, les couleurs, et jusqu'aux dents habilement imitées, forment un tout irréprochable. Il faut bien plus qu'un simple coup d'œil pour éventer le génie d'un auteur au talent immense puisqu'il a réussi à déjouer le contrôle sourcilleux des services de la poste helvétique. La supercherie fait le prix de l'œuvre. Oblitérée, elle devient exceptionnelle, pour ainsi dire unique. Est-ce pourquoi Anastasia cachait ce trésor ? Isaac y pense tout d'abord, lui qui croit connaître le signataire de cette pièce rare. C'est Alfred Wing, l'élève surdoué du très fameux faussaire Fournier. Il en est presque sûr pour avoir expertisé, il y a peu, une collection réunie par un affidé de l'artiste qui, afin d'authentifier son travail – ou se distinguer de son maître –, ajoute toujours une griffe personnelle : un poinçon minuscule en forme de croix, caché en partie et, dans ce cas précis, par l'oblitération. Voilà de quoi faire exploser la cote de la copie inestimable d'un timbre à 4 centimes revêtu du tampon officiel de la poste. Ainsi, l'origine est certaine, et la date certifie le jour où le chef-d'œuvre fut expédié : 12 avril 1920. Ce timbre, cette enveloppe, cette oblitération valent à eux seuls l'œuf de Fabergé posé à côté. Et qu'en est-il de leur contenu ?

Bernstein saisit l'autre enveloppe. Même timbre. Même oblitération. Et même œuvre de faussaire. Les deux représentent une fortune.

*

* *

— Vous dites qu'elle me destinait ces objets ?

— Oui, répète Fanny. Croyez-moi, je serais vous, je prendrais tout cela avant que les gendarmes arrivent.

Bernstein saisit l'œuf de Fabergé et un collier de perles.

— Tenez, lui dit-il. C'est pour vous. Puisque la comtesse voulait me les donner, je peux vous les offrir.

— Mais... monsieur, bafouille Fanny.

— Allons, gardez ces souvenirs et prenez en soin. Ils ont une grande valeur. Vous les offrirez plus tard à vos enfants en leur expliquant que ce fut la comtesse russe Ivérovitch qui les posséda. Et vous verrez que leurs yeux pétilleront, car les vrais trésors ont besoin d'une histoire.

— Ah ! Monsieur... Comment vous dire ?

— Plus rien, je vous en supplie, j'entends déjà les gendarmes.

— Au moins, prenez encore ce livre, le supplie-t-elle en lui tendant *Le Prince* de Machiavel.

Et c'est pourquoi il l'ouvre maintenant en son centre et détaille la gravure, l'encre, le papier. D'un geste habituel, il se rend à la dernière page et vérifie que l'édition est ancienne, rare.

Le livre, il l'a deviné, se négociera très cher. Ce n'est pas comme les lettres, ces objets mystérieux, mais un bien de collection qui pourra se vendre et rembourser une partie des dettes qu'Anastasia a dû accumuler. Il le referme, non sans avoir jeté un œil discret sur une dédicace dont le sens lui paraît obscur. Il est question des Forts, de Vérité et d'une référence à Golgotha, mais il n'en retient pas plus. Et en s'en détachant, il oublie ces quelques mots. Un dernier regard sur le cuir de la couverture et le dos parfaitement conservé. Il repose *Le Prince*, l'abandonne et glisse les deux lettres dans sa poche.

75

Les gendarmes n'ont aucune raison de retenir Isaac Bernstein, personnage connu. La Traction 11BL cabriolet impressionne le brigadier, lui qui conduit une Peugeot 202 dont la lourde carrosserie en acier interdit toutes accélérations et manœuvres rapides. Le maréchal des logis note son numéro de téléphone. S'il y a lieu, on le contactera.

— Comment s'est produit l'accident ? demande alors l'expert en art.

— Elle a décidé brusquement de partir seule du *Palm Beach*. C'est un casino qui se trouve...

— Je connais, coupe sèchement Bernstein. Le marquis de Fellance ne l'accompagnait pas ?

— Il dit que la comtesse a été prise d'un caprice et qu'elle a absolument voulu rentrer seule en voiture.

— C'est une très belle Delahaye, intervient le brigadier. Une 125. Il n'en reste plus rien. Elle s'est écrasée cent mètres plus bas et a brûlé d'un coup.

— Où peut-on voir le corps de la comtesse ?

— Je vous le déconseille, grimace le maréchal des logis. Un de nos collègues a participé à l'autopsie. C'est pire que la boucherie. Le corps est méconnaissable.

Il respire lourdement :

— Et pourtant, je suis un dur à cuire. J'étais à Verdun.

— Moi aussi, cingle Bernstein. Allez-vous mener une enquête ?

— Elle est bouclée, plastronne le gendarme. La comtesse avait bu et nous avons des témoins. Une embardée, un coup de volant... La Delahaye est une voiture rapide habituellement conduite par des chauffeurs expérimentés.

— La comtesse pilotait extrêmement bien.

— Ah oui ? grimace-t-il, peu convaincu par les mérites de la femme au volant. Alors, peut-être qu'il y a un doute.

— Lequel ?

— La malchance ou un suicide ? Qu'en pensez-vous ?

— Je ne saurais vous répondre, murmure Bernstein.

— Bien, souffle le gendarme. Que dire de plus ?

Il cherche, mais il pense déjà à partir.

— Ah ! lance-t-il soudainement. Savez-vous si cette femme avait de la famille ?

— Je ne crois pas, répond l'expert en art.

— Des amis ?

— Des dizaines !

— Pensez à en faire la liste. Nous les sonderons. On ne sait jamais. Peut-être est-elle mariée ? A-t-elle des enfants ?

Et d'ajouter en soupirant :

— Tout ça ne va pas être facile.

Il jette un regard sur la maison :

— Et ça, qu'est-ce qu'on va en faire ?

— Elle la louait.

— Le mobilier, les bibelots, les effets personnels ?

— Un notaire sera désigné. Il vendra le tout si personne ne réclame sa part. Du moins, je crois que c'est ainsi. Bonne journée, messieurs.

Isaac Bernstein ne songe qu'à partir. Cette discussion sordide sur le sort des affaires d'Anastasia l'étouffe. Il embrasse Fanny et, d'un sourire, lui rappelle leur secret en promettant de prendre de ses nouvelles.

— Vous devait-elle de l'argent ?
— Des peccadilles. Les souvenirs suffiront, répond-elle tristement.

*
* *

Isaac monte dans sa voiture. Sa poche pèse lourd. Dedans nichent les lettres et il veut croire qu'avec elles il pourra encore discuter, parler avec Anastasia. Peut-être aussi la comprendre. Suicide ou accident ? Il aimerait lui saisir la main, l'écouter se confier en détaillant son visage. Il ferme les yeux, songe à son corps gracieux contre lequel les années s'étaient découragées. Le bruit d'une portière qui claque le sort de sa rêverie. Les gendarmes montent dans la Peugeot. Ils partent à leur tour. Et la Traction gêne le passage. Isaac démarre. Il décide de ne pas attendre d'être chez lui pour se plonger dans les secrets d'Anastasia. Et puisqu'il désirait l'emmener déjeuner à *La Réserve*, il ira là-bas avec ces lettres pour seule compagnie, ultime empreinte d'une vie évanouie.

76

Pierre Lottier, le propriétaire de *La Réserve,* vient d'apercevoir Isaac Bernstein. Aussitôt, il se précipite pour l'accueillir.

— J'ai appris la nouvelle, dit-il. On en parle de Cannes jusqu'à Nice. On aimait tous la comtesse. Elle va nous manquer, n'est-ce pas ?

Isaac hoche la tête.

— Tenez, continue Lottier, je vais vous installer ici, juste en face de la mer. C'était sa place préférée.

— Nous avions prévu de venir déjeuner chez vous.

Lottier pince les lèvres. Il est sincèrement désolé.

— J'ai une daurade dont vous me direz des nouvelles, trouve-t-il juste à répondre d'une voix ensoleillée.

Il se tourne vers un serveur :

— Oh ! Petit Jules. Apporte tout de suite une bouteille des coteaux d'Aix à monsieur Bernstein.

Il se penche vers l'expert :

— Bien sûr, vous êtes mon invité. Et, si j'osais, mon ami.

— Votre attention me touche, monsieur Lottier.

— Appelez-moi Pierre. Allez, je vous laisse tranquille. C'est peut-être mieux pour vous. À moins que vous préfériez de la compagnie ?

— Merci, Pierre. Je désire rester seul.

— Installez-vous. Personne ne viendra vous déranger. C'est bien ce que vous voulez ?

— C'est mon vœu le plus cher, bredouille Isaac en lâchant un maigre sourire.

— Je vois que vous avez de la lecture, glisse l'autre en lançant un regard sur des papiers posés sur la table.

Il hésite avant d'ajouter :

— Des lettres de la comtesse ?

— Oui, lui répond-on sobrement.

— C'est bon un souvenir, souffle Lottier en tapant chaleureusement sur l'épaule de son invité.

*

* *

Bernstein n'ouvre pas immédiatement les enveloppes cachetées. Il commence par la lettre. Elle est signée Louis Chastelain, un personnage qui ne lui est pas inconnu, un as de l'aviation dont le nom circulait sur le front. Pendant la guerre de 1914-1918, Isaac a pour sa part été mobilisé dans l'infanterie. Ce lieutenant fut blessé à Verdun et médaillé de la Grande Guerre. Des breloques, sourit-il modestement, quand on lui en parle. Il a fait son devoir de Français, dit-il pour en finir. Mais Chastelain, il s'en souvient. À Verdun, Isaac était de ceux qui levaient les yeux pour admirer l'épopée des aviateurs. Il a même gardé un souvenir qui ne quitte jamais son bureau : une relique d'un combat aérien. Dans les tranchées, un soir de bombardements continus, une cartouche de mitrailleuse d'un *Bébé Nieuport*, l'avion mythique de l'escadrille La Fayette, atterrit encore brûlante à ses pieds. Pourquoi s'était-il baissé pour la ramasser ? Toujours est-il qu'à cet instant, un tir d'obus avait fracassé l'abri où il se trouvait, déchiquetant de ses éclats volants les corps de ses camarades. Une plaque de métal s'était fichée dans l'épais tasseau derrière lequel il se protégeait vaille que vaille. À quelques centimètres de son visage. En se penchant pour saisir l'offrande débarquée des nuages, la faucheuse l'avait raté, mais les canonniers d'en face continuaient d'enrager. Le tir suivant fut d'une violence inouïe. Le souffle le projeta à terre. Son casque vola. Un morceau de bois fou frappa sa tête nue. Il sombra. Peut-être une heure ou peut-être une minute. Quand il revint à lui, il n'entendit que le silence. Autour, tout était mort. Lui, il tenait dans la main la cartouche de la mitrailleuse. Et bien que peu superstitieux, il ne l'avait jamais lâchée jusqu'au 11 novembre 1918.

La lettre de Chastelain est courte. C'est un mot d'adieu écrit avec pudeur, retenue, où les regrets affleurent, saignent comme des blessures irréparables. Il dit qu'il va partir. Ou plutôt, qu'il veut partir. Dans quel sens ce mot s'entend-il ? Il dit aussi qu'il regrette le mal qu'ils se sont fait. Et Isaac comprend que l'auteur parle pour lui comme pour Anastasia. Est-ce cet homme, leur liaison – car ils furent amants, Bernstein ne peut en douter – qui expliquent la douleur diaphane et durable de la comtesse ? Chastelain ne dévoile pas ce secret, sa lettre étant parsemée de sous-entendus que seul ce couple pourrait comprendre. Sur la fin, qui vient vite, le capitaine Chastelain rappelle l'engagement qu'il a pris lors de leur dernière rencontre : confier à Anastasia la part de témoignage qu'il porte jusqu'à ce jour. « *Une fois réunies, nos deux lettres iront avec toi. Le moment venu, si Heinrich disparaissait aussi, il te faudra trouver "l'héritier" de notre confession. C'est un devoir. Le petit coin d'espoir que nous a laissé le destin. Je t'aime. Je l'ai toujours fait. Et je t'emporte avec moi. Louis.* »

En achevant sa lecture, Isaac se sent profondément troublé. S'expliquant mieux la tristesse d'Anastasia, son premier regret est de ne pas avoir su la comprendre. Du moins, de ne pas lui avoir donné envie de se confier. Ensuite, il lui faut revenir sur le mot « héritier » utilisé par Louis Chastelain. Anastasia avait l'obligation de conserver la *confession* qui se trouve sans doute dans les plis scellés et fabriqués par Alfred Wing, élève du génial Fournier. Et, si nécessaire, de prendre garde à les confier à un « héritier ». Cela veut-il dire qu'elle l'a désigné, lui, Isaac Bernstein ? Et doit-il imaginer que sa disparition fut volontaire ? Un suicide, comme le laissait croire le gendarme ? Isaac tente de se souvenir de la conversation de la veille avec la comtesse. Rien ne montrait son désespoir. Bien au contraire, elle semblait heureuse de le retrouver. S'était-il produit quelque chose entre leur dernier contact et la soirée en compagnie du marquis de Fellance ? Isaac garde ces questions pour plus tard. Il y a aussi les deux plis cachetés. Il en prend un, le tourne, le *visite* comme il le fait avec les tableaux qu'il expertise. Puis il saisit le couteau du couvert posé sur sa table et, délicatement, décolle l'enveloppe. Seul, face à la mer, sa lecture débute.

77

Ces lettres, puisqu'il a lu les deux, recèlent une surprise en forme de mystère. Elles sont incompréhensibles. De ce message chiffré il ressort, après étude, des mots étranges, inquiétants qu'il extrait à la façon de Champollion décryptant ses premiers hiéroglyphes. Des mots sans suite logique auxquels il s'attache en tamisant quelques noms propres dont le premier est Sarajevo. Il note sur une feuille de papier : *la ville où fut assassiné le prince héritier de l'Empire austro-hongrois.* Et il procède à nouveau ainsi pour ce qui fait sens à ses yeux. En découvrant Princip, il ajoute ce commentaire : *celui qui tua le prince héritier.* Oui, il en est à peu près certain, même s'il vérifiera plus tard. Puis il trouve Caillaux : *brillant et célèbre homme politique victime du scandale de son épouse (cf. l'assassinat de Calmette, directeur du* Figaro*). Opposé à la guerre. Pacifiste.* Jaurès : *que dire de lui ?* Il note, à tout hasard : *un autre pacifiste. Est-ce le lien qui l'unit au Caillaux déjà vu ?* Le reste est encore plus énigmatique. Igor Kasparovitch : *inconnu. Un Russe, vraisemblablement. Mais est-ce un ami, un parent, un allié ou un ennemi d'Anastasia ?* Il s'arrête évidemment sur *Golgotha*, cité à de nombreuses reprises : *inconnu. Existe-t-il un rapport « symbolique » avec la colline où le Christ vécut son calvaire ?* Isaac regrette de ne pas avoir pris *Le Prince* de Machiavel car il croit se souvenir que le même nom figure dans la dédicace. *Golgotha? Est-ce la clé de l'énigme?* écrit-il encore.

Et c'est ainsi, deux heures durant, alors que le restaurant se vide et que Pierre Lottier patiente en bavardant avec des pêcheurs venus livrer du poisson frais qu'ils transbahutent dans un immense vivier.

*

* *

Les premières déductions tombent. Entre tous ces mots, l'expert passionné par le sens caché des œuvres d'art devine l'existence d'un rapport avec la Grande Guerre, citée à plusieurs reprises. Mais sous quel angle ? Pour la dénoncer ? Pour raconter un aspect des plus sombres ? À l'évidence, si l'on en parlait en bien, pourquoi le message serait-il codé ? Bernstein est parvenu en outre à une autre conclusion : il possède seulement une partie de l'énigme. Il pourrait s'agir dès lors d'un récit tronqué, partiel, d'une histoire qui ne peut se lire sans son complément. Une autre lettre aurait-elle échappé à son examen quand il se trouvait chez la comtesse ? Il reprend ce qu'il tient en main. *Il faut toutes les lignes...* Cette phrase figure sur l'en-tête de la missive qu'il décide de classer en premier. *Et il faut tous les mots,* est-il précisé sur la seconde. Ou deuxième ? Car il lui manque au moins un chaînon afin de comprendre ce dont lui-même est « l'héritier ».

Pour ajouter à l'énigme, il découvre, en fouillant au fond des enveloppes, un autre indice mystérieux : un feuillet découpé en morceaux comme les éléments d'un rébus. Isaac réunit les deux en sa possession. Et cela prend l'apparence d'un brouillon, du premier jet d'un texte que l'auteur a pris soin de corriger en le raturant ici et là. Le signataire n'est pas un inconnu : Jaurès. Un projet d'article ? En quoi se lie-t-il aux autres documents ? Un titre apparaît : « J'accuse ». Le ton est combatif, inquiétant. La date, tout autant : 31 juillet 1914. Trois jours avant la déclaration de guerre et, s'il se souvient bien, le jour de l'assassinat du chef socialiste. Voilà qui obscurcit tout plutôt que de clarifier son chemin.

*
* *

Que veut-on lui dire ? Sur quoi a-t-il mis la main ? Il appelle Pierre Lottier. Il lui faut sur-le-champ du café et si possible des cigarettes. Mais, en revenant au présent, il réalise qu'il est seul dans la salle du restaurant. Les pêcheurs sont partis. Il consulte sa montre : quatre heures.

— Voulez-vous que je libère la place ?

— N'êtes-vous pas chez un ami ? lui répond le restaurateur.

Bernstein le remercie d'un sourire et replonge dans le document signé par Jean Jaurès : *«battre pour la paix», «je supplie les vivants», «résisterons à leur barbarie», «qui est Golgotha», «les marchands d'armes», «qui veulent la guerre», «qu'on les juge», «une planète rougie par le sang», «le temps soit aussi venu d'avoir peur», « Jean Jaurès, le 31 juillet 1914.»*

Golgotha encore. Et Bernstein souligne trois fois d'un trait rageur ce nom noté sur sa feuille. *Trois* est aussi, selon lui, le nombre qui permet de lire l'article de Jaurès en intégralité. La déduction vient de l'examen des deux premières pièces. Comme elles ont la même taille et, réalisant un montage en s'aidant d'un morceau de papier, il reconstitue le format d'une page. *Trois* est donc, il en est dorénavant certain, le nombre de lettres qui composent la totalité du message. Seulement il y a un trou béant dans son puzzle : où dénicher la pièce manquante ?

*
* *

En relisant une nouvelle fois le mot écrit par Chastelain, Bernstein s'arrête sur ce maigre indice : Heinrich. Un Allemand. Un ancien ennemi – et peut-être le prochain, redoute Isaac. Est-il le dépositaire de la clef qui permettrait de lire l'entièreté ? Son cerveau déjà en ébullition redouble d'action. *Primo*, il a peu de chances de trouver la lettre manquante chez Anastasia. Si elle la possédait, il l'aurait dénichée dans le coffret à bijoux puisque, par expérience, il sait que l'on ne disperse jamais les éléments d'un même trésor. L'or se cache avec l'or. *Secundo*, Heinrich est uniquement un prénom. Impossible de se mettre sur sa trace, sauf à se rapprocher de Louis Chastelain. Celui-ci a-t-il d'ailleurs disparu comme il l'annonçait ? Voici donc le *tertio* : c'est vers lui qu'il faut aller. La piste qu'il doit creuser. Et Bernstein, l'ancien lieutenant, médaillé de la Grande Guerre, excité par cette quête qui désormais occupe chacune de ses pensées, imagine qu'il pourrait obtenir des informations en se tournant vers le ministère de la Défense. Mais démarcher l'armée exige sans doute d'agir avec prudence, d'autant que la guerre se situe au cœur des lettres codées.

Dans l'immédiat, il importe de savoir comment est réellement morte Anastasia. Il connaît un croupier, Boniface Aventure, au casino du *Palm Beach*. Ils ont combattu dans le même régiment. Isaac consulte encore sa montre : six heures. Le *Palm Beach* est ouvert, il fera donc un écart jusqu'à Cannes. Par son métier, Boniface Aventure se doit d'être physionomiste. Si quelque chose d'anormal s'est produit au moment du départ de la comtesse, il l'a forcément repéré. Un détail, simplement cela, qu'il n'a peut-être pas jugé nécessaire de confier à la gendarmerie.

PRINCIPE DE GOLGOTHA

Rapport du Neuvième Décemvirat
Paragraphe 15

Selon Machiavel, retarder la guerre revient à donner une chance à son adversaire. Si elle devient inévitable, il faut l'affronter. Le combat contre l'économie s'engageait donc et il s'avéra redoutable. Je l'ai écrit. L'économie est supérieure à la politique. Mais pourrait-elle se montrer plus forte que Golgotha ? La crise exceptionnelle de 1929 allait décider.

La réunion de Londres de 1928 s'était achevée sur l'idée centrale qu'au meilleur moment, Golgotha vendrait une quantité considérable de titres afin de provoquer l'effondrement des cours et la ruine des banques, des petits porteurs, des spéculateurs, de l'industrie, de ses salariés. Cette action se fondait sur la psychologie, ce qui prouvait l'existence de points communs entre le terrorisme et l'économie. Et il était à la fois curieux et amusant de découvrir que l'un n'était que le reflet inversé de l'autre. Le terrorisme crée en effet le doute et la peur, ce qui est exactement ce que craint le plus l'économie. Ainsi, la crise de 1929 s'apparentait à un acte terroriste et il en utilisa la méthode : un drame imprévu, brutal, précédé d'aucun avertissement, frappant aveuglément les innocents et les coupables ; un geste dont le commanditaire seul maîtrise le lieu, le temps, l'action, et plongeant, par ses ravages, les victimes dans l'indécision et la terreur.

Autant de domaines dans lesquels le Décemvirat avait prouvé son excellence. Mais ce résultat ne pouvait s'obtenir qu'en résolvant une question initiale : comment atteindre le cœur de la cible ? Car, à la manière d'un attentat, il fallait que la victime souffre et ne se relève pas, qu'elle meure assurément, et, pour cela, frapper implacablement au défaut de sa cuirasse. Mais où résidait la faiblesse de l'économie ? Où se nichait-elle ? Je l'ai dit, Frères de Golgotha, cet adversaire a besoin de la confiance. Et rien n'est plus fragile. Sur ce fil invisible, marche l'équilibriste qui tente de ne pas tomber en se servant de sa foi. Il croit en l'économie; qu'aujourd'hui et demain, le marché portera la croissance et ses intérêts. Croire revient donc à faire crédit. La créance, il n'y a qu'elle pour mesurer la santé de l'économie. Plus elle grandit, plus ce monde se porte bien. Plus elle faiblit, plus il se décompose. C'est aussi simple que cela, l'économie, et Golgotha le sait. Si le marché a confiance, il s'endettera pour acheter; s'il s'inquiète, il renoncera à faire crédit. Les cours de la bourse fonctionnent sur ce principe élémentaire. Ils grimpent ou montent, se calant sur le mécanisme de la confiance. Et n'est-ce pas la finalité d'un acte terroriste que de la détruire ?

À la fin de l'année 1928, l'économie voguait sur l'espérance d'un monde porté par le profit. Jamais, en Amérique, on n'avait vendu autant de voitures. La publicité voyait son chiffre d'affaires grimper à trois milliards de dollars, l'électricité devenait l'énergie reine, éclairant dans des villes entières des panneaux immenses vantant le dernier modèle de Ford. En janvier de cette année, nous avions, l'Archange et moi, effectué un voyage de reconnaissance à New York et j'étais surpris par la confiance naïve des Américains qui expliquaient les mérites de la bourse, dont le premier était de s'enrichir sans avoir à dépenser un cent. Ce prodige était possible par le mécanisme d'achat de titres à crédit, au mobile que les cours grimperaient «forcément». En somme, les spéculateurs s'endettaient en toute confiance pour acheter, convain-

cus qu'ils s'acquitteraient en vendant plus tard, puisque les cours monteraient «forcément.» Un enfant aurait compris cette formule. Mais, si les cours baissaient au point de ne pas couvrir les remboursements venant à terme – en somme, si d'un coup, l'économie perdait son crédit? Les Américains répondaient que l'économiste Fisher affirmait que les cours avaient atteint un plateau «perpétuellement élevé». L'Archange en conclut ceci: «Quand le plateau sera trop lourd, nous leur ferons un croc-en-jambe.»

Au début 1929, nous vîmes les signes annonciateurs de la crise. La production industrielle stagnait. Bientôt, la croissance s'arrêta. Pour compenser le manque à gagner, les entreprises se mirent à spéculer, achetant et vendant, nourrissant ainsi l'économie irréelle qu'est la bourse. Bientôt, le financement des crédits, pour acheter des actions, devint si important que Golgotha, via ses consortiums, entra dans la partie. Cet afflux d'argent augmenta le volume des transactions et fit grimper la bourse. L'économie espéra un miracle, puisque ce pouvoir a la faiblesse de s'en tenir à l'espoir. En septembre, les cours atteignirent un niveau inégalé. L'Archange convoqua le Décemvirat. Le temps était venu de frapper. Le montant des crédits alloués au marché par les consortiums s'élevait à un milliard de dollars, ce qui, à l'époque, représentait plus du quart de la totalité des actifs de Golgotha. «En provoquant la crise, nous perdrons tout», s'inquiéta Agios de Sparte. L'Archange fit la preuve du contraire en expliquant qu'en nous séparant de nos titres au cours le plus haut, nous compenserions une large partie des pertes dues aux crédits engagés, et que cette décision provoquerait la ruine de ceux qui, faute d'être dans le secret, ne vendraient pas à temps. «Octobre, ajouta l'Archange. Nous agirons pendant ce mois.» Et son conseil l'emporta.

Le 24 octobre, il déclencha la crise en donnant ordre de vendre brutalement plus de dix millions d'actions. Le coup provoqua la panique. Les cours chutèrent de trente pour cent et le salut ne vint que du geste d'un pôle de banquiers qui décida d'investir deux cent quarante millions de dollars dans le rachat de titres. L'espoir était de soutenir les cours, voire de les augmenter. De sauver la confiance. Cet effet misérable paya provisoirement. À la fin de cette première journée, les cours ne perdaient que quelques pour cent. Mais le mal était fait. La rumeur courait, on se battait devant la bourse dont la galerie des visiteurs fut fermée et l'on annonça le suicide d'une dizaine de spéculateurs déjà ruinés. Les investisseurs endettés se précipitèrent pour vendre les titres qu'ils possédaient dans l'espoir de rembourser les crédits que nous leur avions accordés. La machine était en route. Le lundi 28 octobre, au motif qu'ils craignaient l'effondrement de leurs avoirs, nos consortiums vendirent à nouveau huit millions de titres. La bourse s'effondra pour de bon. Déjà, certaines entreprises se trouvaient en danger. Kodak, ATT, General Electric, Westinghouse étaient blessées mortellement. La moitié de leur valeur partit en fumée. Le mardi 29 octobre, l'Archange donna l'ordre de vendre encore quinze millions de titres et m'avoua : « C'est la dernière chance. Cette fois, nous n'avons plus d'actions pour détruire le marché et Golgotha a perdu plus du tiers de ses possessions en trois jours. » Je lui demandai alors combien nous avait rapporté la vente du premier jour, quand les cours tenaient encore. « Pas assez pour couvrir les prêts que nous avons consentis. Mais c'était le prix à payer. » Il se montait à un milliard de dollars quand l'économie en perdait trente. Un pour trente. Le rapport était bon. Quand il atteignit un pour soixante-dix – soixante-dix milliards de perte pour l'économie – il devint excellent. Et pour mesurer aujourd'hui l'ampleur du cataclysme, il faudrait multiplier par cinquante les chiffres d'alors. La meilleure des armées n'aurait pu obtenir de tels résultats. « De plus, me dit-il, n'ayant plus rien en bourse, nous ne perdons plus, ce qui n'est pas le cas de l'économie qui ne peut vendre ce qui ne vaut rien. Ainsi, les cours continueront à s'effondrer. La destruction ne fait que commencer.»

Il avait raison. Deux ans plus tard, l'indice Dow Jones mesurant la valeur boursière des entreprises descendit à son plus bas niveau depuis sa création en 1896. La banque Goldman, American Founders, US Steel, General Electric, General Motors virent leurs cours divisés par dix et parfois par cent. À titre personnel, Jack Pierpont Morgan perdit plus de cinquante millions de dollars, la famille Vanderbilt, quarante millions, et les Rockefeller, la quasi-totalité de leur fortune.

Churchill lui-même y laissa plus de cinq cent mille dollars.

Mais l'attentat ne produisait que son premier effet. Asséchées par les spéculateurs qui ne pouvaient rembourser leurs emprunts, les banques ne purent prêter aux entreprises qui leur réclamaient de l'argent pour tenir. La psychologie fit le reste. Convaincus que le système bancaire allait tomber en faillite, les petits épargnants voulurent récupérer les sommes déposées dans les banques. Cet afflux de demandes asphyxia à son tour le système. De boursière, la crise devint industrielle, financière, puis générale. Il ne manquait que le volet social – qui arriva logiquement : aux États-Unis, le nombre de chômeurs passa d'un million et demi, en 1929, à quinze millions, en 1933. Un rapport d'un à dix, comparable au désastre de la bourse. Dévastées, les sociétés se muèrent en système féroce, et le «combat pour la vie» trouva enfin sa vraie terre de prédilection : la politique. La haine, la rancœur reprirent le dessus. On voulait du pain, même, comme l'avait imaginé l'Archange, s'il fallait le voler aux autres.

«C'est dans la guerre que les États retrouveront la prospérité.» Ce slogan faisait mouche et imprégnait les esprits. À peine né, le pacte Briand-Kellogg, signé le 27 août 1928 à Paris par quinze pays renonçant au conflit, était enterré. En trois ans, les partis belliqueux firent d'incroyables progrès en Europe. Hitler s'installa

au pouvoir et remit au travail les usines d'armement, ce qui diminua la misère de deux millions et demi de chômeurs prêts à tout accepter pour manger. Incidemment, la cruauté humaine, le désir de vengeance des partis politiques de l'extrême, leur nuisance servaient nos intérêts. Ils effrayaient, prédisaient la guerre. Ils obligeaient les plus pacifistes à se prémunir contre ce nouveau fléau. Ainsi, la crise de 1929 avait à la fois muselé l'économie et favorisé l'éclosion de nouveaux conflits, destructeurs pour les États. L'ère du prédateur-roi revenait solidement à la mode. Dans ce maelström, Golgotha trouvait de nouvelles raisons d'espérer. À nouveau, il faudrait corrompre et soutenir le chaos, un monde où le Principe s'épanouissait et s'enrichissait, car l'économie de guerre annonçait le retour d'un profit supérieur aux pertes du krach boursier.

À la fin de 1936, Golgotha regagna l'essentiel des actifs sacrifiés dans la crise. Les contacts tissés avec le système hitlérien permettaient au Décemvirat d'anticiper le conflit à venir et remplissaient les caisses des consortiums. L'Allemagne, enragée par des humeurs néfastes, exigeait toujours plus d'armes, d'énergie, de machines-outils, de béton, d'acier, de caoutchouc et engrangeait des réserves pour la bataille. Il fallut alors apaiser les relations avec l'économie et chacun comprit son intérêt.

Ainsi, Zaharoff retrouva ses Mémoires, mais ne les publia jamais. Il les brûla en présence de l'Archange et décida de se retirer des affaires. Par un accord secret, le Décemvirat racheta ses actifs, notamment dans la presse, et plus généralement la communication dont l'importance ne cessait de grandir et qui, en ce qui me concerne, joua, je m'en expliquerai, un rôle capital.

Tout allait donc pour le mieux? Je dois ajouter ceci. L'Archange avait usé une énergie colossale pour mener la guerre contre l'économie. Il se disait épuisé et ne mentait pas. «Bientôt, m'annonça-t-il au début de 1939, vous serez mon futur. Je ne connaîtrai peut-être pas la prochaine guerre, mais je me réjouis pour vous de son dénouement heureux qui verra l'affaiblissement de nombreux États et l'extinction de certains.»

L'Archange souhaitait annoncer sa retraite lors de la réunion suivante du Décemvirat, prévue en juin 1939, peu avant le début des hostilités. Hélas, un événement, rapporté par le Léviathan de Job, notre Frère Enrôleur, se produisit entre-temps, apportant une nouvelle fois la preuve qu'un pion pouvait détruire notre Principe. Car surgissaient, des abîmes de la Grande Guerre, les vestiges d'un péril que nous pensions éteint. Et malgré ces victoires, l'oxydation de notre système continuait, rongeant Golgotha.

78

— Bien sûr, que je suis au courant pour la pauvre comtesse. Mais je n'étais pas de service, hier soir. Je dînais chez mes cousins de Saint-Jean.

Boniface Bonaventure, croupier et physionomiste du tout nouveau casino du *Palm Beach*, accueille Isaac Bernstein dans la salle réservée au personnel. Il porte un smoking irréprochable et se montre attaché à son apparence. Cela donne des gestes nerveux – comme tirer sur les manches de sa veste, balayer de la main une poussière tombée sur son épaule, replacer son nœud papillon – qui, si les circonstances s'y prêtaient, porteraient son visiteur à sourire. Mais ni l'un ni l'autre n'en ont l'envie.

Isaac et Boniface se connaissent depuis longtemps. Pendant la guerre, le premier fut lieutenant ; le second, sergent. Et les deux servirent dans le même régiment. Ils collectionnent les souvenirs dont, pourtant, ils ne parlent jamais. Trop lourds. Trop personnels. Et ceux qui ne les ont pas vécus ne peuvent les comprendre. Il reste que leurs retrouvailles, voilà bientôt dix ans, quand Bernstein a acheté sa maison de Saint-Paul-de-Vence, servirent de prétexte pour tenir des agapes mémorables. Ils se savent frères d'armes et de souffrances, puisqu'ils ont fermé les yeux de tant de camarades. Et, de la peur qui tordait leurs boyaux de héros, ils conservent l'étrange impression d'un passé irréel dont ils caressent un peu la vérité quand ils se voient, se rappelant quatre ans dans les tranchées, tremblant de fièvre, misérables et couverts de vermine, souillés de boue et de sang, vacillant entre courage et couardise, et se sauvant mutuellement en se jurant de se garder chacun en vie jusqu'à la fin des temps maudits. Ils sont un miroir et c'est aussi pour cela qu'ils ne parlent jamais d'eux à cette époque.

— Ange ! Viens ici, dit Bonaventure en lissant le pan de sa veste.

Cette maniaquerie lui vient de la guerre. Quand il est rentré chez lui, il se réveillait la nuit en hurlant. Il voyait les poux qui pénétraient dans sa bouche, ses oreilles et tous les orifices du corps. Et quand il s'était gratté la peau jusqu'au sang, hurlant qu'il voulait se plonger dans un bain d'eau bouillante, les rats entraient dans la danse. Depuis, il ne supporte pas la saleté.

— Ange, répète-t-il, tu connais le lieutenant Bernstein ?

— Oui, monsieur Bonaventure.

— Tu sais qu'il m'a sauvé la vie autant de fois que ma pauvre mère a récité le *Je vous salue Marie*.

— Oui, monsieur Bonaventure.

Ange est l'adjoint de Boniface. Lui, il n'a pas fait la guerre. C'est pourquoi, quelle que soit sa place dans la hiérarchie, il restera toujours au service de Bonaventure.

— Tu vas donc écouter attentivement ce qu'il va te dire.

— Oui, monsieur Bonaventure.

*

*   *

— Ange, commence Bernstein. Savez-vous qui est... était, la comtesse Anastasia Ivérovitch ?

— Bien sûr ! lance un Ange ravi de pouvoir venir en aide.

— Vous souvenez-vous de l'avoir vue hier soir ?

— Comme si c'était maintenant. Elle portait une robe noire très, très jolie avec de la dentelle, ici, c'est-à-dire aux manches, et aussi là, dans le creux de sa poitrine.

Bernstein chasse l'image. Il faut continuer :

— Était-elle accompagnée ?

— Affirmatif, rétorque le témoin, croyant flatter un lieutenant.

— Et de qui s'agissait-il ? insiste Bernstein.

— Le marquis de Fellance. J'ai garé sa voiture. Rolls Royce, ajoute-t-il. Très exactement une Phantom Continental.

En fournissant ce détail, imagine-t-il prendre du galon ?

— Très bien, intervient un Boniface agacé. Et maintenant, sais-tu si elle avait sa voiture ?

— Une Delahaye 135. Un cabriolet crème de toute beauté. Et avec cette robe noire, la comtesse avait une sacrée allure.

— N'en fais pas trop, le coupe Bonaventure. N'oublie pas que tu parles d'une morte.

— Pardonnez-moi, chef, bégaye l'autre.

Bernstein préfère continuer :

— S'est-il produit un incident ? Un événement étrange entre son arrivée et son départ ?

Pour la première fois, Ange fait grise mine :

— Non. Je ne vois rien.

— Est-elle restée longtemps ?

— Très peu, en fait, se trouble-t-il comme s'il cachait la vérité.

— Ange ! Qu'est-ce qui s'est passé ? tonne alors Bonaventure.

— Eh bien...

Il s'arrête.

— Nom d'un chien ! Ange, dis-nous la vérité !

— Je ne l'ai pas vue partir, avoue-t-il en déglutissant de honte.

— Et pourquoi ?

— Je fumais une cigarette... Ici.

Bonaventure est furieux, et le savon sera raide.

— Mais comment a-t-elle récupéré sa voiture alors ? intervient Isaac.

— Raoul. Le voiturier, jette-t-il, retrouvant un espoir.

— Va le chercher, ordonne Boniface d'une voix rocailleuse.

Ange galope déjà.

— Tu nous imagines quatre longues années dans les tranchées avec un abruti comme lui ?

79

Bernstein roule à vive allure vers la maison d'Anastasia Ivérovitch. Ce qu'il vient d'apprendre au *Palm Beach* ajoute à l'énigme. Et à son trouble grandissant. Raoul, le voiturier, avait été très précis. Et parlait d'une dispute.

— Je dirais même une engueulade, si vous me permettez.

— Avec le marquis de Fellance ? avait jeté Isaac.

— Non ! Le marquis était au bar. C'est en sortant prendre l'air que la comtesse est tombée sur un gaillard.

— Vous le connaissez ?

— C'est un Russe, avait précisé Raoul. Soixante-dix ans, peut-être, mais encore solide, et très grand. Il est venu une autre fois ces derniers jours. Il n'habite pas dans la région. Un touriste, j'en suis certain.

— Bien sûr, vous ne vous souvenez pas de son nom ?

Raoul s'était montré désolé.

— Une minute ! avait voulu intervenir Boniface.

Il s'était tourné vers Raoul, mais en gardant les yeux fermés, pensif, cherchant dans sa mémoire :

— Un Russe. Soixante-dix ans. Costaud. Pas familier du coin. Et pas vu au temps où je travaillais à Monte-Carlo.

Il rouvrait les yeux :

— Avait-il un accent ?

— Oui. Je l'ai remarqué quand il a quitté le casino. En récupérant sa voiture, une Mercedes, il m'a donné une pièce. D'ailleurs, il est parti juste après la comtesse. Sur les chapeaux de roue.

Sur les traces d'Anastasia ? s'interrogeait Bernstein.

— Je reviens, avait lancé Boniface.

Et il était sorti à grandes enjambées.

*

* *

— Avez-vous une idée du sujet de cette querelle ? avait questionné Isaac en attendant.

— Ce n'est pas l'habitude du *Palm Beach* d'écouter les clients, s'était redressé Raoul.

Puis, après un silence, il avait ajouté :

— De fait, ils parlaient en russe et je ne maîtrise pas cette langue.

*

* *

Bonaventure courait en revenant et sa veste était ouverte, preuve d'une belle émotion.

— Igor Kasparovitch ! avait-il hurlé en brandissant une fiche. Je l'ai trouvé dans le fichier. Tous les clients sont enregistrés.

Mais son enthousiasme était aussitôt retombé :

— Bien sûr, aucune adresse. Pas même celle d'un hôtel...

Puis il avait tourné la tête, derrière, sur les côtés, comme lorsqu'il montait à l'assaut à la bataille de la Marne.

— Bien sûr, Isaac, si tu dis à quiconque que je t'ai montré cette fiche, tu offenses notre amitié de toujours, et, gronde-t-il en forçant sur le sourcil, je pourrais même devenir ombrageux.

Et murmurant d'une voix sombre :
— Mais surtout, si on l'apprend, je serai viré...
— Merci, Boniface. Tu peux compter sur moi.
— Tu connais ce type ?
— Non.
Il n'avait pas menti.
— Mais son nom ne m'est pas étranger, avait-il ajouté puisque Kasparovitch apparaissait au fil des lettres mystérieuses laissées par Anastasia.
— Avant de te retrouver dans l'ennui, il faut savoir où ranger ce bonhomme. Dangereux ou gentil ? Bandit ou honnête ? On fait toujours comme cela au casino. Dès qu'un inconnu approche, on le classe.
Isaac avait haussé les épaules.
— Tu sais, ce n'est pas ma partie. Je n'ai aucune idée...
— Bien sûr, bien sûr, avait rétorqué Boniface d'un air docte et protecteur. Mais si tu as besoin d'aide...
Et il désignait ses collègues, prêts à partir à l'assaut.

*
* *

Sur la route, Isaac s'arrête chez Fanny pour apprendre de sa petite sœur qu'elle est partie chez la comtesse faire le ménage. Parce que, averti, le propriétaire veut récupérer son bien.

Un jour. Et une vie est déjà passée. Bernstein remonte dans sa Traction. Là-bas, il trouvera Fanny. En partant au contact du dernier virage, il la voit poussant son vélo. Comme autrefois, quand Anastasia était là, il saisit l'engin et le cale à l'arrière puisque la capote est repliée. Un sourire fatigué passe entre eux deux.
— Ça va, Fanny ?
D'une petite voix, elle prétend que oui.
— C'est très beau ce que vous m'avez donné, ajoute-t-elle.

— Et vous n'en parlerez pas ! fait-il semblant de la gronder.

Elle lève la main et double ce geste enfantin d'un serment sincère :

— Je le jure ! Et vous ? Vous venez chercher le reste ?

Il ne répond rien. S'il ne prend qu'un objet, ce sera *Le Prince* de Machiavel.

Lorsqu'ils arrivent, chacun se mure dans son chagrin. Et tout de suite, Fanny constate un détail incongru. Une porte ouverte tape contre le mur.

Elle bondit déjà. Isaac est obligé de la rattraper par la main.

— Attendez ! Avez-vous bien tout fermé hier, en partant ?

— Je mettrais ma main à couper, souffle-t-elle.

— Je passe en premier, décide aussitôt Bernstein.

Il va par la terrasse, avance encore d'un pas, hésitant sur la démarche à suivre. Bondir et se retrouver nez à nez avec un type prêt à en découdre ? À tout hasard, il saisit une pelle qui traînait et se décide à pousser la porte-fenêtre dont l'un des battants est ouvert. Isaac tend l'oreille. Pas un bruit. Il retient sa respiration. Toujours rien. Alors, seulement, il observe la scène dont il saisit peu à peu le sens angoissant, pétrifié par le signal d'alarme qui lui laboure l'estomac. Dans le salon, c'est un désordre total. On a tout renversé, éventré, brisé. Fanny, montrant son courage, est passée par l'entrée et l'a rejoint.

— Mon Dieu, gémit-elle en prenant la mesure du drame. Déjà tant de malheur. Pourquoi faire cela à madame ?

— Un voleur a eu vent de sa mort, commente-t-il d'une voix qu'il s'efforce d'éteindre.

Mais elle secoue négativement la tête. Elle connaît la maison par cœur. D'un coup d'œil, elle a fait le tour de la pièce. Elle ne comprend pas. Ce qu'elle constate n'est pas logique.

— Rien n'a disparu. J'en suis certaine...

Isaac, lui, a vu ce qui manquait. Le livre de Machiavel n'est plus sur la table.

Elle fixe Bernstein :

— Savez-vous ce que l'on cherchait ?

Il croit connaître la réponse, mais pour s'en assurer, il lui faut rencontrer Louis Chastelain.

Par la même occasion, et s'il parvient à le voir, il essaiera de savoir s'il connaît lui aussi Igor Kasparovitch. Et le rôle exact de ce personnage étrange, de cet oiseau de mauvais augure dans le sillage duquel rôde la mort.

PRINCIPE DE GOLGOTHA

Rapport du Neuvième Décemvirat
Paragraphe 16

L'Archange s'éteignit peu de temps avant la réunion de juin 1939 du Décemvirat. Saluez, Frères de Golgotha, celui qui fut Très Haut Magistrat. Souvenez-vous de lui et du rôle qu'il tint dans ce Neuvième Décemvirat dont il était Premier nommé. Marquez d'un silence recueilli ce jour qui viendra et où je m'en irai aussi, donnant naissance alors au Dixième Décemvirat. Car moi, Chimère, je suis le Nommé du Premier Nommé du Neuvième Décemvirat et il est dit qu'en mourant, je tendrai le flambeau à celui que j'ai choisi pour qu'il ouvre le Dixième et le Dernier Décemvirat puisqu'il n'en engendrera aucun autre. Oui, il est temps de vous l'écrire. Golgotha engage son ultime combat.

Je l'appris moi-même le jour où l'Archange mourut. « Chimère, dit-il, écoutez-moi. Je dois vous révéler la place que vous occupez. » Nous étions à Anvers, dans cette ville que je n'avais pas aimée. La nuit tombait. L'Archange semblait certain de ne pas regarder l'aube suivante. « Je ne regrette pas le choix que j'ai fait. Et si j'ai hésité, ce n'est qu'au premier jour. Je vous trouvais méfiant, inquiet, nerveux. Mais je vous l'ai déjà dit. Un prêtre passionné aurait pu avoir ma préférence. Cela aussi, vous le savez. » Le Très Haut Magistrat, âgé de quatre-vingt-dix ans, gardait un visage lisse et son regard bleu perçait la pénombre. « Avez-vous pensé à celui qui vous succédera ? », s'inquiétait-il. Je n'avais que cinquante ans. Il ferma les yeux : « Ne vous trompez pas. Regardez comme cette question fut difficile pour Agios de Sparte. » Je citais alors le nom de ceux qui venaient : Le Levantin, Eustache d'Égée, Simon de Carthage. Et bientôt, Hannibal d'Afrique, lançai-je sur un ton enjoué puisque le Très Haut Magistrat Agios de Sparte s'était décidé. Il secoua la tête : « Celui qui vous suivra sera le Premier Nommé du Dixième et Dernier Décemvirat. Aussi, songez-y maintenant. Ne perdez pas de temps. » Avant qu'il m'apprenne le sens de cette dénomination, il demanda à boire et je partis chercher un verre d'eau dans lequel il ne fit que tremper les lèvres. « Cette guerre, reprit-il sans lien apparent, ne se comparera pas avec celle que nous avons voulue en 1914. Hitler est objectivement inhumain car il n'a ni les défauts ni les qualités d'un homme et je me demande si nous avons eu raison de déclencher cette crise en 1929 qui a enfanté ce prédateur supérieur à tous et qui ne ressemble pas aux précédents. » Le doute le gagnait. Je crus deviner dans ses paroles comme un reflux de conscience le poussant à porter un jugement sur le bien et le mal. « Ne vous trompez pas, Chimère. Je n'en viens pas, au moment de m'éteindre, à imaginer que le monde se partage entre Dieu et le Diable et que j'ai rendez-vous avec le second. Je continue à penser que seul triomphe le fort et que rien ne peut changer. Mais ce rejet de la morale fait-il de moi un être comparable à Hitler ? » Il ferma les yeux : « À la différence de moi, il ne croit pas en autrui, il le hait. C'est pourquoi il éradiquera ce qu'il y a d'humain, de vivant dans ce monde qu'il ressent, comme lui, viscéralement imparfait. Sa folie le conduira à exterminer ses semblables parce qu'il les estime incomplets, inutiles. Et qu'il en a peur comme un enfant est effrayé par la nuit. Il commencera par ceux qu'il juge dangereux : communistes, démocrates, libéraux, opposants. Puis il s'en prendra à ceux qu'il qualifie d'inférieurs : libertaires, homosexuels, Juifs.

Il s'attaquera à la religion, au faciès, aux origines de ses semblables. Il les détestera tout autant que ce qu'il déteste chez lui. Quand il aura rayé de la carte ceux qu'il accuse d'être inachevés, il se tournera vers les races qu'il qualifie aujourd'hui de supérieures et décidera dans un accès de démence qu'elles ne sont pas meilleures puisque l'espèce humaine est, pour lui, approximative. Il ne s'arrêtera jamais.» Il respira faiblement, le visage hanté par sa vision : «Mais que penser de nous? Golgotha a voulu la guerre pour mettre fin aux États qui eux-mêmes jugulent les lois de la nature et promettent un monde meilleur, parfois même parfait, en imposant un code, une éthique, une morale dont la barbarie est sans limites. Au nom de leur patrie, de leurs valeurs, de leurs idées, ils condamnent, méprisent, tuent, écrasent les autres. Ils sont inhumains. Quels que soient les moyens odieux employés, le Principe de Golgotha vise un résultat diamétralement opposé. Nous voulons justement détruire l'État et ses lois parce que les systèmes qu'ils inventent sont contraires à la liberté naturelle de l'homme et qu'en certifiant l'assister, ils l'inhibent, le placent dans une classe, un rang, un ordre qui le réduit bientôt à l'esclavage. Nous ne prétendrons jamais changer l'homme, le vouloir meilleur ou supérieur puisqu'il faudrait accepter l'idée que certains sont inférieurs. Nous les pensons libres, égaux jusque dans leurs imperfections. Voilà pourquoi ce qui est fait naturellement ne pourra être corrigé. Et c'est en acceptant l'homme comme il naît, et non en le réformant par des lois, des codes, des dogmes conçus par des êtres imparfaits qui ne peuvent que détériorer le modèle original, qu'il sera le plus supportable et le moins corrompu. À l'inverse de Hitler, nous nous réjouissons donc des différences, des pluriels respectables faits d'autant de personnes qui ont toutes leur place dans un monde vivant et libre. Oui, nous maudissons ces États pour mieux aimer les hommes. C'est pour cela que nous leur avons fait subir tant de torts.» Il soupira : «Mais avons-nous eu raison?» Et soudain, il se tut. Son pouls était si faible que je le crus mort. Mais il toussa et me demanda à le relever de manière à mieux respirer. « Hitler est là et il faudra composer. Nous avons assez tissé de liens pour tout connaître de ses desseins. Il faudra les subir en espérant qu'il perdra. Gardez-vous de lui et de son système, ne vous compromettez qu'en cas de nécessité. Et, en tenant vos distances, conservez des relations fondées uniquement sur l'intérêt. Maintenant, posez vite vos questions, si vous en avez. »

« Avons-nous raison de vouloir la guerre ? », demandai-je.

Il sourit et ce fut la dernière fois : « C'est à Chimère de répondre puisqu'il désignera le Premier Nommé du Dixième et Dernier Décemvirat qui décidera du moyen ultime de voir triompher notre Principe si celui-ci n'est pas. Penseras-tu alors que la guerre est ce que les hommes ont de pire pour se détruire et de meilleur pour se reconstruire ? Souviens-toi de mes derniers mots quand viendra l'heure de te tourner vers ton élu. Du choix que tu feras dépendra la réponse. » Et il cessa de parler.

Frères de Golgotha, accordez-moi un instant. Je viens de perdre l'Archange. C'était il y a quarante ans. Le moment le plus douloureux de ma vie. Je n'y peux rien. Malgré l'engagement pris de ne jamais céder à l'émotion, ma propre existence défile. Je vois les mains que je serre : celle d'Himmler, de Hitler, de Göring, de Goebbels, tant de dignitaires nazis. J'applique les conseils de l'Archange. Je colle objectivement à ces bêtes. Je compose avec elles. Je suis Chimère, et désormais, un Très Haut Magistrat du Neuvième Décemvirat.

Selon notre Principe, je fus chargé d'organiser la réunion de juin 1939. Elle devait se tenir dans le lieu que j'avais choisi pour m'installer. J'étais attiré par le Sud, la Méditerranée. Si l'Italie me semblait toujours impossible, il restait la Grèce vers qui je me suis tourné. J'en aimais les paysages, la culture, le passé. Et je lisais sa civilisation ancienne comme un des meilleurs exemples de la fluctuation des règles morales selon les époques. Tout de cette société-là et de ces mœurs-là montrait à quel point les convenances variaient selon les dogmes des penseurs et les intérêts de la politique. Ce que le Vingtième Siècle jugeait interdit faisait partie de la vie antique. Pour que l'harmonie et la mesure règnent, pour que les lois naturelles s'épanouissent, les Grecs prônaient une liberté sans tabous en matière d'amour physique. Le corps n'était pas souillé par le péché originel et, imitant les dieux, les mortels se prêtaient à toutes sortes de jeux et de combinaisons réjouissantes où se mêlaient les corps et les sexes. L'esprit ainsi libéré fit éclore une civilisation brillante, apportant la preuve irréfutable de la supériorité de l'état de fait sur l'état de droit.

J'avais, depuis très longtemps, repéré l'île de Tinos située en mer Égée, dans les Cyclades. J'appréciais la beauté sauvage et désertique de ces montagnes balayées par le meltem, *ce vent du Nord qui refroidissait l'été, et qui expliquait qu'Éole ait choisi ces lieux pour royaume. Non loin du monastère de Kekrovounio, sanctuaire des croyances mariales, j'avais trouvé un hameau où l'on avait longtemps pressé l'olive pour en tirer une huile délicieuse. Depuis, un moulin aux ailes brisées, une vaste et très confortable maison blanchie à la chaux et un pigeonnier, où roucoulait un couple de ramiers sauvages, me servaient d'abri au retour d'incessants voyages en Allemagne. L'endroit était un peu austère, et c'est pourquoi je l'aimais. J'y avais fait enterrer l'Archange, en ayant recours au génie des sculpteurs de l'île. Et dans un marbre vert que l'on trouvait en quittant le village de Pirgos, j'avais fait tailler un simple bloc sous lequel reposait, dans un trou, le corps du Très Haut Magistrat. Cette sépulture avait-elle un rapport avec une superstition religieuse? Le Levantin me posa cette question en débarquant sur l'île après la traversée du Pirée à Tinos qui, en 1939, réclamait la journée. «J'ai dit aux îliens qu'il s'agissait de mon père. C'est ainsi que l'on accepte ma présence. Vivre auprès de ses morts est ici une loi naturelle.» Le Levantin me remercia pour la réponse.*

Trois servantes dociles qui ne parlaient que leur langue avaient œuvré pour rendre les lieux accueillants. Chaque Très Haut Magistrat y trouva une chambre à son goût et j'avais prévu de débuter la réunion par la présentation de l'île et de ses charmes, mais la présence inattendue du Léviathan de Job mit fin à mes projets. Et ce qui devait être une paisible installation au sein du Décemvirat commença par un récit dramatique.

Le Léviathan de Job demanda en effet d'emblée la parole et se leva. Le vent vint caresser les toiles de coton accrochées aux fenêtres pour protéger notre salle du soleil. Ce colosse de soixante-dix ans qui en paraissait dix de moins se racla la gorge et le Décemvirat l'écouta sans l'interrompre, malgré la gravité des faits. De quoi s'agissait-il? D'un simple pion. Mais il menaçait encore la solidité de Golgotha. Vous souvenez-vous, Frères de Golgotha? Elle s'appelait Ivérovitch, et le Léviathan de Job, qui avait effectué autrefois son recrutement dans l'affaire Caillaux, était tombé sur elle par hasard alors qu'il effectuait un voyage d'agrément en France. À Cannes, exactement. Cette rencontre improbable ne devait cependant pas poser de problème. Vivant officiellement à Londres, au cœur de la colonie de Russes ayant échappé à la sauvagerie de Staline, il ne manquait ni de sang-froid ni d'arguments pour expliquer la joie qu'il prenait à croiser cette comtesse. Mais se jetant sur lui et l'invectivant d'une voix enflammée, Ivérovitch lui avait assuré qu'elle connaissait son rôle dans le déclenchement de la guerre et qu'elle n'ignorait rien au sujet des deux autres attentats, Sarajevo et Jaurès, dont les détails étaient consignés dans des lettres connues d'elle et d'autres, et qu'elle les publierait puisqu'elle tenait sa vengeance.

« Des paroles désespérées, commenta froidement le Léviathan de Job. Je pense qu'elle se maudissait et qu'en parlant ainsi, elle cherchait à sauver un peu de sa propre vie. Un baroud d'honneur que les débordements stériles de l'âme slave suffisent à expliquer. Quoi qu'il en soit, cette confidence me fut utile et c'est au moins une com-

pensation. Mais connaissant sa détermination, j'ai pris la menace au sérieux. Je l'ai suivie, torturée. L'histoire est simple. Trois lettres, trois auteurs et beaucoup d'informations contrariantes.» Il se tut, attendant les questions. «Les avez-vous récupérées?», demandai-je. Il se tendit : «Je l'ai tuée, maquillant ce crime en accident de voiture. Cela m'a pris du temps. L'aube se levait et je n'ai pu retourner chez elle que le lendemain où j'ai seulement trouvé ceci.» Il brandit Le Prince *de Machiavel offert par le tsar à ce pion et dont la dédicace, écrite par l'Archange, mentionnait le Principe de Golgotha : la Vérité des Forts. En fouillant, le Léviathan de Job avait encore récupéré des lettres, celles d'un Allemand, Heinrich von Mietzerdorf, un ami de la Russe. Il me tendit sa prise : «Dans un de ses envois, il insiste pour dire à Anastasia Ivérovitch de prendre soin de leur secret et que les temps sont peut-être venus de publier ce qu'ils savent sur les vrais responsables de la guerre. Et il cite Golgotha. Je crois que l'affaire est claire. Cet homme – et quoi d'autre? – nous met en danger.» Le Fils de Canaan intervint : «D'autant que comme elles nous ont échappé, il est impossible d'évaluer la portée de ces lettres.» Il se tourna vers moi : «Usez, s'il vous plaît, de votre influence chez Hitler pour savoir qui est Heinrich von Mietzerdorf.»*

Et je pris cet engagement.

80

Près de la terrasse de *La Colombe d'Or*, la partie de pétanque bat son plein. Dans un camp, on s'apostrophe, quand, dans l'autre, on se congratule. L'apéritif est en jeu et, ici, le sujet relève d'une affaire d'État.

— Monsieur Bernstein ! C'est à vous. Alors, venez près de moi que je vous explique le piège. Voyez-vous cette petite ravine de rien du tout ? Eh bien, vous allez faire comme si elle n'existait pas. Tendez bien le bras et surtout ne vous essayez à aucun effet. Oubliez le chiqué des Parisiens... Vous êtes franc du collier et la main ne tremble pas. Allez ! Encore trois points et on la gagne...

Le compagnon de Bernstein baisse soudain la voix. Un coup d'œil aux adversaires l'a convaincu qu'on pourrait l'espionner.

— Vous avez compris ? souffle-t-il.

Isaac secoue mollement la tête. Le cœur n'y est pas. Qui lui en voudrait ? Au village de Saint-Paul, tous savent à quel point l'expert était attaché à la comtesse russe. Mais aucun ne devine combien l'affaire est bien plus obscure.

Depuis trois jours, il hésite sur la façon d'entrer en contact avec Chastelain. La mort suspecte d'Anastasia, le pillage de sa maison, le vol du livre de Machiavel, l'ombre du Russe le poussent à la prudence. Et il estime maladroit de se lancer sur la trace du capitaine français depuis Saint-Paul-de-Vence. Ne disposant d'aucun indice, il lui faudrait joindre le ministère de la Défense, s'expliquer, et une instinctive méfiance le retient. *Guerre, Caillaux, Sarajevo, complot, secret, pacte*... Extraits un à un d'un récit mystérieux, ces mots sont des signes inquiétants qui s'accordent tragiquement avec l'époque, car l'Europe se laisse gagner peu à peu par la guerre. Si on les déchiffrait, peut-être déplairaient-ils à l'armée et pourraient-ils le placer, malgré lui, dans une situation embarrassante.

Bernstein ne se berce pas d'illusions. L'accord de Munich, arraché à Hitler par Daladier, a seulement repoussé le danger. On fabrique des chars, des avions, des canons. On taille et coupe les uniformes. Dans la rue, dans le métro, les gens commencent à marcher tête baissée. On craint, on se méfie, on croit voir partout l'ennemi de l'intérieur. L'alliance de l'Allemagne et de la Russie pousse même certains chefs politiques à réclamer la mise hors la loi des communistes. La Tchécoslovaquie est occupée par Hitler, l'Albanie par Mussolini. Le bruit des bottes résonne déjà.

— Oh ! Isaac ? Il faut vous décider ?

Il doit pointer... Mais que lui a conseillé son équipier ? La ravine ? Il l'évite ou il s'en sert ? Il décide de faire à sa façon. Et c'est une tragédie. La boule roule, choisit le chemin de l'école buissonnière et vient mourir sur un caillou qui ruine son destin de gagnante.

— Je n'y crois pas ! gémit son compagnon à qui reviendra de payer le lourd tribut de la tournée.

— Je suis désolé, bougonne Bernstein.

Mais l'autre lui a aussitôt pardonné. Dans le sport, la revanche est une belle invention. Elle permet de prolonger ce moment épique, ressort tragi-comique d'un spectacle auquel se sont joints les badauds.

— Allez ! On se rince le gosier et on attaque la suivante, décide son partenaire que l'idée de trinquer a brusquement requinqué.

— Ne m'en voulez pas, Gaston, mais je n'ai pas l'esprit à jouer. Je vais vous faire perdre et, sourit-il faiblement, je tiens à votre amitié...

Gaston n'insiste pas. C'est lui qui est venu chercher Isaac pour le tirer de sa maison dont il n'a pas bougé depuis le décès.

— On se verra ce soir ? lance-t-il gentiment.

Bernstein répond d'un geste et reprend le chemin pentu qui le mène chez lui.

*
* *

Profitant de la fraîcheur du salon, il se plonge une nouvelle fois dans la lecture des mots qui lui échappent. À quoi bon se tordre l'esprit ? La seule piste est Chastelain. Mais pour le trouver, il faut avancer à couvert, éviter les questions qui déclencheraient, à leur tour, des interrogations. Du moins, la suspicion. À la fin de la journée, il a pris sa décision. Isaac attendra son retour à Paris où il rendra visite au ministère. Le service de renseignements des armées étant basé boulevard Saint-Germain, à deux pas de son bureau, il espère y recueillir des informations. En attendant, il range précieusement les lettres dans le coffre-fort de sa maison de Provence.

Elles y dormiront tout l'été 1939.

*
* *

Quand l'expert se décide à rentrer, Paris est en ébullition. C'est la guerre, c'est la guerre ! Elle éclate le 3 septembre. L'Allemagne a déjà un pied en Pologne. Les lois militaires sont votées, la censure s'installe. Les soldats campent sur la ligne Maginot. Ce n'est pas le moment de se rendre au ministère de la Guerre, même si, au cours de l'automne 1939, Hitler se désintéresse de la France. Doryphores, casques à pointe, Boches ? Rien ne se montre à l'horizon. La drôle de guerre, en effet ! Pas de batailles rangées, pas un vrai coup de fusil si l'on fait abstraction de quelques échauffourées. Rencontrer Chastelain ? Comme tant d'autres, Isaac ne songe plus qu'à demain et tend le dos. Il attend. Chaque jour, il parcourt la presse, redoutant le moment où il apprendra que les combats ont *vraiment* débuté. Et quand il lit le compte rendu des discours du *Führer* éructant sa croyance en une race supérieure, il s'inquiète plus que d'autres.

Au début de 1940, un papier du ministère lui arrive. Avec ses années de guerre, il n'a plus l'âge d'être mobilisé. Si on le rappelle, ce sera pour protéger un passage à niveau. D'ailleurs, la guerre existe-t-elle ? Dans les brasseries chics du quartier Latin qu'il fréquente, on finit par se gausser. Le danger semble si lointain. Et certains s'en amusent, se prennent à espérer. De fait, la France ne demande qu'à revivre. Si bien que la tension baisse, les terrasses des cafés font le plein, les restaurants ne désemplissent pas. Paris respire un peu.

Si Isaac ne partage pas cet avis, il décide que le moment est venu de se soucier de Chastelain. En janvier, il se rend au ministère. Au prétexte qu'il s'inquiète de son hypothétique affectation, il demande des détails, pose des questions, parle de son passé de soldat de la Grande Guerre. Un jeune brigadier l'écoute en rongeant son frein. Bon sang, ce n'est pas son travail de rassurer cet homme bien habillé qui doit fréquenter des gens importants. Pourquoi se fait-il du souci ? Et d'un, il n'est pas mobilisable dans un corps opérationnel ; de deux, cette guerre n'existe pas. Et de trois, compte tenu de sa tenue soignée, il sera planqué.

— Au fait, demande Bernstein, ceux qui ont fait celle de 14 seront-ils affectés ensemble ? Du moins, s'ils sont encore vivants.

— Non, monsieur. Ce n'est plus du tout pareil pour vous, s'agace le militaire.

— Ah ! s'exclame Bernstein, en prenant un air désolé. Et comment fait-on pour retrouver d'anciens compagnons d'armes ? Il y en a que je voudrais bien revoir.

Bernstein a apporté son livret militaire, et une médaille qui atteste de son passé glorieux.

— Vous n'avez qu'à leur écrire, s'impatiente son vis-à-vis.

— Et ceux que j'ai perdus de vue ?

— Eh bien ! Adressez-vous à une association d'anciens poilus.

Le brigadier plisse un œil :

— Votre ancien régiment a sûrement une amicale ?

Il insiste encore :

— Vous êtes toujours en contact avec vos anciens camarades ?

— Sur les centaines avec qui j'ai combattu, il n'en reste pas assez pour les compter sur ces deux mains, fait claquer Bernstein. Une amicale ? Elle se trouve au cimetière...

— C'est regrettable, bredouille le militaire, mais je ne peux pas vous aider.

— Même s'il s'agit d'un militaire de carrière ?

Le brigadier comprend qu'il ne se débarrassera pas aisément de l'importun.

— Comment s'appelle-t-il ? expire-t-il.

— Louis Chastelain. À l'époque, il était capitaine. Mais depuis ?

Le biffin note ce nom.

— Si vous avez du temps à perdre, attendez la réponse, cingle-t-il. Je transmets votre demande.

— Du temps, je n'en manque pas, sourit poliment Bernstein.

— Asseyez-vous ici, lui ordonne-t-on.

— Vous êtes bien aimable.

Isaac déplie calmement son journal. On y lit sur cinq colonnes que Paul Reynaud, le chef du gouvernement français, s'inquiète de la signature forcée du traité de paix entre l'URSS et la Finlande. Compte tenu du pacte de non-agression germano-soviétique, Hitler a le champ libre pour envahir les pays scandinaves et assurer ainsi l'approvisionnement en fer, vital et mortel, de ses usines d'armement. Maintenant, il va se tourner vers la France, songe Bernstein. Il lève les yeux vers le militaire que sa présence forcée indispose. Et songe à ses compagnons d'infortune de 14. Bientôt, la guerre n'aura plus jamais rien de drôle.

*
* *

Le jeune brigadier a obtenu la réponse en moins de temps qu'il ne le pensait.

— Monsieur, j'ai l'information que vous demandiez, dit-il d'un air désolé. Capitaine Louis Chastelain. Il a démissionné de l'armée en 1920. Depuis, il est décédé.

— Quand ? s'enquiert Isaac Bernstein, si dépité que le militaire change d'attitude.

— Je n'ai pas ce détail, répond-il d'une voix adoucie.

— Au moins, savez-vous s'il a de la famille que je pourrais joindre afin de transmettre mes condoléances ? J'y tiens beaucoup, brigadier.

D'un geste brusque, l'autre lui tend la fiche :

— Je n'ai qu'une adresse. Ce n'est pas réglementaire, mais notez-la et, ensuite, je vous remercie de me laisser travailler.

— Comptez sur moi.

Il demande quand même une feuille de papier et relève : *Manoir de la Musarde, Saint-Martin-de-la-Place, Maine-et-Loire.*

— Merci de votre amabilité, mais prenez garde à vous, lance-t-il en partant. Surtout, ne perdez jamais patience. La vie est brève. Ne la tentez pas en lui murmurant de l'écourter. Quatre années dans les tranchées m'ont enseigné cette sagesse. Bonne journée, soldat.

*
* *

Le 12 février 1940, Bernstein écrit à l'adresse qu'on lui a fournie. Il pèse ses mots, ne parle en aucun cas des messages codés, fait juste une allusion à la guerre de 14 qu'il rapproche de celle qui vient de débuter. Habilement, il ajoute : « *Disposant de souvenirs qui ont trait au capitaine Chastelain, j'éprouverais un grand honneur à les rapporter à ceux qui l'ont aimé et le pleurent sincèrement. En ces temps difficiles, qui rappellent la peur, le malheur, le désarroi de ceux qui ont connu pareilles circonstances, j'aurais aussi une réelle satisfaction à entendre parler de ce héros de guerre dont j'ai admiré les exploits.* »

La réponse tarde à venir, mais, le 21 avril, une lettre signée Solange Chastelain apparaît. Elle se présente comme la sœur de Louis. D'une écriture fine et fragile, elle indique qu'il lui serait possible de recevoir sa visite. Elle l'attend, en Anjou, à Saint-Martin-de-la-Place.

Le 9 mai, jour choisi par Hitler pour lancer l'offensive sur le front occidental, l'expert en art prend la route. En peu de temps, il a quitté Paris. Aucun bouchon, aucune panique. C'est à peine s'il croise quelques véhicules militaires. Pas une fois, il ne rencontre un quelconque barrage. La France n'est pas encore informée que son destin bascule. Dès les premiers kilomètres, le parfum de la campagne emplit la voiture et éveille ses sens. Dans les champs, de loin en loin, comme autant de taches blanches dans un immense tableau déclinant un camaïeu d'or et de vert, il voit les hommes, les femmes au travail dont le geste lent et régulier ne trahit aucune inquiétude. Pour eux, c'est un jour comme un autre, calé sur le rythme éternel d'un monde aux coutumes bien ancrées et que rien ne semble perturber. Qui pourrait croire à ce spectacle que le pays est *vraiment* en guerre ? La Traction ronronne.

Son conducteur décide une halte au Mans. Il y prendra de l'essence – puisqu'il ne fait aucun doute qu'il en trouvera –, et y déjeunera. Dans la boîte à gants, se trouve le *Guide Michelin*. Il tend la main pour s'en saisir afin de choisir une auberge qu'il imagine déjà au bord de l'eau. Non, rien ne semble l'inquiéter, si ce n'est cette carriole jaillissant d'un chemin et qu'il évite au prix d'une embardée. Le geste est si brutal que sa voiture tangue et que le contenu de la boîte à gants se renverse sur le tapis de sol. Isaac maudit son imprudence, mais ne peut s'empêcher de se pencher pour tout remettre en place. Sous le siège du passager, glissé sous une carte routière, il parvient à retrouver l'objet qu'il a pris soin d'emporter. Un petit trésor auquel il tient particulièrement et qui se veut comme un point commun entre lui et feu le capitaine. Une entrée en matière qui, il l'espère, amadouera celle qui le reçoit sans le connaître.

*

* *

Si la maison porte le nom de *Manoir*, la réalité s'avère décevante. L'ensemble fut sans doute beau et fier. Mais, depuis trop longtemps, il lui a manqué l'attention, le travail et l'argent d'un propriétaire dévoué corps et âme. Le péril est général. Seul un dernier bâtiment, celui campant au milieu d'une vaste cour qui accueillit en des temps très anciens un jardin taillé à la française, affiche les vestiges d'une histoire qui fut glorieuse et remonte à Molière. Mais la pierre lépreuse se fend, se noircit, s'imbibe d'humidité et de mérules, ces champignons annonciateurs de graves dévastations. En levant les yeux, Isaac découvre d'épaisses planches de bois posées sur le toit, tentatives maladroites de remplacer l'ardoise. On les a rudement amarrées aux belles cheminées en brique dont les fondations vacillent. Le bricolage s'épuise. Dessous, la charpente moisit. Cela pourrait tenir des ans et s'effondrer d'un coup, au gré du vent. À moins que le feu ne prenne, une nuit, et ne transforme la maison en cendres comme sa grange voisine dont il demeure juste des lambeaux de mur. Bernstein a klaxonné. Un chien aussi vieux que nonchalant pointe le museau. Il renifle la voiture, en fait le tour, finit par marquer son territoire en levant une maigre patte sur une roue avant, puis tourne la tête pour japper, invitant sa maîtresse à sortir.

De loin, Solange Chastelain semble à l'image de la maison. Avant de se décider à faire un pas, elle a observé longuement son visiteur, livrant l'apparence d'une femme usée prématurément – elle doit avoir à peine quarante ans – et dont la fragile silhouette se calfeutre sous une robe droite, sans effets, sans taille, sans couleur. Elle porte sur les épaules un châle de soie dont le poids paraît une charge de trop. Mais, en s'approchant, elle montre son visage, ses yeux, sa bouche. Et tout devient sensible, prêt à céder aux effets d'un drame profond qui tenaille sa vie. Isaac détaille l'ovale d'un regard perçant comme une émeraude. La douleur qui cisèle chaque ride de Solange Chastelain la rend émouvante. Elle tend une main aux doigts fins et longs et, par ce geste, dévoile une grâce éthérée, légère, séduisante sur-le-champ.

— Je suis Isaac Bernstein.

Elle sourit tristement :

— Je le sais. Je n'attends pas d'autre visiteur ce mois-ci.

Sa voix est profonde, suave et sensuelle. Quelle souffrance fut-elle assez dure pour étouffer une femme si belle ?

81

Elle a prévu un déjeuner. Une omelette aux fines herbes et des pommes de terre sautées à la poêle, le tout accompagné d'un vin rafraîchi de saint-nicolas. La simplicité étant de mise, Isaac se propose de mettre le couvert, ce que ne refuse pas Solange. Coquin, le chien, est de la partie. Il se glisse dans les jambes, se fait remarquer, quémandant sa part de lardons dorés dans lesquels grésillent les pommes de terre. Solange demande qu'on lui pardonne ses écarts.

— Je le traite un peu trop en humain. Je ne vois que lui depuis la disparition de Louis.

Très vite, Isaac a parlé de la guerre. Ce qui explique sa venue ? Ce qu'il demande ? Des traces, des souvenirs. Il est expert en art, mais cela ne compte pas. Il chine à la façon d'un historien – ou plutôt d'un archéologue –, de simples histoires d'hommes de la Grande Guerre, des traces modestes et fragiles qui, si l'on n'y prend garde, disparaîtront. Il veut qu'on n'oublie pas ce que furent ces quatre années pour des millions d'êtres bien différents, mais qui ont connu un même enfer. Il travaille son alibi. Il est crédible.

— Parfois ce n'est qu'une croix taillée dans un morceau de bois, un poème écrit avant de monter à l'assaut, une lettre qui n'est jamais partie. Ou jamais arrivée... Je tente de rassembler ces objets qui ont nourri notre quotidien. J'y travaille dans l'espoir de former un témoignage plus riche que les comptes rendus officiels de la propagande qui font croire que nous étions tous heureux de nous battre et de mourir.

Il marque un temps pour détailler Solange. Mais elle ne paraît ni surprise ni méfiante. Elle attend, curieuse d'entendre la suite.

— Le capitaine Chastelain fut un héros de guerre, et le fait de ne pas effacer sa mémoire me semble important. Voilà donc pourquoi je suis ici. Je cherche ce qui pourrait se rapporter à lui. Un détail insolite, touchant, lui ayant appartenu. Et que vous accepteriez de me confier. Bien sûr, et sans vous offenser, je vous dédommagerai.

— Je ne suis pas sûre que cette idée lui aurait plu, réagit-elle enfin, froidement.

Isaac n'insiste pas et préfère dévier la conversation en évoquant la bataille de Verdun, conservant en main un atout dont il pense se servir.

— J'ai vu plusieurs fois l'avion de votre frère survoler les lignes. Et nous rêvions souvent de nous échapper dans le ciel pour fuir la terre qui attirait vers nous les obus... Mais je ne veux pas vous embêter. Le capitaine Chastelain a dû vous raconter.

Solange baisse les yeux :

— S'agit-il des souvenirs sur Louis que vous annonciez dans votre lettre ?

— J'ai aussi exprimé mon désir de vous entendre parler de lui dont j'ai admiré les exploits. Mais d'abord, j'ai apporté ceci.

D'une poche de sa veste, il extrait une enveloppe :

— Regardez ces photos, lance-t-il en se forçant à paraître joyeux. Tenez, celle-ci. En haut, à droite. N'est-ce pas son avion ?

Solange prend l'image jaunie et sa main tremble.

— En effet, dit-elle.

— Mais j'ai autre chose.

*
* *

Isaac dévoile la paume gauche. Dedans, se niche la cartouche dont il ne s'est jamais séparé depuis ce jour, à Verdun, où, curieux, il se baissa pour la ramasser à l'exact moment où la mitraille se déchaînait. Mais sa forme a changé. C'est aujourd'hui la réplique d'un avion : un *Bébé Nieuport* parfaitement recopié. Dans ce chef-d'œuvre, tout est miraculeux, sculpté à la perfection. Et pendant que Solange s'en saisit, le caresse, il raconte son histoire. Elle est vraie. Elle la touche. Il le devine.

— Un compagnon de tranchée avait été chaudronnier avant la guerre. Il avait de l'or dans les doigts et, pour chasser le temps, façonnait des morceaux de métal récupérés dans les tranchées. Un soir, je lui ai confié mon porte-bonheur. À l'aube, il me l'a rendu ainsi. C'était l'exact modèle de l'avion de votre frère dont cet artiste a su retrouver chaque détail. Un regard dans le ciel et il avait fabriqué le *Bébé Nieuport*.

Elle le tourne entre ses doigts.

— De cela, murmure-t-elle, mon frère était fier.

Elle repose la reproduction sur la table où tiédissent les œufs et les pommes de terre :

— Connaissez-vous les raisons de sa mort ?

— Je l'ignore.

— Les remords, souffle-t-elle encore. Si lourds qu'il n'a jamais pu ou voulu m'en parler. Ce héros de guerre, comme vous dites, a détesté ce qu'on lui a demandé de faire. On a utilisé ses victoires pour faire entendre que la France comptait des hommes valeureux, prêts à mourir pour elle, mais il rejetait de tout son cœur cette idée.

— Et savez-vous pourquoi ? tente Bernstein.

Elle replace le châle sur son épaule et attaque timidement l'assiette posée devant elle :

— Il cachait un secret dont il souffrait en silence.

— Il vous en a parlé ? demande-t-il en parvenant à ne pas modifier le son de sa voix.

Elle le regarde attentivement. Depuis combien de temps n'a-t-elle pas rencontré quelqu'un qui semble prêt à l'écouter ? Cette impression la décide à faire un pas.

— Il ne confiait son martyre qu'à la drogue, car il a aussi connu ce drame, reprend-elle. Quelle fêlure cachait-il ? Pourquoi rongeait-elle son esprit au point de le rendre fou de rage quand quelqu'un l'approchait pour saluer en lui un héros ? Pendant dix longues années, je suis restée à ses côtés, tentant de le réconforter. Je lui ai consacré ma vie et je la lui aurais volontiers donnée pour le sauver. Mais je n'ai rien su, rien pu faire. La colère, la haine, les remords, disais-je, l'ont brûlé lentement et nous ont emportés, lui et moi.

Elle boit un peu de vin :

— Est-ce la mémoire d'un homme brisé par un secret et dévoré par la cocaïne que vous voulez exalter ? Est-ce lui que vous espériez trouver en venant jusqu'ici ?

Elle repose sa fourchette, elle n'a déjà plus faim :

— Vous dites vouloir honorer les soldats de la Grande Guerre et je comprends que l'on souhaite soulager ses hantises en creusant le passé, en s'en libérant. Mais Louis est-il, compte tenu de ce que je viens de vous avouer, le portrait du héros tel que le conçoivent les bien-pensants, les militaires, les patriotards ? Alors, croyez-vous qu'il ait sa place dans vos glorieux souvenirs ?

— Plus que vous n'y songez, madame, reprend-il doucement. Dans ce que vous me confiez si sincèrement, je vois les souffrances d'un homme. J'entends et revis les miennes. Courage, héroïsme, abnégation ! Des mots que l'on invente après, quand tout est fini, et dont on se sert pour draper les morts. La vérité, madame, est plus cruelle. Nous portons tous une part de doute.

La nuit, il m'arrive d'entendre la voix de ceux qui suppliaient que l'on vienne à leur secours. Ils étaient blessés et mouraient à deux pas de notre tranchée pour n'avoir pas eu la force de revenir jusqu'à elle. Mais il fallait lever la tête, sortir et ramper. Devant, il y avait le Boche et son fusil. Dix fois, l'un de nous se lançait. Dix fois, il montait. Dix fois, il redescendait. Et pendant des heures, des hommes nous réclamaient à boire, hurlaient de les achever d'une balle pour qu'ils cessent de souffrir, mais pas un n'avait ce courage infernal. Pour oublier, et pour tenir, à quoi nous accrochions-nous ? Un briquet donné par un père, le dessin d'un gosse, une lampe qui ne devait pas s'éteindre dans la nuit, une tabatière offerte lors d'une permission, une fleur séchée qu'une jolie fille avait lancée le jour du départ sur le quai d'une gare bondée de chagrin et d'amour. Moi, c'était ce petit avion taillé dans une cartouche tombée du ciel. Et j'y vois plus de sens qu'un livre d'histoire ne pourra jamais en rapporter. Oui, je crois aux fragments de vie qui démontrent qu'à tout, nous préférions la paix. Ce sont des cailloux blancs dont le monde a besoin et je prends le pari que votre frère en a laissé un, derrière lui, avant de nous quitter.

Il saisit la reproduction du *Bébé Nieuport* :

— Tenez. Je vous l'offre car je crois que votre frère aurait compris ce que je voulais vous dire. Et, sans l'avoir connu autrement qu'en levant les yeux, je suis certain qu'il saurait ce que je suis venu chercher. Ainsi proposé, il ne refuserait pas que l'on parle de lui et de ce qu'il a vécu. Car, et quoi qu'il soit arrivé, l'ombre ne doit pas recouvrir l'ombre.

— Comment pouvez-vous être aussi affirmatif ? Vous reconnaissiez vous-même n'avoir jamais rencontré mon frère ?

— J'ai croisé d'autres personnes qui l'ont connu pendant la guerre, argue-t-il. Des amis proches qui m'ont assuré qu'il souhaitait que cette guerre, et ce qu'elle a produit, ne soient pas oubliés. Oui, madame, j'en ai la conviction.

— Et vous trouveriez ici ce que vous espérez ?

— Sans essayer, nous ne le saurons jamais. Il faut chercher encore...

Elle plonge dans ses pensées. Que ferait Louis ? Ce monsieur Bernstein ne lui semble pas animé de mauvaises intentions. Il se présente seul et parle de la guerre à la manière de son frère. Eux deux n'en retiennent que la part douloureuse et désirent la sanctifier. Pour l'exemple, pour la paix, pour témoigner au moment où l'Europe se déchire encore ?

Isaac l'observe. A-t-elle quelque chose à lui apprendre ? Peut-être, mais il n'ira pas chercher plus loin. Ce qu'il a fait, ce qu'il a dit jusque-là, c'est pour comprendre ce que lui a laissé Anastasia et, peut-être, éclaircir l'étrangeté de sa mort. Se sent-il coupable d'avoir caché une partie de la vérité à cette femme qui le reçoit si gentiment ? L'intention n'est pas mauvaise, se répète-t-il. Il n'y a aucune vilenie dans sa démarche et pour s'en convaincre, il se jure de ne plus lui poser d'autres questions.

Elle reprend la photo, s'arrête sur un détail et pointe du doigt un autre avion dans le ciel. C'est celui d'un Allemand. La croix dessinée sur le flanc l'identifie. On devine aussi un dragon et un ours tenant un bouclier.

— Le seul sujet, la seule trace que Louis aurait été fier de montrer, c'est cette amitié avec Heinrich.

Le sang d'Isaac se glace. Les mots écrits par Chastelain à Anastasia lui reviennent : *Une fois réunies, nos deux lettres iront avec toi. Le moment venu, si Heinrich disparaissait aussi, il te faudra trouver «l'héritier» de notre histoire. C'est un devoir. Le petit coin d'espoir que nous a laissé le destin. Je t'aime. Je l'ai toujours fait. Et je t'emporte avec moi. Louis.*

Heinrich. Mais s'agit-il du même ?

— Lui aussi fut un héros de guerre, continue Solange qui n'a pas perçu le trouble de son invité. Lui et mon frère étaient très amis.

— Se sont-ils vus après la guerre ? ose-t-il.

— Oui. Très souvent. Et s'il en est un qui puisse connaître ce qui hantait mon frère, c'est Heinrich von Mietzerdorf.

— C'est donc lui qu'il me faudrait rencontrer, murmure Isaac.

— Sans doute, expire-t-elle. D'ailleurs, je n'ai que ce seul souvenir à vous offrir puisque Louis les a tous brûlés avant de mettre fin à sa vie. Je crois qu'il en avait fait le tour et qu'il ne voyait plus d'autre issue... Il se jugeait déshonorable.

— Mais ce fut un héros de guerre ! s'étonne Isaac.

Solange hausse les épaules :

— Il ne se définissait pas ainsi. Je crois même qu'il détestait cette expression. Pourquoi ? Je ne peux vous le dire.

Elle ferme les yeux.

— Un soir, alors que l'instant d'avant il me semblait calme et même comme heureux, il s'est retiré dans sa chambre, confie-t-elle alors. Il a rangé ses affaires et s'est allongé sur son lit. Puis il a pris assez de drogue pour sombrer dans l'inconscience. Comment imaginer le drame qui se produisait derrière cette porte simplement close ? J'y ai beaucoup réfléchi, je me suis longtemps accusée de ne pas avoir su être à ses côtés. Puis, un jour, un médecin m'a expliqué que le suicide se décidait souvent au dernier moment, comme si la mort procédait à une sorte de rapt. Elle vous enlève... Ou plutôt, elle vous tend les bras et certains ne résistent pas à sa tentation. Je l'ai su trop tard, quand il mourait déjà. J'ai veillé, ainsi, une nuit. Et il s'est... éteint, je l'espère, apaisé.

Ses yeux sont brillants, mais les larmes ne viennent pas.

— Voulez-vous du café ? interroge-t-elle d'une voix calme.

— Volontiers. Mais avant, savez-vous comment contacter cet ami allemand ? Heinrich...

— Heinrich von Mietzerdorf, répète-t-elle. Il vit en Poméranie.

Elle se lève et fouille dans un tiroir :

— Tenez, voici son adresse, dit-elle plus légère, soulagée de pouvoir au moins lui offrir cela. Il aura sans doute des choses à vous raconter sur Louis. Et je sais qu'il n'en dira jamais de mal. Il a beaucoup souffert de sa mort. Lui et une autre personne.

Elle hésite avant d'ajouter :

— Une femme, lâche-t-elle enfin, à laquelle mon frère fut très attaché.

Elle se tait. Elle n'en avouera pas plus. Mais Isaac ne demandera rien d'autre. Il a obtenu ce qu'il cherchait.

82

À l'exception d'un sanglier aveuglé par les phares, et qu'Isaac n'évite qu'au prix d'un vif coup de volant, le retour vers Paris se déroule dans le même calme que celui qui présida à l'aller. Les routes sont désertes, les villages morts. Vers une heure du matin, Isaac se gare en bas de chez lui, rue Bonaparte. À sa surprise, à peine a-t-il ouvert la porte que le téléphone sonne. Picard, son assistant, est en ligne.

— Je cherche à vous joindre depuis cette après-midi, s'angoisse l'interlocuteur.

— Que se passe-t-il, Alfred ? Songez-vous à m'apprendre que c'est la guerre ? plaisante Isaac que sa journée a rendu de fort bonne humeur.

— Mais il s'agit de cela.

— Je vous écoute, murmure Bernstein brusquement sérieux.

— L'armée allemande vient d'entrer en Belgique et au Luxembourg. La radio n'arrête pas d'en parler. C'est une tempête. Rien ne leur résiste.

— Et sur la ligne Maginot ?

— Ils nous refont le coup de 14. Ils passent par le haut et ces idiots de l'état-major n'y ont rien vu. Pas un char pour leur faire front. C'est la débandade. Rommel marche sur la Meuse. Tout est fini, gémit-il. Dans huit jours, ils seront à Paris.

— Calmez-vous Picard. Souvenez-vous de la Marne.

— Vous y étiez, je sais, s'emporte l'assistant. Mais aujourd'hui, c'est différent. Qui défendra Paris ? Ces généraux n'ont pensé à rien...

*
* *

Les jours qui suivent vibrent au rythme des communiqués officiels qui peinent de plus en plus à cacher la progression spectaculaire des forces ennemies. Ce n'est qu'une litanie de villes abandonnées et de combats perdus dont émergent parfois le panache et la bravoure d'une poignée de soldats. Ainsi, la manœuvre audacieuse des chars conduits par le colonel Charles de Gaulle aurait triomphé de forces supérieures en nombre. Mais une bataille ne fait pas une guerre. À Dunkerque, on vit un enfer. À la fin du mois de mai 1940, plus de trois cent mille Britanniques et Français sont évacués par la mer. La déroute est générale. Le 28 mai, la Belgique capitule. Le 6 juin, les Allemands bondissent sur la Somme.

Pourtant, Isaac Bernstein et Alfred Picard n'ont toujours pas fui ; ils ne sont pas en exode. Bernstein a refusé de rejoindre la Provence, ne pouvant se résoudre à abandonner les trésors de ses amis qui meublent son intérieur, son bureau, sa galerie. Il faudrait des dizaines de caisses. Après, qu'en ferait-il ? Pas question non plus de partir sur les routes, de suivre la chenille humaine qui déserte les villes. Il s'est d'ailleurs fâché avec quelques-unes de ses relations qui lui conseillaient de s'échapper. Il s'accorde à l'idée que la seule façon d'aider la France est encore de laisser circuler son armée.

— Que ferez-vous puisqu'il n'y a plus d'essence ? s'insurge-t-il. Vous serez bloqués sur le bas côté, devenant la proie des chasseurs qui survolent en rase-mottes les convois et s'amusent à les tirer comme à l'entraînement.

L'essence, lui répond-on, n'est pas un problème. « Nous avons des contacts dans les préfectures. On nous donnera ce qu'il faut. »

Bernstein n'apprécie pas cette malice. Elle pue la lâcheté, l'abandon, et ce chacun pour soi qui condamne son pays.

— De beaux discours, lui rétorque-t-on. Mais ne venez pas vous plaindre quand la police allemande paradera dans Paris. La Gestapo est, dit-on, redoutable avec certaines personnes...

Le mot de *juif* n'a pas été prononcé, mais des connaissances qui, hier, se disaient amies, sous-entendent que le nom de Bernstein sonne dorénavant de manière dérangeante. Partir et montrer ainsi que certains ont raison de le juger *différent* ? Le marchand d'art devine qu'il a tort de s'arc-bouter, mais il refuse de céder devant ces menaces qu'il juge méprisables. Fuir serait accorder trop d'honneur à la haine raciale des nazis, et comme reconnaître leur triomphe. En compagnie de Picard qui a fait le même choix, il s'accroche. Les deux assurent en souriant qu'ils entrent en résistance. La galerie est restée ouverte et pour passer le temps, ils consomment à chaque repas une bouteille millésimée tirée de la cave de Bernstein.

— Encore une que les Boches n'auront pas ! lance d'une voix forte le jeune Picard que quelques verres de vin ont un peu éméché.

— Alfred, je vous supplie de vous taire, le tance Isaac. La dignité. Il ne nous reste qu'elle.

*

* *

Mais le 14 juin 1940, leurs certitudes vacillent. Paris est déclarée « ville ouverte » et, aux Champs-Élysées, les vibrations étourdissantes des chenilles des chars allemands mutilent le pavé de Paris. Le bruit dure longtemps, provoquant une peur, une angoisse épuisante. À Saint-Germain, on se tait, comme si le temps s'était arrêté. Bernstein se demande finalement s'il ne doit pas démonter ses tableaux et les ranger. Les cacher ? Les noms de ses amis défilent, Picasso, Matisse, Braque... Pourquoi enfermer leur art ? Qu'ont-ils fait ? Qu'a-t-il fait ? Alors, il tente de chasser de sa tête le récent témoignage d'un ami juif qui lui a rapporté qu'en Allemagne, on construisait des camps pour y parquer les hommes et les femmes selon leurs opinions et leurs religions. On parle de *villes nouvelles* construites pour les Juifs qui y seraient déportés. Isaac pensait ne plus être croyant, mais, aujourd'hui, il a prié Dieu, Patron de tous les hommes. Parce qu'il garde foi en l'humanité, sa supplique se veut universelle.

*

* *

Au nom de cette philosophie, et balayant ses inquiétudes, il s'est aussi décidé à écrire à Heinrich von Mietzerdorf. Une lettre où il s'est montré neutre. Il parle du capitaine Louis Chastelain et d'une amie commune, Anastasia Ivérovitch. Il annonce sa mort sans rien préciser de ses doutes, avoue détenir, en tant « qu'héritier », des documents dont von Mietzerdorf pourrait être le vrai destinataire. Et non sans avoir hésité longuement, il dévoile son adresse dans l'espoir d'une réponse. La lettre a été postée voilà quinze jours en empruntant un corridor étroit qui passe par la Suisse. Bernstein regrette encore de ne pas avoir indiqué qu'il disposait d'un autre domicile dans le Sud. S'il devait partir – il se fait à l'idée –, et si plus rien ne fonctionnait, comment le joindrait-on ?

Une réflexion lui vient : il pourrait envoyer une autre lettre afin de livrer l'information. Mais, depuis le 15 juin, le contact qui lui a permis d'expédier son courrier via Genève a quitté Paris. Et surtout, désormais, Isaac a peur. Il a vu les premiers officiers SS plastronner dans les rues de la capitale, devinant que ces hommes et leurs méthodes sont pires que la plus abominable de ses craintes. Depuis, l'image du Boche, celle dont il pensait être débarrassé depuis la *der des ders*, galope dans son imagination et ronge son courage. Il vient de décider. Il se range. Peu à peu capitule. Si le 1er août, il n'a pas reçu de réponse, il écoutera le fidèle Alfred Picard et rejoindra, s'il le peut, le havre de Saint-Paul-de-Vence.

PRINCIPE DE GOLGOTHA

Rapport du Neuvième Décemvirat
Paragraphe 17

L'État pose comme postulat que l'homme, livré à lui-même, est un sauvage pour les autres. Il veut le protéger de ce fléau en contrariant ses instincts par la loi. Bouffi de suffisance, il n'hésite pas à lui promettre le paradis en jurant de construire un bonheur affranchi des imperfections du monde. Il modifie pour cela les règles de l'ordre naturel, résultat d'un lent progrès né de la nuit des temps. Il s'installe au centre, promet de se mettre au service de l'homme, race qu'il déclare supérieure. Devant le silence des espèces inférieures, il se croit autorisé à s'emparer de tout pour gouverner, réformer et rendre parfait. L'orgueil d'État est abyssal. Il pense ce qui n'existe pas, invente l'impossible, expérimente ce qu'il ne connaît pas. Quand un mystère le dépasse, il se fait une raison. La sienne imagine des lois, des dogmes dont l'exécution est confiée à une armée de bureaucrates qui vivent en vase clos. Ainsi, se construit un système artificiel, éloigné du modèle initial, oubliant ses origines et son entourage.

Qui affirmerait qu'il peut faire mieux que l'original? Pas même Dieu, bien que nous n'y croyions pas. Pourtant, c'est l'esprit de la loi qui reforme ce qu'elle juge mauvais. Ainsi, peu échappent au tamis de l'État qui poursuit l'idée de donner naissance au monde idéal, jouant pour cela à l'apprenti sorcier et prenant le risque d'altérer le moulage. L'homme a raison de croire qu'il vit l'âge de fer. Plus il avance, plus il gâche ce qui lui était offert. Au Vingtième Siècle, l'État nazi fut inventé. Ce summum de la maniaquerie tyrannique s'est acharné sur le redressement physique et psychique de l'homme. De cette époque vient la prise de conscience du vrai pouvoir de l'État : il peut détruire intégralement la création. Ainsi, à la différence des espèces précédentes, l'homme ne tendra sûrement pas le flambeau, car l'idée de se tuer lui-même – ce qui représenterait la correction suprême de ce dont il a hérité – est devenue possible et réelle. Avec l'État, il se sent tel le guerrier d'Harmaguédon. Il dispose de moyens considérables. Il peut éteindre la vie, décider massivement de sa fin.

Il existait chez les dominants antérieurs un esprit d'entraide qui a disparu chez l'homme depuis qu'il tente d'imposer sa loi au monde naturel. Si bien que sa dictature, poussée au paroxysme, s'achèvera dans le chaos. De quoi les précédents maîtres de la terre sont-ils morts ? De la maladie, d'un climat trop chaud ou trop froid, d'une catastrophe géologique, d'une disparition de la nourriture, et ce dès l'arrivage d'un plus malin que n'a pas vu venir celui qui se croyait le plus fort. Ainsi, apparut l'homme, Cro-Magnon laissant sa place pour que vive Sapiens, *cet inventeur des lois, cet être supérieur qui ne mourra pas comme les espèces passées. Une guerre, une maladie, une famine dont l'État inventera la recette, étouffera ses enfants dans un nuage nucléaire ou chimique, mais surtout apocalyptique. Ne doutons pas, Frères de Golgotha, l'État trouvera puisqu'il se croit génial – et, depuis Hitler, rien ne lui est impossible.*

Ceux qui prétendent que Hitler n'a pas agi dans le cadre de la loi, qu'il dirigeait un État de non-droit, ont tort. Ils cherchent sans doute à sauver le concept de l'État mis à mal par la clique hitlérienne, à amnistier tous les autres de leurs fautes, à justifier mordicus *cette construction contre nature, et ce, malgré les inimaginables ravages commis en son nom. Ainsi, ce pays nazi, reconnu par la communauté internationale, s'appuyait sur des règles officielles. Sans État, sans sa bureaucratie superbement structurée et obsédée par la perfection de son rôle, le génocide de millions d'hommes et de femmes n'aurait pu avoir lieu. C'est donc qu'un État conduit à tout, même à la destruction de l'espèce qui l'a créé. Avec Hitler, il a permis de concevoir un monde dont l'homme ne se remettra jamais. Ne pouvant oublier qu'il fut fasciné par les chants, les défilés, l'organisation nazis, l'homo sapiens sait désormais que le beau et le mal copulent, et qu'ainsi, aucune des valeurs dont il se croyait maître ne résiste à la folie des lois. Doit-on s'en plaindre, Frères de Golgotha ? Non, puisque notre Principe prend tout son sens. Le destin de l'homme est scellé, et il en a fait la preuve, s'il ne renonce pas à l'État. C'est le combat du Décemvirat. Voir mourir les États, même s'il faut pour cela et, comme par le passé, composer avec eux et en user.*

Les structures huilées de l'hitlérisme fonctionnaient comme le cerveau du schizophrène. On posait une question, la machine s'emballait. J'avais donné ce nom, Heinrich von Mietzerdorf, à Theodor Eicke, un des adjoints de Himmler, le chef des SS. J'avais jeté mon dévolu sur cet homme pour connaître déjà sa cruauté et son efficacité. Avant la guerre, Eicke avait été l'un des ouvriers d'IG Farben, un gigantesque consortium chimique allemand dont Golgotha contrôlait une part essentielle. IG Farben connut un développement considérable, notamment grâce à la production de Zyklon B, un gaz massivement employé dans les camps d'extermination. IG Farben avait aussi systématisé l'emploi de cobayes humains pour sa recherche. Sans nul doute, la guerre n'aurait pas été ce qu'elle fut sans IG Farben et Eicke, l'ancien responsable de la sécurité de ce consortium, ne pouvait rien refuser à celui qui par ailleurs avait largement financé la campagne de Hitler en 1932. C'est pourquoi, il me répondit volontiers qu'il connaissait cet homme, von Mietzerdorf, noble et héros de la Première Guerre mondiale, opposant tenace au Führer et à son Reich qui devait à son passé d'avoir échappé à la répression. « Coincez-le », conseillai-je à Eicke que j'avais rencontré spécialement à Berlin, fin 1939, avant que ne se développe l'offensive sur le front occidental. Mais je fus obligé d'en dire plus pour satisfaire la curiosité de ce psychopathe. « Il représente un danger pour votre cause. Et pour la mienne. » Eicke, qui ne voyait en moi qu'un chef de l'industrie, en demanda encore. « Il se peut, ajoutai-je, qu'il soit informé de ces accords secrets qu'un pays en guerre, comme le vôtre, entretient avec les milieux financiers. Certains de vos associés siègent dans le camp ennemi et tout se comprend dans l'économie. Il faut que l'argent circule. Mais que dirait votre opinion ou celle d'en face si quelqu'un faisait publiquement savoir qu'il existe des collusions entre vous et ceux que vous menacez ? L'industrie a horreur du scandale. Et vous avez besoin d'elle, la réciproque étant vraie. Agissez, avant qu'il ne soit trop tard. Fouillez la vie de cet homme. Trouvez ce qu'il cache et informez-moi. »

Je n'avais aucun doute. Il agirait et rendrait compte directement puisqu'il avait tous les droits dont celui de commander et de tuer, m'évitant ainsi de m'exposer. Eicke était un pion parfait, celui qui donne le meilleur. D'ailleurs, il me prouva tout cela. Ce SS était à l'exemple de l'appareil qu'il servait : peu inventif, et donc redoutablement insensible. De là, lui venait une efficacité hors pair. Eicke promit de réussir et, je l'appris plus tard, il me montra une nouvelle fois combien l'action prenait une tournure particulière dans la bureaucratie étatique du nazi.

83

Depuis le début des hostilités, Heinrich von Mietzerdorf vit replié dans son domaine de Poméranie occidentale. Pour le trouver, il convient, après avoir quitté Berlin, de remonter au nord, et de s'aventurer dans ce pays aux mille lacs jusqu'à trouver la mer Baltique. Stralsund, la ville la plus proche de l'endroit où il se terre, relie le continent à Rügen, la grande île allemande. En arrivant ici, il faut encore s'imaginer un triangle dont la base serait formée d'une ligne allant de Stralsund à Barth. Puis chercher un sommet sur la côte dont le point est Berhöf. Au centre de cette figure géométrique, on trouve le bourg d'Altenpleen. Le château est là, gardé par un lac et caché derrière un bois. Dans l'ultime lacet, une percée taillée à travers un rideau de cèdres permet de découvrir l'enceinte et, en tendant le cou comme les curieux, d'apercevoir, pardessus le mur, deux tours rondes et pointues encadrant le logis aux vastes fenêtres tournées vers le sud. Il ne reste qu'à franchir les derniers mètres pour se présenter devant une grille en fer forgé, qui est toujours ouverte.

*

* *

La demeure de von Mietzerdorf témoigne de la richesse ancienne de ces terres conquises, il y a six cents ans, par les marchands de la ligue hanséatique. Le château, de style gothique, est immense. Heinrich croit se souvenir que, derrière ses murs épais, on compte pas moins de vingt-quatre chambres. Mais lui n'a plus le goût à visiter ce dédale. Petit, il y organisait des parties épiques de colin-maillard avec ses cousins de Schwerin et de Neubrandenburg. Puis, ils partaient sur le lac voisin affronter des monstres imaginaires et, dans la brume chaude de ces soirées d'été, rêvaient de voir surgir le taureau noir et le dragon doré qui ornaient l'écusson de Mecklenburg. De ce passé nostalgique, Heinrich n'a gardé que les deux personnages mythiques qu'il peignit sur le flanc de son avion pendant la guerre de 1914-1918. Le reste est rangé dans des photos, des albums, des tableaux, des livres, des bibelots qui meublent son bureau, la pièce qu'il occupe le plus fréquemment.

C'est ici qu'il cache, dans un coffre en acier, la lettre codée. Sans elle, le verrou ne sautera pas.

*

* *

Après la Grande Guerre, si Heinrich a donné, ou rendu, les terres du domaine familial aux paysans ruinés ou désespérés par le conflit, il ne manque pas d'argent. Ses ancêtres ont investi beaucoup de leur fortune dans le négoce lié à Stralsund, port situé sur la Baltique témoignant de l'essor paisible que connaissent les villes maritimes, non querelleuses et commerçantes. La paix dure et l'industrie, le commerce, l'artisanat prospèrent. Et, pour remercier le Ciel, les églises fleurissent. L'abbaye gothique de Sainte-Catherine, raconte que ce pays a apprécié l'harmonie, la sagesse, l'abondance et qu'ici, la guerre ne fut jamais bienvenue. C'est peut-être pourquoi les oiseaux migrateurs se posent sur ces rivages bordés de plage. On y est bien, dit-on. Surtout si l'on veut s'isoler, devenir sauvage. Exactement comme von Mietzerdorf.

Sa mutation remonte aux années qui suivirent l'arrivée de Hitler au pouvoir. Il hait ce *Führer*, sa doctrine, sa violence, son entourage aux méthodes de voyous et son dessein liberticide. Dans les premiers temps, il a tenté de s'opposer, de former un rempart, a pris la parole en public, a écrit dans les journaux, s'est montré à Berlin. Mais il a vu un pays se donner au nazisme. Le sien. Alors, depuis trois ans, il ne quitte plus la Poméranie, n'envisage pas de voyager pour ne pas avoir à subir l'humiliation du refus de sortie. Et s'il voulait revenir, le laisserait-on seulement rentrer ? Peu à peu, on lui a tourné le dos, fermé les portes. On ne comprend pas son hostilité à l'égard de Hitler qui a réconcilié le peuple avec l'État, créé des millions d'emplois, rendu à l'Allemagne la place qu'elle mérite en Europe en organisant en 1936 les jeux Olympiques, a redressé la nation, glorifié la patrie, l'honneur, la jeunesse.

Heinrich, lui, tourne le dos. Sont-ils tous devenus fous ? Chaque jour, maintenant, il se demande s'il n'est pas temps de déterrer leur secret.

84

Heinrich est resté en contact avec Louis Chastelain jusqu'à sa mort. Il s'est même rendu en Anjou pour tenter de le sortir de la léthargie dans laquelle il s'enfermait, mais n'a pu que constater la lente déchéance du héros français. En 1928, il est venu en avion. Son idée était de l'embarquer en n'emportant qu'un maigre paquetage et d'entreprendre un tour de ce pays qu'il aime. Au mois de juin, le ciel clair invitait au voyage et Heinrich, une carte posée sur les genoux, montrait du doigt les escales prometteuses d'une virée qui passait par Bordeaux, Toulouse, Carcassonne, avant de descendre sur le littoral afin de paresser le long de la Méditerranée, jusqu'aux confins de l'Italie. Mais il s'était arrêté avant. Sur un minuscule point bordant la mer : Beaulieu.

*
* *

— Tu n'as pas envie de la revoir ?

Louis ne répondit pas.

— Anastasia t'écrit ? insista Heinrich.

Il hocha la tête.

— Et toi ?

Il se leva pour attraper une bouteille d'eau-de-vie.

— Au moins, continua l'Allemand en changeant de tactique, nous pourrions aller là-bas pour vérifier si notre... héritage se porte bien.

Louis montra enfin son visage ravagé par sa blessure intérieure :

— C'est non. Je n'ai pas su me décider. Maintenant, il est trop tard.

Il haussa les épaules de rage :

— Je doute que ce que nous avons concocté serve un jour. Il fallait agir sur le moment. Et cette part de destin que tu me promettais, en assurant que nous étions les prétoriens d'un secret dont la révélation pourrait aider le monde, s'avère aujourd'hui un rêve enterré.

— De quoi te plains-tu ? L'Europe est en paix. Enfin, les Nations se parlent. Elles croient au progrès et ne songent qu'à l'harmonie. Elles ont même décidé de bannir la guerre et je t'assure que l'Allemagne semble avoir oublié l'idée de se venger. D'ailleurs, l'économie prospère. C'est le signe que tout va mieux !

— Pour combien de temps ?

— Il sera toujours temps de faire surgir notre confession.

— Sans doute, finit par concéder Chastelain. Mais d'ici là, il n'y a rien à changer. Chacun dans son coin, chacun sa lettre. Et si l'un de nous meurt, il sait ce qu'il doit faire.

— Vérifions si la procédure fonctionne toujours, s'entêta Heinrich.

— Si je disparais, Anastasia recevra ce que je possède. Ma sœur exécutera aveuglément ma volonté. Elle enverra ma part à Beaulieu. Et tu seras averti.

Heinrich était reparti seul, virant une dernière fois au-dessus du *Manoir de la Musarde* avant de piquer au sud puisque rien ne l'empêchait de rendre visite à Anastasia.

Ils s'étaient vus plusieurs fois. La comtesse demandait des nouvelles, Heinrich en donnait et elles se voulaient bonnes pour ne pas l'inquiéter ou ne pas la désespérer. Puis, une lettre était arrivée, le même jour, chez l'un et l'autre. Louis prédisait sa mort en parlant de son *départ*. Heinrich avait alors choisi d'écrire son testament dont un codicille mentionnait un courrier enfermé dans un coffre qui devait parvenir à Anastasia Ivérovitch, s'il venait à s'éteindre.

*

* *

Depuis, le monde a connu la crise de 1929 et l'arrivée au pouvoir de Hitler en 1933. Heinrich von Mietzerdorf se demande si l'heure n'a pas sonné de rassembler les trois lettres et de les publier. Mais il est seulement le conservateur d'une histoire dont un acteur est mort. L'absence de Louis pèse encore plus. Lui, il saurait quoi faire. Approcher Caillaux, qui est vivant, et le pousser à témoigner ? Mais il faudrait d'abord que cet homme sache que les lettres existent. Heinrich hésite sur la démarche à suivre et les accords de Munich, en 1938, entre l'Allemagne, la France et le Royaume-Uni lui laissent espérer un apaisement. Funeste écran de fumée.

Qui ne dure qu'un temps.

Hitler rompt le fragile équilibre en entrant en Pologne. Brutalement, tout s'accélère. Tout devient inquiétant. Les âmes se noircissent, la suspicion ravage l'Allemagne. On est avec le *Führer* ou contre lui. Il n'y a plus de milieu. Heinrich se métamorphose soudain en proscrit dans son propre pays. Son opposition farouche le catalogue parmi les suspects. La police nazie est sur son dos, sa correspondance surveillée, ses faits et gestes étudiés. Il cherche pourtant le moyen d'entrer discrètement en contact avec la comtesse russe pour recueillir son avis. Il expédie une première lettre à Beaulieu au cours de l'automne 1939. Elle reste sibylline, se veut légère. Heinrich évoque l'époque où ils s'étaient promis d'agir si la guerre se montrait de nouveau. Mais rien ne vient en retour. A-t-on intercepté son message ? Il hausse les épaules. Ses mots, imprécis, ne peuvent le menacer. Au début de l'année 1940, il envoie une seconde missive : *« Quand Pandore ouvrit la boîte qui libéra tous les maux de l'humanité, seule l'Espérance échappa à son geste. Il est peut-être temps de la faire jaillir, de s'immiscer dans son histoire... »* Mais Anastasia n'a pas plus répondu.

85

Ce matin de juin 1940, alors que la radio annonce triomphalement que les armées de Hitler enfoncent le front occidental, Heinrich selle son cheval pour une longue promenade. Il veut s'accorder un dernier moment de paix avant d'agir, car sa résolution est prise : la promesse faite à trois, il y a vingt ans, se réalisera. Le destin lui supplie de parler. Bientôt, il tentera de rejoindre Anastasia en quittant l'Allemagne clandestinement. Son silence persistant l'inquiète. Se tait-elle parce qu'elle ne peut parler ? Y a-t-il un rapport avec ce qu'ils ont écrit, avec *Golgotha* qui, peut-être, ne fut qu'un cartel d'intérêts composé pour l'occasion et dont la réunion en 1914 s'éteignit à la fin du conflit, profit en poche ? N'est-ce pas une hydre insaisissable dont les multiples visages se renouvellent constamment, à chaque guerre, comme le mal ? *Golgotha* abrite-t-il encore un clan pérenne, structuré d'hommes puissants et amoraux, aisément identifiables ? Ses membres sont-ils morts ? Heinrich ne peut jurer de rien. Et que l'on sache ce qu'il en fut d'une guerre déjà ancienne suffira-t-il pour juguler la nouvelle ? L'espoir est faible. Mais il ne reculera plus.

*

* *

Parfois, il se rend jusqu'au littoral pour admirer le rivage éclipsé et les falaises crayeuses de Rügen. Cette île, imagine-t-il, est le monde qu'il ne parcourt plus – son voyage au long cours. Assigné à résidence en Poméranie, il ne se plaint pas. Il aime ces lieux, ce *land* marin qu'un ciel souverain s'amuse à décliner en mille couleurs changeantes, et ne peut se lasser des vallons, des terres qui se noient tantôt dans l'horizon, tantôt dans les lacs bordés d'épaisses forêts qui chassent la monotonie.

À midi, il parvient à Stralsund. Un long galop a couvert d'écume la robe bai brun de sa monture qui frappe du fer les pavés des rues médiévales. Le cavalier est connu. Avant l'entrée en guerre de l'Allemagne, on le saluait. Depuis, on baisse la tête quand il vient à passer. Dans son dos, on chuchote, on l'attaque, on l'accuse d'être antinational, oubliant qu'il fut un héros. Certains crachent sur ses pas. En quelques mois, Heinrich est un paria dans son propre pays.

Hier, on a déposé un colis devant l'entrée du château. Une odeur répugnante s'en échappait. En ouvrant, il a trouvé le cadavre décomposé d'un renard dont l'une des pattes à moitié arrachée était encore prisonnière de la mâchoire d'acier dans laquelle il s'était fait piéger. On avait découpé ses yeux et dévidé ses viscères. Il y avait un morceau de papier couvert de sang séché et quelques mots instructifs : « On te crèvera comme cette bête. On brûlera ton Juif. »

L'auteur anonyme dénonce Moïse Zenfeld, majordome du *Hauptmann* Heinrich von Mietzerdorf pendant la Première Guerre et qui resta ensuite à son service. Moïse ne va plus à Stralsund où on l'oblige à porter l'étoile jaune, mais vit au château parce qu'il s'y sent encore libre. Il claudique dans les pièces vides, traînant vaille que vaille sa blessure de Charleroi, depuis 1914. Pour Heinrich, ce frère d'armes a versé un sang qui vaut celui d'un Aryen. Pourtant lorsqu'il le dit, les regards se chargent de haine.

*
* *

Aujourd'hui, il ne fera pas de halte à Stralsund et, bientôt, il tentera le diable, se mettra en danger, portant lui-même le message destiné à Anastasia. Sa fuite s'organisera via la mer Baltique, dans l'espoir de rejoindre la Suède. Puis, il compte revenir en France, en zone libre, au prix d'un long périple passant par l'Afrique du Nord et l'Espagne. Tout est prêt et n'eût été le sort de Moïse, il se serait déjà exécuté.

À seize heures, l'esprit occupé par ce projet qui nourrit l'essentiel de ses pensées, Heinrich est de retour à sa demeure. Au bout d'une allée qui mène à la terrasse, un détail l'intrigue. Pis, l'irrite et l'inquiète. Deux voitures, après avoir écrasé le gravier finement ratissé, se sont garées devant l'entrée principale. Trois types costumés en noir s'avancent et sans la moindre formule de déférence lui ordonnent de descendre. SS, détenteurs de tous les droits, ils veulent l'interroger.

Le *Hauptmann* von Mietzerdorf reprend aussitôt le ton et l'allure de ses ancêtres prussiens et, repoussant la main du rustre qui voudrait l'arrêter, il entre au château.

— Revenez ! ordonne-t-on sèchement derrière lui.

Mais aucun n'ose encore s'opposer à celui qui progresse de plus belle, partant à la recherche de Moïse, sourd à son appel. Un pas, puis un deuxième, Heinrich force l'allure. Il n'a pas de plan précis, ne songe qu'à rejoindre son bureau où se cachent ses secrets. Et un fusil de chasse dont il compte s'emparer. Si on vient le chercher, il parlera à armes égales. Les cartouches, où sont-elles ? Dans sa tête, tout devient précis. Ne pas courir, ne pas se retourner, résister à la peur, refuser d'entendre la galopade qui martyrise le parquet du corridor. Avant qu'on ne le rattrape, il a le temps de pousser la porte de son antre d'un coup d'épaule, d'entrer chez lui où tout est bouleversé, renversé. Ce n'est que le début du drame car il découvre un type en bras de chemise en train de tabasser Moïse, hurlant qu'il veut la combinaison du coffre. Le vieillard a les mains attachées dans le dos et le visage tuméfié. La rage monte, déborde. Sans un mot, Heinrich fonce vers une commode, ouvre le premier tiroir, en sort une pleine poignée de munitions. Le fusil est posé à côté et le seigneur du domaine d'Altenpleen s'en empare. Mais Moïse éclate en sanglots.

— *Nein! Nein!*

Il veut protéger son maître, l'empêcher de commettre un geste irréparable. Heinrich, surpris, se tourne vers lui, sourit pour le rassurer quand dans son dos, le SS le frappe avec la crosse d'une arme. Heinrich est sonné, mais il se jette encore sur le bourreau, lui balance un coup de poing qui l'envoie valdinguer au sol. Derrière, les renforts arrivent et s'activent. À trois, ils parviennent à prendre le dessus en saisissant leur prisonnier aux mains, en le forçant à se coucher, tête contre le sol, nez et bouche écrasés par le talon d'une botte. Et pour qu'il cède vraiment, on lui massacre les côtes jusqu'à ce qu'il cesse de bouger.

Le SS assailli s'est penché sur Heinrich et lui redresse la tête en tirant sur ses cheveux. Il jauge sa prise qui ne baisse pas les yeux. Son jugement tombe.

— Le code de votre coffre, *Hauptmann*...

Aucune réponse.

Il s'approche de la bouche de son torturé, exhale une haleine forte et tiède qui pue le schnaps et la cigarette.

— *Bitte*, souffle-t-il calmement.

Le silence qui suit est payé d'un coup de crosse dans la tempe. La peau éclate et fait jaillir le sang. Pour l'instant, il renonce. Le vieux est plus fragile. Il va donc s'en prendre à lui.

— Le code ! hurle-t-il, en levant un bras.

— Ne le frappez pas, murmure Heinrich. Il n'y est pour rien.

Le coup suivant est encore plus violent. Moïse gémit et crache un liquide épais, cireux, qui dégouline le long de sa veste. Puis son corps dodeline et s'efface lentement sur le côté.

— Arrêtez. Je vais vous le donner, lâche soudain von Mietzerdorf en le croyant inconscient.

*
* *

La porte du coffre est ouverte. Le SS glisse dans une sacoche toutes sortes de papiers.

— Vous êtes arrêté. Nous allons vous interroger.

Pourquoi ? Pourquoi Moïse a-t-il toujours les mains attachées ? Pourquoi le font-ils monter dans l'autre voiture ?

Un SS porte la main au revers de sa veste :

— Le Juif ne porte pas son étoile. Il ne respecte pas la loi.

86

Joseph Caillaux est de fort méchante humeur. Et ce depuis qu'il a voté les pleins pouvoirs au maréchal Pétain[1]. Il ne parvient pas à trancher : a-t-il eu raison ou tort ?

Réfugié depuis dans sa vaste maison de Mamers, il passe la plupart de son temps enfermé dans son bureau et n'y est pour personne. Henriette a montré le nez dans l'encoignure de la porte. Un regard a suffi pour qu'elle comprenne que le vrai sujet n'est pas Pétain. Ce qui hante son époux remonte à la Première Guerre. Depuis, il ressasse les mêmes questions.

— Veux-tu un thé ?

Il lève un œil et cède au sourire de celle qu'il n'a jamais cessé d'aimer. À elle seule, il ose dévoiler sa part d'humanité, lui avouant ce qui le ronge. Avec les autres, amis et ennemis politiques, il se veut intraitable. À soixante-dix-sept ans, l'indéboulonnable président de la Commission des finances du Sénat n'a rien perdu de sa superbe. Ses anciennes blessures l'ont même rendu plus dangereux.

— Oui, si tu viens prendre le tien à mes côtés.

1. Le 10 juillet 1940, par 569 voix pour, 80 contre, les deux Chambres réunies en Assemblée nationale au casino de Vichy délèguent les pleins pouvoirs au maréchal Pétain.

Henriette n'attendait que ces mots pour le rejoindre. Passant derrière son bureau, elle se penche sur lui pour caresser son front, l'embrasser tendrement sur les lèvres.

*
* *

Condamné, en 1920, à trois ans de prison pour « correspondance avec l'ennemi », Joseph obtint finalement l'amnistie. Et on le crut fini, prêt à renoncer. C'était croire à tort le fauve abattu. Un an plus tard, il se faisait élire sénateur. Depuis, il siège sans discontinuité aux affaires. Le lion a repris et conservé une place dans l'arène.

— Tu sembles préoccupé ? l'interroge son épouse, après avoir reposé sa tasse de thé.

Joseph ne fait que secouer la tête. Son regard se fixe sur le plan de travail où s'étalent des lettres, des dossiers et, parmi eux, le plus secret de tous : *Golgotha*.

— Est-ce le même danger qu'autrefois ? murmure-t-il. Sont-ils aussi responsables de cette guerre-ci ? Ai-je raison de croire qu'un désastre a été évité en accordant à Pétain les pleins pouvoirs ?

Il lève les yeux vers Henriette :

— Je l'ai fait pour éviter d'autres morts. Je ne voulais pas que recommence le carnage de la Grande Guerre. J'ai cru sauver ce qu'il restait de ce pays. Mais n'est-ce pas pire que tout ? Pétain pactise avec Hitler. Qui sait ? ajoute-t-il en montrant le dossier où s'étale le nom de *Golgotha*. Ceux-là sont peut-être à l'origine de cette énième ignominie...

Il vaudrait mieux que ses détracteurs ne le voient pas ainsi, fragile et indécis, vieux et abattu. Certains observateurs le chuchotent : il devient prudent, observe désormais le monde avec un rien de détachement. On accuse l'âge. On met cette distance sur le compte d'une vie hachée par des attaques dont peu se seraient relevés. Il n'en est rien. Depuis des années, Caillaux porte sur les événements un regard placide, presque cynique, proférant des analyses qui étonnent le sérail. Ainsi, il a vu dans la crise économique de 1929 un moyen d'affaiblir le pouvoir des acteurs financiers du marché, ennemis redoutables des États. On l'écoute prudemment. N'est-il pas celui qui fut accusé d'intelligence et d'alliance secrète avec l'industrie ? De même, il s'est réjoui de la signature du pacte Briand-Kellogg mettant fin à la guerre comme instrument de politique nationale. C'est la revanche du politique sur l'argent, commente-t-il en souriant pour lui. Et chacun interprète à sa façon ce jugement, peu conforme à l'image de celui que l'on a toujours cru l'allié de l'économie.

*

* *

Au début des années trente, Caillaux, comme tant d'autres, a voulu croire à une sorte de paix universelle orchestrée par la liberté des peuples à disposer d'eux-mêmes. À soixante ans passés, réjoui et apaisé, il allait assister au triomphe des thèses pacifistes, donnant ainsi raison à feu Jaurès. Mais l'inquiétude revint quand Adolf Hitler arriva au pouvoir – comme l'éternel recommencement du mal. Depuis, Joseph observe le jeu et se garde d'afficher trop haut son opinion. Le souvenir de 1914 est intact. Il ronge son frein, se tait – ce qui le rend ombrageux –, sachant ce qu'il en coûte à ceux qui poursuivent de trop grands rêves.

— Laisse-moi, à présent, glisse-t-il à son épouse. Je dois travailler.

Henriette, cette femme qui a tous les droits, n'insiste pas. Elle lui offre encore un peu de thé et s'apprête à sortir, non sans jeter un dernier regard vers lui, immobile et prostré.

— Mon ami ?

Il sort de ses pensées, la regarde et semble surpris. Peut-être se croyait-il à nouveau seul.

— Joseph : que se passe-t-il ?

Un instant, il hésite, mais ce couple ne s'est jamais rien caché.

— Je dois prendre la décision la plus importante de ma vie...

— Serais-tu appelé à redevenir ministre ? lance-t-elle d'une voix qui se force à plaisanter.

Il sourit enfin.

— Dieu nous garde de cette corvée !

Il soupire lourdement :

— Non, ce qui me tourmente va bien au-delà de ma personne. Et de nous.

Henriette tourne les yeux vers le bureau où s'étalent les dossiers.

— S'agit-il d'une affaire qui pourrait encore nous nuire ?

Il ramasse les feuilles étalées et les tourne pour en dissimuler la teneur.

— Ne t'inquiète pas. Il ne peut plus rien nous arriver...

Henriette se retire en silence. Elle connaît cet homme. Il se comportait déjà ainsi au moment des accords de Munich. Daladier, le chef du gouvernement de la France, s'était rendu dans cette ville avec le Britannique Chamberlain, pour arracher la paix à un Hitler qui exigeait le retour des Sudètes dans la patrie allemande. Les mots, le ton, les menaces, tout conduisait au conflit. Et en tournant le dos aux Tchèques, la France s'était reniée en retardant seulement l'échéance.

— La guerre ! tonne Caillaux, rompant le silence qui l'entoure depuis le départ de son épouse.

Il repousse le dossier d'un geste nerveux et reste ainsi, laissant venir le soir, s'accordant peu à peu à la pénombre qui gagne la pièce. Joseph n'a pas pris soin d'allumer la belle lampe en cristal de Murano. Ce dossier le hante, mais à quoi bon le lire ? Il en connaît toutes les pièces, tous les secrets. Et toutes les incertitudes. Et même s'il était parfait, que devrait-il en faire ?

*
* *

En secret, Caillaux s'était d'abord promis que, si Munich se terminait mal, il sortirait ce qu'il savait de *Golgotha* : les circonstances et les causes de son élimination, le rôle d'Anastasia Ivérovitch, le nom de ceux qu'il pensait mêlés au complot. Pour cela, il avait tenté de contacter le capitaine Louis Chastelain... Et avait appris qu'il était mort. Qu'était devenu le manuscrit de l'article de Jaurès ? Cette question resta sans réponse. Et les accords de Munich furent signés. Daladier avait beau traiter de *cons* les Français venus l'accueillir sur la piste d'atterrissage à son retour d'Allemagne, lui et Chamberlain, surnommé le *peace-maker,* rentraient en promettant la paix. L'occupation des Sudètes par Hitler constituait-elle un moindre mal, un accord brinquebalant mais écartant le pire ? Alors, Caillaux avait rangé son dossier.

À cette époque, l'ancien ministre des Finances s'était également interrogé sur l'effet obtenu par ses éventuelles révélations. S'il conservait un poids réel au Sénat, il ne manquait pas d'ennemis résolus à l'abattre. Et tout ce qu'il proférait à propos de la guerre ferait resurgir son passé. À quel camp appartenait-il ? Pour qui se battait-il ? Un ignoble dicton affirme qu'il n'y a pas de fumée sans feu. De la rumeur d'autrefois et des poursuites engagées contre lui, restait la marque du fer rouge. Ainsi, le plus sincère des pacifistes, sur le sujet qui le touchait au cœur, manquait-il de crédibilité. Le scandale engendré lors de sa nomination comme ministre des Finances dans le gouvernement Bouisson traduisait du reste sa fragilité politique[1]. Quels

1. Sa nomination comme ministre des Finances déchaîne de telles réactions que le gouvernement de Fernand Bouisson est renversé le 4 juin 1935, jour même où il se présente devant la Chambre des députés.

étaient son poids, sa puissance ? Le vieux ténor y avait réfléchi en espérant que la guerre ne viendrait pas. Et qu'il ne serait pas nécessaire d'entamer un nouveau combat pour lequel il se sentait d'avance épuisé. Car de quoi disposait-il ? De suppositions datant de trente ans, un délai offrant aux pires crimes la prescription. Était-ce suffisant pour ne pas agir ? Il convint que non. Chastelain étant mort, il se tourna non sans défiance vers la seule personne susceptible de témoigner du passé : Anastasia Ivérovitch. Pour apprendre qu'elle aussi avait disparu. Fallait-il y voir un signe ?

*
* *

La nuit est venue. Henriette frappe à la porte du bureau.

— Pourquoi restes-tu dans le noir ?

Elle s'avance et, sans un mot, allume la lampe. Les papiers sont toujours là. Joseph n'y a pas touché.

— Quelle heure est-il ? demande-t-il d'une voix sombre.

— Bientôt sept heures. Oublies-tu que nous recevons les Fabre à dîner ?

— Dieu du Ciel... Accorde-moi dix minutes, le temps de ranger ce désordre.

Henriette se retire. S'il le faut, elle aura la patience de revenir le chercher.

*
* *

Joseph a fermé la chemise où est écrit *Golgotha*. Elle pèse d'un poids trop lourd. Une note s'en échappe et tombe à terre. C'est une copie du rapport de gendarmerie décrivant les circonstances de la mort de la comtesse. Il se l'est procurée en se servant de ses relations dans le corps préfectoral. Et il faut être aveugle pour ne pas comprendre que cette affaire est suspecte. Il y a même un ajout portant sur le cambriolage de sa maison, le lendemain de son décès. Le gendarme Favier conclut « au larcin d'un vagabond qui, se présentant au domicile de la victime et n'ayant rencontré âme qui vive, aurait profité de l'occasion pour tenter sa chance... ». Mais pourquoi n'avait-il rien emporté ? s'étonna Caillaux à l'époque. Le gendarme aurait sans doute répondu que le voleur cherchait de l'argent et qu'il n'y en avait pas, ou qu'il avait été dérangé. Et quoi encore pour refermer au plus vite une enquête jugée sans intérêt ?

La sonnette de la porte sort Joseph Caillaux de ses sombres rêveries. Ce sont les Fabre. Il faut qu'il les reçoive. A-t-il assez de force pour lutter contre ceux qui l'ont déjà défait ? La disparition suspecte de la Russe ne résonne-t-elle pas comme une mise en garde ? Ses ennemis seraient-ils là ? Et toujours plus puissants ? Il ferme à clef le tiroir dans lequel il vient de glisser le dossier *Golgotha*. Demain, il s'en séparera. D'abord, il le déchirera. Puis, il demandera à la bonne de faire un feu dans la cheminée. Chez lui, personne ne s'en étonnera puisqu'il a déjà, et tant de fois, procédé ainsi pour d'autres papiers sensibles. À quoi bon chercher à révéler la vérité quand beaucoup font tout pour la taire et que la plupart refuseraient de l'entendre.

*

* *

Le dîner se déroule agréablement, même si les convives s'étonnent de l'attitude du maître de maison. Il paraît absent, lointain et se mêle peu au débat portant sur Pétain.

— Joseph, demande Fabre, que vous arrive-t-il ?

— Un peu de fatigue, ment Caillaux. Je me sens vieux...

On s'esclaffe, on jure le contraire, mais l'ancien ministre a levé une main pour qu'on se taise et qu'on l'écoute :

— J'ai décidé de me retirer de la vie politique.

— Depuis quand ? souffle Fabre.

— Ce soir même.

Autour de la table, seule Henriette devine ses raisons. Et pousse, intérieurement, un soupir de soulagement. Une longue page de violence va enfin se tourner pour eux. Mais pour les autres ?

*

* *

Henriette meurt la première, Joseph la suit un an plus tard, en 1944, conservant le secret connu d'eux. Et entre le dîner qu'il partagea avec ses amis Fabre et son décès, il n'écrivit qu'une seule lettre à Laval.

Pour défendre une Juive victime des lois antisémites de Vichy.

87

Comme chaque matin, Victor attend l'autobus pour se rendre à son travail, boulevard Diderot, à Paris. Victor est typographe. Un métier estimé, reconnu, qui exige d'être incollable en orthographe et grammaire, et rapide comme l'éclair pour former, lettre après lettre, caractère après caractère, l'article, la page, le journal, le livre qui sortira de l'imprimerie. Victor est aussi syndiqué CGT, ce qui lui donne droit à une relation privilégiée avec monsieur Paul, le patron de leur modeste entreprise. Ils se respectent, s'estiment et pourraient être amis, si la lutte des classes ne s'était glissée entre eux. Quand ils se chiffonnent, Victor brandit l'arme de la grève, et prenant la tête des dix-huit camarades qui forment le gros de ses troupes, il campe devant le bureau du patron. Dès qu'un accord est trouvé – un serrement de mains suffit –, ils boivent aussi l'anisette, au café-tabac de l'Auvergnat d'en face.

Avant la guerre, tout ce qui s'affichait en rouge s'est trouvé dans l'embarras. Nombre de communistes ont été arrêtés après la signature du pacte germano-soviétique de 1939. L'URSS, la patrie de l'ouvrier, avait fraternisé avec Hitler. Les amis de cet ennemi devinrent aussitôt les « ennemis de l'intérieur ». En 1940, l'Allemagne n'ayant pas encore attaqué l'URSS, on les regarde toujours en coin. De quel côté sont-ils ? Et dans ce Paris occupé, il faut choisir son camp. L'URSS ou la France ? Vichy ou Londres ?

Un soir, sans raison apparente, sans qu'aucune revendication n'ait été proférée, monsieur Paul avait proposé à Victor de prendre un verre chez l'Auvergnat. Ils s'étaient installés dans un coin, au fond, sur la banquette, et monsieur Paul s'était jeté à l'eau :

— Moi, c'est Londres. Et toi ?

— Moi aussi, avait répondu Victor dans la foulée.

Monsieur Paul avait bu son pastis avant d'ajouter :

— Et Moscou ?

— Je m'en fous. Moi, c'est d'abord la France.

Monsieur Paul recommanda deux anisettes :

— Si tu veux, il y a du boulot en plus. Mais ce n'est pas payé. Et il se fera après les heures d'atelier.

— C'est pour qui ?

— Ce n'est pas pour Pétain, avait lâché monsieur Paul.

— Ça marche, conclut laconiquement Victor.

— Tu connais d'autres gars chez nous qui pensent comme toi ?

— Je vais voir. Mais j'en compte au moins trois.

— Bon. Et tu leur dis bien que ce n'est pas payé.

— On reverra cette question après la guerre. Quand Paris sera libre, avait souri Victor en trinquant avec le patron.

Victor avait prévenu les gars qu'il ne fallait pas embêter la direction en ce moment et que tout se réglerait après. Depuis, la convention tenait. La résistance ordinaire s'organisait.

*
* *

Ce vendredi 20 décembre 1940 – voilà six mois que Paris est occupée –, Victor monte dans l'autobus qui rejoint la place de la Nation à la gare de Lyon. Avant d'arriver à la hauteur du numéro 57 du boulevard

Diderot, il actionnera le signal pour indiquer au chauffeur qu'il descend à cet arrêt. D'ici là, il lui faudra patienter au moins dix minutes, les plus dures de la journée. Car dans la poche de sa veste, il cache des faux papiers qui transitent par l'imprimerie. Il suffirait donc d'un banal contrôle pour faire sauter le réseau. Dix hommes et six femmes. Et lui, résisterait-il à la torture ?

Il tente de se rassurer en se répétant qu'il n'a commis aucune erreur, qu'il est en règle. Il circule à une heure ordinaire, habillé comme un ouvrier. Il connaît la plupart des passagers qui prennent cet autobus régulièrement. C'est un Parisien moyen, faisant la queue devant l'épicier, ne s'adonnant pas au marché noir, subissant l'occupation, épargnant s'il le peut ses tickets de rationnement et allant au travail un jour ouvré. Mais il reste un vrai danger. Imprévisible, inopiné, terrible : la rafle.

*
* *

La rafle est un nom d'origine allemande, *raffel*, mais son sens n'a pas tardé à être connu en France. Pour le pire. Désignant communément les contrôles collectifs, elle s'exerce sur les civils et principalement les hommes, bien que femmes et enfants n'en soient pas exclus. La rafle surgit dans un autobus, à la sortie du métro, des salles de spectacle, dans la rue, dans un café sur la base d'un soupçon ou du hasard. N'importe où, n'importe quand, sans prévenir. La rafle, qui fonctionne aussi comme des représailles, débute obligatoirement par la vérification de l'identité des passants par la Gestapo ou les SS dont l'humeur peut décider d'une arrestation immédiate.

Le contrôle des transports publics est une épreuve angoissante pour tous. Qui peut jurer être à l'abri de ce fléau arbitraire ? On se rend au bureau, à l'usine, chez un parent. On pense à ce soir, lorsqu'il sera l'heure de retrouver sa femme et ses enfants et voilà qu'un type venant de monter dans l'autobus hurle : « Gestapo ! » Ce qui, dans son esprit, revient à décortiquer l'état civil des présents.

A-t-on seulement oublié sa pièce d'identité ? L'*ausweis*, qui permet de passer la ligne de démarcation et de remonter au nord depuis l'armistice, est-il mal tamponné ? Si les papiers sont en ordre, la vérification sadique peut se poursuivre. SS ou Gestapo, ils ont du temps. Ils en jouent, choisissant l'humiliation suivante au gré de leurs caprices. Ainsi, en fouillant les poches de celui qui est en passe de devenir un suspect, pourquoi a-t-on trouvé des pièces de monnaie qu'on s'échange plutôt en zone libre ? Et qu'y a-t-il dans cette valise bien lourde ? Tout sert de prétexte pour que, d'un geste de la main, on mette de côté un visage. Simplement parce qu'il ne revient pas, ou qu'il a trop souri, ou pas assez. Ou parce qu'il a laissé transparaître sa peur.

Le nom pèse quand vient l'instant de choisir sa ou ses victimes. Ce n'est qu'en 1942 que les Juifs de plus de six ans seront obligés de porter l'étoile jaune en zone occupée. Mais avant, prière de ne pas chercher la petite bête SS.

Ainsi, dans ce tirage au mauvais sort, la vie se joue aussi sur une syllabe, une consonance. Parfois, un regard décide du destin d'un pauvre bougre, d'un innocent. Alors, on le pousse dehors. Il s'ajoute à la file. Pour un simple interrogatoire, promet-on. Dans le cas de Victor, il le conduirait à la mort puisqu'il cache dans sa veste des faux papiers.

La rafle est parfois aveugle. Pour cela, elle est efficace et dangereuse. Et ce matin, après la place de la Nation, deux SS grimpent dans l'autobus. À l'instant, les conversations s'arrêtent, les visages se ferment, les têtes se penchent. Le groupe se délite. Les SS savent l'effet qu'ils produisent. L'un d'eux a fait son tour d'horizon. Pourquoi s'est-il arrêté sur le passager portant un chapeau noir ? Tout compte, chaque détail est un appât pour le tyran qui déshabille du regard une jolie fille dont le foulard rouge dépasse de la masse humaine et la désigne plus que d'autres. Pour la durée qu'il décidera, le SS devient le seigneur et le maître du tortillard de la ville. S'il le veut, il les fera tous sortir. Il le peut. Et le sait. Victor a appris qu'il ne fallait faire aucun mouvement, se montrer égal, indifférent, parce qu'un policier en civil peut aussi se trouver dans l'autobus, repérant les changements d'attitude qui dénoncent les consciences assiégées par la crainte. Mais impossible de retenir ce coup d'œil jeté derrière lui – une simple action qui, si on l'a repérée, suffirait à l'accuser. Ses mains se couvrent de sueur : il vient d'apercevoir un camion bâché. Collé à l'autobus. On y installera les « suspects ». C'est donc bien une rafle.

*

* *

Dans sa tête, Victor se récite calmement une fable de La Fontaine. Il tente ainsi d'évacuer la peur qu'il ne faut pas montrer. Il choisit *La Cigale et la Fourmi*, mais les mots s'entrechoquent, se mêlent à sa prière muette : tout est clair, on ne le fouillera pas. Trois rangées ont été passées au crible et les SS ne semblent pas trouver ce qu'ils cherchent. La preuve, ils s'énervent et aboient leurs ordres. Papiers ! Victor est à deux doigts de se lever et de foncer vers la sortie. L'autobus disposant d'une plate-forme arrière, il pourrait sauter. Mais il y a ce maudit camion.

— Papiers !

Ce n'est pas son tour, mais celui d'un homme de cinquante ans assis à ses côtés. Victor estime que ce dernier ne craint rien puisque, à voir sa tenue soignée, il travaille sûrement dans un ministère. Qui sait s'il n'est pas collabo ? Ou pire, le sale flic de service déguisé en civil...

— Videz vos poches ! grince l'Allemand.

L'homme s'exécute calmement. Et présente un *ausweis*. Le SS le tourne dans tous les sens, mais il semble en règle. Pourtant, il ne le rend pas à son suspect. Quelque chose le tracasse. Le chasseur a flairé une piste. Il écarte les jambes et se cale dans ses bottes, si bien que la ceinture de son pantalon se trouve à la hauteur des yeux du pauvre bougre qui, lui, est forcé de lever les yeux, de tendre la nuque comme pour supplier son bourreau. Une mise en scène qui fait partie de l'intimidation.

— Vous arrivez de la zone Sud ?

— Je suis à Paris depuis hier, rétorque calmement le passager.

Le SS détaille une nouvelle fois l'*ausweis*. Date d'arrivée : le 17 décembre. Date de départ : le 21 décembre. Motif : visite à un membre de sa famille.

— Vos parents ?

— Ma mère, souffle l'interrogé en hésitant.

— Quel âge a-t-elle ?

— Elle est malade, dit l'autre.

La réponse tombe à côté. Et cela suffit pour décider le SS :

— Levez-vous !

Il le fouille sans égard. Dans la poche du pardessus, sa main tombe sur d'autres papiers d'identité. La mine réjouie, il se tourne triomphalement vers son acolyte et lui fait signe de le rejoindre. Le deuxième SS s'avance en sortant son arme de son étui.

— Qui êtes-vous ? Un terroriste !

Il claque le visage du pauvre type avec les papiers d'identité.

— Vous vous appelez Boulogne ou Bernstein ?

Le deuxième SS a braqué son pistolet :

— Bernstein, c'est votre nom, hein ! ajoute-t-il. Les autres papiers sont faux, c'est ça ?

— On ne peut rien vous cacher, répond le piégé en s'offrant un dernier trait d'ironie.

— Vous êtes juif, Isaac, et vous avez franchi la ligne de démarcation en vous faisant passer pour un bon Français, hurle-t-il pour que tous les passagers l'entendent.

— Mais je suis français. Je suis chez moi ! J'habite Paris...

Le SS le frappe au visage :

— Vous circulez dans un territoire occupé par l'Allemagne et il est interdit aux Juifs de revenir ici. C'est votre gouvernement qui l'a dit. Mais si vous êtes français, se moque-t-il, il faudra vous plaindre.

L'accusé préfère baisser les épaules.

— Descendez !

Il obéit.

Les deux SS ont trouvé leur gibier.

Alors que l'autobus redémarre, Victor s'autorise à jeter un regard dans son dos. Il voit l'homme poussé sans ménagement dans le camion. Il ne peut s'empêcher de caresser la poche de sa veste où se cachent les faux papiers destinés à l'imprimerie et de se dire que cette victime, ce martyr, ce dénommé Isaac Bernstein, l'a sans doute sauvé. Sinon, c'était lui qui tombait.

Dans un silence de plomb, l'autobus s'arrête à hauteur du 57 du boulevard Diderot. Le typographe descend. Tête rentrée.

Comme les autres.

88

Rien n'indique qu'il s'agit d'une prison. D'ailleurs, en est-ce une ? L'a-t-on seulement référencée auprès de l'administration ? Il faudrait, dans ce cas, y appliquer les règles élémentaires du droit pénitentiaire et de celui des détenus. Mais à quoi bon compliquer ce qui se veut simple, efficace, expéditif ? Ici, pas de procédures, d'arguties humanitaires, d'*habeas corpus*, rien pour la défense. Ici, on ne s'embarrasse pas à recevoir des avocats, des juges, des délégués de la Croix-Rouge, tous soucieux du respect des lois. Ici, dans cet immeuble banal situé au cœur de Berlin, on emprisonne uniquement pour torturer.

Le bâtiment compte quatre étages aux fenêtres murées et ce détail suffit pour que les piétons ne s'attardent pas devant l'entrée, gardée par la SS, et surmontée d'un drapeau à croix gammée, une enseigne gonflée d'orgueil claquant sèchement au premier coup de vent qui s'engouffre dans la rue étroite et sombre. Puis, le silence retombe. Et le temps passe sur la façade aveugle. Ce qui se produit à l'intérieur reste un mystère. Pas un bruit, pas un signe de vie ne s'en échappe. L'immeuble aspire, ingurgite, digère ceux que la police, la Gestapo, la SS extraient des voitures qui s'arrêtent devant l'entrée. Les victimes ont les mains attachées. Elles sont serrées de près, houspillées, poussées comme des ballots, et souvent marquées au visage. La livraison se fait sans un mot, sans un regard pour les gardes que ce cortège n'émeut plus depuis longtemps. Tout est une question d'habitude et eux, dans cette division parfaite du travail, s'occupent exclusivement de l'extérieur. Ce qui se passe après ne les intéresse pas. Ils ne connaissent ni le nom de ceux qui sont entrés ni le motif de leur arrestation ; ils ignorent ce couloir sans fond qui mène aux abysses nazis. Là où se trouve Heinrich von Mietzerdorf depuis son arrestation en juin 1940.

Débarqué de nuit, on l'a aussitôt traîné dans une cellule éclairée par un petit vasistas. Personne ne lui a fourni la raison de son enfermement. Personne ne vient non plus lui rendre visite. De temps à autre, on marche dans le couloir, on ouvre une porte, on en extrait un homme qui pleure et supplie. Heinrich a essayé d'entrer en contact avec les autres, mais au premier mot soufflé, sa porte s'est ouverte et un gardien lui a botté les côtes. Depuis, il attend son tour en silence, calant le temps sur la portion de pain et le bol de soupe qu'on jette à ses pieds. Les nombreux traits taillés dans le mur lui font comprendre que, comme dans les romans, c'est bien ainsi que l'on compte les jours. Au huitième, lui semble-t-il, la porte s'ouvre violemment. Et débute son interrogatoire. Ils sont deux. La brute épaisse et le sadique. Le premier cogne, le second interroge. Traître à la patrie, antinazi, terroriste, les motifs pleuvent comme les coups. Mais Heinrich comprend vite que le vrai sujet, la seule question qui intéresse ces barbares, c'est une lettre trouvée dans son coffre-fort. Écrite en langage chiffré, elle intrigue.

— Il faudrait me dire ce qu'il y a dedans, laisse échapper le SS d'une voix lasse, éteinte, puisqu'il s'agit, entre eux, d'une relation objective, dénuée de sentiments et que, pour cette raison, il est certain de l'emporter.

Heinrich étant attaché à une chaise, bras ligotés dans le dos, la brute avance et le frappe au visage en s'appliquant : le nez, la bouche, les dents, les yeux. Elle choisit ce qui est fragile, ce qui craque et s'entend dans le cerveau. La douleur monte, s'ajoute aux précédentes. Heinrich répète son histoire :

— Un ami me l'a confiée. C'est un Français. Mais il est mort. Je ne sais rien de plus. Et je l'ai gardée comme un souvenir...

— Toujours la même ritournelle, expire le SS faussement désolé.

Alors, on repose inlassablement la même question. On attend une réponse qui ne vient pas. Alors, on recommence à cogner. À la fin de la première heure, le détenu ne peut plus ouvrir l'œil gauche. Le sang colle à sa paupière tuméfiée. Il pense avoir la mâchoire cassée. Les SS décident une pause. Ils sont fatigués. Heinrich se demande ce qu'ils ont fait à Moïse Zenfeld. Pis ou plus expéditif ? Tout à l'heure, il y a eu une fusillade. Ici, on tue aussi. D'ailleurs, la brute est revenue et elle ne s'approche pas pour le frapper encore. Au contraire, elle le détache.

— Puisque tu ne parles pas, tu vas mourir, *Hauptmann*.

Le SS le pousse alors vers une porte qui conduit à une cour. Contre le mur, il y a un poteau d'exécution.

— Fais ta prière, annonce son bourreau en sortant une arme.

Pour la première fois, Heinrich obéit. On lui met sur la tête une cagoule qui pue la sueur, la peur, le sang, toutes sortes d'excréments. Et il attend, un temps infini, la balle qui va le tuer. Puis, soudain, l'air revient. Le ciel l'éblouit. On le détache.

— Tu repars dans la pièce, crache la brute en se tordant de rire. On va encore t'interroger. On n'a pas fini. Si tu réponds, tu ne retournes pas dans la cour.

*
* *

Cela dure trois jours, trois nuits et, de cet interrogatoire, celui qui en apprend le plus est Heinrich. Pour montrer qu'il en sait beaucoup, le sadique lui annonce la mort d'Anastasia Ivérovitch. Heinrich ne peut s'empêcher de relever la tête. Le SS sourit :

— Et tu te demandes comment je connais cette femme...

Il s'avance et postillonne les débris du repas qu'il a pris sans quitter des yeux le massacre de ses brutes :

— Ta petite tête qui te fait si mal cherche par quel miracle j'ai pu deviner que cette garce avait un rapport avec la lettre trouvée chez toi !

Le SS s'installe à la table où est posée une sacoche. Il l'ouvre et sort fièrement les lettres que von Mietzerdorf a tenté de faire parvenir à Anastasia. Il les lit à haute voix :

« *Chère Anastasia... Ce temps où nous avions décidé d'agir, si la guerre revenait, me semble malheureusement venu. La promesse que nous avions adressée au destin doit-elle se réaliser ? Depuis le départ de Louis, il y a vous et moi, et nous seuls, pour déterrer notre héritage. Un mot de vous suffira pour me dire ce que nous devons faire...* »

Il s'empare de la seconde :

« *Qui est derrière cette guerre ? Sont-ce les mêmes que ceux dont nous avons cru deviner la silhouette ? Quand Pandore ouvrit la boîte qui libéra tous les maux de l'humanité, seule l'Espérance échappa à son geste. Il est peut-être temps de la faire jaillir, de s'immiscer dans son histoire. Et de briser ainsi la folie des criminels qui désirent la guerre...* »

Le SS pose les feuilles et se rapproche :

— Hélas pour toi, ces lettres sont revenues de France. La fille, la Russe était morte... Et on me les a remises puisque je te surveillais.

Il écarte les jambes et place les mains dans le dos :

— Qui traites-tu de criminel ? questionne-t-il calmement. Pensais-tu au *Führer* ?

Pas de réponse.

— Quelle promesse as-tu faite ? continue-t-il sur le même ton. Quel secret contient cette *boîte de Pandore* dont tu parles ?

Toujours pas de réponse.

Le SS claque alors dans ses doigts. La brute se lève et se remet à frapper. De plus en plus fort. Par lassitude, écœurement aussi, Heinrich renonce à résister et s'évanouit. Mais un seau d'eau glacée réveille sa douleur qui s'ajoute aux souffrances précédentes.

— Tu n'es pas le seul à écrire, reprend le SS questionneur en brandissant un autre feuillet. On correspond aussi beaucoup avec toi. Même des Juifs. Regarde la signature : Isaac Bernstein. C'est arrivé pendant que tu étais ici. Et ce n'est pas bon pour toi parce que le Juif parle aussi d'héritage et de documents. Alors, en y réfléchissant, je me suis dit qu'il s'agissait sans doute de la même histoire et qu'il me fallait peut-être réunir les morceaux pour comprendre le petit secret que tu voulais déterrer... À moins que tu me donnes tout de suite la traduction, sans qu'il soit nécessaire de te frapper encore ?

Le SS s'interrompt un instant pour que sa victime mesure l'intérêt du marché : il cède et la souffrance prend fin.

— Raconte-moi ce qu'il y a dedans, murmure-t-il. Si ce n'est pas un complot contre le *Führer*, tu es libre.

Et au grand étonnement du SS, le prisonnier réplique :

— S'il faut les autres documents pour lire la lettre que vous m'avez volée, c'est bien la preuve que je suis incapable de vous dire ce qu'elle raconte. Et il faut être stupide pour ne pas comprendre cette vérité toute simple...

Mais cette arrogance ne déçoit ni n'agace le bourreau. Il sait, par habitude, que les caractères les mieux trempés résistent rarement au traitement suivant. Il regarde alors la brute et baisse la tête, lui adressant ainsi un ordre muet. L'autre comprend qu'il vient d'obtenir la permission de se déchaîner.

Heinrich se retrouve attaché sur une chaise. Il n'est pas assis, mais allongé sur le ventre, les jambes et les bras pendant de part et d'autre du siège. Dans cette position, il ne peut parer les coups de nerf de bœuf assénés qui martyrisent son dos. Mais tant que le rythme reste régulier, il parvient au moins à les amortir. Il coupe sa respiration, attend le choc suivant, encaisse la brûlure qui remonte au cerveau à la vitesse de la lumière puis redescend, explose dans la nuque, les épaules, et jusqu'aux mains. Ensuite, la lave reflue. Au-dessus, la brute sue, respire lourdement. Et le combat reprend. Heinrich pense tenir longtemps, sans comprendre combien son adversaire est expert à ce jeu de mort. Car il dérègle la partie, décide de frapper plus vite, au hasard, brisant la résistance de sa proie qui, vite, doit renoncer, accepter son supplice. Heinrich le sait, il a perdu. Comme le coin d'une hache tailladant le bois de l'arbre, le bourreau s'efforce de toucher un point vital dans la colonne vertébrale. Les os gémissent, craquent, la peau éclate, le sang se congestionne, une douleur supérieure à toutes les autres, insupportable, inhumaine lui irradie le dos. Avant qu'il ne s'évanouisse de nouveau, le SS qui ne cogne pas susurre :

— Je ne peux plus rien pour toi, *Hauptmann*. Si tu avais dû parler, tu l'aurais fait avant. Tu vas mourir et je m'en moque. Sans la lettre que tu possédais et que j'ai, ton Juif ne peut rien faire. Et nous avons son nom. Donc nous saurons de toute façon et tu auras enduré tout ça pour rien.

Traîné dans une cellule à demi conscient, il flotte entre la vie et la mort, ne devant son salut qu'à un autre prisonnier qui l'a rejoint et lave ses plaies, masse son corps pour éviter la gangrène et le nourrit en mâchant pour lui le pain moisi. Un jour puis un autre passent, et combien de nuits ainsi, roulé en boule dans le repaire de la bête humaine ? Le mur du caveau se noircit de traits. Un matin, en s'appuyant douloureusement sur les coudes, Heinrich en compte cent avant de retomber sur sa litière. Le 15 décembre, la porte s'ouvre. On les sort tous les deux, l'un soutenant l'autre, tels les maillons indissociables de la chaîne des galériens. Vont-ils pouvoir soigner leurs plaies ou n'est-ce qu'un pas de plus vers des tortures inconcevables ?

89

Sanguinaire, arriviste, violent, antisémite, antibolchevique, Theodor Eicke est à coup sûr le parfait modèle du nazi. Dévoué à la cause de Hitler, cet homme aux traits épais s'est illustré avant la guerre en concevant les plans de Dachau situé près de Munich avant de prendre en main le système concentrationnaire de l'Allemagne. L'une des idées fortes du camp de concentration consiste à entasser dans le même enfer des criminels de droit commun et des déportés politiques pour que l'organisation d'une résistance interne entre des prisonniers si disparates devienne difficile. La terreur règne, on y meurt du typhus, de la faim, d'épuisement, mais aussi de la violence. Et selon le règlement concocté par *papa Eicke*, tout mutin est fusillé sur-le-champ. Eicke, un solide soldat du IIIe Reich, comprend ce qu'un être médiocre comme lui, recalé par la vie civile, et ancien condamné à la prison, peut tirer du nazisme et il connaît parfaitement son bréviaire de la dictature. Dont l'un des commandements est de s'appuyer sur la cruauté et la faiblesse des autres. En remerciement de sa diligence, le *Führer* lui a confié le commandement des *SS-Totenkopfverbände*, « SS-Tête de mort », dont les troupes sont en partie composées d'anciens gardes des camps qu'il a organisés. Ses hommes lui sont fidèles, dévoués jusqu'à la mort, dénués de tout sentiment humain.

Le 27 juin 1940, Eicke inspecte Dachau et c'est l'une des dernières visites à sa création. Il doit rejoindre la 3e *Panzerdivision SS-Totenkopfverbände* qui s'illustrera bientôt par une multitude de crimes de guerre sur le front est. Mais pour l'heure, et afin d'illustrer l'idéal concentrationnaire, il s'applique, n'ayant besoin pour cela que de laisser aller sa brutalité naturelle. Ses entretiens avec les responsables du camp virent à l'interrogatoire. La terreur est sa forme de gouvernement. Il marche, badine en main, entouré d'une cour d'uniformes qui flageole de trouille. À chacun de ses arrêts, les têtes se figent sur ce qu'il regarde en plissant les yeux. Les détails attirent son attention. C'est une planche de bois qui traîne au sol, un fil barbelé dont la tension est trop lâche à son goût, la mitrailleuse d'un mirador qui ne serait pas dans l'axe idoine. « Une passoire, une porcherie ! », hurle-t-il. L'examen commence à l'aube et le camp est extrêmement grand. Mais l'œuvre de Theodor Eicke mérite cette minutie. Il en est fier. Puis, il enchaîne par l'entretien individuel des officiers responsables de Dachau. Aux uns, il parle de la cour martiale, aux autres, d'une mutation sur le front. Il fait peur et jubile. En jouit même. Il se sent maître chez lui. Le soir venu, malgré une journée fort bien remplie, il doit encore étudier un dossier, celui d'Heinrich von Mietzerdorf auquel un dénommé Richard Kessler, énigmatique envoyé d'un puissant complexe industriel et financier qui soutient en secret l'effort de guerre allemand, porte un vif intérêt.

Cet homme, Richard Kessler, a rencontré Eicke à Berlin pour le mettre en garde. Un ancien héros de la Première Guerre, soutient-il, aurait en sa possession un dossier mettant en lumière la collusion de l'économie européenne et américaine avec le régime nazi. IG Farben a même été cité. Une entreprise que le nazi connaît bien : il y a travaillé et elle fournit aujourd'hui les camps. Pour ces raisons, le dossier l'intéresse. Et l'inquiète. En premier lieu, Eicke a ordonné l'arrestation du suspect en demandant d'exercer sur lui le plus complet des interrogatoires. Il en a le pouvoir, ne rendant compte qu'à Himmler et au *Führer*. Le résultat va tomber. Eicke a fait venir à Dachau le SS chargé de cette mission.

— À vous entendre, commence Eicke après avoir écouté le rapport sans broncher, je comprends que votre prisonnier n'a rien dit.

Ces quelques mots, prononcés sur le ton de la condamnation, suffisent pour mettre l'interlocuteur en état d'infériorité.

— Mais, s'empresse le SS, nous avons récupéré une lettre codée.

— Que dit-elle ? cingle Eicke.

— Nous n'en savons rien, déglutit l'autre. Il s'agit probablement d'un message dont la lecture nécessite la réunion de deux autres éléments.

— Vous semblez convaincu, raille Eicke. Pourquoi ?

— Nous avons intercepté une missive envoyée depuis Paris par un dénommé Isaac Bernstein qui indique qu'il a en sa possession les maillons manquants.

— Un Juif ? s'étonne son supérieur.

— Oui, *GruppenFührer*, un Juif français.

Déjà Eicke plisse les yeux. *Juif*, dans l'esprit tortueux du nazi, prend un sens particulier. Il attise sa méfiance et le pousse à imaginer que Richard Kessler, cet envoyé des milieux d'affaires, lui a caché un morceau de la vérité. Veut-il aider ou piéger le Reich ? N'a-t-il pas demandé à être informé des suites, insistant pour avoir accès aux pièces du dossier ? Mais en livrant à ce Kessler ce qu'il cherche, et si la collusion d'intérêts est patente entre l'Allemagne et ses ennemis, quel camp sera le plus exposé ? Le dignitaire nazi pressent un piège pour son pays. On lui parle d'un Juif. Autant citer l'enfer et lui prédire qu'il ira y rôtir jusqu'à la fin des temps. En tombant entre des mains nuisibles, l'affaire pourrait se retourner contre Hitler. Donc, contre ses serviteurs. Eicke qui, jusque-là, avait passé une excellente journée, se sent d'un coup d'humeur maussade. Il bouge sur le siège. Lui qui apprécie les sujets simples, carrés, que son esprit domine, ne sent pas cette affaire tordue, probablement empoisonnée.

Le SS s'est transformé en statue de sel. Pour rien au monde, il ne dérangerait son supérieur dans ses pensées. Mais Eicke l'a oublié. Il s'empare d'une règle en fer posée sur le bureau et cherche à capter son reflet dans le métal lisse. Que sait-il de ce financier, Kessler, dont la motivation est sans doute, comme chez tous les siens, l'argent ? Comme les Juifs, insiste-t-il, Kessler se moque de l'Allemagne. Ce message codé l'intéresse, c'est donc qu'il représente une valeur négociable. Un chiffre apparaît, affolant sa petitesse de vue. Mais il doit avancer prudemment, peser sa décision, songer à son propre cas. Soit, il s'agit d'un complot contre le Reich où se mêlent peut-être des Juifs ; soit, il y a matière à profit. Quoi qu'il advienne, s'il dévoile une cabale, il satisfera le *Führer*. Pour le moment, il garde ses questions et ses espoirs pour lui. En premier, il lui faut tout savoir. Il pose alors la règle :

— Croyez-vous que le *Hauptmann* Heinrich von Mietzerdorf ait eu connaissance de la nature de ce message secret ?

— Je ne crois pas, *GruppenFührer*.

Cela ne suffit pas pour le rassurer :

— Avez-vous mené l'interrogatoire à son terme, exploré toutes les pistes ?

Le SS se repasse les images :

— Il existe une limite à la résistance physique... Et ce terroriste a soixante ans.

— Il s'agit d'un héros ! cingle Eicke. Croyez-vous qu'un Allemand de cette qualité ne soit pas capable de vous tenir tête ?

Le SS ne comprend pas. Pourquoi s'acharner ainsi ?

— Il a reconnu que, sans la possession des autres documents chiffrés, il est impossible de lire le message. Nous savons au moins que ce Juif français, Bernstein, ne peut rien en faire.

Voilà de quoi satisfaire Eicke. Il détient donc une pièce maîtresse. Et quel que soit le dessein de Kessler, ce sera donnant-donnant. Une information contre une autre : que sait-il de cette énigme ?

— Nous avons également interrogé un valet, ajoute le SS.

Il hésite avant de préciser :

— Un Juif...

— Eh bien ! Nous y voilà ! Et qu'a-t-il dit ?

— Il est mort pendant l'interrogatoire.

— *Scheissen !* Vous n'êtes qu'un incapable.

Et l'imbécile ramperait pour quitter Dachau où il pourrait finir sa vie pour cause d'incompétence. Mais Eicke n'évoque pas cette menace. Il fixe un point dans le vide, cherchant la réponse à ses questions : Kessler connaît-il l'existence des autres messages, et son désir est-il de les réunir afin de les déchiffrer ?

— Où est la lettre récupérée chez von Mietzerdorf ? lance-t-il.

— Je l'ai avec moi, s'empresse de répondre le SS.

Eicke s'en saisit et comprend que le texte n'a *ni queue ni tête*.

— Il faut les autres messages. Retrouvez ce Juif, Isaac Bernstein.

Un ordre, enfin. Et peut-être un moyen de se faire pardonner.

— S'il n'a pas fui Paris, faites-le arrêter. Vérifiez aussi en zone libre.

— Vichy, ce n'est pas Paris, se plaint le subalterne...

— Débrouillez-vous !

Le bourreau claque des talons. L'affaire doit être grave. Sinon comment expliquer cette nervosité ?

— Nous avons toujours Heinrich von Mietzerdorf. Doit-on le fusiller ?

— Surtout pas ! Il peut encore être utile.

— Je ne pense pas, souffle le SS en redoutant d'un coup d'avoir été trop loin.

— Laissez-le alors moisir en cellule. Sans le soigner. S'il ne parle toujours pas, envoyez-le à Buchenwald rejoindre les communistes. Maintenant, laissez-moi.

Il aurait pu choisir Ravensbrück, Sachsenhausen ou bien encore Dachau. Il connaît tous les camps. Même Mauthausen.

Une fois seul, Eicke parcourt la lettre et le morceau de papier déchiré trouvé dans l'enveloppe. Jaurès, guerre, *Golgotha*... En revoyant Richard Kessler, il le questionnera, tout en conservant ce document comme monnaie d'échange. Mais d'abord, il doit attraper le Juif français et le faire parler. Coûte que coûte.

Pas un instant, il n'examine le timbre. De même, pas un instant, il n'imagine qu'un Juif, protégé par la ligne de démarcation, ait eu l'audace, ou l'inconscience, de repasser en zone occupée.

90

Le chemin qui mène Heinrich vers un nouvel abîme passe par un train aux wagons blindés. Parti de Berlin, le 15 décembre 1940, le convoi a mis deux jours pour rejoindre la gare de Weimar située à environ dix kilomètres de Buchenwald, un camp de déportation. La distance à parcourir sur les rails n'excède pas trois cents kilomètres, mais, au cours du trajet, les tentatives d'évasion se sont multipliées.

Profitant d'une courbe ou d'un pont, des risque-tout, cassant les scellés des wagons, sautent à l'aveugle. Les uns se brisent le cou, d'autres se blessent, rares sont ceux qui se redressent et courent. Les SS en embuscade, depuis le train, tirent sur les cibles qui détalent vers un bois, un fourré, un bosquet, un simple fossé. Une rafale et ils s'effondrent comme des pantins, échangeant leur vie contre quelques mètres de liberté. Alors, le convoi s'arrête. On marche le long de la voie. Ce sont les SS qui déboulent devant les wagons, qui ouvrent les portes, aboient l'ordre de descendre. Ils comptent les prisonniers, hurlent à s'en arracher la gueule. Il faut sortir vite, se mettre en ligne, baisser les yeux. Heinrich se fait aider pour qu'on le tire dehors, répétant qu'il souffre à en crever, que son ventre le brûle. La douleur au dos l'oblige à marcher courbé et il ne se redresse qu'au passage des SS qui inspectent son rang, désignant au hasard les suppliciés suivants. Un regard, une hésitation de trop. Coup de crosse. « À poil ! », hurlent les SS. Et ceux qu'ils ont choisis devront continuer ainsi.

Avant de remonter dans les wagons, les SS recomptent un à un les hommes. Pour chaque erreur, chaque carré mal formé, un autre coup de crosse, un chien lâché dans les jambes ou une arme qu'on pose sur une tempe en hurlant. Un chef a prévenu : tous ces arrêts font perdre un temps fou et coûtent de l'argent à l'Allemagne. Au prochain incident, il choisira vingt prisonniers et les fera exécuter.

Dès que le train reprend sa course, Heinrich cherche à retrouver la position fœtale pour tenter d'amortir les vibrations et les chocs. Si on le touche, il hurle. Dans son wagon, un communiste annonce qu'il essayera une nouvelle fois de s'évader. Sans que l'on sache d'où vient sa lame, son voisin, prisonnier de droit commun, la lui plante dans le ventre, menaçant d'en faire autant à ceux tentés par l'aventure. Il veut vivre, dit-il. Et ne crèvera pas d'une balle SS.

La deuxième nuit, le train fait une nouvelle halte de six heures. Tous descendent, tous sont recomptés. Puisque le convoi est bloqué par le passage d'un autre convoi, le SS estime que c'est la faute de ceux qui dupent la discipline. Afin de montrer celle de Buchenwald, il ordonne aux prisonniers de rester trois heures, bras tendus, jambes pliées. Celui qui s'effondre reçoit un énième coup de crosse. Comme Heinrich. Depuis, il saigne du nez et se plaint de la tête.

En arrivant à Weimar, les survivants épuisés, assoiffés, affamés, doivent parcourir à pied les dix kilomètres conduisant au camp. Ils le font sous les quolibets des habitants qui, depuis leurs fenêtres, au bord de la route, injurient et crachent sur les ennemis de l'Allemagne et de Hitler. En pénétrant dans le camp cerné de barbelés, Heinrich est un mort-vivant. Pour tenir, il fixe son attention sur ces seules questions : Isaac Bernstein, cet homme qu'il ne connaît pas, mais dont il sait à présent qu'il détient les lettres écrites par Anastasia Ivérovitch et Louis Chastelain, qui est-il ? Où se trouve-t-il ? A-t-il pu échapper aux SS ?

91

Dès les premiers temps de son arrestation, Isaac a raconté son histoire et on l'a cru. Il était revenu à Paris pour tenter de récupérer les œuvres qu'il y avait laissées. Une enquête rapide a conclu pareillement : la galerie est fichée. Ce Juif a donc été attiré par l'appât du gain. Le mobile est clair, le prisonnier se montre docile. Le dossier est bouclé en quelques semaines. Pourquoi user de la torture ? Son erreur – sa faute – suffit pour que ses biens soient confisqués. Voilà pour l'aspect matériel, fixé sans autre forme de procès. Reste à décider de son sort personnel. Mais celui-ci est déjà scellé puisque le prisonnier a été spolié, détroussé en toute illégalité. Comment imaginer qu'on le juge, qu'il s'en sorte ? Le crime commis en le volant en appelle donc un autre : il faut se débarrasser de cet encombrant colis, de ce témoin. Ce n'est plus qu'une question de temps, de rouages administratifs, de tampons et de dossiers qui traînent sur le bureau d'un petit chef. En attendant, Isaac est mis au secret, se voyant ainsi ôter la protection du système judiciaire. À présent, il ne dépend plus que de l'ordre nazi, le *Sicherheitsdienst*, le service de sûreté. Celui-là est aussi sans contrôles, sans frein à la barbarie, dépourvu de lois humaines. Il dispose de ses hommes, de son organisation et de ses propres lieux. Compiègne-Royallieu est l'un d'eux. Ouvert en juin 1941, il est l'antichambre des camps de concentration et d'extermination. En décembre, Isaac est interné dans ce camp de *triage*. On lui confisque son argent, sa montre, son stylo en or, ses boutons de manchette et il reçoit en échange une plaque de zinc gravée d'un numéro. Il ne fait, ne sait rien. Dans le camp, on parle de mines de sel. Tous ignorent Buchenwald ou Auschwitz. Ils attendent.

Sur place, Isaac Bernstein a découvert l'épreuve humiliante de la « revue de bites », pratique appréciée des gardes SS pour repérer les derniers Juifs ayant pu échapper à leur sagacité. Les circoncis sont mis de côté, parqués dans le camp C. Soudain, la nourriture change : une tasse d'eau le matin ; une autre à midi et, le soir, 150 grammes de pain et un peu de graisse. Les colis de la Croix-Rouge sont interdits aux Juifs qui ne peuvent ni écrire ni recevoir de lettres. L'un d'eux prétend qu'ils seront bientôt déplacés dans un camp en construction, situé près de Cracovie, en Pologne. Isaac se demande pourquoi on les envoie si loin, mais ne cherche pas davantage. Les bruits qui courent sur l'extermination des Juifs, il n'y croit pas. Ce n'est qu'un cauchemar commencé quand il s'est fait arrêter dans cet autobus parisien. Un jour, il prendra fin.

*

* *

Ses amis lui avaient déconseillé de retourner à Paris. On n'était pas bien ici ? Ils étaient attablés à la terrasse de *La Colombe d'Or*. Un beau soleil de fin d'automne invitait à la paresse. Isaac acquiesçait en souriant tristement.

Les lois raciales et antisémites de Vichy provoquaient un effet auquel leurs inventeurs n'avaient pas pensé. Nombre d'habitants découvraient que leurs amis, leurs voisins, leurs collègues étaient juifs. Pourquoi classait-on ces êtres humains dans une « race » à part ? Qu'avaient-ils de différent de la veille ? Rien, et beaucoup les aimaient autant. Isaac aurait pu rester à Saint-Paul-de-Vence, mais il y avait ses tableaux et les lettres d'Anastasia Ivérovitch. Et il ne cessait d'y songer.

Pour franchir la ligne de démarcation, il lui fallait un *ausweis* et de faux papiers. Un employé de mairie et un fonctionnaire du Bureau Central Radio, connus pour leurs affiliations à la résistance, lui fournirent les deux et Bernstein prit le train. Les contrôles qu'il subit au cours du voyage le persuadèrent du danger. Au passage de la ligne, quatre soldats allemands montèrent dans son wagon vérifier l'identité des passagers, fouillant chaque compartiment, passant au peigne fin les sacs, les valises. Rien ne résista à l'inspection. Un homme fut arrêté au motif qu'il transportait trois bouteilles d'eau-de-vie. Le malheureux justifia ce trésor en parlant de son oncle à qui il ne s'entendait pas dire qu'il refusait d'emporter son cadeau de peur d'être traité de trafiquant. Mais l'Allemand ne voulut rien savoir. Il répétait : « Marché noir, marché noir... » Et, en arrivant en gare d'Auxerre, on débarqua la gnole et le coupable. À l'arrêt suivant, d'autres soldats montèrent pour organiser une nouvelle fouille. Et la scène se reproduisit à Fontainebleau.

Au fil du trajet, Bernstein se voyait de moins en moins organiser son retour vers le sud, chargé des deux malles volumineuses dans lesquelles il avait imaginé auparavant de glisser les œuvres précieuses, après les avoir débarrassées de leurs cadres. À tout moment, il le comprenait depuis, on pouvait l'arrêter. Et comment expliquer la possession de ces tableaux puisque leur propriétaire se servait de faux papiers ? L'expert regretta donc de ne pas avoir écouté ceux qui, en zone libre, n'avaient cessé de lui répéter qu'il se jetait dans la gueule du loup. Si bien qu'en arrivant à Paris, il songea à faire demi-tour. Ce qui le retint ? Les mêmes motifs qui justifiaient les risques pris : l'envie de revoir ses tableaux et de les mettre à l'abri, comme ces lettres dont il se sentait l'héritier.

Sur le quai de la gare de Lyon, il se trouva une raison objective pour ne pas modifier son programme. Il devait changer de billet et le préposé lui demanderait ses papiers ainsi que l'*ausweis* sur lequel figurait le 21 décembre 1940 comme date de retour. Ce hiatus déclencherait les questions. Or, il ne disposait d'aucune réponse fiable. Aussi, à Paris, Isaac décida qu'il ne procéderait pas au rapatriement de ses biens dans le Sud. Mais, pour le reste, qu'il respecterait son plan.

*
* *

La veille de son arrestation, Isaac avait rencontré Alfred Picard, son assistant, à son bureau. Des retrouvailles touchantes pour ce jeune homme qui portait aux nues son patron.

— Depuis votre départ, les Boches sont venus deux fois vous chercher. Ils ont tout relevé, tout noté. Je n'ai pas pu les en empêcher. Ils prétendent que c'est administratif...

Il ôta les lunettes rondes qui renforçaient son caractère lunaire et juvénile. Il cligna des yeux puisque c'était un tic, mêlant un peu de clownerie à cette scène poignante.

— Vous monterez la garde jusqu'au bout, Alfred.

Picard se redressa :

— Ils ne prendront rien. Et si jamais... J'informerai la presse !

Isaac sourit devant tant de naïveté :

— Cette assurance et ce dévouement méritent une récompense. Si je disparais, vous conserverez tout.

— Pardon ? lâcha le secrétaire qui ne réalisait pas encore.

Isaac observa encore ce garçon de vingt-cinq ans, aussi maigre que grand et dont la chevelure résistait à tout essai d'organisation.

— Je vous désigne comme tuteur de ces œuvres d'art, répondit Isaac d'une voix calme.

— Mais monsieur, avait balbutié l'autre.

— Oui, il y en a pour des millions...

— Ah ! Monsieur Bernstein, n'ajoutez rien à mes craintes...

— Il faudra apprendre, Alfred. C'est vous qui devrez gérer tout cela.

— Je n'en suis pas capable.

Il se reprit :

— Pardonnez-moi. Je ne sais pas pourquoi je dis cela puisque rien ne vous arrivera...

— Soyez-en certain. Je vivrai plus longtemps que ce maudit Hitler.

— Parlez moins fort, intima brusquement Picard en tendant l'oreille. Depuis peu, tout le monde écoute tout le monde...

— Est-ce à ce point ?

— À Paris, personne ne sait plus qui est qui. Résistant ou collabo ? On se méfie même de sa famille...

— C'est pourquoi je vais vous demander autre chose, Alfred.

Picard s'était approché. Bernstein avait alors ouvert son coffre :

— Vous garderez ces deux lettres sans jamais vous en défaire.

Il les lui tendit :

— Mais pas ici. Emportez-les chez vous.

— Qu'ont-elles de si précieux ?

Bernstein ne le savait pas exactement. Et ce n'était pas le moment ni la peine d'expliquer qu'une femme qu'il avait aimée était sans doute morte à cause d'elles.

— Leurs timbres, répondit-il, sont des pièces uniques. Elles se négocieront donc au prix fort quand nous aurons besoin d'argent.

— Pourquoi ne les emportez-vous pas en repassant au Sud ?

— Et si je suis arrêté ?

Picard avait touché le cadre en bois d'un tableau :

— Ne parlez pas de malheur...

Mais il restait encore deux jours pour conjurer le sort.

— Chez qui logez-vous ? s'était inquiété le jeune homme.

— Des amis en qui j'ai toute confiance. Soyez sans crainte.

Et Isaac Bernstein semblait sûr de lui.

92

Alfred apprit l'arrestation de Bernstein en voyant débarquer un trio de policiers de la Gestapo. Ils lui demandèrent ses papiers. Ils étaient en règle. Lors des précédentes visites, Picard avait déjà fourni la preuve de ses origines *purement* françaises. Cependant, on lui avait déconseillé de se frotter à un Juif. Il valait mieux qu'il change d'employeur. Son avenir était incertain.

Le 21 décembre 1940, la Gestapo l'arrêta à son tour et l'interrogea. Avait-il vu Isaac Bernstein à Paris ? Alfred Picard ouvrit de grands yeux apeurés qui persuadèrent l'enquêteur que ce type craintif n'avait pas l'air d'un résistant. On le fit cependant surveiller, mais cela ne donna rien.

Quelque temps après la fermeture de la galerie et la confiscation des œuvres d'art par des truands dirigés par un officier SS débarqué spécialement de Berlin pour organiser le pillage, Picard trouva un travail chez un philatéliste de renom où il resta ainsi, se glissant dans ce nouveau rôle en cherchant à se faire oublier. Sa mission était de garder ces deux lettres dont il ignorait tout, mais en devinant que leur importance allait bien au-delà de ces timbres, œuvre de Wing, un faussaire de génie. Leur rareté – leur véritable richesse – avait forcément un lien avec ces mots mystérieux et codés qu'il n'avait pu s'empêcher de parcourir. À n'en pas douter, ils cachaient un récit autrement capital.

La guerre s'y mêlait-elle ? Le soir, quand le *Comptoir du Fin Philatéliste* était fermé, il lui arrivait d'ouvrir, non sans agir avec d'infinies précautions, un classeur en cuir contenant une collection de timbres consacrée aux colonies françaises, mais dans lequel dormait surtout, entre deux feuilles de papier de soie, le trésor dont il était le dépositaire. Il s'était usé les yeux à vouloir déchiffrer ces lignes où, en effet, la guerre était régulièrement citée. Mais que penser de *Golgotha* ? L'esprit inventif, Picard en avait déduit qu'Isaac Bernstein appartenait peut-être à la Résistance et qu'il avait caché sa double vie pour ne pas mettre en danger celle de son assistant.

Cette histoire augmentait d'autant son admiration. Oui, quand le prisonnier de la Gestapo serait enfin libre, il aurait besoin de ces lettres. Elles seraient forcément utiles. À lui ou à d'autres. Picard s'appuyait sur cet espoir et pour voir son vœu se réaliser, ou simplement exorciser ses craintes, il imaginait ce jour où Isaac Bernstein montrerait son visage à l'entrée du *Comptoir du Fin Philatéliste*. Il serait fatigué, diminué, mais vivant. Il sourirait et dirait : « J'avais promis de vivre plus longtemps que ce maudit Hitler. Eh bien ! Vous voyez que j'avais raison. » Et si cette scène émouvante ne se produisait qu'à la fin de la guerre, Picard attendrait jusque-là, sans faiblir, sans renoncer à ses prières quotidiennes adressées au Dieu de tous les hommes.

Puis, il refermait le classeur, éteignait la petite lampe de bureau, vérifiait encore que tout était à sa place et que son précieux dossier dormait à l'abri des regards indiscrets, et s'en retournait chez lui, rue de l'Université, en imaginant un beau lendemain.

Pas une fois, il ne voulut réfléchir à ce qui se produirait si Isaac Bernstein ne se manifestait plus – des mots pudiques pour en repousser de plus sombres. Car alors, il lui aurait fallu se poser cette question : que faire de ce qu'il détenait ? Pour cette seule raison, Alfred se persuadait que son mentor reviendrait.

93

Heinrich von Mietzerdorf pense avoir échappé au pire en n'allant pas à Dora, nom du tunnel artificiel creusé par les prisonniers des nazis qui abrite la construction des V2, la bombe volante, l'arme secrète de Hitler. Heinrich reste à Buchenwald, affecté au *Scheissenkommando,* « le commando de la merde », chargé d'évacuer les excréments du camp qui viennent nourrir les potagers des SS situés à l'extérieur des barbelés.

Le mercredi, il voit passer les camions rapportant les cadavres des forçats de Dora transférés au crématoire. Les corps sont entremêlés. Pour reconnaître un ami, un camarade, il faut repérer le numéro peint sur les vêtements en lambeaux des dépouilles. Un prisonnier, allongé sur un châlit, récite la litanie des matricules : 20 177, 20 658... Une voix répond en livrant des noms, quand ils sont connus. Et chacun les murmure pour les retenir. C'est le requiem de Buchenwald. L'homélie des survivants.

Heinrich ne s'est pas remis de ses blessures. Sa santé empire et appartenir au commando de la merde le met en contact avec les miasmes enfouis dans les sécrétions du camp. Les prisonniers dédiés à cette tâche sont repérés à leur odeur. Comme ils puent, on les craint comme des pestiférés. On les isole un peu plus. Certains ne trouvent pas de châlit. Hier, c'était le 8 mars

1940, croit se souvenir Heinrich, il a craché du sang par la bouche et le nez. Ses poumons brûlent. On doit le traîner sur la place d'appel enneigée et giflée par un vent glacial. S'il tombe, s'il se laisse aller, on l'achèvera.

Une nuit, des hommes se réunissent pour étudier le cas du kapo du bloc 12 qui fait le lien entre les SS et les prisonniers. Ce condamné de droit commun, un chien, une ordure, organise l'affectation des prisonniers dans les commandos. Un triage qui équivaut au droit de vie ou de mort. Parfois, en échange d'une ration de pain, on échappe à sa cruauté. Mais sans pain, impossible de survivre.

— On va le pendre et faire croire à un suicide, murmure l'une de ses victimes.

Allongé, épuisé, souffrant trop pour pouvoir se lever, Heinrich écoute. Il veut croire à la prophétie de *L'Arbre de Goethe* qu'on raconte dans le camp. « Autrefois, sous l'arbre que tu vois en entrant à Buchenwald, venait s'asseoir Goethe. Cet arbre est un signe, un symbole et notre dernier espoir. Ainsi, dit la légende, quand cet arbre mourra, le Reich tombera. » Mais il ne verra pas l'accomplissement de cette prédiction. Heinrich meurt du typhus le 1er août 1941, emportant son secret. Pourtant, bien plus tard, le 24 août 1944, l'usine d'armes secrètes qui entoure le camp de Buchenwald sera bombardée par des avions alliés. Il était prévu de ne pas viser le camp. Cependant, une bombe, une seule, tomba dans l'enceinte et toucha *L'Arbre de Goethe* qui aussitôt s'enflamma. Ce jour-là, Paris fut aussi libérée.

94

Dans les premiers temps, Auschwitz I n'est qu'un camp de concentration et de travail forcé construit sur l'emplacement d'une ancienne caserne polonaise. Sur le portail, on lit : *Arbeit macht frei.* « Le travail rend libre. »

Le camp se remplit d'abord de prisonniers politiques, de Polonais, de criminels de droit commun chargés par les SS d'exercer la discipline interne. Peu à peu, les Juifs, les « éléments asociaux » ainsi que les appellent les nazis, viennent grossir les rangs. En arrivant, ces déportés « raciaux » perdent jusqu'à leur identité nationale.

— Pourquoi garderions-nous seulement notre nom ? murmure une nuit le compagnon de châlit d'Isaac Bernstein. Nous sommes tous là pour mourir.

Autrefois, cet Allemand fut professeur de lettres à l'université de Berlin. Depuis, et parfois, il récite Homère, et son voisin, un menuisier de Cologne, l'écoute passionnément, avant de raconter à son tour comment son métier est aussi une forme d'art.

— En grec, dit le professeur, poète veut dire créer, fabriquer. C'est pourquoi nous sommes égaux.

Le menuisier sourit dans le noir :

— Je suis heureux de vous connaître, monsieur...

*
* *

À l'entrée du camp, un orchestre de détenus joue de la musique. C'est une marche qui rythme l'arrivée des nouveaux convois et le départ des commandos au travail. Isaac Bernstein, lui, a été affecté au tri des vêtements puisque chaque détenu se voit dépouillé de ses effets personnels. On le rase, on le met nu, on le tatoue. Le moindre objet, confisqué, vient rejoindre les biens que l'on entasse dans un entrepôt appelé « Canada ».

Isaac a donné comme métier « marchand d'œuvres d'art ». En conséquence, il doit diagnostiquer la valeur des objets spoliés et classer les plus précieux, lesquels seront envoyés en Allemagne. La vie intime, bouleversante, de tous ces humains réduits au rang de bêtes passe entre ses mains. Aux premiers jours, il pleurait pour une photo montrant des gens heureux, réunis en famille, le grand-père devant, présentant fièrement son violon. Dorénavant, ses yeux sont secs. Il ne pose plus de questions qui attirent les coups, excitent la cravache et décident d'une exécution sommaire. Il ne cherche plus à savoir pourquoi il est là ; à comprendre le mal qu'il a fait et qu'on lui fait. Il a appris à marcher la tête rentrée, basse. Il attend un impossible salut.

*
* *

Le camp est sans cesse agrandi. Depuis peu, des travaux ont débuté dans le bloc 11, bâti non loin du sien. Il s'agirait d'un système pour lutter contre les épidémies. On construit aussi un four crématoire en prétendant qu'il servira à purifier les morts. On chercherait à éviter la propagation des maladies. Et l'on meurt déjà beaucoup à Auschwitz.

*
* *

Un soir, alors que le temps se délite et que le décompte des jours devient difficile, les prisonniers du bloc d'Isaac Bernstein sortent pour l'appel. Chacun doit tendre les bras. Isaac montre comme les autres le dessus de ses mains. Seul son voisin, le menuisier, présente ses paumes. Les rangs l'interrogent en silence : pourquoi ? Il répond en tournant les poignets pour que les rangs comprennent ainsi qu'il a voulu cacher une blessure ancienne, mais assez profonde, tailladant trois de ses doigts. Pas question d'être classé parmi les blessés, les malades, les handicapés qui sont exécutés immédiatement. Pourtant c'est lui que l'on écarte et à qui on ordonne de rentrer dans le bloc. Les autres, tous les autres, sont rangés en colonne. Ils avancent deux par deux. Vers le bloc 11.

*
* *

Si le geste d'avoir montré ses paumes a sauvé le menuisier, c'est juste pour un temps, démesuré mais court, et jamais calculable. La méthode SS use autant du hasard que de l'arbitraire méthodique. Un jeu aux règles sadiques. Une loterie fatale puisque son résultat est connu. Bernstein se trouve aux côtés du professeur de lettres qui grommelle son inquiétude. Comment devineraient-ils qu'ils ont été choisis pour éprouver un gaz pesticide, le Zyklon B d'IG Farben, dans une chambre à gaz expérimentale située dans ce bâtiment ? En se retournant, un instant, Bernstein aperçoit le menuisier. Ils se sourient. La Shoah, le plus grand crime de masse de l'humanité, n'en est qu'à ses débuts. Birkenau, un Auschwitz II, se construit. *La solution finale* est en marche. Dans ce seul camp d'extermination vont mourir plus de un million de femmes, d'hommes et d'enfants. Chaque nuit, ils seront des milliers de plus à éclairer le firmament. Isaac Bernstein, une étoile anonyme parmi tant d'autres, s'endort ainsi, dans d'atroces souffrances, en emportant son secret.

95

Le 26 février 1943, Eicke, devenu depuis l'*ObergruppenFührer* Theodor Eicke, s'installe à bord de son Fieseler F1 56 Storch, un avion de reconnaissance. Il entend se rendre compte par lui-même du déroulement de la bataille de Kharkov où s'opposent les troupes allemandes et soviétiques. Ce n'est pas sans risque, mais Eicke est méfiant, paranoïaque sans doute, un état naturel aggravé depuis l'affaire HVM/IB. Ce code-ci n'est pas compliqué à déchiffrer. Ce sont les initiales des deux acteurs. HVM pour Heinrich von Mietzerdorf et IB pour Isaac Bernstein.

Jusqu'à l'arrestation de l'Allemand, tout allait bien. Il détenait une lettre. Et la mort de von Mietzerdorf au camp de Buchenwald ne l'avait nullement troublé puisqu'il était persuadé que ce traître au *Führer* n'avait rien à dire. Aurait-il parlé que le problème du SS ne changeait pas : il devait dénicher les deux autres courriers pour lire le message, et le Juif Isaac Bernstein, selon toute vraisemblance, les détenait. Mais l'enquête en zone libre française avait été difficile.

Vichy, en effet, ce n'était pas Paris. Bien sûr, les lois raciales et la poignée de main de Pétain à Hitler huilaient les relations. Depuis octobre 1940, les autorités allemandes obtenaient des renseignements sur les Juifs. Ainsi, la demande avait été transmise à propos de Bernstein. Motif flou : trafic. Si, à Vichy, les bonnes volontés se trouvaient, elles agissaient trop modérément pour satisfaire le goût nazi de l'excellence. Il fallut donc attendre, en maudissant cette zone libre que l'on devrait bien envahir un jour pour mettre fin au désordre nuisant à l'édification du système hitlérien.

Eicke éprouvait en fait un intense mépris pour ce peuple vaincu dont les rouages paresseux expliquaient la défaite. Car, si Vichy acceptait de coopérer, c'était lentement, mollement, prouvant bien sa dégénérescence. Transmise en juillet 1940, la demande sur Bernstein n'avait pas abouti en décembre alors qu'Isaac était raflé. Il fallut attendre janvier 1941 pour apprendre que le juif était introuvable en zone libre, via une enquête de voisinage évoquant une fuite en Espagne ou en Algérie. À Saint-Paul-de-Vence, on n'avait pas trahi. C'est l'esprit du Juif, conclut le SS tourmenté par ses obsessions raciales. C'est un lâche, se rassura-t-il encore. Et l'affaire sembla entendue. Par sécurité, mais sans rien espérer, il transmit aux services du chiffre la lettre que détenait Heinrich von Mietzerdorf. On lui répondit que le décryptage était impossible sans les pièces manquantes.

Avant de classer le dossier, Eicke jugea prudent et habile d'informer Kessler. Il le fit en mars 1941, espérant ainsi en apprendre plus. Et il commit une faute. Convaincu d'intéresser son correspondant en lui révélant l'existence du document chiffré, il n'hésita pas à en parler. Il ajouta qu'il disposait aussi d'un morceau de manuscrit, signé de Jaurès. Un discours, lui semblait-il. Ou le brouillon d'un article de presse. Une belle prise, en somme. Sa vanité fut récompensée. Kessler félicita le nazi qui ajouta encore que ce texte était illisible sans la réunion de deux autres documents.

— Savez-vous où ils se trouvent ? demanda calmement Kessler.

— Isaac Bernstein, un Juif, les a en main, mais il a disparu.

— Cela vous contrarie-t-il ? insista Kessler.

— Qu'en ferait-il ! Nous possédons un morceau de la clef.

— C'est donc, selon vous, que ce mystère est enterré...

— Ce n'est pas votre avis ? s'étonna le SS.

— Je ne connais pas de trésor qui ne se déterre un jour. Cherchez cet homme. Cherchez-le encore.

La ténacité de Kessler éveilla des soupçons chez Eicke :

— Qu'y a-t-il de si grave dans ce document ?

Ayant parcouru le document en sa possession, il eut encore l'orgueil d'ajouter :

— Est-ce *Golgotha*, dont le nom apparaît si souvent, qui vous inquiète ?

— Confiez-moi la lettre et je vous le dirai, sourit Kessler.

— Je ne l'ai pas, mentit-il. Elle est au service du chiffre.

— Alors, disons une prochaine fois...

— Il n'y aura pas de prochaine fois, l'affaire est bouclée.

Mais, plus tard, il dut changer d'avis. Une dénonciation anonyme était parvenue dans les arcanes policiers de Vichy. Le temps de la traiter, de la rapprocher d'un dossier en instance, de la vérifier, de la transmettre à Paris, trois nouveaux mois passèrent. Juillet 1941 arriva quand l'*ObergruppenFührer* apprit que le *suspect* pouvait se trouver en zone occupée. La paranoïa, cette fois-ci, fit douter Eicke de la véracité de cette information. Un Juif est trop malin pour se jeter dans la nasse, conclut-il. À tout hasard, il transmit une demande d'information à Paris qui lui répondit qu'en effet, Bernstein Isaac avait été raflé en décembre 1940. Acharné à mener sa guerre à la tête de sa division *SS-Totenkopfverbände*, Eicke n'en fut informé qu'au retour d'une longue tournée sur le front est au cours de laquelle il ne manqua pas de féliciter ses troupes pour leur férocité et leur barbarie. Il demanda alors et en urgence à connaître le parcours du Juif depuis son arrestation. On lui répondit : Compiègne, puis Auschwitz. Quand la demande de transfert parvint dans ce camp, Isaac était mort. Gazé.

Il fallut prévenir Kessler, qui ne montra aucune émotion. Et l'*ObergruppenFührer* Theodor Eicke ne sut jamais ce que le mystérieux correspondant du monde des affaires pensait de cet épilogue. Il est vrai qu'il n'eut plus l'occasion de croiser cet homme, disparu depuis. Eicke a donc, avec la méticulosité de l'employé d'une administration rigoureuse, classé la lettre de von Mietzerdorf dans les archives. Celles du RSHA, l'Office central de la Sécurité du Reich, créé par son ami Himmler, lui semble le lieu idoine[1]. Il se souvient des paroles de Kessler qui parlait d'un trésor. Eh bien, le sien dort, mais au cas où...

Cet homme prudent attache sa ceinture alors que son avion décolle. Il va survoler Oryol où les combats sont violents et mieux vaut savoir assurer sa sécurité. Il n'a pas tort puisque l'artillerie soviétique le descend le 26 février 1943.

1. Le RSHA regroupait le service du renseignement, la Gestapo et la police criminelle.

PRINCIPE DE GOLGOTHA

Rapport du Neuvième Décemvirat
Antépénultième Paragraphe

Ces lettres, que disaient-elles ? Ces fantômes errants, où étaient-ils ? Il y avait dans ces questions tous les défauts de la cuirasse humaine. La nature a horreur du vide. Elle comble les doutes, imagine, spécule et, parfois, anticipe sur le pire. Le compte rendu de Theodor Eicke était tout à fait consternant. L'incompétence de ce porc nazi montrait les limites de sa bureaucratie. Un grain de sable pouvait bloquer la machine. Bien sûr, je m'étais gardé de lui dire que je connaissais l'existence des trois lettres et, bouffi d'orgueil et de suffisance, ce fat s'était confessé. Il disposait d'un tiers du message, le reste ayant disparu du fait d'une idiote croyance en la supériorité de ses dogmes. Pour Eicke, un Juif ne pouvait pas être plus malin que lui. Sinon, il n'aurait pas accepté de se laisser gazer. Ainsi, par sa négligence, Isaac Bernstein avait pu mettre à l'abri un document dont le Décemvirat avait découvert l'existence lors de l'assassinat d'Anastasia Ivérovitch par le Léviathan de Job, ce Frère Enrôleur qui n'estimait pas la Russe.

L'aversion remontait à son recrutement, jugé souhaitable car cette femme était sans attaches, sans parents, sans mari et, pour une part, sa solitude s'expliquait par la mort de ses parents. Elle correspondait à la définition du pion idéal puisque ses mobiles étaient limpides : elle croyait agir pour la défense du tsar et de la Russie, tous deux fragilisés par l'anarchie, et peut-être voyait-elle dans son action comme le moyen de se venger de l'assassinat de sa famille. Le Léviathan de Job s'était gardé de préciser qu'il avait lui-même recruté l'anarchiste Kaliayev. Ce poseur de bombe avait donc tué, et le grand-duc Serge Alexandrovitch, et les Ivérovitch. L'attentat, décidé par les Très Hauts Magistrats du Décemvirat, devait marquer les esprits, ajoutant à l'époque à la déstabilisation de la Russie. Mais il semble que notre Frère Enrôleur gardait de ce double jeu comme une sorte de gêne, de culpabilité dont il finit par se débarrasser en tuant Anastasia Ivérovitch. Sans doute est-ce pour cela qu'il ne sacrifia rien à son interrogatoire dont la conclusion embarrassante était l'existence d'un document au contenu imprécis et peut-être menaçant pour Golgotha.

À ce constat désastreux, s'ajoutait la découverte de cet ennui inventé par Jaurès, le pacifiste dont le Décemvirat avait décidé également la mort. Lui aussi avait écrit, et ces mots, arrachés de sa tombe, faisaient resurgir le spectre du danger. Eicke avait prononcé le nom de Golgotha. Un mot marqué au fer rouge, et dans la lettre codée, et dans le testament de Jaurès. Pour seule consolation, Eicke m'avait appris où se trouvait cette preuve. Méthodiquement classée par le système nazi, je pouvais encore la négocier. Ce n'était pas urgent. D'abord, il fallait retrouver les autres éléments en prenant pour postulat qu'ils n'avaient pas été détruits. Isaac Bernstein, le dernier détenteur connu, n'avait pas pu les emporter à Auschwitz et Theodor Eicke, animé par le zèle servile qui vient à celui qui se croyait rusé et se découvre berné, s'était empressé de m'apprendre que le pillage des demeures et de la galerie de ce marchand d'art n'avait donné aucun résultat. Pour attiser la curiosité de ce SS, et stimuler sa convoitise, j'avais parlé d'un trésor, sous-entendant que son prix restait négociable. Mais un trésor ne le devient qu'au jour où il se découvre. Si donc ces lettres en étaient un – ce à quoi je croyais –, son mystère vien-

drait à être percé. Et qu'adviendrait-il à Golgotha? Le doute, cette malédiction de l'esprit, ouvrait le chemin à toutes les hypothèses et la mort de Eicke dans un accident d'avion compliquait le sujet. Si un témoin avait disparu, et le Décemvirat s'en réjouissait, il n'en restait pas moins que le premier maillon de ce péril, dont les Très Hauts Magistrats ignoraient les contours et la gravité, s'enfonçait dans la glaise sombre de l'État nazi. Où se trouvait la pièce à conviction détenue par Eicke? Cette question s'ajoutait aux précédentes.

En 1944, le Décemvirat se réunit dans la petite ville italienne de Gubbio, connue par son étonnante course des trois cierges à laquelle se livrent les hommes du pays. Il faut grimper au plus vite, là-haut vers une église, portant sur le dos une immense civière surmontée d'une Vierge, et toucher au bout d'un chemin escarpé, comme une sainte relique, la porte de son sanctuaire. Alors, les vainqueurs font un vœu et, foi de chrétien, il se réalisera. Aucun des concurrents ne se demande si c'est l'espérance ou la certitude qui le fait triompher. Simplement la plus forte volonté. Tous courent, prêts à se tuer. Tous gravissent, portés par la superstition. Mais, cette année-là, les équipes communiaient dans le même espoir : que la guerre s'arrête. Et je partageais cet avis. Il n'y avait rien à gagner à ce qu'elle se poursuivît.

Le Décemvirat s'était en partie renouvelé, avançant dans le temps vers la constitution du Dixième. J'étais le Dernier Nommé du Neuvième Décemvirat. Je devais choisir le Premier Nommé du Dixième. On voulait ma réponse. Je répondais : «Je n'ai pas soixante ans...» L'impatience des Très Hauts Magistrats venait de la disparition récente, après celle de l'Archange, du Veilleur de Salonique, du Contemplateur des Éphésiens et d'Agios de Sparte. Des têtes nouvelles se mêlaient au Fils de Canaan, au Sage de l'Euphrate, au Levantin, à Septentrion et à moi, Chimère. Babel était un jeune garçon de vingt-cinq ans, et je retrouvais en lui la fougue qui me portait au même âge. Mais la vie avait épuisé mon audace et cette inconscience qui faisait sourire l'Archange. Tant de morts et de combats. Et pour quel résultat? L'Homme Debout, un récent Nommé, ne montrait, à l'inverse, aucune émotion. Mais je sentais dans son regard ce désir partagé par tous : quand annoncerais-je ma décision à propos du Premier Nommé du Dixième Décemvirat? Ce sujet intéressait d'abord les Très Hauts Magistrats qui me survivraient, qui siégeraient après moi. Et mon choix montrerait la voie à suivre pour le Dernier des Dix Décemvirats. «Patience, répétais-je. Je n'ai pas soixante ans, mais ce n'est pas le seul argument. Le chemin de Golgotha n'est pas encore tracé. Faudra-t-il encore la guerre pour se défaire des États? Ce que le monde subit me permet d'en douter.» Pas un des Très Hauts Magistrats ne réagit, mais je compris qu'il me fallait m'expliquer. Je commençai par rappeler combien les actions entreprises au cours de cette première partie du Vingtième Siècle avaient été couronnées de succès. La Première Guerre s'était achevée sur l'affaiblissement durable, et parfois la disparition, des anciens empires. Les effets cruels de la crise de 1929 avaient permis à Golgotha d'asseoir définitivement son autorité sur la marche des affaires et le commerce planétaire. La preuve en était le rôle central joué par ses consortiums pendant la Seconde Guerre. Le Décemvirat pouvait se rassurer : la richesse de Golgotha avait encore augmenté. «Maintenant que peut-il se produire? Quelles sont nos armes, comment les utiliser?», lançai-je en sachant que le constat que j'avais dressé était partagé. Et puisque pas un ne souhaitait intervenir, je repris : «Pour commencer, le premier devoir est de consolider nos acquis sans lesquels aucune action n'est envisageable. Parlons d'abord de la richesse financière. La nôtre repose, hélas, sur des secteurs qui ont fait leur temps. Une mutation technique sans précédent est engagée. L'avion à réaction, l'arme nucléaire, la communication de masse sont trois exemples qui montrent vers quoi le monde avance. À ces progrès essentiels s'ajoutera celui de la santé car la guerre, pour se faire – et c'est son paradoxe –, a obligé l'homme à guérir mieux ce qu'il détruit par ailleurs. Quand la paix reviendra, il en découlera des bienfaits et le désir immense que la vie s'écoule paisiblement et le plus longtemps. La guerre produira donc aussi ceci : ayant montré ce dont elle fut capable, et en la comparant aux promesses de l'avenir, l'homme éprouvera la crainte indicible de tout perdre. Il sera effrayé par ce qu'il a commis. Il ne songera qu'au moyen d'échapper aux fléaux dont il se sait, à présent, capable. Il découvrira le génocide nazi et, puisque le Décemvirat l'a appris, l'Amérique, avant l'Allemagne, emploiera une bombe atomique pour prouver sa puissance. L'Apocalypse ne sera plus une vue de l'esprit, mais un projet palpable, accessible à l'homme et à sa conscience. Veut-il mourir en une fraction de seconde? Ce sera la question qu'il se posera et il sera terrifié par sa propre réponse. Ce qui était invraisemblable devient possible. Il en découlera un changement fondamental des esprits, une volonté de paix aussi forte que l'instinct de survie. Les comportements, les idées, les dogmes, les approches, les techniques évolueront radicalement. Une époque nouvelle s'ouvrira et il faut s'y préparer. La Première Guerre fut féroce, barbare, mais elle resta un combat d'hommes, une lutte dont la règle remontait à l'Antiquité : désigner le plus fort. La Seconde a dévoyé le code tacite de l'honneur, a corrompu définitivement les lois naturelles, a vidé de sens une forme ancienne de loyauté, a inventé le crime contre l'humanité. C'est pourquoi la guerre, déclarée amorale, ne sera plus, pour un temps, un moyen d'action et de manipulation. Dès lors, pour le triomphe du Principe, le Décemvirat ne pourra plus user des mêmes méthodes. Le combat du Décemvirat reste la destruction de l'État – tueur de liberté –, mais l'action doit emprunter d'autres voies.»

Je me tus. Le Levantin souhaitait s'exprimer : «Vous tournant, avec intérêt, vers l'avenir, je comprends qu'il s'agit d'inventer un programme audacieux visant à consolider nos acquis en concentrant résolument nos actifs vers des secteurs novateurs. Je pense à la télévision, à l'aéronautique, à la chimie, ou encore à la pharmacie.» J'acquiesçai en silence. «Sur ce point, continua-t-il, je ne vois que des avantages, mais cela ne règle pas la question de la destruction des États puisque tel est notre Principe. Et là aussi, avez-vous des idées nouvelles?» Je repris aussitôt la parole : «La Seconde Guerre aura un autre effet, et ce sera le plus important puisqu'il concerne les États. Quand le conflit sera terminé, la compréhension rétrospective de ses horreurs sera si consternante que les hommes chercheront les moyens d'y échapper encore. Se tourneront-ils vers les États? Je doute que leur confiance ne soit pas ébranlée. Ils tenteront alors d'établir des alliances au-delà des États pour se protéger des plus belliqueux. Ils formeront des Blocs dont le dessein sera alors de peser contre d'autres Blocs. Il en existe déjà un, l'URSS. Sa puissance militaire est telle qu'elle entraînera la création de son alter ego *jusqu'au triomphe de l'un car, n'en doutez pas, Frères de Golgotha, ce qui est vrai pour les États le sera autant pour les Blocs. Aussi, vois-je le futur ainsi : les Blocs, qui naîtront de la Guerre, finiront par s'affronter, provoquant un désastre qui détruira ou le monde ou les États. Dans l'hypothèse la plus grave, pas un ne pourra juger de la fin. Mais dans l'autre, au prix d'un ultime chaos auquel le Décemvirat se mêlera, le Principe de Golgotha triomphera de lui-même.» Simon de Carthage intervint : «Et que faire pour accélérer l'échéance?» Je répondis sans hésiter : «Observer la lente décomposition de ce monde qui sera gagné par la peur et qui, ne songeant qu'à sauver sa peau, embrassera les thèses de l'individualisme, néfastes pour les États et son esprit patriotique. Attendre en œuvrant secrètement pour le progrès du marché et de la concurrence, ennemis mortels de notre ennemi. Favoriser la dérégulation des États en poussant les Blocs à unir leurs économies. Profiter de ces opportunités pour augmenter la puissance de Golgotha, car le moment venu, quand un Bloc croira à sa victoire, il faudra l'abattre. Et ne sera-t-il pas plus simple de nous mesurer à un seul combattant?» Je me tus. Et le Décemvirat vota en faveur de cet avis.*

Golgotha rentrerait dans l'ombre pour un temps qui ne pouvait s'apprécier. Était-ce pour vingt ans, pour davantage encore? Compte tenu de mon âge, le fait de m'exclure du combat final prouvait combien ma pensée était sincère. Et ce fut sans doute l'argument principal qui décida le Décemvirat à me suivre. Mesurant le prix de mon sacrifice, Simon de Carthage vint à moi : «Au moins, me dit-il, notre discrétion nous met à l'abri de ces lettres qui menacent l'édifice puisque nous ignorons tout d'elles.»

Mais était-ce vraiment un sage conseil que de proposer le repli au Décemvirat? Ignorer ces lettres n'ôtait rien à leur existence.

Quatrième partie

LA DÉLIVRANCE

QUATRIÈME PARTIE

LA DÉLIVRANCE

96

La boîte de vitesses du tank T-34/85 rechigne. Elle hurle de plus belle, vomissant une épaisse fumée qui flotte dans l'habitacle. Ce mélange d'huile et de caoutchouc brûlé, c'est l'odeur de sa mort. Des nuits, des jours d'efforts, de luttes, de tensions. La machine se plaint, se révolte. On lui en demande trop. Elle supplie son pilote, Alfred Unbewust, deuxième garde du corps blindé des forces soviétiques commandées par le maréchal Georgi Konstantinovich Joukov, d'arracher ses trente-deux tonnes du champ fangeux, submergé par la pluie qui ne cesse de tomber. Ce 26 avril 1945, le printemps recule, capitule et un affluent de la Spree, ultime barrage ouvrant le chemin vers Berlin, vomit un torrent de boue qui menace d'engloutir cette masse trop lourde. Pour échapper au piège, il faut tenter le tout pour le tout.

Unbewust vit depuis si longtemps dans ce tas de taule qu'il lui est devenu familier. Il l'encourage de la voix, le conjure, espère un miracle. Et il vient. D'un coup de rein, le char franchit un talus en grognant. Tutoyant l'angle droit, il s'élève vers le ciel, hésite à basculer en arrière, où retombant ainsi, de son poids, il broierait l'équipage. À bord, quatre hommes se cramponnent, surveillant les pans coupés de l'habitacle d'acier qui, au premier effleurement, cisaillent les chairs des mains, des épaules. L'expérience représente la meilleure protection.

Alfred Unbewust a le visage couvert de graisse et de sueur. La fumée dévore ses yeux. L'air devient irrespirable. Il vendrait son âme pour apaiser sa soif et se retient d'arracher le casque dans lequel est fixée l'oreillette qui lui permet de communiquer avec ses compagnons. Mais ce n'est pas maintenant qu'il baissera la garde. Il connaît la manœuvre. Il doit pousser à fond les douze cylindres de son moteur en faisant confiance aux camarades ouvriers de l'usine de Gorki qui les ont fabriqués. La bête crache un carburant mal distillé, peine, patine et s'arrache finalement à la glaise, retrouvant l'horizontal. Elle vient enfin de planter ses crocs chenillés dans un axe routier recouvert de bitume. Qui, à droite, conduit à Berlin.

La vue est dégagée. Mais, à onze heures, dans le bois qui garde ce virage, un Tigre, le plus redouté des chars allemands, pourrait être dissimulé. Alors, l'ennemi n'aurait qu'à viser et tirer comme à l'entraînement. Et le blindage de 75 mm éclaterait en lambeaux, déchiquetant ses occupants.

— Quelle distance reste-t-il avant de rejoindre Berlin ? hurle Unbewust au mécanicien pour couvrir le bruit assourdissant du moteur.

— Trente... Quarante kilomètres, répond ce dernier en sondant une nouvelle fois la carte qu'il maintient comme il peut sur ses genoux.

La boussole est cassée, la radio ne marche pas, le radiateur doit être endommagé ou percé puisqu'il fait cinquante degrés dans l'habitacle.

— Autonomie ? insiste Unbewust en poussant encore le moteur.

Le mécanicien tapote sur un cadran couvert d'huile :

— À cette vitesse, et si on ne casse pas, deux heures. Après, cela dépend sur qui on tombe...

— Il n'y aura personne. Ces salauds sont recroquevillés dans la ville. On fonce !

— Si on croise l'artillerie ? grogne le servant de la mitrailleuse du T-34/85.

Alfred Unbewust sourit et flatte le blindage. Puis, du menton, il désigne le canon de 85 mm pointé droit vers l'ouest.

— Il reste assez de munitions pour percer le bunker de Hitler !

Aucun obstacle ne le fera plus reculer. Ce soldat téméraire a décidé que son tank foulerait le boulevard Unter den Linden[1], un des axes principaux de Berlin, situé non loin de la porte de Brandebourg, appliquant jusqu'à l'entêtement l'ordre donné par le maréchal Joukov aux deux millions d'hommes, aux six cents avions, aux six cents chars, aux seize mille pièces d'artillerie de cette armada qui, heure après heure, écrase les dernières forces nazies. L'armée Rouge des ouvriers et paysans bolcheviques occupera Berlin avant les Américains et plantera le drapeau orné de la faucille et du marteau sur le toit du Reichstag[2].

La ténacité déployée par Alfred Unbewust se comprend mieux en apprenant qu'il est allemand et l'un des rescapés de l'*Orchestre rouge*, réseau de résistance décapité par le IIIe Reich. Il veut entrer dans Berlin. Rien ne l'empêchera d'exaucer ce vœu qu'il fit en souvenir d'Arvid Harnack et de sa femme Mildred, ces héros de la lutte antinazie tués sur ordre de Hitler. À bord du tank, tout le monde le sait. Et pas un n'envisagerait de contrarier ce communiste dont on apprécie le courage, lui qui a choisi de rejoindre ses frères soviétiques et de combattre.

---

1. « Le boulevard sous les tilleuls ».
2. Le palais du Reichstag accueillit l'Assemblée allemande de 1894 jusqu'à l'incendie de février 1933 qui déclencha la persécution des communistes par Hitler. L'armée Rouge s'empara, en effet, du Reichstag, et installa sur son toit le drapeau soviétique. Mais cette action n'ayant pas été filmée, on demanda à un soldat de répéter ce geste le lendemain, en présence d'un photographe. On ajouta par la suite une faucille et un marteau pour identifier le drapeau de l'URSS.

*
* *

Potsdam a cédé, tout comme Tempelhof. Mais le centre de Berlin ne se rend pas. À chaque angle de rue, une batterie allemande peut cracher le feu. Les services de renseignements de l'armée Rouge savent que les dernières forces SS ont été regroupées autour du bunker où se terrent Hitler et quelques fidèles. À bord du T-34/85, la tension est extrême. Une dernière bouteille de vodka – un vrai brûlot à consumer la peur – circule de main en main. Un obus est engagé dans le canon de 85 mm, son servant caresse le métal, prêt à rendre coup pour coup, à déchaîner le tonnerre, à faire pleuvoir l'acier des cinquante-six autres charges entassées dans l'habitacle. C'est assez, jure Unbewust, pour faire taire la mitraille d'en face. Pourtant, aux abords du boulevard Unter den Linden, le tank doit interrompre son avance. Un fortin installé au premier étage d'un immeuble en ruine barre le passage, crachant un feu roulant sorti tout droit des forges de Vulcain. On canarde dur et un Russe vient de repérer un mortier qui vise et va tirer. « Arrière ! » Il faut se replier derrière un mur en ruine. Attendre du renfort. L'Allemand aimerait attaquer, franchir l'obstacle, mais il décide de ne pas forcer le destin. Ses compagnons ne peuvent partager sa détermination. Une famille, une femme, des enfants espèrent leur retour. Ils se sont juré de rentrer vivants. Unbewust, lui, n'a personne qui l'attend. À Berlin, tous sont morts. Après avoir été humiliés et torturés.

*
* *

En 1939, Alfred Unbewust, jeune pianiste brillant, ami du virtuose Helmut Roloff, allait souvent chez

Harnack. En compagnie de Günther Weisenborn, d'Adam Kuckhoff, de John Graudenz, et d'autres, écrivains, artistes, producteurs, journalistes, tous imaginaient la vie après la disparition du *Führer*. En fin de soirée, Greta Kuckhoff, l'épouse d'Adam, et Mildred Fish Harnack se joignaient au groupe pour prêter leur talent à la rédaction d'un article destiné à *Front intérieur*, le journal de la résistance. Arvid Harnack, haut fonctionnaire au ministère de l'Économie, et Schulze-Boysen, officier de renseignements au ministère de l'Air, se chargeaient en outre d'organiser la transmission des informations hors d'Allemagne. Russie ou États-Unis, tout était bon pour tenter de faire connaître les projets, les programmes hitlériens. La « Solution finale » : que signifiait cette expression ? Comment l'imaginer, lui donner un sens ? Au fil des échos grappillés çà et là, l'enfer s'esquissait. Ainsi, l'*Orchestre rouge* avançait dans l'ombre, et sa musique héroïque entonnait l'histoire des Allemands qui combattaient le dictateur et son régime[1]. Mais au cours de l'été 1942, l'espoir se brisa. Le service de décryptage nazi étant parvenu à casser le code des transmissions du groupe, la Gestapo déclencha une rafle générale. Aux sévices succédèrent rapidement les procès et les exécutions. Mildred Harnack, condamnée par le tribunal à la prison, fut assassinée à la demande express d'Adolf Hitler. D'un coup, la résistance fut brisée,

1. Dès la montée du nazisme, de nombreux Allemands, issus de tous les milieux sociaux, politiques ou religieux, ont tenté de s'opposer à la tyrannie. L'*Orchestre rouge* («*Rote Kapelle*»), dit encore l'Organisation Harnack/Schulze-Boysen, ne représente qu'une partie de cette Résistance. Il faut aussi citer la *Rose blanche*, créée en 1942 à l'université de Munich par Hans Scholl et Alexander Schmorell. Les tracts de la *Rose blanche* furent distribués à Francfort, à Stuttgart, à Vienne, à Salzburg... De même, on commença à voir des slogans sur les murs. Mais le 18 février 1943, Hans Scholl et sa sœur Sophie furent guillotinés, entraînant des centaines d'arrestations et des dizaines d'exécutions.

écrasée. Alfred, échappant aux mailles du filet, était l'un des rares rescapés.

Ce nom, Unbewust, qui se traduisait par « l'Inconnu », l'avait-il sauvé ? Inconnu comme transparent, car Alfred savait se fondre dans la masse, devenir invisible. Ce don avait d'ailleurs incité Harnack à lui confier la liaison entre l'*Orchestre rouge* et les Russes infiltrés en Allemagne. Le jour de la rafle, l'information secrète qu'il devait transmettre à son contact portait sur les mouvements des armées engagées sur le front est. Ce message tenait sur un morceau de papier plié en quatre qu'il lui faudrait sortir de sa poche à l'exact moment où son destinataire, passant à sa hauteur, frôlerait son épaule. Une seconde pour identifier la personne, comparer la description – manteau beige, chapeau noir, cartable tenu dans la main droite, journal plié sous l'épaule gauche – à cet instantané irréel, à ce regard impavide, neutre, à cet ami qui jamais ne dirait son nom. Alors, Alfred devrait se détendre, ralentir imperceptiblement l'allure, mais sans jamais lever les yeux. La main de l'homme d'en face se décollerait du manteau, sa tête resterait penchée. La relation s'établirait. Mais avant ce moment, il fallait rivaliser de ruse, surveiller ses arrières, changer de trajet, revenir sur ses pas, s'égarer si nécessaire. S'échapper, en somme.

La mise en condition était longue, délicate. Alfred y pensait la nuit d'avant, les yeux ouverts, l'oreille attentive au moindre bruit. Ces pas, dans l'escalier qui conduisait à son appartement, devait-il s'en méfier ? Dans le noir, il mimait des gammes, ses mains planant dans l'air. Il attaquait sans clavier une étude de Chopin et la mélodie revenait. Quand la guerre serait finie, que resterait-il de son fameux talent ? Alfred se retournait dans le lit. Allongé sur le dos ou sur le ventre, il entendait son cœur battre. Il savait que la chamade qui comprimait ses poumons ne cesserait que bien après s'être débarrassé de ce bout de papier.

L'agent de liaison, un mot pudique pour désigner le courage et la témérité du résistant, ne sortait jamais indemne de sa mission. La tension qui en découlait ne s'évanouissait pas dès que la lettre ou le colis changeait de main – une fois, au zoo, devant le rhinocéros, une autre dans un autobus, une autre encore dans un restaurant où s'égosillait une grappe de nazis. Non, agir à la barbe de ses ennemis, dans son propre pays, procède d'un exercice qui exige de l'adresse. Et un sens inné de l'éclipse. Après ce rendez-vous, Alfred était demeuré nerveux, attentif, parce que la Gestapo pouvait surgir aussi à cet instant, sortir d'une voiture banalisée, apparaître de dessous un porche d'immeuble, s'extraire de la foule qui arpentait la rue. Comme de coutume, Unbewust n'avait donc pas relâché son attention – repérant de ce fait les deux types qui faisaient les cent pas devant la résidence des Harnack, sur le trottoir d'en face. Lui n'avait pas changé de route, attaquant au même rythme les derniers mètres qui le séparaient des agents de la Gestapo. « Comment se terminait cette sonate de Mozart ? », se demandait-il en passant à leur niveau, sans quitter des yeux une ligne imaginaire située très loin derrière l'épaule qui s'avançait. Il l'avait frôlée. Touchée, peut-être. Et, comme sortant d'un songe, il s'était excusé. Trois mètres de gagnés, deux encore. Mais, soudain, une voix avait éclaté dans son dos. Une voix qui s'adressait autoritairement à lui.

Alfred s'était alors arrêté et, se montrant du doigt, avait encore trouvé l'idée de feindre la surprise. Moi ? Il s'étonnait lui-même du calme qui le gagnait. Il scrutait la scène, retenait chaque détail, calculait la distance et le temps qu'il lui faudrait pour décoller ses pieds ventousés à la chaussée et bondir jusqu'au coin de la rue. Et dans cette scène qu'il percevait étrangement comme extérieure à lui-même, il vit ce gamin qui courait dans le dos des ordures et qui, voulant passer entre eux, les heurta, créant la confusion et ouvrant une brèche impromptue dans le piège. Dans la seconde suivante, Alfred sortait calmement la main droite de la poche de son manteau où se dissimulait une arme et montait le bras, puis tirait sans viser. Quatre balles atteignirent les cibles, blackboulant les policiers au sol. Lui s'échappait en détalant comme un fou, ne songeant qu'à trouver la solution qui lui permettrait de vivre encore un peu.

Libertas Haas-Heye, l'épouse du résistant Schulze-Boysen, avait travaillé pour Metro-Goldwyn-Mayer, la compagnie de cinéma. Quelques jours avant, comme si elle pressentait le drame, elle avait parlé à tous d'une amie, assistante de production, que l'on pouvait contacter de sa part en cas d'ultime recours. « Anna ne sera jamais résistante, mais elle m'aime comme je suis, avait-elle affirmé. Elle peut nous venir en aide. Retenez son nom et son adresse. Ne notez aucun détail. En cas d'extrême gravité, vous pouvez la contacter. Pour vous faire reconnaître, dites ces mots : *Ars gratia artis*. "L'art est la récompense de l'art." C'est la devise de la compagnie. Cela lui suffira. » La porte de sortie se trouvait là.

Pour Alfred, Anna se chargea de beaucoup. Vêtements, argent, nourriture, elle s'activa. Mais elle ne connaissait personne, rien de la résistance. D'ailleurs, où était-elle ? Et qu'en restait-il ?

La suite ressembla à une fuite en avant, à courir de planque en planque, puisqu'il ne pouvait demeurer chez elle, à passer des jours et des nuits sans parler, sans échanger un mot, sans ligne à lire, sans manger de repas chaud, en s'interdisant de se laver, de tirer une chasse d'eau, d'ouvrir une fenêtre, de s'y montrer. Un matin, Anna lui apprit toutefois la vérité : les membres du réseau avaient été arrêtés et seraient jugés. Et ce fut encore elle qui lui annonça le verdict en pleurant : « Ils ont été exécutés. »

C'était en décembre 1942. Brusquement, comme si une partie de ses gènes, de sa vie s'arrachait, Alfred se sentit aussi orphelin que son nom. Unbewust, l'inconnu ; un homme de 25 ans sans racines. Et désormais sans famille. Il demeura ainsi plusieurs jours, perdant le sens du temps, ne sachant que faire et méditant plusieurs fois sur le suicide. Mais un soir, Anna vint le retrouver et, en ouvrant la porte, à ses yeux qui brillaient, il comprit qu'elle se présentait porteuse d'un espoir :

— Je suis accompagnée d'un ami, dit-elle simplement avant de se tourner et de faire signe à un homme d'entrer.

Un manteau beige, un chapeau noir, un cartable en cuir tenu dans la main droite. En découvrant cette vision, le choc fut brutal. Alfred découvrait celui à qui il avait livré le dernier message de l'*Orchestre rouge*.

— J'ai eu beaucoup de mal à vous trouver, sourit ce dernier. Vous êtes aussi invisible qu'un courant d'air.

— Mon nom est Unbewust, rétorqua sobrement Alfred. Ce n'est peut-être pas un hasard.

L'homme retira alors son chapeau et ouvrit son cartable :

— Ce mot, Unbewust, ne signifie-t-il pas aussi *l'enfant trouvé* ?

— C'est exact, répondit le fugitif.

— Eh bien ! Voici ses nouveaux papiers.

Et ce personnage mystérieux déposa également sur la table de l'argent, des tickets de train, des photos et des lettres d'une famille imaginaire.

— Vous sortez d'Allemagne, annonça-t-il aussitôt, montrant que le rendez-vous serait court, qu'il fallait se presser, ne pas prendre de risques. Vous passez par la Suisse et ensuite...

— Vous oubliez Hitler, le coupa brusquement Alfred. Je ne veux pas partir sans venger mes amis.

— Très bien, très bien, souffla l'homme au manteau, mais ce n'est pas en restant dans cette chambre que vous parviendrez à...

— Si vous pouvez me sortir d'Allemagne, l'interrompit encore Alfred, se peut-il que vous parveniez à me conduire à l'Est ?

— En Russie ? s'étonna l'autre.

— Oui, je désire rejoindre ce pays. Est-ce possible ?

L'homme réfléchit quelques instants :

— Sans doute. J'ai néanmoins besoin de trois jours pour vous répondre.

— Aucun problème. La guerre ne sera pas encore finie, grinça Unbewust.

Au bout d'un long voyage, passant par la Norvège pour gagner la Russie, il avait finalement obtenu ce qu'il voulait[1]. Ensuite, il avait combattu sans relâche jusqu'à ce 26 avril 1945, quand son tank T-34/85 fabriqué à Gorki était entré dans Berlin, ne songeant qu'à ce jour où il allait enfin laisser s'épanouir sa vengeance.

1. L'histoire et la vie d'Alfred Unbewust permettent d'évoquer celles de Konrad Wolf, ce cinéaste allemand qui émigra en URSS pour fuir le nazisme. Soldat dans l'armée soviétique, il participa à la libération de Berlin avant d'intégrer l'administration militaire soviétique et de devenir président de l'Académie des arts de la RDA.

97

Voilà six heures qu'ils sont bloqués sur le boulevard Unter den Linden. Unbewust ronge son frein. Installé au dernier étage d'un immeuble en ruine, jumelles en main, il inspecte *sa* ville. Du moins, ce qu'il en reste. Son regard se brouille et ce n'est pas seulement pour s'être épuisé les yeux à détailler le désastre. Là-bas, cela ressemble à ce qui fut son quartier, mais le jour se lève à peine, et un épais nuage de fumée masque le paysage. Ce 27 avril 1945, il fait toujours froid. Devant, derrière, les tirs de mortier scandent l'oraison funèbre du nazisme. On dit que Hitler a fui Berlin, que Goebbels s'est suicidé. On avance beaucoup, mais on ne sait rien.

Dans la nuit, Alfred a encore vu six avions de troupes allemandes qui tentaient d'atterrir sur le terrain de Tempelhof. Les vestiges de ces phalanges, hier orgueilleuses, venaient renforcer l'ultime défense regroupée autour du Bunker. Les appareils ont été abattus par l'artillerie russe. Un massacre qui s'ajoute aux milliers d'hommes qui tomberont aujourd'hui. Pourquoi ne pas y mettre fin ? Pourquoi Hitler ne rend-il pas les armes ? Mais le tyran déchu s'accroche. Il vient de fêter son anniversaire, exigeant un rituel absurde, aberrant, une cérémonie pathétique organisée au milieu de la débâcle. Les cadeaux, les enfants souriants et s'avançant pour lui offrir des fleurs, lui réciter un poème, les caresses que le *Führer* dépose d'une main tremblante sur la tête des chérubins, les médailles distribuées aux intimes, oripeaux et pantins grotesques d'un pouvoir en capilotade, laissent croire au maître compulsif de cette cour crépusculaire qu'il peut encore régner. Et pendant ce temps, dans la rue, des miliciens se joignent aux soldats pour défendre la ville. Certains ont soixante ans et se battent avec des armes de fortune. Ils veulent mourir avec courage puisqu'il ne leur reste que cela. Le régime s'effondre, mais engloutis dans sa folie, ils y croient encore.

Soudain, le ciel se dégage. Alfred saisit ses jumelles et cherche l'immeuble où il habitait. Disparu. À la place du trou noir qu'il entrevoit, juste à côté, se trouvait le conservatoire de musique où il apprit le piano. Disparu aussi. Ses yeux se tournent vers l'est. Ici, habitaient Arvid et Mildred Harnack. Disparus. Et dans un étrange effet, impossible à maîtriser, une foule de souvenirs afflue, les visages reviennent, se replacent. Les bruits, les odeurs, les voix, tout renaît. L'émotion, aussi. *Sa* ville, il l'avait comme perdue de vue. Idéalisée. Le temps écoulé vient de s'effacer, et il voudrait retrouver ces lieux qu'il lui semble n'avoir quittés que la veille. L'image s'est arrêtée voilà trois ans, figée dans sa mémoire pendant que la vie, ou plutôt la mort, produisait d'innombrables ravages. Il souhaiterait ne plus être ce soldat ferraillant à Kharkov, rivalisant d'audace pour gagner une colline pelée, avancer encore, reprendre le terrain perdu, chasser le nazi Eicke et ses troupes de la Russie et poser enfin un pied sur *sa* terre. Revenir, et aussi repartir comme avant ? Mais hélas une page se tourne, recouverte par les cendres d'une cité que, de loin, il a tant aimée, tant désirée, tant espérée. À la vue de l'ignoble réalité, ses rêves, son utopie, piliers d'un courage exemplaire, d'une rage pour dix alors qu'il se battait, s'estompent. Il imaginait que tout reprendrait.

D'un coup, le monde s'écroule sans même lui montrer celui qui lui succédera.

Les premiers accords d'un *Nocturne* de Chopin surgissent à sa mémoire. La mélodie est triste, sombre, et soudain elle se meurt. Il cherche la suite qui se refuse, qui hait ce moment, s'enfuit, retourne à l'oubli. Depuis combien de temps n'a-t-il pas pensé au piano ? Ces mains sont raides, cagneuses, blessées. Il ne pourra plus jouer comme avant. Il voudrait tant que Brahms et Beethoven lui parlent et composent à ses côtés. Comme jadis, il marcherait dans la rue en fredonnant un air, n'entendant que lui seul le *forte* des violons symphoniques. Il retrouverait Arvid et tous deux se promettraient de ne jamais mourir ; que la guerre finie, ils redeviendraient eux-mêmes. Il est l'Inconnu, l'invisible, il porte son message. Il est le résistant. Ce soir, on l'applaudira à l'opéra et, demain, il se battra pour la liberté...

Alfred a fermé les yeux.

Cette ville n'est plus la sienne. On a glissé dessus un voile noir et c'est le masque du trépas, du deuil, du néant.

*

* *

Sa rage décuple. Il se saisit encore de ses jumelles et cherche le Bunker du bourreau. D'un obus de 85 mm, il pourrait le toucher et mettre fin à cette tragédie. Un point d'orgue pour achever la pièce. Et reprendre tout à zéro.

— Oh ! Camarade !

Le radio a escaladé les ruines pour le rejoindre.

— Un gradé veut te voir.

— Où est-il ?

— En bas. Et de mauvaise humeur. Gueulant qu'on a enfreint les ordres et qu'on ne devrait pas être là.

— Comment nous a-t-il trouvés ?

Le soldat se pince le nez :

— Pour passer le temps, j'ai réparé la radio. Et bien sûr, ça n'a pas manqué. Allô ! Allô ! Où êtes-vous ? Répondez ! À force, j'ai dû le faire...

— Vacherie ! jure l'Allemand.

— Et ce n'est pas n'importe qui, ajoute le fautif en plaquant la main sur son épaule, indiquant qu'il s'agit d'un officier.

Unbewust quitte à regret son poste d'observation et se replie vers le tank protégé par les gravats d'un ancien immeuble détruit par le feu. Là, un lieutenant attend. Droit comme un piquet.

— Votre percée est audacieuse, commence le gradé après un vague salut, mais vous mettez en danger la vie de l'équipage. Vos mobiles, aussi légitimes qu'ils soient, ne vous autorisaient pas à courir ce risque.

— Au rapport, j'indiquerai : *aucun blessé*, rétorque avec froideur Alfred.

— Votre mission est de vous replier, poursuit son supérieur.

Alfred se raidit.

— Trois ans que j'attends ce jour, lâche-t-il alors en serrant les dents. J'ai parcouru trois mille kilomètres dans cette charrue en acier. Je lui ai parlé, je l'ai pouponnée, j'ai tout accepté pour arriver ici. Il ne me reste que cinq cents mètres pour...

— C'est un ordre, claque l'autre, l'œil noir. Et rectifiez votre tenue !

Alfred sort la main de la poche cousue sur la cuisse droite de son uniforme et boutonne à regret son manteau taillé dans une peau de mouton. Mais cela ne suffit pas, le Russe désigne aussi la poche à rabat, plaquée sur la poitrine qui n'est pas fermée.

— C'est mieux. Maintenant, éteignez votre cigarette !

— Écoutez, râle Unbewust, voilà dix jours que nous n'avons pas dormi. Et nous ne nous sommes pas lavés depuis le double...

L'officier lève la main pour le faire taire :

— Prenez cinq minutes pour vous raser. Après, suivez-moi.

— Où allons-nous ?

— Le maréchal Joukov veut vous voir.

98

L'homme trapu, carré de la tête et des épaules, étale de larges mains qui témoignent de ses origines paysannes de la province de Kalouga. Or, c'est aussi pour cela que ses soldats le vénèrent. Ils voient en lui le peuple triomphant, sanctifié par la Révolution. Pour Staline, Joukov ressemble au pain bénit. Peut-être trop. Il fait de l'ombre au dictateur. Et s'il ne réussissait pas autant, il pourrait tomber dans la nasse de la purge. Mais le maréchal ignore ses menaces. Il les domine.

Georgi Konstantinovich Joukov, héros de l'Union soviétique, est porté par la réputation de chef invincible. Et, pour lui, les soldats se sacrifient au combat. Un million d'entre eux s'y sont résolus afin de sauver Stalingrad. À ce prix, la 6e armée allemande de von Paulus fut capturée. Mais ce n'est qu'un aspect d'un parcours légendaire. Avant de réchapper au typhus, Joukov avait combattu l'armée Blanche de Denikine et de Wrangel. C'était en 1917. Depuis, le mythe n'a cessé de grandir. Joukov a battu les Japonais à la bataille de Halhin Gol. Puis, menant l'offensive de Bagration, il libéra la Biélorussie. Mais avant, n'avait-il pas sauvé Moscou ? Hier, il marchait sur Berlin. Maintenant, il y campe.

Depuis que le sort de la bataille est entendu, il affiche sa joie et offre à ceux qui l'entourent le spectacle d'un large sourire. Berlin va céder et il recevra sa capitulation. Berlin va tomber et il en deviendra le maître. Il gouvernera la ville après l'avoir libérée des nazis. Plus qu'une victoire militaire, Joukov, le communiste, y voit un triomphe politique. Un bienfait pour la patrie du peuple. Un pied, un pas de géant, dans l'Europe de l'Ouest qu'entendaient diriger sans partage les Américains. Pour celui qui, à l'âge de dix-neuf ans, fut décoré de la croix de Saint-Georges, la scène illustre mieux qu'un livre de Marx, ou un long discours du Kremlin, l'espérance de la classe ouvrière. Cette victoire est celle d'un parti et d'un dogme. La première marche vers l'universalisation de la dictature du prolétariat.

*
* *

Alfred Unbewust descend du véhicule militaire qui l'a conduit jusqu'au campement de l'état-major. L'endroit ressemble à celui qu'il vient de quitter : décombres, poussières et ruines. Joukov se tient à vingt mètres, entouré de quelques officiers. Ils détaillent une carte en buvant du thé. Il n'y a aucun cérémonial et les adjoints du maréchal s'expriment librement. Si leur patron aime la discipline, le respect est, entre ces hommes, une valeur partagée. Ils ont connu les meilleurs et les pires moments. Ils se sentent frères avant de se vouloir camarades.

Le Russe qui accompagne Unbewust lui ordonne d'attendre. Puis, il avance seul vers Joukov sans que personne ne se mette en travers et déjà, le maréchal se détache du groupe. Bras croisés, il écoute le lieutenant. L'échange dure peu. Le chef militaire jette un coup d'œil dans la direction de l'Allemand, hoche la tête, glisse un dernier mot avant que le jeune lieutenant exécute un salut exemplaire, suivi d'un demi-tour parfait. Joukov se mêle à nouveau à ses seconds, tape sur l'épaule de l'un d'eux, affichant un triomphe simple, mesuré. Modeste. Pourtant, il y a six mois, rien n'était gagné.

Le lieutenant revient vers Alfred Unbewust. Quand il s'adresse à lui le ton, l'allure ont changé. Il amorce une grimace qui pourrait être une marque de civilité et, d'un coup, le barrage de la hiérarchie semble effacé :

— Le maréchal vous reçoit dans cinq minutes.

Que lui vaut cet honneur, ce cérémonial qui tranchent avec ces années de guerre, austères et brutales ? Unbewust reste méfiant :

— Je passe en cour martiale ? raille-t-il.

L'humour ne sied pas au moment. Bon sang ! Le commandant est là, à portée de voix. Le lieutenant se raidit et reprend sur-le-champ ses distances, montrant qu'il n'apprécie pas la scène :

— Vous verrez. Mais éteignez donc cette satanée cigarette !

*

* *

Joukov a mis fin à sa réunion. Aussitôt, il lève la tête et d'un signe de la main demande au tankiste d'avancer. Ce n'est pas ainsi qu'on débute un procès pour haute trahison, se rassure l'intéressé. Et pour l'en convaincre, il y a encore ce sourire, et ce bol de thé que vient de lui tendre son supérieur.

— Un peu trop fort à mon goût, commence ce dernier.

Prenant place sur un siège de campagne, il en désigne un autre, situé à ses côtés :

— Venez vous asseoir.

Joukov avale lentement son thé en observant l'Allemand.

— Vous pouvez fumer, précise-t-il.

— La cigarette du condamné ?

Le maréchal éclate de rire :

— Ainsi, vous n'avez pas que du courage !

— Venant de vous, ce compliment me touche.

— On me dit que vous êtes pianiste, continue le Russe.

— Dans une autre vie, murmure l'ancien mélomane.

D'un geste lent, il montre la ville :

— Avec Hitler, je n'étais plus chez moi. Maintenant, est-ce mieux ? L'Allemagne deviendra quoi ? Un pays occupé...

Joukov désigne le paquet de cigarettes :

— Vous permettez ?

— Je vous en prie ! Méfiez-vous, elles sont russes.

— Profitez-en, s'amuse à son tour le chef d'armée. J'ai signé votre ordre de libération. Vous rentrez chez vous.

Unbewust hausse les épaules.

— Cela ne semble pas vous réjouir.

L'Allemand demeure toujours muet.

— Qu'éprouvez-vous en ce moment ? insiste celui qui reçoit.

Alfred écrase sa cigarette :

— Rien de ce que j'ai espéré quand nous étions au combat. Je vois Berlin en ruine et ma peine éteint ma joie.

— Sacré nom ! jure Joukov en changeant brusquement de sujet, nous avons quand même eu chaud plusieurs fois.

— Ce n'est pas pour vous contrarier, maréchal, mais ces derniers mois, j'ai eu, pour ma part, plutôt froid.

Les yeux du Russe s'éclairent :

— Vous êtes bien tel qu'on me l'avait dit, souffle-t-il.

Puis, saisissant la tasse de son voisin, il lui sert encore du thé avant de reprendre :

— Allons ! Je n'ai pas beaucoup de temps. Et je dois vous expliquer pourquoi je vous ai fait venir.

D'un mouvement brusque, le voilà debout :

— Venez avec moi.

*
* *

Sans que rien ne distingue leur différence de rang, les deux hommes ont fait quelques pas pour rejoindre un point de vue.

— Je souhaite vous confier une dernière mission, lâche Joukov.

— Ordonnez-moi d'arrêter Hitler...

Le maréchal sourit tristement :

— Je crains de ne pouvoir exaucer ce vœu... Quand nous aurons pris son Bunker, il aura fui, ou bien, on le retrouvera mort. Poison, balle dans la tête... Hitler est une proie recherchée, mais infectée. Le capturer ? Évidemment ! assure le concert des vainqueurs. Et qu'on le fasse parler ! Mais ses secrets sont à la fois recherchés et redoutés. Certains, à l'Est comme à l'Ouest, ne désirent pas l'entendre en confession. Dans chaque camp, il en est qui ont des choses à se reprocher.

— Ce criminel ne peut pas en réchapper ! explose Alfred.

— J'espère que non ! répond aussitôt Joukov en soupirant.

Il s'approche de l'Allemand et pose une main sur son épaule.

— Mais derrière le monstre, combien d'ignobles petits tyrans, de tortionnaires ordinaires se cachent ? Combien tenteront de fuir ? murmure le glorieux soldat en ne lâchant pas du regard son vis-à-vis. Croyez-moi. Plus encore que lui, c'est tout le système nazi que nous devons décortiquer et dénoncer.

Le nouveau maître de Berlin regarde encore la ville et montre de la main un bâtiment dont les murs noircis par le feu tentent de tenir debout :

— L'histoire de cet enfer se cache dans des caves, des bureaux, des greniers. Et c'est ici que vous intervenez...

Il sonde encore Unbewust avant de s'expliquer :

— Malgré le pouvoir qu'on me prête, je n'ai guère d'influence sur la bureaucratie. Votre libération n'interviendra donc pas avant plusieurs jours. En attendant, vous occuperez cet immeuble que nous apercevons et qui a eu l'orgueil de résister à nos batteries. En tant que chef de l'armée d'occupation, je vous en confie le contrôle. Sur place, vous trouverez un peloton d'infanterie. Vous en prendrez le commandement. Il pourra vous être utile. Et je sais que je peux compter sur vous. Voilà trois ans que je vous connais.

— Vous me relevez ? s'insurge Alfred.

Tant d'assauts héroïques salués par ces chefs, combattant acharné et médaillé du Mérite au combat et on le jette ainsi ! Unbewust n'en revient pas.

Joukov lui saisit le bras :

— Soyez patient, camarade. Écoutez-moi d'abord avant de juger si je suis votre ennemi...

Du menton, le maréchal désigne à nouveau l'immeuble :

— C'est une annexe de l'Office central de la Sécurité du Reich. On y saisira peut-être quelques-uns des dossiers de la Gestapo et de la police criminelle du *Reichs-Führer*-SS Heinrich Himmler.

Soudain, son visage se durcit.

— Ses services détenaient des informations sur tous les Allemands, de la femme de chambre au ministre. Ne pensez-vous pas utile d'y jeter un œil avant que d'autres ne les fassent disparaître ? Les preuves, Unbewust ! Nous devrons les accumuler pour dénoncer le nazisme, car personne ne voudra y croire, tant ses crimes sont grands. Mais je veux aussi que le monde sache que des Allemands, dignes patriotes, ont lutté contre la tyrannie. Oui, je crains que, bientôt, nombreux seront ceux qui vous réclameront une seule raison pour vous pardonner. De même, cette nation, quand elle se réveillera et se regardera en face, devra elle-même trouver assez de ressources et de force pour ne pas se détester. Et il y aura vous, les résistants de l'*Orchestre rouge*, ceux de la *Rose blanche* et tous ceux qui sont morts pour s'être révoltés... Après la guerre, des hommes comme vous devront aussi redresser ce pays. Votre passé de résistant ne sera pas suffisant. Vous aurez besoin d'armes politiques et l'histoire de ceux qui se sont sacrifiés vous sera utile. Une partie est sans doute cachée ici et je préfère la savoir entre les mains d'un communiste, qui a prouvé son attachement à l'URSS et démontré son courage, qu'entre celles de vos compatriotes, agents, juges ou fonctionnaires, ayant eu la faiblesse de servir ce régime, œuvrant dans l'obscurité, complices muets et dociles d'actes, de décisions inacceptables et qui demain plastronneront, reprendront leur place et se couvriront mutuellement sans qu'il soit possible de déterrer leurs mensonges. Je veux que la fragile frontière qui mène à la vérité soit gardée par des hommes comme vous !

Le maréchal s'approche et se force à retrouver son calme :

— De tout mon cœur, j'espère enfin que, dans ces archives abandonnées par les bourreaux, vous retrouviez un jour le souvenir de vos amis et de nos camarades communistes.

Joukov regarde sa montre, regrettant de devoir en finir. Mais l'entretien s'achève.

— Allez voir vous-même, murmure-t-il d'une voix hachée. Je ne connais personne de plus qualifié. Alors, profitez de ces heures où Berlin est à vous et où tout est encore permis. Dans peu de temps, la loi, l'ordre reprendront le dessus. On m'y obligera. Puis, l'armistice sera signé, Staline me nommera sans doute gouverneur de la zone occupée par les Soviétiques. Dès lors, il faudra composer avec les Anglais, les Américains... La diplomatie, les combines reprendront leurs droits. Je ne serai plus le maître. Et vous aurez peu de chance de retrouver ce qui sera perdu.

Le soldat tire sur sa veste et reprend son allure de chef :

— Dénichez ce que vous cherchez depuis trois ans avant que d'autres ne songent à les classer dans la case « Inconnu », Alfred Unbewust.

— Pourquoi m'offrez-vous ce... cadeau ? parvient-il à répondre.

— Unbewust, répond le Russe, n'est-ce pas l'enfant trouvé ?

Alfred répond oui.

— Vous êtes, comme moi, un enfant issu du peuple. Je le rends à son pays, à sa famille parce qu'ils auront bientôt besoin de son honneur. C'est ma façon de vous dire merci.

99

Ce manteau croisé, taillé dans une toile passe muraille, tirant tantôt sur le gris, tantôt sur le brun, Boris Zadouroff aurait bien du mal à en expliquer les changements de couleur autrement que par les aléas de la planification soviétique malmenée par la guerre. Pour se protéger du froid, ce caporal de l'infanterie a relevé le col de son vêtement et tape la semelle, le casque en acier enfoncé jusqu'aux oreilles. Se croyant en sécurité, il s'est allégé encore, en ôtant le masque à gaz fixé réglementairement à sa ceinture ainsi que la pelle, et même l'étui à munitions qu'il portait à la taille. Si bien que Boris est une cible facile pour un tireur isolé.

— Caporal !

Zadouroff se fige sur place. Son fusil sommeille à dix mètres, posé contre un mur en ruine. Si celui qui le hèle est un ennemi, il peut dire adieu à la vie.

— Pas de panique, camarade ! tempère aussitôt Unbewust. C'est moi, l'Allemand qui vient prendre le commandement. Tu es au courant ?

Le caporal répond par l'affirmative et se met aussitôt à grogner qu'il a eu une peur bleue.

— Ne fais plus d'erreur comme ça. J'aurais pu te tirer comme un lapin, ose l'effronté.

Alfred Unbewust ne relève pas l'énormité, préférant brandir une bouteille de vodka et un paquet de cigarettes :

— Voilà de quoi me faire pardonner ! Vous êtes combien ?

— Quatre en me comptant. Deux sur le toit, et un qui patrouille dans les étages. Mais il n'y a rien là-dedans. Que du papier allemand...

Des fantômes, songe Alfred. Mais combien sont-ils ?

— Pourquoi faut-il que nous gardions cet endroit sans intérêt ? insiste le Russe.

Alfred ignore encore qu'il s'agit, pour lui, des heures les plus dures, les plus lourdes, les plus importantes de sa vie. Que dans des dossiers précisément rangés, gisent les premières preuves de l'horreur du nazisme, ce modèle irrespirable de la tyrannie. Ainsi, dans la nuit, quatre Russes et un Allemand iront dans ces couloirs emplis de chagrin et de honte, hantés par l'histoire des assassinés. Mais ici n'est que le début du chemin funèbre menant peu à peu, pas à pas, au fil des jours et des mois, à la découverte de la persécution innommable de ceux qui furent arrêtés, torturés, exterminés.

— Tu n'entends pas l'artillerie ? répond Alfred. Elle frappe à cinq cents mètres. Tu préférerais te battre là-bas ?

— Si on ne risque rien, bougonne le caporal en capitulant devant l'argument.

— Je n'ai pas fait toute cette route pour crever maintenant, répond l'Allemand en se dirigeant vers l'entrée. Allez ! Montre-moi la voie et braille assez fort pour que tes camarades à l'intérieur ne nous tirent pas dessus...

*
* *

Les cinq marchent dans l'immeuble muet, brandissant des flambeaux formés de planches de bois et de chiffons trempés dans l'essence. Ils avancent comme les gardiens d'un territoire ignoré par la vie, étranger à la ville où, ce 29 avril, la guerre gémit mais n'abandonne pas. Les manteaux aux formes incertaines, aux couleurs de croque-morts, des fantassins de l'armée Rouge encadrent le défilé. Ils poussent les portes, entrant dans ses bureaux emplis d'armoires chargées de dossiers jusqu'à la gueule, et prennent la mesure du lieu et de l'effroi qu'il incarne en ouvrant au hasard les chemises semblables où, d'une plume appliquée, répétitive, tenue par une main anonyme et indivisible, s'inscrit le nom de chaque victime. Puis son âge, son adresse et souvent une photo. Il y a aussi des dates où se mêlent la naissance et la mort puisque tous, ils le sont.

— C'est quoi ici ? interroge Boris.

— L'enfer de ceux pour qui je me suis battu, répond Alfred Unbewust.

*
* *

Ses mains tremblent, il n'y peut rien. La nausée est entrée en lui, niche dans le fond de ses viscères, n'en bouge plus. Alfred chemine peu à peu dans la bureaucratie nazie. Les fiches sont tout simplement classées par ordre alphabétique. Vers minuit, après avoir examiné maints papiers, il trouve ce qu'il cherche. Harnack, Kuckhoff, Roloff, Schulze-Boysen... Des noms enregistrés dans des chemises empilées dans un meuble en ferraille. Des noms dont l'histoire tient en quelques pages. Alfred allume un flambeau pour lire l'exposé des interrogatoires, les minutes des procès, le compte rendu des exécutions, la décision personnelle du *Führer* de faire assassiner Mildred Harnack. Arrivé au bout de la barbarie, il pose délicatement les dossiers sur une table et ne fait rien pour retenir ses larmes.

Le voyant prostré, les Russes, dans un échange muet, décident de poursuivre seuls l'expédition abyssale. Ils laissent l'Allemand avec ses proches, pour qu'il se recueille comme on le fait devant une dépouille, murmurant des mots choisis, afin que chacun se retire en paix. Le temps du recueillement s'égrène ainsi, chargé de silence et de mort. Alfred ne saurait dire combien de secondes ou d'heures il demeure emmuré, assourdi par l'horreur, et seul l'éclat falot des flambeaux russes s'en revenant lui fait redresser la tête :

— Camarade ! Nous avons trouvé le bureau du chef... La porte était fermée. On l'a forcée. Et au fond, planqué dans un placard, il y avait un coffre qui n'était même pas verrouillé. Tu devrais venir voir...

S'arrachant à la nuit, Alfred les suit. Dans la pièce, tout est net, nettoyé, vidé. Mais il reste bien le coffre. Où une enveloppe jaunie frappée d'un timbre suisse attire immédiatement son attention. Il s'agenouille, la détaille posément, avant de l'ouvrir. Elle contient plusieurs feuillets écrits en français auxquels il ne comprend rien puisqu'il ne lit pas cette langue, mais la présence de ces documents suffit pour qu'il devine qu'ils peuvent être importants. Alors, il glisse le tout dans la poche de sa veste, sans savoir à quoi il vient de redonner vie.

100

Il faut avoir l'esprit curieux et le pas traînard pour repérer l'officine discrète dirigée par Alfred Picard. Son nom ? *Le Comptoir du Fin Philatéliste*, rue de l'Odéon, non loin de la station de métro portant le même nom. Les passionnés connaissent évidemment cette adresse parisienne, mais ils doivent prendre rendez-vous pour franchir le barrage d'une porte qui ne s'ouvre qu'après que l'on a sonné. On ne pénètre pas dans cette maison sans sauf-conduit.

À vrai dire, la foule, les bruits, la lumière naturelle entrent peu dans ce lieu hors du temps. En collant l'œil à la vitrine pour tenter de percer les mystères de l'intérieur, on découvre avec peine une vaste pièce carrée, discrètement éclairée par des appliques aux abat-jour sans âge qui renvoient un éclat cuivré sur le bois d'acajou dont sont recouverts les murs. Si le propriétaire se fait attendre, ce qui est souvent le cas, on aperçoit alors, et sur le côté droit, un comptoir antique qui rappelle la nostalgie des vieilles merceries. Derrière ce meuble, on devine de hautes vitrines où s'exposent des livres philatéliques, des albums de collection, des loupes, des pinces, et tout ce matériel dont use l'amateur de timbres de manière chirurgicale. Quand la porte s'ouvre enfin, en habituant ses yeux à la pénombre, on comprend où se cache le trésor. Les murs lambrissés recèlent un nombre infini de larges tiroirs qui abritent des planches de timbres classés par thème, par zone géographique, par époque. Pour accéder aux richesses du sommet, il faut même escalader une échelle mobile guidée par une rampe en cuivre patinée par des milliers d'allers et retours. Et voici que, sur une table carrée, éclairée par une lampe d'opaline, repose l'un des précieux caissons, signe qu'une visite est en cours. Son contenu est consacré à l'œuvre d'Oscar Roty, la *Semeuse de 15 centimes*, un timbre dont l'émission date du 2 avril 1903.

Le collectionneur est comme le chasseur parcourant le monde à la recherche de son trophée. Certains attendent des années avant de débusquer « leur » *Semeuse*, femme au geste fécond, symbole matriciel d'une France éternelle. Car chaque exemplaire se désire. Et, selon chaque propriétaire, chacun est différent. Unique serait encore plus exact. D'autant qu'un timbre s'ausculte, se détaille, se caresse. À propos de la *Semeuse*, la sensualité se lie à la passion puisque collectionner une femme est un acte engageant où l'inconscient tient sûrement sa place. Mais on n'avouera jamais, dans ce milieu discret, que c'est pour cette raison que sa valeur s'élève, surtout lorsqu'elle se présente accompagnée de sa sœur jumelle. Une enveloppe timbrée deux fois à l'effigie de la *Semeuse de 15 centimes* vaut en effet plus que le double. Oblitérée, et en paire, elle devient précieuse. On parle hardiment d'un bien plus rare quand elle s'offre en série de trois. Or, la *Semeuse* exposée sur la table du *Comptoir du Fin Philatéliste* s'affiche ce jour-là quatre fois et sur une même bande. Elles vivent ensemble, et s'achètent pareillement. Depuis quand a-t-on vu ces timbres ainsi réunis ? Mais surtout, combien sont-ils en vente ? La réponse attise la convoitise. C'est pourquoi la découverte suivante est encore plus singulière : dans ce tiroir, il existe en outre une planche complète à l'état neuf. La *Semeuse* dupliquée, à l'ordinaire besogneuse et porteuse de millions de plis, est ici comme virginale, absoute du passé, offerte à l'histoire que lui inventera celui qui en deviendra le possesseur. C'est une pépite dont rêvent les conquistadors. Et Alfred Picard en est le propriétaire. Mieux encore, ce n'est qu'un exemple de son eldorado.

Bien que la porte donnant sur la rue soit soigneusement fermée, on jugera imprudent d'abandonner la *Semeuse* sur la table sans la moindre protection. En vérité, il ne s'agit pas de légèreté : cette femme fait l'objet de tractations qui se déroulent au premier étage. Pour accéder à l'alcôve qui échappe au regard du curieux, il faut encore attaquer un escalier en colimaçon, caché derrière un rideau de velours rouge. Alors, on entre dans le jardin secret qu'occupe Alfred Picard, chaque jour ouvré, depuis la fermeture de la galerie d'art d'Isaac Bernstein et son arrestation en décembre 1940. Et cela fait maintenant vingt-huit ans que les choses se déroulent ainsi.

*

* *

Les années n'expliquent pas la réputation d'Alfred Picard. L'œil exercé et l'honnêteté de cet homme émérite président au succès du *Comptoir du Fin Philatéliste*. Lui-même explique tenir ces qualités de son maître, le marchand d'art Isaac Bernstein, auprès duquel il admet avoir appris la science du négoce : vendre quand la cote n'a pas atteint le sommet, car en ne cherchant pas à faire fortune immédiatement, on devient riche pour longtemps. Cet adage sage rassure le chaland qui se presse chez l'expert pour négocier ses conseils.

Est-ce à cause de l'époque que les demandes s'enchaînent ? Il est vrai qu'en ce mois de juillet 1968, le timbre, comme l'or ou les devises, a le vent en poupe. La contestation de la rue, la révolte des étudiants fraternisant en mai dernier avec la classe ouvrière ont réjoui un temps Billancourt et traumatisé le possédant.

En ce début d'été, la température est redescendue, mais les collections de timbres, une valeur refuge peu encombrante et facilement transportable, se traitent toujours au plus haut.

Aujourd'hui, un Français, résident monégasque, tendu à souhait, a sollicité un rendez-vous pour faire estimer sa collection, son assureur lui réclamerait un certificat... Mais Picard devine qu'en réalité il veut s'en débarrasser. Le plus discrètement possible. Sa fortune tient donc dans un attaché-case en cuir à la serrure renforcée et dont le contenu, clame-t-il, s'apprécie en millions d'anciens francs[1].

— Mais que vaudra le franc si de Gaulle dévalue derechef ? Quel est votre conseil ? soupire l'hésitant.

Le Monégasque de fraîche date vit sous le choc des événements qui ont secoué la France. Il ne peut s'empêcher de parler de la Sorbonne, prise d'assaut par les gauchistes. Il a vécu ce mois de désordre, le nez dans son téléviseur noir et blanc et l'oreille vissée à son transistor, écoutant sur les grandes ondes les interventions des envoyés spéciaux des radios périphériques, effaré par le ton dramatique des journalistes qui, heure après heure, rendaient compte de la chienlit. Paris allait tomber sous le joug des maoïstes. Ensuite, ceux-là – ou les trotskistes – prendraient d'assaut le pays, puis la principauté de Monaco, tandis que le général ne bougerait pas le petit doigt. Et ils videraient les coffres des riches avant de planter les têtes sur les grilles du jardin des Tuileries ou ailleurs. Monsieur Dubois – il se fait appeler ainsi – ne se remet pas de sa grande peur de mai.

— J'ai perdu confiance en Massu, en de Gaulle, en la France...

Il parle d'un exil aux États-Unis ou en Suisse. Quoi qu'il en soit, il cherche à s'alléger. Et monsieur Picard peut sans doute l'aider.

---

1. Un million d'anciens francs égale 10 000 francs, soit 1524 euros.

*
* *

L'intéressé a chaussé les épaisses lunettes rondes qui égayent son allure. Aussi maigre qu'à vingt ans, la chevelure toujours indisciplinée, le visage fin et peu marqué, Alfred ne parvient pas à s'installer dans l'âge mûr. Pourtant, il siège au milieu de la cinquantaine.

— Alors, combien pour mes *Semeuses de 15 centimes* ?

Alfred Picard n'aime pas ce type accroché à sa mallette dont il devine que ce n'est pas celle d'un vrai collectionneur.

— Je vous l'ai dit, soupire-t-il. Je vous ai même montré les timbres de la *Semeuse* que je possède. Les vôtres n'ont rien d'exceptionnel...

Il n'ose pas lui dire qu'il s'est fait entortiller par un escroc.

— Cette planche, je l'ai payée mille nouveaux francs !

Elle ne vaut pas le dixième, songe Picard.

— Montrez-moi la suite, soupire-t-il, en saisissant une loupe posée sur son bureau.

Non sans jeter un regard inquiet, ce Dubois déverrouille, à regret, la serrure de sa sacoche :

— Et celui-là, il ne vaut rien non plus ? gémit-il.

En l'apercevant, Alfred ressent d'emblée un picotement sur ses mains, promesse d'une belle découverte. Il prend délicatement le timbre entre des pinces, le tourne et le retourne, le place sous la lampe qui trône sur le bureau, mais n'émet aucun son.

— Alors ? s'impatiente le Monégasque.

— Comment vous l'êtes-vous procuré ? interroge-t-il froidement.

— Je l'ai négocié... Contre un tableau... Une œuvre classique. J'ai pensé qu'il serait plus facile à transporter...

— Nous avons peut-être ici un *One Cent Magenta*.

— Je le sais, jette Dubois. Et combien vaut-il ?

— Rien. Ou une véritable fortune.

— Soyez plus précis, déglutit son vis-à-vis.

— En 1922, débute-t-il, Arthur Hind acheta un timbre identique en déboursant 35 000 dollars. Il s'en procura un second qu'il brûla pour que le *One Cent Magenta* soit unique. Depuis, son prix n'a fait que s'élever.

Picard ne dit pas qu'il a été approché pour effectuer une nouvelle estimation du timbre dont la vente est à nouveau prévue. Selon lui, le *One Cent Magenta* vaut au moins 100 000 dollars[1].

— Bien, soupire le visiteur. Et vous pourriez trouver un preneur ?

— Cela est moins sûr, répond-il simplement.

— Expliquez-vous.

— Ce timbre est peut-être un faux.

— Il ne l'est pas !

— Partons de cette hypothèse, concède-t-il. Mais sa valeur reste à déterminer.

— Vous disiez à l'instant qu'elle ne cessait de monter...

— Je parlais de celle d'un timbre unique, cingle-t-il. Si l'on apprend l'existence d'un second, ce n'est plus la même chose. La rareté fait la cherté. Après, il y a l'état général, l'oblitération, les dents, la gomme...

Il balaye l'air de la main :

— Mais nous n'en sommes pas encore là. Le *One Cent Magenta* est unique à ce jour et voilà sur quoi se fonde sa valeur. Si vous possédez un autre exemplaire, je crains que le prix des deux timbres n'en pâtisse.

— Et combien vaudrait le mien ? supplie son visiteur.

1. Des investisseurs l'achèteront en 1969 et le revendront l'année suivante 280 000 dollars dans une vente aux enchères. En 1980, John E. du Pont l'acquiert pour 935 000 dollars.

— Aucune idée. Donnez-moi deux mois pour vous répondre.

Picard se lève. L'entretien se termine.

Le Monégasque referme son attaché-case.

— Je dois conserver ce timbre, ajoute l'expert. Il faut me le confier.

— Cela ne risque rien ?

— Je vous ferai un reçu.

— Pas de papier, voyons ! Je parlais de la sécurité ici. Êtes-vous bien gardé ?

Picard désigne le coffre situé dans un coin de la pièce :

— Vous ne soupçonnez pas ce qui a pu y être abrité, sourit-il.

— Plus rare que le *One Cent Magenta* ? insiste le curieux.

— Plus encore que vous ne l'imaginerez jamais.

La sonnette de la porte retentit. Plusieurs coups secs. Dehors, quelqu'un patiente.

— On me réclame, déclare aussitôt Picard en désignant l'escalier. Alors, que décidez-vous ?

— Je vais réfléchir, rétorque l'autre en saisissant la poignée de son coffre ambulant.

Instinctivement, Alfred Picard s'en trouve soulagé. Il n'aura pas besoin d'ouvrir le meuble en acier, montrant ainsi où dorment ses plus belles pièces, dont les plus rares à ses yeux, et les plus importantes, sont les deux lettres que Bernstein lui a confiées voilà bien des années.

— Un acheteur ? ne peut s'empêcher d'interroger le visiteur en apercevant, à travers la vitre, le nouveau client de l'expert.

— La discrétion, monsieur Dubois ! soutient Alfred qui n'a aucune idée de qui s'annonce, elle vaut pour tous. Bonne journée, conclut-il en accélérant la sortie du Monégasque.

*

*   *

Déjà, il sonde l'inconnu qui se présente.

— Unbewust, indique celui-ci. Alfred Unbewust. Nous avons le même prénom, ajoute-t-il, en commençant à sourire. Il y a longtemps que j'espérais vous rencontrer.

À cette évocation, Picard se fige. L'homme qui s'exprime avec un fort accent allemand lui a écrit à plusieurs reprises, et depuis longtemps, parlant d'un timbre rare. Selon la description faite, il s'agirait de celui qui figure sur les deux lettres dont il est le dépositaire depuis la mort d'Isaac Bernstein. Et son instinct lui a toujours dicté de ne jamais répondre. En somme, de faire le mort.

101

Le Reich vomissait ses entrailles. Alfred Unbewust avait fait déplacer les archives découvertes dans cet immeuble, une nuit d'avril 1945, et jusqu'à la fin du conflit elles étaient demeurées dans un lieu sûr. Mais il en surgissait d'autres, et de partout. Jour après jour, il tentait de les classer, ne ménageant ni sa peine ni sa douleur devant tant d'horreurs exhumées. Le maréchal Joukov, gouverneur de Berlin, ne s'y était pas opposé, utilisant au contraire cet Allemand qu'on ne pouvait accuser d'alliance avec le nazisme pour instrumentaliser, avec d'autres bonnes volontés, l'ascendant de l'URSS sur la zone occupée. Plus l'armée Rouge prenait le pouvoir, plus sa présence s'imposait, devenait non négociable. Et, alors que remontaient à peine les remugles de l'hitlérisme, la guerre froide s'installait déjà.

La suite s'inscrivait dans la lente renaissance d'un État devenu la République démocratique allemande, chasse gardée de l'URSS. Le passé de résistant d'Unbewust et sa participation aux combats au sein de l'armée Rouge le désignaient pour prendre d'importantes fonctions dans l'appareil bureaucratique en formation. Dès la signature de l'armistice, il fallait remettre en marche les fonctions régaliennes d'un État dévasté et totalement désorganisé. La police figurait en premier. Et, sans doute, son rôle dans la découverte d'une partie des archives du Reich influença-t-il son destin. Le pianiste semblait définitivement mort puisque par un étonnant retournement de l'histoire, Alfred Unbewust accédait à ce pouvoir policier dont il avait été une des victimes.

*
* *

La naissance de la RDA n'intervint officiellement qu'en 1949 mais, dès les premiers mois d'occupation soviétique, le système verrouillé se mit en place. Unbewust observait avec satisfaction l'expulsion des grands propriétaires terriens et la redistribution aux petits paysans de milliers et de milliers d'hectares. Mais, de la place qu'il occupait, il ne pouvait pas ne pas être également informé des démontages d'usines exportées vers l'URSS, autant de pillages industriels auxquels il ne voulait adhérer. Ainsi, et de même, il n'approuvait pas la décision soviétique de nationaliser les terres qui venaient d'être redonnées au peuple.

Lors de la création de la redoutable Stasi en 1950, on lui proposa d'y occuper un poste élevé. Mais le souvenir du passé et de ce qu'il avait vécu l'incita à refuser de rejoindre le ministère de la Sécurité d'État qui regroupait la police politique, l'espionnage et le contre-espionnage de la RDA. La personnalité de l'artiste ne s'était pas complètement effacée en lui.

*
* *

Sa propre cassure avec le système soviétique datait de l'émeute citoyenne de juin 1953, brisée dans le sang par l'armée et la *Volkspolizei*, la police dite du peuple qui n'avait jamais si mal porté son nom. Ce déni de trop de la justice ouvrière qui mettait fin aux rêves de ses anciens amis résistants, morts pour la liberté, brisa définitivement l'étau qui le maintenait encore dans la droite ligne du Parti. Il sollicita alors sa mutation au ministère de la Culture. Sans succès. Ses réticences idéologiques commençaient à s'ébruiter. En s'appuyant sur son passé de pianiste, il tenta ensuite d'obtenir un titre de professeur émérite au conservatoire de Berlin, démarche aussi pénible que fastidieuse, mais finalement couronnée de succès. Au cours des années suivantes il ne fit que constater la fuite de ses compatriotes, désœuvrés et impuissants, vers l'Allemagne de l'Ouest.

Le 13 août 1961, il sirotait une tasse de café Mocca-Fix dans son bureau quand son assistant ouvrit brutalement la porte :

— C'est fait, murmura le jeune homme. Ils construisent le mur.

La rupture avec le monde libre était consommée. Le soir même, il entendit les premiers coups de feu de la police de l'Est, tirant sur ceux qui tentaient de s'échapper. De son passé, de ses combats, il ne restait plus que ce mystère, arraché d'un coffre nazi, une nuit d'avril 1945.

*

* *

Alfred Unbewust avait travaillé suffisamment sur l'archivage des vestiges du IIIe Reich pour ne pas ignorer que de nombreux dossiers, des preuves pour ainsi dire, attestaient de la collaboration de scientifiques, d'intellectuels, de dirigeants, de fonctionnaires allemands avec le régime nazi. Le nouveau pouvoir, aidé en cela par la Stasi, ajustait le sort de ces cadres condamnés à coopérer. La loi du silence fonctionnait dans les deux sens. Tandis que le régime communiste prenait à la gorge les anciens nazis, ceux-ci taisaient les exactions du nouveau tyran et les deux se tenaient.

Alfred s'était interdit de garder pour lui les pièces accablantes déterrées à Berlin dans l'immeuble déserté par les SS. Mais il avait glissé dans la poche de sa tenue de tankiste les feuillets découverts dans le coffre, et l'enveloppe – sans rapport, croyait-il, avec la persécution nazie. Il détenait aussi d'autres documents comme un manuscrit de Jaurès, le célèbre socialiste français – du moins, un morceau de ce texte arraché ou déchiré. Et cette bizarrerie, ajoutée au fait qu'elle se trouvait dans le bureau d'un nazi, le taraudait toujours. Il possédait encore deux lettres d'Heinrich von Mietzerdorf, un héros de la Première Guerre qu'il savait mort en captivité à Buchenwald. Cet homme, ennemi du régime hitlérien, écrivait à une Russe, Anastasia Ivérovitch, mais en français. *Pandore*, lisait-il... Au moins cela, il comprenait. *Pandore* libérait les maux de l'humanité. Le *Führer*, en particulier. Ce qui expliquait peut-être que cette lettre ait été soigneusement dissimulée. Plus loin, on évoquait la *guerre* – un mot universel. Mais laquelle ? Quel lien existait-il avec Jaurès, assassiné pour l'avoir détestée ? La réponse résidait sûrement dans un autre message joint au dossier qu'il avait subtilisé. Mais ce mot, écrit par Isaac Bernstein, mort d'après les archives SS à Auschwitz, était aussi tourné en français. Unbewust se heurtait au barrage de la traduction. Dans ces conditions, comment réunir le tout ?

Refusant par méfiance de partager ce rébus, il se décida à apprendre la langue de Molière dont il appréciait la musicalité à défaut de la déchiffrer comme les chefs-d'œuvre de Fauré ou de Berlioz, ses compositeurs préférés. Il engagea cet effort de longue haleine, concevant l'exercice comme un défi personnel et, sans doute, un ersatz au manque de liberté. Au moins, il s'évadait et si on l'interrogeait de près, il répondait qu'il luttait à sa manière contre les effets de l'âge. De sorte que l'explication suffit. Mais après avoir usé un temps considérable à cet apprentissage, il comprit que le message principal était chiffré. Lisait-il en clef de *sol*, une œuvre écrite en *fa* mineur ? Une phrase énigmatique figurant en tête indiquait bien : *et il faut n'en lire qu'un sur trois, une sur deux*. Étaient-ce les mots et les lignes qu'il devait organiser ainsi ? Le pianiste s'essaya à toutes sortes de combinaisons sans obtenir de résultat. Et l'intrigue lui sembla alors insurmontable.

102

— Entrez.

C'est plus fort que lui, irrationnel, et même stupide : Alfred Picard se méfie des Allemands. La Gestapo, la Shoah, le procès de Nuremberg ont marqué à jamais son esprit. Vingt-huit ans plus tard, l'appréhension reste vive et il ne peut oublier la disparition d'Isaac Bernstein. Il suffit d'un accent comme celui de l'homme qui se présente, et les images surgissent. Il se repasse en boucle le dernier entretien avec son maître et ami. En dépit du danger à se déplacer dans Paris, Bernstein avait tenu à se rendre chez Picard, non loin de la place de la Nation, pour un ultime au-revoir, la veille de son départ. Ensuite il n'aurait qu'à prendre l'autobus jusqu'à la gare de Lyon. Dix minutes plus tard, il se retrouverait en sécurité chez des amis. Et ce n'était pas un jour ouvré, noyé dans la masse de ceux qui allaient au travail, qu'il risquait d'être arrêté. Encore une nuit pour se conformer à la date figurant sur l'*ausweis*, et il se nicherait dans le train qui le ramènerait vers la liberté. Alfred l'entend lui recommander d'être prudent, de garder les deux lettres, et aussi qu'il espère une réponse d'un certain Heinrich von Mietzerdorf à qui il a écrit. Puis il le revoit le serrant dans ses bras et partir vers la place de la Bastille pour prendre l'autobus qui doit le conduire non loin de la gare. Avant le sud. La zone libre.

Existait-il un rapport entre cette missive venant d'Allemagne et l'arrestation d'Isaac Bernstein ? Alfred n'en savait rien.

Au fil de la libération des camps, les rescapés passaient par l'hôtel *Lutétia* pour reprendre pied, sans papier ni effets personnels, découvrant un monde qui avait repris sa marche en oubliant que le calvaire de ces ombres décharnées avait duré un an encore après la libération de Paris. Alfred allait chaque jour au *Lutétia*. Il espérait. Puis la nouvelle était tombée. Son aversion contre le Boche s'en était trouvée renforcée. Bien évidemment, il avait ensuite tenté de déchiffrer le message codé niché dans les deux enveloppes inestimables. Bien évidemment, et par son métier, il connaissait la provenance des timbres, œuvre d'un génial faussaire suisse. Mais comment finir le puzzle ? Si bien que ce tout ne représentait pour lui que la relique, le dernier souvenir d'un homme qu'il avait admiré et vénéré sincèrement. Ces lettres demeuraient un mystère dont il ne s'était jamais défait puisqu'il s'en croyait le gardien.

*

* *

— Que puis-je pour vous ? s'enquiert sèchement Picard.

— Je vous ai écrit plusieurs fois, précise l'Allemand.

— Je sais. Et donc ?

Alfred Unbewust plonge la main dans la poche de sa veste :

— Pouvez-vous expertiser ceci ?

Le Français jette un regard sur l'enveloppe qu'on lui tend. Tout de suite, l'émotion l'étreint. Il faudrait la prendre pour ne pas donner corps au malaise qui bloque sa respiration, mais il tremble. Et il est incapable de produire ce simple geste.

L'Allemand fait un pas et découvre le *Comptoir du Fin Philatéliste*. Une aisance qui met Picard hors de lui :

— Je ne reçois que sur rendez-vous ! Si je n'ai pas pris le temps de vous répondre, c'est sans doute que je n'en éprouve pas l'envie. Qui êtes-vous et d'où vient l'assurance que je pourrais vous satisfaire ? Ce n'est plus la guerre, monsieur Unbewust ! Ici, en France, je suis libre !

L'Allemand, éberlué par la diatribe, abandonne le sourire qui naissait sur ses lèvres et paraît sincèrement désolé. Il hoche la tête et tente d'apaiser le Français.

— Pardonnez-moi d'entrer ainsi dans votre vie, mais...

— Sortez-en immédiatement si vos intentions sont malhonnêtes !

Unbewust hésite un instant. Il pourrait se fâcher et disparaître pour de bon, mais il a fait un long voyage et n'en finira pas de cette manière :

— J'ai eu un mal fou à quitter la RDA, monsieur Picard. Votre pays est moins... strict que le mien. J'ai parcouru la distance qui sépare Berlin de Paris en deux jours et une nuit, pilotant ma Trabant, une voiture nationale dont vous n'imaginez pas combien le caractère est capricieux. Je ne viens donc en rien ici avec l'intention de vous nuire.

Il cherche où s'asseoir, mais n'ose pas, et, pour finir, renonce :

— Mais je dois me présenter pour tenter de vous en convaincre, puisque mes messages sont toujours demeurés sans réponse.

Il caresse sa joue recouverte d'une barbe naissante :

— Voyez-vous, je ne corresponds en rien aux Allemands que vous semblez honnir. Je me suis opposé aux nazis. Je fus résistant pendant la guerre. J'ai fait partie de l'*Orchestre rouge* et j'ai échappé par miracle à la rafle où disparurent mes amis. J'ai alors rejoint l'armée Rouge pour me battre jusqu'à entrer à Berlin où je voulais éliminer Hitler. Et pour cela, j'ai tué des Allemands qui n'étaient pas nazis, mais soldats, victimes de la folie du *Führer*. Comme vous, je suis orphelin de ceux que j'ai perdus. Et je vous supplie de me croire, je ne suis qu'un modeste professeur de piano qui vient en paix chercher une réponse aux questions qui lui tournent dans la tête depuis près de trente ans. J'ai longtemps hésité à entrer en contact avec vous. Je ne suis même pas certain que vous soyez la personne que je cherche. J'ai pris beaucoup de risques en venant jusqu'ici et si je me suis trompé, alors, dites-moi simplement ce que vaut ce timbre puisque vous êtes expert. Ensuite, je partirai et nous en resterons là.

Picard hésite et observe cet homme habillé simplement qui a le même âge que lui et lui tend l'enveloppe. Il voit les mains de l'Allemand ; si fines qu'elles laissent entendre qu'il pourrait en effet être pianiste. Plus que les mots, cette apparence l'invite à refouler sa crainte, mais surtout, il y a ce timbre, semblable à ceux qu'il cache. C'est un message jauni par le temps, comme le sien, comme le signe d'une clef qui viendrait enfin jusqu'à lui. La tentation est trop forte. Renonçant à la prudence et la regrettant déjà, il désigne un fauteuil.

— Je vous en prie. Asseyez-vous, vient-il de murmurer.

Puis, il ferme la porte du magasin à double tour.

103

La compréhension du texte exigeait-elle la réunion d'autres éléments ? Unbewust s'acharnait sur ces mots qui se suivaient sans suite et, en en cueillant certains au hasard, son excitation n'avait fait que grandir. Il s'agissait bien de la guerre et d'un texte ayant trait à celle de 1914. *Sarajevo* côtoyait un dénommé *Joseph Caillaux*. En fouillant les livres d'histoire et les articles de l'époque, il avait compris qu'il s'agissait de l'épouse d'un ministre qui, en tuant le journaliste Calmette, avait brisé la carrière de son mari pacifiste. Était-ce un lien qu'il fallait établir avec Jaurès ? La perplexité l'avait gagné en notant la présence réitérée de *Golgotha*. Bien que se méfiant, par allégeance aux thèses marxistes, de « l'opium du peuple » concocté par l'Église, il avait reconnu la référence religieuse. Cette évocation renforçait dans son esprit l'idée de la tragédie, et n'était pas sans lui rappeler la citation de *Pandore* par Heinrich von Mietzerdorf : « *Quand Pandore ouvrit la boîte qui libéra tous les maux de l'humanité, seule l'Espérance échappa à son geste. Il est peut-être temps de la faire jaillir, de s'immiscer dans son histoire.* » Quel lien – positif ou négatif – devait-il établir entre *Golgotha* et l'*Espérance* ? En somme, *Golgotha* symbolisait-il le bien ou le mal, sachant que ce terme désignait peut-être un lieu, un groupe ou même une idée ? Pour avancer, il fallait donc déchiffrer le message. Mais la lettre d'Isaac Bernstein se voulait sibylline. « Héritier » et plus loin « documents ». Comment se persuader qu'il s'agissait d'un ensemble indissociable qui ne se comprenait qu'en unissant, comme en musique, tous les instruments ? En somme, comment être certain que la partition était symphonique et devait se lire ainsi pour livrer ses secrets ? La réponse, en conclut le pianiste, exigeait le recours à un spécialiste du déchiffrage. Aussi, et malgré les risques, Alfred se résolut-il à contacter le service d'espionnage de la Stasi.

*

* *

Il confia l'enveloppe et les feuillets à son ami Kurt Erhardt, expert en la matière, ancien résistant, communiste pur et dur d'avant-guerre, qui avait gardé la foi de la clandestinité : on ne trahissait jamais un camarade. Et Unbewust espérait ne pas se tromper.

— C'est moi qui te contacte.

Et Kurt le fit trois jours plus tard :

— Ce n'est qu'une des pièces d'un puzzle complexe. Il faut les posséder toutes.

Bien qu'ayant imaginé cette réponse, Alfred en ressentit une immense déception.

— As-tu au moins une bonne nouvelle ? souffla-t-il.

— D'abord, le timbre de cette enveloppe est faux, dessiné sur l'enveloppe. Franchement, si tu ne m'avais pas demandé de regarder ces papiers à la loupe, je n'aurais rien vu.

— Tu te fais vieux, sourit tristement Unbewust.

L'expert haussa les épaules :

— Même en le caressant du doigt, c'est à peine si on met au jour l'illusion, se défendit-il. Je parie sur une œuvre créée par Fournier, un génie qui mystifia les meilleurs spécialistes au début du siècle. C'est signé par lui ou par l'un de ses élèves. Ensuite, l'encre et le papier confirment que le texte a été écrit peu après la guerre de 14-18. Bon, voilà pour la datation. Le faux est bien vrai, s'amusa-t-il. Mais pour le décoder, c'est une autre affaire. As-tu la moindre idée de l'endroit où se cacherait le reste ?

Unbewust haussa les épaules. Il avait lu tant de fois les éléments de ce dossier qui refusait de se livrer, qu'il pouvait les réciter par cœur.

— Tu as uniquement le message crypté ? insista Kurt.

Alfred réfléchit à ce qu'il possédait. Anastasia Ivérovitch. Était-elle vivante ? Isaac Bernstein. Mort à Auschwitz. Unbewust ferma les yeux. Comme à chaque fois, l'évocation des camps d'extermination faisait surgir le souvenir de cette nuit d'avril 1945 alors qu'il revenait à Berlin et qu'il avançait, un flambeau en main, dans les couloirs de cet immeuble hanté par la barbarie de l'Office central de la Sécurité du Reich. Le défilé des ombres reprenait. Et l'une d'elles sembla s'arrêter et se fixer. Et maintenant, elle le forçait à réfléchir et lui demandait d'avancer, de chercher encore. Isaac Bernstein avait écrit à Heinrich von Mietzerdorf, et il se présentait en « héritier », parlant de « documents » dont l'Allemand serait le destinataire. Ces éléments tenaient une place capitale depuis que Kurt lui avait confirmé l'existence de plusieurs pièces au puzzle. Pour savoir s'il s'agissait de celles qui lui manquaient, il fallait oser, aller plus loin, prendre des risques.

— Qui s'occupe des archives SS ? lança-t-il brusquement.

— Gaebe, rétorqua Kurt sans hésiter. Je réponds de lui, ajouta-t-il.

— Il me faut le dossier d'Isaac Bernstein, déporté à Auschwitz.

Kurt retrouva aussitôt les réflexes de la résistance :

— Que veux-tu savoir ?

— Sa vie, ses relations, son adresse au moment de son arrestation...

— Je ne te promets rien, conclut l'autre sans poser de questions.

— Mais pour aider un camarade, tu feras ton possible, rétorqua Alfred en lui serrant chaleureusement la main.

*
* *

— Es-tu prêt à m'offrir une bière ?

Kurt téléphonait. Unbewust ne lui avait pas parlé depuis six mois.

— Tu as du nouveau ? s'impatienta Alfred.

— J'ai même retrouvé un objet ayant appartenu à cet homme...

Alfred frémit. Une piste s'ouvrait.

*
* *

Unbewust apprenait la tragédie d'Isaac Bernstein depuis le jour de son arrestation. Le rapport de la Gestapo de Paris détaillait la façon dont sa galerie d'art avait été dépiautée. Il était fait mention d'un assistant du nom de Picard. Étroitement surveillé pendant quelques mois, il n'avait commis aucune erreur et changé de travail, intégrant le *Comptoir du Fin Philatéliste*, situé rue de l'Odéon, en 1941. Alfred rapprocha aussitôt cette information de la découverte de Kurt Erhardt à propos du faux timbre. Il y voyait plus qu'une coïncidence. Et qui mieux qu'un expert en ce domaine pouvait le renseigner sur la valeur de celui qu'il possédait ? Malgré le danger encouru à contacter une personne dont il ignorait tout, Unbewust se jeta à l'eau. Il attendit un an avant d'écrire une nouvelle fois et n'obtint pas plus de résultat. Il renouvela l'essai au cours des deux années suivantes, et plus il échouait, plus il se persuadait que la piste était bonne. Ce silence cachait forcément quelque chose.

C'est en lisant Paul Féval – agréable moyen pour entretenir son français – et les aventures de Lagardère que la solution lui vint : « Si tu ne vas pas à Lagardère, Lagardère ira à toi », assurait le héros. Eh bien ! songea Unbewust, il suivrait ce conseil.

Pour la première fois depuis la création de la RDA, il sollicita l'autorisation de se rendre à Paris afin, prétendit-il, d'entendre le virtuose Vladimir Horowitz au Théâtre des Champs-Élysées, avenue Montaigne. Ce qui, compte tenu de son passé irréprochable et de son excellent travail de professeur de piano, ne put lui être refusé.

104

— Ce timbre est une création d'un élève du faussaire Fournier, assène Picard d'un ton sec. Un Suisse. Ce genre de produit est en effet recherché.

Unbewust ne faisant rien pour dissimuler le contenu de l'enveloppe, Picard voit parfaitement les feuillets. Il tendrait la main qu'il s'en saisirait. En fixant son attention sur une ligne, il distingue même les noms de Jaurès et de Caillaux. *Golgotha*, aussi, ce terme dont il cherche opiniâtrement le sens depuis vingt-huit ans. Ainsi, cet Allemand détient une partie de son secret. Peut-être même la solution ? Que faire ? Se taire ou se décider à parler ? La tentation le gagne. Il plisse les yeux, tend le nez, mais à aucun moment, il ne demande à étudier le timbre de près. Pour un expert, la démarche surprend, songe l'Allemand. Il lui livre un faux – recherché, selon ses mots –, et ce spécialiste s'en détourne ? Unbewust en déduit que cette attitude trop prudente est un indice lui confirmant qu'il se trouve sur la bonne voie.

— Bien sûr, sa valeur dépend de sa rareté, récite enfin Picard. S'il n'y en a qu'un, vous tenez un trésor...

— Et s'il y en a plusieurs ? le coupe Unbewust.

— Comment le saurais-je ? ment Alfred en plissant le front.

— Oui, répète l'Allemand. Comment le saurions-nous ?

Il soupire exagérément et reprend l'enveloppe :

— Tout ce voyage pour si peu de chose.

*

* *

L'un et l'autre ignorent ce que contient ce message livré au futur et combien celui-ci est universel, intemporel. Il suffirait qu'ils cèdent aux délices de la sincérité, qu'ils brisent les barrières de leurs réticences et de leurs peurs, mais la méfiance viscérale du Français vis-à-vis de l'Allemand est en train de gagner. Surtout quand s'y ajoute la guerre froide qui continue de briser et de séparer l'Europe.

Raide, le visage désormais fermé, Unbewust boutonne sa veste :

— Monsieur Picard, je vous dis donc adieu.

Il se lève, gagne la porte, pose la main sur la poignée. Dans un instant, il fera un premier pas dehors.

— Attendez ! souffle Picard en le rattrapant. Je ne peux pas affirmer qu'il n'existe pas d'autres exemplaires du timbre que vous possédez.

— Il y en aurait plusieurs ? réagit aussitôt Unbewust en feignant l'étonnement. Pourtant, à l'instant...

— Souvenez-vous, se tend Picard, j'ai dit que je l'ignorais... Ce n'est donc qu'une supposition.

— Cela revient au même. Et si, un jour, vous veniez à répondre à cette hypothèse ?

— Confiez-moi votre timbre, l'enveloppe, répond-il. Enfin, tout. Et si je vois passer quelque chose...

L'Allemand sourit :

— Je préfère attendre de vos nouvelles. Bien que je doute qu'il m'en vienne un jour.

Picard, le feu au visage, ne sait plus comment réagir.

— J'oubliais, se décide Unbewust, glissant la main dans sa veste et en sortant un morceau de papier plié en quatre. Pour vous contacter, j'ai dû plonger dans les souvenirs les plus ignobles de l'Allemagne. Je vous l'avoue – faites-en ce que vous voulez –, j'ai retrouvé le dossier d'Isaac Bernstein dont vous fûtes l'assistant. Est-ce ainsi que l'on dit ?

Picard baisse la tête.

— Oui, je vous ai d'abord écrit parce que j'ai découvert une lettre écrite par Isaac Bernstein et destinée à Heinrich von Mietzerdorf, qui lui-même fut déporté dans un camp. Il se trouve que cet Allemand possédait le timbre que j'ai apporté, mais aussi un message étrange dont se souciait Isaac Bernstein. Ainsi, monsieur Picard, ma visite ne s'adresse pas qu'à l'expert. Je viens pour le timbre, l'enveloppe et son contenu qu'à l'instant vous ne quittiez pas des yeux au point de me confirmer par cette insistance que vous y portez un égal intérêt. Mais il y a aussi ce que j'ai trouvé et que je souhaite vous donner.

Il déplie le morceau de papier et le tend au philatéliste :

— Le 9 avril 1939, à *La Colombe d'Or* – voyez, c'est indiqué ici –, Matisse et Picasso devaient déjeuner ensemble. Il y avait aussi Isaac Bernstein et je le sais puisque les deux peintres ont dessiné pour lui sur un coin de nappe. Le sujet ? La femme. Ils ont même livré son nom : « Anastasia, créature mystérieuse et passion secrète d'Isaac... » Puis, ils ont offert cette œuvre à leur ami marchand d'art qui, lui-même, ne s'en est jamais séparé. Isaac Bernstein conservait ce morceau de papier dans son portefeuille, mais les SS qui le fouillèrent n'étaient pas dégrossis. Ils n'ont pas mesuré la valeur de ce bien.

Picard se saisit de l'esquisse. Ses lunettes se brouillent. Les souvenirs, encore, affluent.

— Monsieur, balbutie-t-il.

— Je suis désolé, le coupe Unbewust. J'aurais aimé vous apprendre que la collection Bernstein avait été épargnée. Hélas, ce n'est pas le cas.

— Monsieur, recommence-t-il, la gorge nouée, comment... comment vous remercier ?

— En me promettant de réfléchir à ce que je vous ai dit.

— Je vous écrirai. Bientôt. Laissez-moi un peu de temps...

— Nous ne sommes pas encore si vieux, tente de plaisanter Alfred Unbewust. Mon adresse se trouve dans les messages précédents que je vous ai adressés. Cinq, je crois.

— Pardonnez-moi...

— Un dernier mot. Si vous souhaitez me donner des nouvelles que je qualifierais de confidentielles, soyez prudent. Je vis dans un pays infesté par la manie de l'espionnage.

— Je connais un moyen infaillible de passer à travers les mailles du filet, se détend alors le Français. Les petites annonces philatéliques. J'employais ce stratagème pendant la guerre pour transmettre des messages à Londres...

— Voyez-vous ça ! s'amuse Unbewust.

— *Philatélio* est une revue savante. Parcourez ces petites annonces, puisque vous parlez français, et un jour, qui sait...

— Mais comment la trouver chez moi ?

— Je vous y abonnerai.

— Dois-je y voir comme le signe d'une future... association ?

— Seul le temps le dira, se rétracte prudemment Picard.

— Je demeure à Paris pour trois jours, tente une dernière fois son visiteur. J'y verrai Horowitz. Si...

— La critique vous prédit le meilleur, rétorque simplement le Français.

*

* *

Un dernier regard. Une promesse qui naît ou s'éloigne ? Les deux hommes se quittent. Et cinquante années après avoir été écrite, la confession de Louis Chastelain, d'Heinrich von Mietzerdorf, d'Anastasia Ivérovitch manque son rendez-vous.

PRINCIPE DE GOLGOTHA

Rapport du Neuvième Décemvirat
Pénultième Paragraphe

La purification se sert du bien et du mal, juge selon ses critères ce qui est beau, esthétique, acceptable. Après avoir défini certains codes, vertus, valeurs et lois morales, on désinfecte ce qui est souillé selon le modèle, on fumige, on purge en visant la finition exemplaire de la nouvelle définition des choses et des êtres. La doctrine nazie se fondait sur l'idée dévoyée de la perfection, et ses partisans s'étaient acharnés jusqu'à la démence pour avoir trop contemplé leur propre reflet. L'immonde qui s'y montrait était la preuve insupportable du caractère médiocre et inachevé, de la dimension nauséeuse et inhumaine de leur œuvre. Ainsi, plus ils se débarrassaient des autres, plus ils ne pouvaient qu'échouer et se détester eux. C'est pourquoi, Frères de Golgotha, le génocidaire qui prend part à l'extermination est celui qui croit le moins en son achèvement. Plus il cherche à corriger, plus il réalise qu'il n'y a pas d'idéal. Il comprend alors combien lui-même est imparfait et voilà qui explique qu'il se venge sur les autres. C'est un cercle vicieux, sans fin, conduisant aux abysses. Observez Hitler, Eichmann, Himmler, Goebbels, Heydrich, Eicke. Tous quelconques. Et ce n'est pas un hasard s'ils ont choisi l'État et sa bureaucratie pour orchestrer leurs actions. Le même raisonnement tyrannique veille en effet sur l'instrument éta-

tique. L'esprit de celui qui le commande veut, par des lois, corriger l'ordre naturel puisque ce souverain, qu'il se dise social, démocrate, patriote, national, n'accorde pas sa confiance à ceux qu'il gouverne. Il pense que l'autre est comme lui et aussi nuisible. Il en a peur, il craint ses réactions car il connaît les siennes. Il s'est vu à l'œuvre quand il lui fallut prendre le pouvoir. Il est tyran dans l'âme et ne croit pas en l'ordre naturel, il hait les dons de la création. Il veut faire mieux que ce qui est. Il guide et dirige en poursuivant l'espoir de rectifier. Mais en s'éloignant du modèle initial, il corrompt l'alchimie d'un équilibre qui lui échappe. Il n'est qu'apprenti et sorcier.

L'État nazi, reconnaissons cet apport, a définitivement prouvé la perversité de l'idée de la purification, démontrant qu'il n'y avait ni bien ni mal, que l'homme n'est pas amendable, qu'il n'est ni bon ni mauvais, et qu'il se présente tel qu'il est. Sur ce point, il n'y a plus à discourir. Depuis 1945, l'homme est enfin convaincu qu'il n'est pas réformable et qu'il faut le prendre et l'accepter ainsi.

Le Neuvième Décemvirat le sait pour avoir exercé son influence sur le monde d'après-guerre. Le doute s'emparait des États et de leurs sociétés. L'universalité des dogmes faiblissait, les Lumières s'éteignaient. Entre l'Église, le libéralisme ou le marxisme, aucune foi ne dominait. En revanche, l'idée de la corruption progressait. Au fond, dans un monde qui se savait impur, il devenait réjouissant d'espérer en ses imperfections et de s'en contenter. Toutes les guerres d'État entreprises par la suite furent jugées inutiles, scélérates et, c'est un comble, criminelles. Tous les États durent affronter de saines et réjouissantes contestations. Toutes les idées apparurent bonnes à condition de pouvoir s'y opposer. Il devint interdit, impossible d'interdire au motif que, pas un penseur, pas un théoricien ne pouvait prétendre détenir la Vérité.

Cette situation ne fut pas sans créer de nouvelles peurs, celles du vide, de la non-espérance. Si rien ne fonctionnait, l'homme se condamnait à vivre dans l'errance.

Et pour cela, il trouva refuge dans la bastide des Blocs, substitut provisoire aux États qu'il savait désormais incapables de le défendre. Cette période de doute favorisa immanquablement le progrès du Principe de Golgotha qui, pour achever la déchéance, n'eut plus qu'à apporter son soutien à l'un des camps qui, contre la volonté des peuples, s'entêtaient à se combattre. Marxisme ou capitalisme ? Les Très Hauts Magistrats eurent peu de difficultés à trancher.

En 1960, quinze ans après la fin de la Seconde Guerre, le choix fut définitivement arrêté lors de la réunion du Décemvirat dans la région suisse de l'Engadine, au pays des Grisons, dominé par des glaciers éternels et coloré de forêts de mélèzes impénétrables. L'immense chalet qu'occupait le Septentrion était parfaitement situé sur les bords du lac de Silvaplana et l'on y accédait par une route enneigée dont ne pouvait se sortir que l'habile chauffeur, un autochtone romanche au phrasé lent, qui m'avait accueilli à Saint-Moritz. Malgré une température qui refusait de s'élever au-dessus des –20 degrés, je ne souffris pas du froid sec que narguait un ciel obstinément bleu. En ce mois de janvier, la joie de retrouver le Décemvirat effaçait sans doute la fatigue des ans.

Depuis 1945, nous nous étions peu réunis, consacrant notre force au redéploiement des profits engendrés lors du conflit planétaire dans les secteurs émergents en qui nous placions notre confiance. L'aviation, la chimie, la télévision, l'électronique comptaient parmi les beaux fleurons de Golgotha. Si, par le développement des moyens de communication, les liens se maintenaient entre les Très Hauts Magistrats qui unissaient leurs efforts pour le progrès du Principe, il devenait nécessaire de s'assembler pour statuer sur le maintien ou l'abandon de la stratégie arrêtée en 1944. Fallait-il toujours jouer le repli, rester dans l'ombre et, sans intervenir, laisser faire la dépréciation des États ? À l'inverse, devait-on instiller les germes d'une confrontation destructrice pour l'ordre établi ? Ce sujet essentiel s'abordait dans la sérénité.

Aucun danger ne se présentait plus. Car ces lettres qui auraient pu nuire, mais venues d'une époque à laquelle plusieurs Très Hauts Magistrats n'avaient pas participé, avaient disparu. Ce « rapportage » dont nous ignorions la portée était enseveli par le temps, broyé pour partie par la machine nazie et écartelé depuis entre l'Est et l'Ouest que rien ne pouvait réunir.

D'ailleurs, ce sujet ne fut pas abordé. Et le Septentrion ouvrit la séance en se concentrant sur la question principale. « Constatons, débuta-t-il, que le pouvoir des États recule et, en établissant une comparaison avec le début du Vingtième Siècle, il y a lieu de se réjouir. Désormais, ainsi que le prédisait Chimère, précisa-t-il en se tournant vers moi, la scène est dominée par deux Blocs aux visées internationalistes. La méthode diverge, mais le projet reste identique. Tous deux veulent posséder le monde. Et chacun à leur manière participe au progrès du Principe de Golgotha puisqu'ils luttent pour l'extinction à terme des États intermédiaires. Désormais, la Guerre froide bat son plein et ne fait que commencer. Elle durera tant qu'un Bloc ne l'emportera pas. Pour l'instant, l'affrontement est violent, brutal, et les moyens employés si considérables, qu'aucun ne se détache. C'est un peu comme au temps ancien des tranchées. Par un effet de balancier comparable à celui d'une lutte entre des États équivalents, ils ne parviennent pas à se détruire. Ils tiennent leurs publics soit par l'argent, soit par la répression. Quand l'Ouest prône la réussite individuelle, l'Est défend la collectivité, et les deux s'annihilent car leurs sujets voudraient la liberté et la sécurité. Mais ce fragile équilibre ne tiendra pas. Il y aura un vainqueur. » Babel lui demanda sur qui il pariait. « L'Ouest, répondit le Septentrion. Mais ce n'est pas certain. Et nous devons l'aider. » Babel intervint une nouvelle fois : « Pourquoi le Décemvirat devrait-il se mêler au débat ? » J'aurais pu répondre puisque je partageais le point de vue du Septentrion, mais je m'étais exprimé par le passé sur ma vision du monde et sur la guerre à laquelle s'adonnaient les Blocs. Et j'appréciais ce débat entre plus jeunes que moi.

« La loi du marché est proche de l'ordre naturel, voici une raison de soutenir l'Ouest, répondit le Septentrion. Mais ce n'est pas la seule. L'Ouest accompagne son projet de domination du monde d'un habillage politique : la démocratie. L'idée respire la liberté. Elle se confond avec. On la dit même compatible avec celle du marché. Et l'escroquerie vient de là. La démocratie s'appuie sur la loi du plus grand nombre. Elle est sociale, consensuelle, majoritaire par définition. Elle n'a donc rien à voir avec la loi du marché qui favorise les désirs personnels. La démocratie tire son autorité de solutions quelconques se fondant sur un dénominateur commun frustrant la satisfaction individuelle puisque chaque point de vue est différent. Ainsi, après la victoire du Bloc de l'Ouest prônant la loi du marché, les nations voudront marier un contrat social géré par l'État avec les aspirations particulières portées par le Marché. Et la formule ne prendra pas. Il ne peut y avoir, et l'État, et le Marché. Il ne peut y avoir la réussite privée et celle de la masse des indigents. Qui l'emportera ? La démocratie joue sur le nombre, mais elle ne détient ni le pouvoir ni la puissance. Elle n'est pas la plus forte. Aussi, en soutenant l'Ouest et son faux nez, la démocratie, le Décemvirat facilitera le triomphe du Marché qui n'a besoin d'aucune aide, d'aucune règle, d'aucun code autre que son fonctionnement naturel et qui est conforme au Principe. » Le Sage de l'Euphrate souhaita prendre la parole : « Une fois son triomphe assuré, comment détruire ce Bloc de l'Ouest ? » Le Septentrion se tourna vers moi et, d'un signe de la main, je lui fis comprendre que c'était à lui de conclure.

« Qui pourra s'opposer au Marché, si l'Ouest l'emporte, puisque ce Bloc a retenu sa loi ? raisonna-t-il. Soumis à ce choix, aussi pervers et insidieux que le fut le Cheval de Troie, l'Ouest, ballotté par les pressions du Marché, se délitera de lui-même. Pour en apporter la preuve, il suffit de compter les coups que le Bloc de l'Ouest fait subir aux

États et à leurs règles. Et tandis que l'URSS muselle ses vassaux en les obligeant à signer le pacte de Varsovie, les États de l'Ouest consument leur souveraineté dans l'Europe, l'Otan et les traités de libre-échange. Depuis la fin de la Seconde Guerre, ils s'affaiblissent et abandonnent leur suprématie en multipliant les alliances militaires, politiques, économiques. Le pouvoir des armes nucléaires ou chimiques les paralyse. Et ils n'osent plus parler de sursaut national, de patriotisme à des citoyens devenus méfiants et peureux. La défense de l'État est une vertu désuète qui ne tient plus la comparaison face aux promesses de paix universelle que sous-tend la loi du marché. Le monde veut partager le rêve américain. Le cinéma, les journaux, la télévision montrent chaque jour un peu plus le miroir aux alouettes. Contre ces plaisirs matériels, les États et leurs dogmes ne pourront pas résister.» Et le Septentrion se tut.

Le Décemvirat partageait le point de vue du Très Haut Magistrat qui venait de s'exprimer et il ne faisait aucun doute que, par nature et par intérêt, le Principe soutiendrait l'Ouest, au moins dans un premier temps. Mais le Levantin, dont l'avis était écouté, prit la parole : «Je soutiens le projet du Septentrion et je pèserai en faveur du Bloc de l'Occident tant qu'il n'aura pas détruit celui de l'Est. Selon moi, le combat sera rude et l'URSS défendra sa peau. Je ne crois pas que l'on puisse escompter une victoire de l'Ouest avant plusieurs décennies. Utilisons ce délai pour augmenter notre crédit. Agissons pour fortifier nos intérêts. Œuvrons pour le triomphe du Marché. Mais quand l'Ouest l'aura emporté, faudra-t-il confier la réussite du Principe de Golgotha à la seule promesse d'un écroulement naturel du Bloc victorieux ? En somme, murmura-t-il, ne faudra-t-il pas user de tous les moyens, y compris ceux de la guerre, comme le fit déjà le Décemvirat ?»

La guerre, Frères de Golgotha, nous y revenions encore. Et mes paupières devinrent lourdes. Cette hypothèse pouvait en effet se produire. Et le Septentrion le dit :

« Quand le Bloc de l'Ouest aura gagné la partie, il sera temps de s'interroger. La force naturelle du Marché suffira-t-elle pour briser les dernières entraves des strates intermédiaires ? La réponse, ne pouvant être fournie, toutes les hypothèses seront alors étudiées – y compris celle d'une guerre dont les effets seraient alors définitifs. »

Et je me pris à repenser aux paroles que j'avais prononcées en 1944 : un désastre final détruira ou le monde ou les États. Et, d'une façon ou d'une autre, Golgotha s'y mêlera. Mais vouloir encore la guerre ? Je rouvris les yeux. Les Très Hauts Magistrats me regardaient. Et je dus prendre position : « Je soutiens la motion du Septentrion. Je propose d'encourager le Bloc de l'Ouest et, sachant que la lutte sera longue, je laisse à ceux qui siégeront au sein du Dixième Décemvirat, le choix de décider de ce qu'il conviendra de faire. » Et je compris, enfin, où je devais chercher celui qui me succéderait. Lui, il déciderait entre la paix ou la guerre.

105

La porte du *Comptoir du Fin Philatéliste* vient à peine de se refermer et Alfred Picard regrette déjà sa décision. Il suffirait de courir derrière cet imperméable à la coupe démodée qui file à grandes enjambées vers le métro Odéon pour rejouer cette scène qui lui échappe. Pourquoi ce type, Unbewust, s'est-il présenté sans s'annoncer ? enrage l'expert. Il aurait pu écrire. Mais il l'a fait, se reprend-il. Et il accuse son esprit français, soupçonneux et atrabilaire. Il fallait négocier comme il en a l'habitude. Exiger un autre rendez-vous. Ou bien le questionner. En somme, être sûr de soi. En y songeant encore, il invente l'échange qui ne s'est pas produit. « *Je crois me souvenir,* murmure-t-il, *de lettres dont Bernstein m'a parlé. Mais cela remonte à loin. Où sont-elles ? Et vous, que possédez-vous ?* » Il aurait installé ce bonhomme au regard franc au premier étage, dans un confortable fauteuil, fait preuve de courtoisie, et obtenu ce qu'il voulait : voir ce qui lui échappe à présent. Mais il a fallu qu'il joue au misanthrope ! Si bien que tout devient délicat. Se revoir ? Lui écrire ? Il songe au fossé qui les sépare. L'un à l'Est ; l'autre à l'Ouest. Quand, à l'instant, ils étaient réunis.

Furieux contre lui, il décide de fermer sur-le-champ sa boutique. Et bien le bonjour à ceux qui se casseront le nez sur sa devanture. L'expert se met en congé.

Il baisse rageusement le rideau rouillé du *Comptoir du Fin Philatéliste* et gagne l'étage, son antre, son territoire secret. Si fait, il s'assied à son bureau et se tourne pour ouvrir son coffre. Le trésor est là. Pourquoi n'a-t-il pas insisté ? souffle-t-il. Avec précaution, il pose les deux enveloppes sur la feutrine où s'exposent généralement les plus beaux timbres du monde. Et il relit pour la centième fois ces messages mystérieux. « Pourquoi n'ai-je pas osé un pas ? » Il soupire et replonge dans son coffre où se trouvent les lettres expédiées par Unbewust. L'écriture est fine, régulière, limpide. Un nouvel examen détaillé s'impose et, en étudiant les pleins et les déliés, peut-être parviendra-t-il, enfin, à percer le caractère de ce personnage. Et à inventer une bonne raison de ne pas lui avoir fait confiance. Mais de toute évidence, il n'en trouve pas.

*

* *

Le récital du virtuose Horowitz, au Théâtre des Champs-Élysées, est merveilleux. Le pianiste répond aux rappels d'une salle conquise qui le supplie de revenir à son clavier. Unbewust apprécie plus que d'autres le plaisir envoûtant de l'artiste se soumettant au public. Puis, il s'arrache de son fauteuil. La fête est finie. Et que fait-il ici ? Il marche un long moment dans la nuit de Paris, se remplissant les yeux d'instantanés et de souvenirs qu'il conservera pour lui puisqu'il vit seul. De retour à Berlin, il devra se garder de ne pas s'extasier. S'il vantera le jeu de Vladimir Horowitz, il parlera d'une salle bourgeoise, décadente, hantée par l'idée du paraître. Et la Stasi, qui doit l'espionner depuis qu'il a obtenu le droit de venir en France, lèvera sa surveillance. Il pourra alors recevoir une lettre de l'Ouest sans qu'on ne lui pose de questions. Car le Français écrira. Unbewust s'est fait ce pari.

Le lendemain, il boucle sa valise et, pour ne rien regretter, se rend rue de l'Odéon. Un ami de l'Est l'a averti qu'il pouvait être suivi par un agent de l'ambassade de RDA. La chose est commune. Même à l'Ouest, surtout là, la Stasi surveille ses compatriotes. C'est pourquoi il ne s'arrête pas. En passant lentement, il voit que le rideau du *Comptoir du Fin Philatéliste* est tiré. Il enclenche une vitesse. La Trabant grince. Elle aussi regrette le retour à Berlin.

*

* *

La première lettre est écrite par Picard. Elle vient très tard, en 1972. Voyant que rien ne se produisait, qu'aucun danger ne le menaçait, il a enfin franchi le pas. Picard a eu besoin de tout ce temps pour venir à bout de sa réticence et il le regrette. Le prétexte pris s'appuie sur les vœux de nouvelle année. Et Unbewust y répond depuis, sans évoquer le sujet qui les passionne. Le Français écrit désormais plus souvent, prétextant son métier. Il s'intéresse, dit-il, aux timbres de l'Est. Ainsi s'engage une correspondance où, au détour d'une phrase, l'un ou l'autre aborde subtilement le sujet qui les retient. Unbewust se prête au jeu philatélique et fait ainsi parvenir au Français de bien jolis sujets. Ce négoce amical n'avoue pas ses vraies raisons. Mais la distance empêche les confidences, même si, dans ce non-dit, se cache l'espoir d'un aveu qui, repoussé toujours à plus tard, viendra sans doute, un jour, car chacun sait ce que l'autre attend et possède. Au fond, rien ne presse. Ainsi, peu à peu, et bien lentement, la méfiance s'efface. Si l'Allemand était malveillant, se convainc Picard, il aurait déjà agi. Et il se décide enfin, au cours de l'été 1979 : « *Merci pour votre dernier envoi*, écrit-il (il fait référence à des timbres consacrés à l'aéropostale soviétique). *Dans vos recherches, dont je vous sais gré, ne perdez pas de vue que la valeur de cer-*

taines pièces s'établit souvent en les unissant à d'autres. » Unbewust rebondit ainsi : « *Possédez-vous des timbres présentant ces caractéristiques ?* » La réponse tombe : « *Deux, dont je ne souhaite me séparer qu'en échange d'un seul.* » Picard attend un retour pendant plusieurs semaines, ce qui l'inquiète. Enfin, il reçoit ceci : « *Pour approfondir le sujet dont vous me parliez récemment, il vous faudra vous déplacer, car ma liberté d'action s'amenuise. Indiquez-moi les conditions de votre visite via le moyen dont nous avions parlé.* » Alfred Picard s'organise un voyage à Berlin et publie une annonce dans la revue *Philatélio* : « Expert en timbres. Sera du 12 au 18 janvier 1980 à Berlin, à l'*Alexanderplatz*. Sur rendez-vous uniquement. A. P. »

Il attend sur place et ne voit rien de la ville. Mais, de la même façon, ne reçoit aucun signe de vie d'Alfred Unbewust.

PRINCIPE DE GOLGOTHA

Rapport du Neuvième Décemvirat Pénultième Paragraphe (suite)

Vint enfin le jour où je choisis le Premier Nommé du Dixième et dernier Décemvirat. Ne croyant en rien, ni au bien ni au mal, n'espérant aucun pardon, j'atteignais sereinement ce moment éternel où, cessant de vivre, j'existerais par la voix d'un autre.

L'Archange, créé par le Frère d'Achéron, descendant du Cerbère d'Asie, avait donné naissance à Chimère, mais c'était toujours le même : la destruction des États passait par la guerre. Et Chimère, en qui se métamorphoserait-il ?

« L'Oracle, me répondit celui que j'avais choisi. L'Oracle sera mon nom et il s'ajoutera au vôtre puisque je vous succède ; puisque je suis le Premier des Derniers Nommés et que ma voix sera celle de tous ceux qui m'ont précédé. »

Ma mort et ma renaissance se montraient donc le même jour, et ce résultat me réjouissait. J'allais me survivre, me continuer, me poursuivre. Mais devais-je être encore celui que j'avais été ? Chimère n'avait fait que tuer, répétant à sa façon la même histoire humaine : la vie n'était qu'un chenal étroit, éclairé, comme aimait le raconter un poète baroque, par un fanal d'albâtre ; un passage obligé conduisant à la mort, seul destin des êtres. Car sans elle, sans cette existence, la mort ne s'accomplissait pas. Ainsi, par l'alchimie d'un bien étrange mys-

tère, la vie avait pour finalité la mort, mais pendant qu'elle durait, et pour ne pas s'éteindre, elle ne songeait qu'à batailler et tuer. Et j'avais vécu près de quatre-vingt-dix ans avec cette seule idée.

Moi, Chimère, mon temps s'achevait et je m'interrogeais comme le font les vieillards qui, ressassant leur passé, se prennent à douter : pour vaincre, fallait-il toujours combattre la vie ? La gloire de Golgotha reposait sur ce Principe. Mais le Vingtième Siècle avait été si décevant, si décourageant que la réponse se brouillait. Tant de morts, tant de périls, et pour seul résultat, l'incroyable désolation d'un monde désenchanté par lui-même. Le long cheminement de Golgotha, sa lutte contre les États, se terminaient, pour le temps parcouru par Chimère, dans la plus grande des confusions. État contre État, ou Bloc contre Bloc, le monde se montrait tout aussi insupportable. Pour que ces agrégats, ces ensembles néfastes et nuisibles à l'ordre naturel disparaissent, fallait-il que l'homme, son inventeur, s'éteignît à son tour ?

« Vous, Oracle, vous qui prenez ma place et qui parlez désormais pour Chimère, pensez-vous que l'homme doive mourir afin que triomphe Golgotha et son Principe si humain ? »

L'Oracle me prit la main et me sourit. « Retenez votre souffle, me dit-il. J'ai encore besoin d'apprendre pour être enfin vous-même. »

Ma rencontre avec celui qui devenait l'Oracle remontait à cette éclatante, ébouriffante décennie soixante-dix. L'Oracle n'était encore qu'un jeune étudiant en informatique dont les déclarations tonitruantes sur le campus de Stanford tordaient le cou aux conventions. L'Oracle passait, je le crois, dans ce milieu universitaire pour une sorte de gourou à la foi aussi vive que celle des prédicateurs des sectes religieuses. J'en vins à m'intéresser à lui en prenant connaissance d'un article qu'il avait publié dans une modeste revue de la nouvelle Silicon Valley sur sa vision du monde à l'ère de l'informatique. Le réseau ARPANET venait de réussir l'exploit inouï de relier vingt-

trois ordinateurs répartis sur quinze sites différents. Ils communiquaient entre eux. La diffusion des premières mailing-list *s'organisait, préfigurant, selon l'Oracle, la création d'une toile gigantesque couvrant un jour le monde et reliant les hommes à la vitesse de l'éclair, quand cet outil exploité par l'armée et les universités serait accessible au public. La décision reposait sur un choix philosophique : la loi du marché dont l'Amérique se faisait le champion. Alors, sa conclusion tombait. Elle était explosive. L'auteur prédisait, avec la naissance du* World Wide Web, *la disparition des États. Pas une loi, pas une règle ne pourrait s'opposer à un univers qu'il qualifiait de virtuel et dont l'effet révolutionnaire serait d'effacer les frontières, aboutissant ainsi au sacre de la liberté. En délivrant instantanément les données produites dans le monde, en ouvrant les bibliothèques, en permettant ainsi à tous de parler, d'échanger, de communiquer, l'informatique inventerait, un jour, une arme pacifiste et universelle qui mettrait fin à la tyrannie. Le savoir et les connaissances ne seraient plus réservés à une élite, et plus rien ne pourrait être enfoui, dissimulé ou caché. Les Blocs s'effondreraient, à commencer par l'URSS dont l'appareil bureaucratique exploserait sous l'effet de la transparence que, là-bas, on appelait la* glasnost.

Je fus si impressionné par cet article visionnaire, proche du Principe de Golgotha, que je courus le risque de rencontrer son auteur. Et ce jeune garçon ne me déçut pas. Si je m'en tenais à sa tenue et à son aspect physique, je ne détaillais qu'un étudiant loquace, attifé d'une chevelure frisée et épaisse, d'une barbe mal taillée et de lunettes disgracieuses. Mais, moi-même, qui étais-je, à quoi ressemblais-je, quand l'Archange m'avait reçu à Anvers ? M'appliquant à reproduire la procédure dont on avait usé à mon sujet, je l'avais fait approcher par l'Achéen de Mycènes, un Frère Enrôleur qui, en se présentant au nom de l'un de nos consortiums, prétendait agir dans le cadre d'un programme destiné à soutenir les projets estudian-

tins tournés vers l'informatique. Une commission ad hoc *avait été montée pour brouiller les pistes et j'en pris la présidence puisque j'étais le représentant des actionnaires de l'entreprise. Je reçus l'Oracle après d'autres candidats qui, maniant un charabia indigeste, s'époumonaient à vouloir convaincre un aréopage composé d'esprits dociles qu'ils étaient dignes du Nobel. On leur attribua des subsides qui leur firent croire au miracle. Puis, l'Oracle entra et au premier regard, je compris que ce garçon de taille modeste et sortant de l'adolescence portait un avenir exceptionnel. Il réussirait, je n'avais aucun doute. Et il pouvait le faire pour Golgotha.*

Pendant que des pions s'échinaient à le questionner pour prouver leur esprit besogneux, je ne cessais de l'observer et j'entendais différemment sa critique sans appel de l'État, condamné selon lui par la révolution de l'informatique. Mais plus étonnant encore, il ne manifestait aucune haine et en parlait comme d'une forme obsolète d'administration des hommes. Le progrès se chargerait d'y mettre fin naturellement. Et il prononça ces mots d'un ton parfaitement convaincu, en balayant l'air de sa main. Je mesurais, à cet instant, combien l'idéal politique exerçait peu d'ascendant sur lui. Ce n'était pas une question de dogme, mais un constat objectif, sans concession, fondé sur l'évolution. L'État était mort pour ne pas s'être adapté au futur. Et ce n'était que cela. Il n'y avait besoin ni de lutte ni de conviction. Ce n'était pas non plus l'anarchie qui guidait ses pensées. L'État ne méritait pas tant de considération. Il ne le combattait pas puisqu'il le jugeait faible et indigne d'être son ennemi. L'État appartenait au passé. Et je me sentis doublement vieux.

Au prétexte de sonder son ambition avant de décider si les intérêts que je représentais soutiendraient ses projets, je le revis plusieurs fois et, pour forger mon jugement, j'en vins à visiter « l'atelier » dans lequel il développait ses recherches sur un ordinateur dont il disait qu'il serait, un jour, personnel et dont chaque citoyen se servirait comme d'un outil de savoir, d'information et de connexion avec tous les autres. Cette pièce était encombrée de matériels disparates et il fallait produire un grand effort pour imaginer qu'ici se jouait peut-être l'avenir du monde. Mais faisant fi des apparences, je me laissai gagner par l'intuition. Je lui dis enfin que j'avais le pouvoir de lui octroyer des fonds très importants, mais que j'exigeais en retour de rester en contact et de contrôler ses travaux.

Chaque rencontre nous rapprochait et, multipliant les questions, j'approfondissais mon jugement. Pour moi, il ne faisait aucun doute qu'il pouvait être celui que je cherchais. Et quand je lui demandai comment, selon son avis, seraient régulés les échanges, si l'État devenait une chose inutile, il répondit simplement que le Marché, structuré par de puissants conglomérats comme ceux que je représentais, prendrait appui sur des institutions internationales, non étatiques, et financées par le don des plus riches pour venir en aide aux plus démunis. Ainsi, le ciment social serait assuré par la redistribution directe des ressources infinies dégagées par la croissance du Marché puisqu'il ne pouvait aller qu'en expansion. Et sa réponse faite aussi simplement, il se tut.

Ma seule question était de sauter le pas, de l'aborder sous l'angle de Golgotha. Et sur ce point, Chers Frères, je n'avais aucune idée. Mais, plus que la prudence, je crois que ce qui me freinait tenait dans la peur de le perdre. Qu'il s'éloigne. Qu'il m'abandonne. Et comme cela devait se produire, ce fut lui qui vint à moi.

« Il ne m'échappe pas, me dit-il, que, sur plusieurs points, nous partageons le même avis. » Il sourit et, en jubilant, ajouta : « Cela m'a poussé à vouloir vous connaître plus. J'ai donc questionné les bases de données, j'ai sondé la presse, je me suis plongé dans celle qui classe les fortunes. Pas une ligne sur vous. Je fais face à quelqu'un qui n'existe pas. Alors, qui êtes-vous, que cherchez-vous ? » Il pointa le doigt sur le revers de ma veste : « Que signifie cette étoile ? » Je l'ôtai et la lui tendis :

« C'est un signe. Un espoir vers lequel je vais depuis longtemps. C'est aussi celui que portent d'autres que moi. Nous sommes Dix d'une égale importance. Dix comme chaque branche de cette étoile. Dix à croire que l'État est inutile à l'homme, qu'il freine son génie, sa liberté, son invention. Dix dont vous ne soupçonnez pas l'existence car nous n'aimons pas la gloire et la lueur de cette étoile nous suffit. » Il me rendit l'insigne de Golgotha et moi, je continuai : « Je vous ai entendu parler d'un monde délié de ses entraves, où circuleraient librement les personnes, les biens et l'information. Est-ce bien ce qui vous attire ? » Il fit oui de la tête. « Depuis un temps immémorial, repris-je, cette étoile guide notre action. Et je ne suis que l'héritier d'une dynastie immense dont le dessein se veut profitable à autrui, même si les moyens employés pour parvenir à cette fin furent regrettables. J'ai été, ajoutai-je, jusqu'à me joindre à la guerre. Je l'ai encouragée. J'en fus un témoin objectif et froid, un acteur détaché. Je crus en ce que je faisais jusqu'à vous rencontrer car vous parlez du même rêve en affirmant qu'il pourrait se réaliser pacifiquement. Vous décrivez un futur conquis par les bienfaits d'un progrès conduisant à l'effondrement des barrières tenues par les États. Est-ce ce que vous désirez ? » Il ôta ses lunettes qui accentuaient un air candide : « Ma vérité exige beaucoup d'argent. C'est là son seul défaut. » « De simples capitaux, répliquai-je. La puissance le permet. » « En retour, qu'exigeriez-vous ? », poursuivit-il. « Rien, car nous agirons pareillement, partageant le même intérêt. » Il me montra un ordinateur : « Bientôt, cet outil devenu indispensable aux hommes les dominera, car l'on peut décider de sa "philosophie". Outil de liberté ou de coercition ? De guerre ou de paix ? Ce n'est pas une question de morale, mais de programmes, de logiciels, de réseaux. De ce qu'on lui donnera à calculer. Il suffit donc d'imposer sa "philosophie" à l'informatique pour gouverner demain le point de vue de chacun. C'est aussi simple que cela. » Il s'avança vers moi : « Si votre pouvoir est grand, lança-

t-il, je suivrai votre étoile. – Si ce que vous promettez est vrai, répondis-je, elle vous permettra de réaliser notre rêve.» Je marquai un temps avant d'ajouter : «Que vous faut-il?» Il éclata de rire comme l'aurait fait l'enfant demandant la lune : «Posséder la plus grosse compagnie informatique de la planète, quand la Toile s'ouvrira au monde.» Et je souris aussi, puisqu'il me donnait le moyen de lui montrer la véritable puissance de Golgotha.

106

Alfred Unbewust a décidé de renoncer à se battre. La lassitude s'ajoute à l'âge. Ce régime, ce pays, il n'y croit plus et il a commis l'erreur d'afficher ses idées. Or, l'inquisition est une affaire scrupuleuse, construite sur d'infimes détails. Parfois, il suffit de tendre l'oreille. Puis, de noter des paroles. Puis de les classer, de les archiver pour plus tard, en prévision d'une accusation. Depuis des siècles, la méthode ne diverge pas. Unbewust a l'aura et le prestige du communiste et du résistant, mais au fond, qui est-il vraiment ? On se souvient alors qu'il a refusé sa nomination à la Stasi, préférant le refuge de la musique. Le conservatoire de Berlin ne se plaint pas de ses services et, dans les premières années, le professeur émérite a largement participé à la pénible édification du socialisme. Mais comme il trouve long et fort discutable l'inévitable passage par la dictature du prolétariat, immanquablement cette opinion finit par être entendue par un des deux cent soixante-six mille collaborateurs de la Stasi qui, malgré leur nombre, sont difficiles à repérer. La police politique a en effet érigé un système fondé sur la délation. Pour amener un citoyen à devenir collaborateur, il suffit de l'espionner et de lui coller un défaut. Pris au piège, sa liberté se négocie au prix fort. Ainsi, la Stasi peut annoncer qu'elle ne compte que quatre-vingt-onze mille agents officiels. Les occasionnels ne coûtent pas un seul mark (de l'Est) et personne ne peut échapper à une surveillance permanente et réciproque passant par les écoutes téléphoniques, les conversations saisies dans les restaurants, les témoignages collectés au travail, le relevé scrupuleux des achats, des emprunts à la bibliothèque, des réunions sportives, les enquêtes de voisinage et la lecture des lettres venues de l'étranger. Alfred Unbewust, lui, en reçoit trop. Et que signifie cette sorte de négoce – de marché noir – avec l'Occident portant sur l'échange de timbres ? Bien sûr, il n'y a pas d'argent, du moins, on ne parvient pas à en trouver la trace, mais tout cela sent la corruption, la décadence, pis, la tentation de l'Ouest. Le dossier s'épaissit et il ne manque qu'un détail pour tambouriner à la porte de ce camarade, et l'obliger à suivre les hommes en manteau gris dans une de leurs dix-sept prisons *préventives* afin de subir un interrogatoire incertain sur la durée, mais bafouant sans vergogne les droits de la défense.

Ce fameux élément arrive le 9 janvier 1980 au quartier général de cette police omnipotente, situé à Berlin, sur la Normannenstrasse. L'agent de service Dietrich Bachmann, affecté au dossier Alfred Unbewust, prend connaissance d'un rapport circonstancié portant sur une conversation houleuse ayant trait à l'invasion de l'Afghanistan par les troupes soviétiques. Le professeur de musique, malgré ses soixante-cinq ans, s'est opposé farouchement, et devant ses élèves, à cette action militaire. Il appelle même à manifester pacifiquement contre l'assignation à résidence à Gorki de l'intellectuel Andrei Sakharov. Et réclame ni plus ni moins sa libération. Enfin, il exige que les sportifs de la RDA se joignent à la contestation en boycottant les jeux Olympiques organisés cette année-là à Moscou. Qu'il soit activiste ou simple illuminé gagné par la sénilité, il représente *objectivement* un danger pour l'ordre social.

Dietrich Bachmann termine la consultation de son rapport, lit encore deux ou trois choses sur le cas Unbewust. Puis, il écrase sa cigarette et soupire en décrochant son téléphone intérieur :

— Il me faut deux types et une voiture.

La machine se met en route.

*

* *

Aux trois questions posées, Unbewust a répondu non. A) Il ne retire aucune de ses paroles. L'invasion de l'Afghanistan est un crime assimilable à l'invasion de Prague par les chars soviétiques. B) Il refuse de collaborer avec la Stasi en échange d'une libération conditionnée à une mise à l'épreuve. C) Il n'a pas à s'expliquer sur ces lettres reçues d'Alfred Picard. Cette relation relève du domaine privé et amical.

Et l'agent de la Stasi note placidement.

— Mais, ajoute son prisonnier, ce qui me pousse avant tout à ne pas vous répondre, c'est l'ignoble impression de revivre quarante ans plus tard ce pourquoi je me suis battu. Et en vous regardant bien en face, je ne trouve aucune différence avec ceux qui ont torturé et tué mes camarades communistes.

Une gifle puissante est partie. Et Unbewust s'effondre sur le coup, signant sa défaite, à défaut d'aveux. Dietrich Bachmann n'est qu'un fonctionnaire ordinaire d'un système médiocre qu'il sert sans état d'âme, mais aussi sans passion. Il rédige donc son rapport et signe lui-même le procès-verbal d'emprisonnement d'Alfred Unbewust jusqu'à la tenue des jeux Olympiques. Il lève son stylo, hésite un instant et ajoute : « *Dossier à reconsidérer après J.O. Moscou. L'internement doit certainement être renouvelé par la suite, selon l'évolution de la campagne militaire en Afghanistan. Unbewust est un farouche opposant politique à l'action internationale soviétique.* »

Il souligne les derniers mots et se félicite. Ils sont bougrement corrects et parfaitement pesés. Aucun ne peut lui être reproché. Du moins tant que la mère patrie du communisme occupera son pays.

PRINCIPE DE GOLGOTHA

Rapport du Neuvième Décemvirat
Pénultième Paragraphe (fin)

L'Homme ou l'État, qui disparaîtra, qui sera détruit? Vous, Frères de Golgotha, vous, mes Très Chers Frères du Dixième Décemvirat, vous répondrez à la question car je m'en vais, quand rien n'est achevé. Mais je veux croire en l'Oracle. En 1980, son point de vue commence à triompher. Il proclame que l'informatique gouvernera le monde et que Golgotha gouvernera l'informatique. «Bientôt», ajoute-t-il, avec l'exaltation de ses trente ans. Même en faisant la part des choses, et si le chemin reste long, il est vrai que les hommes accèdent peu à peu à sa Prophétie. Ils prennent goût aux délices cathodiques qui se moquent des frontières et des lois nationales. Ils les aimeront universellement, soutient-il, quand l'URSS s'effondrera, ce dont le Décemvirat ne doute plus. Alors, la loi du marché, si fluide et si liquide qu'elle échappe à la poigne du tyran, se répandra sur les terres de l'Est et de l'Asie qu'il reste à conquérir. Et, à ce moment attendu, Golgotha sera prêt. Pour la guerre ou pour la paix.

Ma vie repasse lentement, et il me vient ces élans, faits d'espoir et de doute, qui ont jalonné plus de six décennies. J'interroge notre Principe qui nous oblige à agir secrètement. Qu'y a-t-il d'irrecevable dans le fait d'afficher notre volonté de détruire les États? Et mes idées me portent audacieusement plus loin. Golgotha prévoit que la destruction des États passe par la guerre. Mais cette étape est-elle nécessaire ? Et j'imagine ardemment le jour où les États s'écrouleront d'eux-mêmes, terrassés par la marche du pacifisme. La victoire naturelle de l'universalisme ? Si je ne cède pas à cette vision, mes convictions vacillent. N'est-ce pas ce qui se prépare en URSS ? Ce Bloc s'effondre. Il n'en peut plus. Et je prédis que le Marché triomphera de lui-même. Les questions que je me pose alors – sursaut d'anarchie ? – reviennent à me demander si Golgotha ne pourrait vaincre en démontrant ouvertement les avantages d'un monde libéré de la dictature des États. Cet avenir est si prometteur qu'il mériterait d'être propagé. Doutons-nous du Principe ? Aurions-nous peur de l'État, notre ennemi ? En serions-nous indignes ? Il suffirait d'exposer ses vices, ses défauts, ses mensonges ; de dire combien nous l'avons corrompu, d'afficher la vraie nature des cryptocrates pour éveiller la rancœur et la haine. De fait, ne pourrions-nous pas détruire sans passer par la guerre ? Mais, préférant nous taire, nous avons utilisé les armes, enrichi leurs marchands, fermant les yeux sur des millions de morts et profitant de la guerre pour asseoir notre puissance. Et nous avons collaboré avec l'État, infectant cette charogne comme le serpent le fait, le rappelait l'Archange, en foudroyant sa proie. Mais sans l'ingérer totalement et tirant même avantage de son existence. Ainsi, nous nous sommes objectivement servis de notre victime ; nous l'avons épuisée pour accroître notre force, en nous nourrissant toujours d'elle, de sorte que Golgotha ne sera rien, comme vidé de sa substance, comme sans raison de vivre, quand ces États que son Décemvirat martyrise viendront à disparaître. Golgotha s'éteignant quand sa proie en fera de même, voici la décision que prirent les Premiers Très Hauts Magistrats et qui surgit de la nuit des temps. Mourir, quand l'État suivra cet exemple, voici donc le Principe que devra appliquer le Dixième et Dernier Décemvirat. Mais alors que ce sacrifice s'annonce et que Golgotha avance vers son propre calvaire, je ressens le poids immense et l'ivresse de cette décision. Au point que j'en viens à douter de notre volonté d'en accepter la fin si humaine.

J'ai dit aussi que, pour vaincre l'État, il fallait détruire ce qu'il promet. La guerre nous aide, c'est vrai, et pour la provoquer nous devons nous servir de l'utopie, en exacerbant les rêves qu'elle sous-tend. Pour elle, les hommes sont décidés à se détester, prêts à détruire, voire mourir. Patrie, honneur, religion... Les pistes ne manquent pas et le siècle à venir en regorgera. Mais partager la connaissance, supprimer l'obscurantisme des États, de leurs religions, de leurs constitutions, n'est-ce pas une belle utopie qu'il faut encourager ? La paix, n'est-ce pas mieux que la guerre ? Et nous, périr pour elle, n'est-ce pas encourageant ?

Enfin, j'ai écrit que la solidité de Golgotha reposait sur le secret. Cependant, est-on certain que ce fonctionnement opaque ait toujours été respecté ? Je me souviens des lettres de la Première Guerre, planant sur Golgotha, menace fantomatique dont nous n'avons jamais retrouvé la trace et je mesure toujours la fragilité de l'édifice. Mais les Très Hauts Magistrats récemment choisis parlent d'elles comme d'un grimoire, ils raillent leur Frère le plus âgé. Chimère a en effet quatre-vingt-dix ans. Et il vous quitte en ajoutant ceci : l'oxydation est aussi une règle dépassée. Chaque jour, une nouvelle le prouve. Malgré les algorithmes de cryptage, un vieillard soutient que la solidité d'un système informatique ne sera jamais assurée. Un pirate lambda peut pénétrer, empoisonner un système, frappant tel un virus et dévoilant Golgotha. Dès lors, ces méthodes fondées sur la guerre, la manipulation ou le terrorisme n'ont-elles pas fait leur temps ? Ma plume refuse d'avancer. Mon temps est fini. Je cède la place à l'Oracle.

Frères de Golgotha, le Neuvième Décemvirat tend un flambeau dont la flamme montre le chemin. La mort des États est le Principe. Et vous devrez choisir quand et comment. En agissant par la voie de la guerre, vous mettrez en danger l'homme que vous voulez servir puisqu'il dispose aujourd'hui des moyens de se détruire. En affichant votre dessein et en révélant notre dessein, vous deviendrez alors la cible des États, menaçants comme l'est une bête blessée. Il vous reste donc tant à réussir ou tant à redouter car vous êtes le Dixième et Dernier Décemvirat.

À Anvers, en 1918, l'Archange m'avait dit : « Retenez tout ce qui a trait à votre action. Puis, le moment venu, vous reporterez ce que vous aurez produit, exécuté, accompli. Pensez-y dès aujourd'hui, mais sans jamais céder à l'orgueil et sans rien omettre de vos faiblesses ou du pire que vous auriez commis ou connu. Cela n'a rien à voir avec la morale, le bien ou le mal. Il s'agit d'un rapport rigoureux qui viendra nourrir l'édifice de Golgotha. Ce ne sera que cela. Pourtant, il s'agira d'une contribution essentielle, un caillou blanc sur le chemin de la Vérité, puisque nous sommes les seuls à savoir ce qu'il en est de l'Histoire et que vous en écrirez le pénultième paragraphe. Après, il n'y en aura qu'un. Et celui que vous choisirez pour le composer devra réussir en décidant de la fin, puisque Golgotha s'effacera alors, retournant à la nuit, couronné par le triomphe ou l'échec. » Il avait ajouté : « Vous sentez-vous capable d'accomplir votre tâche ? » Je l'ai cru longtemps et laisse pour finir des questions auxquelles je ne réponds pas, Chimère se taisant pour renaître en l'Oracle.

107

Picard s'interroge. Cédera-t-il le *Comptoir du Fin Philatéliste* ? Ce n'est pas qu'il se lasse ou qu'il s'ennuie, mais un métier comme le sien exige une patiente formation, de l'expérience, un savoir qui ne s'apprend pas dans les livres. Or les années filent. Il serait temps de chercher un jeune à qui il transmettrait ses richesses. Et que fera-t-il des lettres que lui a confiées Isaac Bernstein ? Ce sujet le ronge. Si, au moins, il pouvait mettre fin au silence d'Unbewust...

*
* *

Son voyage à Berlin avait été un échec. Pendant un long moment, il y avait pensé comme à un piège. Il était tombé dans la toile sournoisement tissée par cet Allemand. Le jour de son arrivée, à l'hôtel *Alexanderplatz,* alors qu'il prenait ses quartiers, il avait reçu la visite alarmante d'un agent de la Stasi. Comment s'appelait-il ? La mémoire lui manque. Dietrich Bachmann ! souffle-t-il en s'arrachant du fauteuil pour tourner l'omelette qui dore dans sa cuisine. Bachmann... Un homme froid, épais, placide qui n'avait posé que des questions générales sur sa visite à Berlin. Picard avait répondu calmement, parlant d'un voyage d'agrément accouplé à son travail. Il était philatéliste. Il recherchait des timbres, brandissant pour preuve sa petite annonce parue dans une revue spécialisée.

— Si je cachais quelque chose, je n'aurais pas annoncé ma venue, argua-t-il fièrement sur-le-champ.

Mais cette logique cartésienne ne sembla pas convaincre le type de la Stasi. Il avait fouillé les bagages, passé au peigne fin la chambre et consigné les timbres détenus par Picard, au motif que ce commerce était prohibé en RDA. Dedans, il y avait le précieux legs d'Isaac Bernstein. Au prix d'un effort considérable, le Français s'était interdit de protester, par peur d'augmenter les soupçons.

*

* *

Les trois jours suivants avaient été parmi les plus durs de sa vie. Unbewust ne se manifestait pas et Picard s'en félicitait, mais maudissait à la fois ce silence. Dans quel traquenard était-il tombé ? Monté par qui ? Cet Allemand, en qui il avait eu confiance, se plaçait-il du côté de la proie ou du chasseur ?

Le jour du départ, n'ayant rien fait pour l'avancer ou le retarder, il reçut à nouveau la visite glaçante de Bachmann.

— Avez-vous fait de bonnes *emplettes* ? demanda l'agent de la Stasi ne cachant pas son plaisir d'avoir usé d'un mot français qu'il avait dû chercher bien longtemps.

Ce n'était pas le terme qu'aurait choisi Picard.

— Rien. Je repars bredouille, répondit-il prudemment, puisque je ne veux pas enfreindre vos lois.

Dietrich Bachmann sortit alors les timbres et les enveloppes qu'il avait confisqués.

— Je vous les rends.

Au premier coup d'œil, Picard comprit que l'Allemand n'avait pas pris le soin de les étudier. Ils étaient dans le même ordre de classement et les lettres confiées par Bernstein se montraient toujours. L'agent de la Stasi lui tendit le tout, mais, au dernier moment, il retint son geste :

— Connaissez-vous Alfred Unbewust ?

Fallait-il mentir, et se faire piéger, ou avouer la vérité, au risque de nuire à celui qu'il était venu rencontrer ?

— Comment dites-vous ? répondit-il, cherchant une solution.

— Unbewust, répéta Bachmann, manifestant un soudain intérêt.

Ce petit éclat dans le regard décida le Français.

— Bien sûr, se jeta-t-il. Pardonnez-moi. Oui, nous nous sommes écrit plusieurs fois. Une passion commune autour du timbre.

— Comment le connaissez-vous ?

— Le monde des philatélistes est sans frontières, rétorqua-t-il en se forçant à la légèreté. Les revues, par exemple, sont un moyen de rester en contact. Pour Unbewust, je crois que c'est la revue *Philatélio*.

— Il y est, en effet, abonné.

Cette précision suffit pour que Picard comprenne qu'Unbewust était en danger. N'y tenant plus, il posa à son tour une question :

— Au moins, pouvez-vous me dire ce qui se passe avec cet homme que j'aurais eu plaisir à rencontrer si, bien sûr, cela m'avait été permis ?

— Renoncez à cette idée, monsieur Picard.

Et il se décida à rendre son bien au Français.

— De plus, ajouta-t-il, ne cherchez pas à entrer en contact avec lui.

— Que lui est-il arrivé ? tenta le Français d'une voix éteinte.

— Allons, monsieur Picard, ne gâchez pas votre voyage. J'oublierai votre curiosité et nous en resterons là. Je vous souhaite un agréable retour.

*

* *

Picard a repris l'avion à Berlin. Depuis, il n'écrit plus à son correspondant allemand. Et, chaque mois, il parcourt les annonces de la revue *Philatélio* dans l'espoir improbable de recevoir un message. Pour une raison inconnue, Alfred Unbewust est tombé entre les mains de la Stasi dont la funeste réputation parvient à ceux qui s'en préoccupent. Picard y voit l'écho de la Gestapo et, dans les moments d'abattement, rapproche le destin d'Alfred Unbewust de celui de tous ceux qui ont eu en main ces lettres. Bernstein, Heinrich von Mietzerdorf... Tous deux déportés. À cause du contenu de ces messages ténébreux, en conclut-il. Une malédiction touche ceux qui tentent d'élucider le mystère. Et il ne lui en faut pas plus pour s'imaginer qu'un jour, il en sera lui-même la victime. Aussi, a-t-il arrêté une décision. Avant de mourir, il détruira ce secret pour n'obliger personne à porter une charge si lourde.

108

Picard ne supporte plus l'hiver. Il se sent vieux, grippé, fatigué. Il traîne chez lui, ouvrant peu son commerce, meublant sa solitude avec les images du journal télévisé qui montrent le départ des troupes soviétiques d'Afghanistan. Cette année 1989 débute comme les précédentes : une litanie qui conduit lentement à la mort de la dictature communiste. Avant, il y avait eu l'effroyable accident de Tchernobyl qui, à l'image d'une tragédie antique, et brutalement planétaire, illustrait les fissures formidables d'un système dévasté de l'intérieur. C'était en avril 1986. Quelques mois plus tard, un Allemand, narguant l'armée la plus redoutée du monde, s'était posé à Moscou avec un avion de tourisme et, comble de la provocation, sur la place Rouge. Quoi encore ? Andrei Sakharov est enfin libre. Et, depuis Paris, Picard imagine la fin prochaine du plus vaste empire de la Terre. Mais sa satisfaction s'arrête là. Albert Unbewust demeure farouchement invisible.

*

* *

Renonçant à la prudence, il avait fait jouer ses relations, cherchant parmi les collectionneurs qui lui ménageaient leur confiance, la personne idoine pour le renseigner. Et il se souvint de Hubert de Viraine, haut fonctionnaire du Quai d'Orsay, détenteur d'une belle collection sur les colonies françaises. Picard l'appâta en annonçant qu'il se dessaisissait de son tiroir 787 consacré au Vietnam, là où dormait une série complète (oblitérée le premier jour) dédiée au prince héritier Bao-Long. En lisant ses mots sur un bristol, le diplomate courut rue de l'Odéon.

— Allons, pas de chichis, attaqua Picard. Je sais que vous y tenez et je m'en défais volontiers si cela vous est agréable.

— Quel prix ? s'inquiéta Viraine.

— Rien. C'est un cadeau de la maison. Vous savez, je me fais vieux, et qui sait si, un jour, je ne bazarderai pas tout ça pour le prix du papier...

— Surtout, tenez-moi informé, osa rêver tout haut le diplomate.

— Je n'y manquerai pas.

Et se servant de cette promesse, Picard aborda le seul sujet qui le préoccupait. Car son cadeau réclamait, en échange, une information.

— Voyagez-vous toujours autant ? se renseigna-t-il calmement.

— Effectivement moins, répondit ce client, d'une voix où pointait le ton distingué des Affaires étrangères.

— Ainsi, vous ne retournez pas en Russie ou dans ses satellites ?

— Heureusement, rien ne m'oblige à aller à l'Est.

— Vous ne croyez pas à l'effondrement de l'URSS ?

— Nous en avons pour des décennies, soutint le spécialiste.

Et il se leva, convaincu d'empocher son cadeau. Mais Picard n'en avait pas fini :

— Et moi qui voulais vous demander un service, gémit-il, en se saisissant des timbres vietnamiens convoités par son visiteur.

— Si je peux, commença prudemment ce dernier, sans lâcher des yeux son petit colis.

— Avez-vous le moyen de savoir, via notre ambassade en RDA, ce qu'il serait advenu à un vieil ami allemand ?

Le diplomate se mura dans l'obligation de réserve.

— Il fut résistant, insista Picard. Il lutta contre le nazisme.

Hubert de Viraine se redressa et caressa sa Légion d'honneur.

— Je crains qu'il n'ait été arrêté par la Stasi, précisa encore Picard.

— C'est pas bon, grimaça l'autre dans un style un peu trop familier pour le noble ministère qu'il servait.

— Au moins, cela vous indique dans quel camp il se situe.

— Et que voulez-vous apprendre ? ajouta Viraine à contrecœur.

— Est-il vivant ? Et si oui, où est-il ? C'est tout.

Alors, il tendit les timbres au diplomate.

— Nous verrons, répondit ce dernier, associant dans ce style impersonnel la hiérarchie indéfinie du Quai d'Orsay dans laquelle se diluait sa propre responsabilité.

Mais en partant, il n'oublia pas de prendre *ses* timbres.

*

* *

Le 12 juin 1989, Alfred Picard reçut un appel de Viraine.

— Ça n'a pas été simple, commença-t-il pour que son interlocuteur mesure parfaitement la grandeur du service. J'ai, ajouta-t-il, en oubliant le pluriel, mené mon enquête. Votre ami est placé en résidence surveillée.

— Il est donc vivant ?

— Aux dernières nouvelles...

— À quand remontent-elles ?

— Six mois. Croyez-moi, pour ce pays, cela s'appelle l'actualité ! Mais n'espérez pas trop. La notion de résidence surveillée est variable. En URSS, on y associe le goulag... Alors, dans quel état est-il !

— J'ai confiance. Il tiendra, répondit Picard comme s'il connaissait cet homme. Merci, je n'oublierai pas ce que vous avez fait...

— En retour, informez-moi quand vous vendrez votre collection.

— Vous pouvez y compter.

Alfred aurait promis à peu près tout, tant il se sentait heureux et porté par la joie qui accompagne une nouvelle inespérée après un combat incertain. Il y pensait comme à la rémission d'une maladie mortelle, y voyant comme l'annonce miraculeuse qu'un proche, jusque-là condamné, s'accrochait et pouvait s'en sortir. Un ami, s'avoua-t-il, en décidant qu'il en serait désormais ainsi.

109

Hans Gaab préférait les séances de tir à la course à pied ou au parcours du combattant qu'on lui imposait depuis son incorporation dans l'armée populaire nationale de la RDA, la NVA. Couché ou debout, il mettait dans le mille. Il fermait un œil et visait, tirant à l'instinct, à l'exact moment où, sans s'expliquer pourquoi, il savait que le projectile atteindrait sa cible. Ignorant le bruit assourdissant de la poudre, il ne décrochait pas, ne baissait jamais la tête, cherchant, dans l'air cotonneux et humide du petit matin, le tracé brûlant de sa balle. Impossible de la voir, bien sûr, mais sentir son trajet et comme communier avec... Là-bas, à plus de cinquante mètres, elle entrait dans le cercle rouge et noir et la jeune recrue devinait déjà que son chef ne tarderait pas à venir se placer devant lui, avant de lui taper sur l'épaule pour le féliciter.

— Grâce à tes qualités de tireur, je vais pouvoir te muter à Berlin, lui avait-il promis.

Gaab s'était dit que la ville serait toujours mieux que ces longues marches dans la forêt qui longe la frontière avec l'Allemagne de l'Ouest, à chasser le fuyard qui tente de s'évader. D'ailleurs, il ne pouvait refuser. Si bien que, depuis février 1989, il est en place et s'en mord les doigts.

— Il bouge. Tu tires. Il détale. Tu tires. Il lève les bras en te suppliant de ne pas le faire, et tu tires quand même.

Sur la base de ces indications, Chris Gueffroy n'avait guère eu de chance d'échapper aux balles des soldats tireurs positionnés sur le mur de Berlin. Il était mort, le 6 février 1989. Et Hans Gaab avait vu ce corps se plier et se tordre comme l'asticot que l'on coupe en deux et qui s'entête à vouloir vivre, à ramper, à s'échapper.

Un coup de feu qui résonne dans la ville, ce n'est pas comme à l'entraînement ou à la chasse, entouré de ses chiens. Ce n'est plus un jeu. C'est une histoire de mort. Et Hans Gaab ne s'en remet pas. Mais il n'est pas le seul. Depuis peu, on raconte que le Mur va sauter. Alors, il y aura un procès contre ceux qui auront descendu les gens de l'Est tentant de passer à l'Ouest. Tout cela s'ajoute pour qu'au final, les gardes aient moins l'œil sur le Mur, ou mieux, qu'ils le détournent quand une silhouette file dans le noir, non loin du passage de la Bornholmer Strasse, là où Gaab monte la garde.

Au soir du 9 novembre 1989, le soldat tireur prend son tour. Encore une nuit, et il partira en permission, priant jusque-là pour ne pas croiser d'ombres.

*
* *

C'est un bruit qui circule, qui navigue, qui vogue dans la ville. Le Mur va s'ouvrir. Non, il est ouvert. Et malgré la peur qu'inspirent ces lieux, ils sont quelques centaines et bientôt des milliers à faire le voyage. Peu à peu, les journalistes des radios et des télévisions se pressent au point de passage de la Bornholmer Strasse. Ils viennent de l'Ouest et tendent leurs micros, leurs caméras à ces visages qui, par-delà le Mur, au-dessus des barbelés, hurlent qu'on leur ouvre la porte. Gaab est dans son mirador. Il n'a reçu aucune consigne.

Il est comme les autres. Il panique. Il demande les ordres et son chef croit savoir que le gouvernement a déclaré, ce soir, ce 9 novembre, que le passage à *l'étranger* était autorisé. Plus de visas. Plus de tampons.

Et plus de tireurs ?

En bas, la foule supplie les soldats de déposer leurs armes, de se joindre à elle, de laisser passer puisque c'est fini. Des jeunes, des vieux, tous ont des pioches et des pelles, mais ce n'est pas pour les menacer. Ils veulent tuer le Mur qui a tué. Simplement cela. Il y a des femmes, des enfants et Hans Gaab sait que des femmes et des enfants sont morts ici. L'image de la foule se brouille, elle flotte dans le halo des projecteurs. Lui revoit le corps mourant de Chris Gueffroy. Alors, il baisse son arme. Et le peuple voit ce geste, cette action de grâce. Il y a des applaudissements, des cris de joie. L'instant entre dans le viseur des caméras, des satellites le captent, le diffusent. Partout, dans le monde libre, des millions de téléspectateurs le savent. La chute est proche, à deux doigts de se faire dans la paix. Si l'un des soldats tireurs ne pose pas le sien sur la détente.

Hans Gaab jette un regard en direction de son chef. Et pour se faire comprendre, lui aussi rentre son pistolet dans son étui. Maintenant, il fait signe au premier rang qui se presse contre le Mur et lève les bras. « C'est fini », hurle-t-il aux milliers de bougies qui brillent dans la nuit et dont il ne devine pas la fin tant le cortège est long. Hans Gaab se dit que tout cela aurait pu s'arrêter avant. Bien avant la mort de Chris Gueffroy. Et peut-être que ça n'aurait même pas dû commencer. Il descend de son mirador, puis range le fusil dans le local navrant où, depuis 1961, les soldats tireurs sont passés.

Et demain, il fera quoi ?

*

* *

Alfred Picard ne dort pas. Cette nuit-là, il suit en direct les images des télévisions qui montrent la chute du mur de Berlin. C'est l'immense fraternisation d'une foule sans haine. Le premier vrai mouvement de paix depuis 1939. La bière circule, les premières personnes s'attaquent au Mur et chacun, maillon d'une chaîne, y va de son geste, détruit une part infime de ce bloc obscur. Un inconnu se jette dans les bras d'un autre et, lançant la cadence, les deux font naître une ronde païenne dans laquelle tous se pressent pour exorciser, faire partir en poussière, éparpiller ce monde qui vécut trente-cinq ans sous la menace. Cette nuit est chaude, bouillante, explosive. Simplement heureuse. Elle répond à toutes celles qui furent glaciales, désespérantes, douloureuses. Froides comme la guerre qui vient de s'achever.

Vers minuit, le téléphone sonne chez le philatéliste. Et ce n'est pas classique. Mais il est dit que, cette nuit, toutes les peurs s'effaceront.

— J'appelle d'une cabine. Je ne peux pas rester longtemps. Je voulais joindre quelqu'un pour lui dire que nous étions libres. Et j'ai pensé à vous. Ai-je eu raison ?

Il vient de reconnaître la voix d'Unbewust. Et dans son téléphone, il entend le violoncelle de Rostropovitch. Mais sur sa télévision, il le voit jouer aussi. L'artiste est au pied du Mur. Il accompagne ceux qui le détruisent. Ce sont les mêmes accords. Irréels et vrais. Unbewust est vivant.

110

Ils embarquent dans un train puisque les avions sont pleins. C'est une cohue joyeuse. On se pousse, on chahute, on est comme en famille. C'est celle de ceux qui viennent célébrer la chute du Mur. Il y a beaucoup de jeunes et tous se promettent de rapporter en France un morceau d'histoire. Ils casseront du béton de Berlin. Ils en donneront à leur retour pour que tous voient, pèsent, touchent la vérité. Berlin est libre. Et Picard fait partie de l'aventure.

Il a pensé à l'hôtel *Alexanderplatz*, celui où il s'était installé, dix ans plus tôt, attendant désespérément un signe d'Alfred Unbewust. Un choix décidé sur le coup, quand ils ont raccroché sur cette promesse : rendez-vous à Berlin. Dans deux jours.

— Hôtel *Alexanderplatz* ! n'a trouvé qu'à hurler Picard comme s'il cherchait à couvrir les cris des manifestants qui résonnaient dans son salon, jaillissant du téléphone et de la télévision.

Unbewust a-t-il entendu ? La ligne s'était coupée. Et loin dans la nuit, le Français avait cherché, le nez plongé dans l'écran, le visage de son ami parmi cette foule dont les caméras diffusaient infatigablement le bonheur. À l'aube, il s'était couché, pour se relever aussitôt, armé d'une énergie nouvelle et surprenante chez un homme de soixante-quinze ans. De quoi avait besoin Unbewust ? D'argent, de vêtements, de nourriture... Alfred ne put s'empêcher de revoir les images douloureuses du *Lutétia*, quand, en 1945, il avait attendu le retour d'Isaac Bernstein.

— Les lettres, aussi, murmura-t-il à lui-même.

Oui, il les emporterait.

*
* *

A-t-il autant changé que l'être qui lui fait face ? Alfred Picard se souvenait d'un personnage solide, posé, installé dans l'âge mûr et il sonde le visage d'un autre, épuisé et pâle, parcouru de rides infinies, stigmates de sa souffrance, de ces années d'isolement. Les mains fines sont désormais étiques, raidies, colorées de taches. Elles tremblent, aussi. Il gardait l'image d'un homme mince, celui-ci est maigre, décharné, flottant dans une chemise fripée devenue trop grande et dont le coton élimé aux poignets révèle le dénuement. Pour sauver l'apparence, il a chichement fermé le bouton du col, mais au-dessus, saille sa pomme d'Adam sous une peau mince et diaphane. Unbewust a été libéré le jour de la chute du Mur, profitant d'une vague d'amnistie dans l'unique espoir, pour leurs auteurs, d'obtenir en échange pardon et mansuétude. Le régime tombe. Les coups se rendront plus tard.

— Je suis heureux de vous voir, débute l'Allemand d'une voix faible.

— J'ai bien dû vieillir un peu, répond affectueusement le Français qui voudrait tant partager la souffrance de l'autre.

— Sans doute, répond l'Allemand en y mettant de la malice, car vos journées ont très certainement filé plus vite que les miennes...

Et sans chercher pourquoi, ils s'abandonnent à un fou rire que rien ne peut arrêter, croquant dans ce moment parfait, comprenant qu'ils sont devenus amis, complices du secret qu'ils partagent et dont ils sortent enfin vainqueurs. Leurs yeux racontent. Ils ne gâcheront pas ce plaisir. Ils partageront leurs lettres. Et ainsi, elles seront vraiment à eux.

*

* *

Alfred Unbewust avait heureusement pris soin de dissimuler les papiers qu'il conservait. Et ils dorment toujours au conservatoire de musique, dans la bibliothèque, derrière une rangée de partitions poussiéreuses, calées sous une étagère. Le jour même, il se rend d'ailleurs dans les lieux pour récupérer son bien. Son apparition fait forte impression. Des collègues l'applaudissent, expliquent combien ils ont regretté son arrestation. Unbewust ne répond rien. Il scrute les visages, cherchant celui qui l'a dénoncé à la Stasi. Et s'offre même le plaisir de brandir les documents qu'il avait dissimulés.

— Et dire qu'ils cherchaient ça ! lance-t-il à la cantonade avant de quitter le conservatoire sur ce beau mensonge.

Picard l'attend. De loin, Unbewust lui montre sa prise et le Français lui répond en formant avec les bras le signe de la victoire. On croit voir deux vieux enfants.

— Que fait-on ? murmure le philatéliste qui se prend au jeu et se laisse porter par cette atmosphère d'espionnite.

— En premier, nous allons déjeuner à l'Ouest. Pour le plaisir de passer Checkpoint Charlie sans avoir à baisser la tête...

*

* *

Alfred Picard a commandé un excellent cru français que son invité déguste lentement. Les lettres patientent dans leurs poches. Pourquoi se presser ? La priorité est de savourer le moment, de se découvrir, de se connaître. Chacun se confie sans que l'autre n'ait besoin de poser de questions. Picard parle de son métier, Unbewust de la musique. Ainsi, et peu à peu, ils remontent le temps, arrivant enfin aux circonstances qui ont fait leur réunion. Picard, le premier, raconte son ultime conversation avec Isaac Bernstein. Et Unbewust n'a qu'à prendre le relais.

Une nuit d'avril 1945, en rendant visite aux âmes ensanglantées de milliers et de milliers de morts, le résistant communiste, accompagné de soldats russes, a posé la main sur la troisième lettre détenue par Heinrich von Mietzerdorf. Puis, il y eut la découverte, dans le dossier des SS, du calvaire d'un homme juif. Ainsi, un pianiste allemand, transformé en tankiste de l'armée Rouge, devint dépositaire d'une histoire jalonnée de drames et d'étrangeté.

Un instant, un silence s'installe entre eux deux. Chacun mesure le chemin parcouru pour arriver jusqu'ici ; se regarder ; et se sourire encore.

— Vous n'avez personne à voir ? s'enquiert Picard.

— Ni femme ni enfant. Les autres attendront, répond l'Allemand d'un ton maussade.

— Au moins, savez-vous où vous logerez ? Je peux vous réserver une chambre à l'hôtel ?

— En me libérant, un fonctionnaire m'a précisé que l'appartement que notre bureaucratie avait mis à ma disposition était toujours libre. Ce crétin suait de peur. J'y suis passé. En effet, tout y est. Mais recouvert de poussière et gisant dans un désordre indescriptible. Après mon arrestation, la Stasi s'est acharnée sur les lieux. Qu'espérait-elle trouver ? Je l'ignore, enrage-t-il. Aussi, je ne suis guère pressé d'y retourner...

— Eh bien ! Il nous reste l'*Alexanderplatz*. Qu'en dites-vous ?

— Je n'ai pas dormi à l'hôtel depuis mon séjour à Paris.

— Nous allons sur-le-champ réparer cette injustice. D'autant que je ne vous avais pas reçu très gentiment...

— Allons ! Jaillir chez vous sans m'annoncer. Il fallait être fou !

— Et moi ? Un sombre idiot.

C'est ainsi, trouvant toujours quelque chose à se raconter, qu'ils rejoignent l'hôtel *Alexanderplatz* à la tombée du jour.

*

* *

— Le moment est venu, jubile Picard alors qu'ils viennent de s'installer dans sa chambre.

Et, dans un accord parfait, ils posent sur une petite table de travail les trois lettres, les trois enveloppes et les trois morceaux du manuscrit de Jaurès.

*

* *

L'article de Jaurès se révèle facilement déchiffrable. La feuille est ambrée, l'encre passée, mais ils n'ont aucun mal à lire les mots du pacifiste accusant les marchands et les puissants d'avoir voulu la guerre :

« *Je supplie les vivants de lutter contre le monstre qui apparaît à l'horizon et dont le nom pourrait être* Golgotha. *J'accuse les affairistes, l'engeance odieuse du capitalisme de vouloir fomenter une guerre universelle qui mettra aux prises tous les continents.* »

— Écrit le 31 juillet 1914. Le jour où il fut tué, murmure Picard. Par un certain Villain. Trois jours avant le début de la Première Guerre...

C'est un bond immense, une avancée qui met fin à leurs années de doute, d'interrogation. Ils connaissent le sujet. C'est celui de la guerre. Mais qui est *Golgotha*, soupçonné par Jaurès d'avoir voulu ce chaos ? Ils pensent qu'en déchiffrant les autres documents, ils vont l'apprendre. Est-ce pour cette raison que le chef socialiste fut assassiné ? La question passionne les deux hommes qui ont souffert terriblement d'un conflit opposant leurs deux pays et dont la genèse remonte à la Grande Guerre.

Alors, ils délient les trois lettres marquées par les ans. Ils lisent ce qu'ils ont scruté, chacun tant de fois, sans jamais tenir la totalité du code : *Il faut toutes les lignes, et il faut tous les mots, et il faut n'en lire qu'un sur trois, une sur deux.*

— C'était donc aussi simple ! s'exclame Picard.

— Ne criez pas victoire aussi vite, grince Unbewust. Je comprends que, pour reconstituer le texte initial, nous devons le recopier mot après mot. Et cela va prendre un temps fou...

— Eh bien ! reprend le Français qui ne veut rien lâcher de son enthousiasme, la méthode étant connue, nous nous répartirons les tâches. Je commence, vous continuez. Nous marquerons des pauses. Ou, si vous préférez, des tours de garde. Ici, j'installe notre bureau. Voilà du papier, des stylos... Que manque-t-il ? Voulez-vous que je commande à boire ?

— Du café ! s'écrie Unbewust. Du café de l'Ouest !

— Parfait, exulte le philatéliste en se frottant les mains. Maintenant, au travail...

*
* *

Le 12 novembre 1989, en fin de matinée, ces deux hommes, marqués par les stigmates de leur longue veillée, compagnons unis et soudés par la même flamme, s'encourageant mutuellement quand le découragement les gagnait, parviennent à leurs fins. Ils ont déchiffré les trois témoignages. Ils les ont reliés, de sorte qu'ils ne forment plus qu'un. Et ils savent ce qu'il en est des trois coups de feu qui, selon les auteurs du texte, ont décidé de la Première Guerre. Caillaux a été éliminé politiquement. Sarajevo est une machination. Quant à Jaurès, il s'agirait d'un assassinat calculé, et non du geste d'un désaxé. Alfred Picard se remémore alors le destin de ce Raoul Villain, acquitté après le conflit. Oui, ce jugement l'avait révolté. Et, en y repensant encore, il lui revient cette information parue dans la presse, quelques années plus tard, peut-être en 1936. Villain vivait retiré dans une île de la Méditerranée quand un mystérieux groupe armé espagnol l'avait exécuté. Et soudain, tout lui semble suspect. Tout s'enchaîne et devient possible. Tout l'effraie aussi. Ce qui réunit ces faits ? *Golgotha*. Un suspect imprécis. Les signataires du texte avouent eux-mêmes leur ignorance et leur impuissance. Ils parlent de Caillaux qui pourrait en savoir plus. Mais il est mort en 1944. Alors, *Golgotha* ? Un conglomérat, une puissance occulte ? Qui ? Où ? L'horizon se bouche. Déjà, les supputations entrent en scène. Hier, les deux hommes croyaient tenir la vérité et celle-ci soudain fuit entre leurs mains. Peut-on prendre pour acquises les affirmations de ceux qui se sont confessés ? Ils se disent convaincus, le jurent et répètent leurs accusations, mais ne se sont-ils pas fourvoyés ? Il s'agirait du même crime : vouloir, fomenter, provoquer la guerre en usant d'alliances avec les milieux patriotiques et politiques de l'époque. Pour preuve, ils retrouvent ce nom, *Golgotha*, à chaque étape de la conspiration. Et ils parlent encore d'un signe, d'une étoile à dix branches, portée par des personnages sans nom, disparaissant après avoir commis leurs exactions. Soit, mais peut-on penser que personne d'autre n'ait pu être informé ? Comment, dans ce cas, expliquer que rien de tout cela n'ait été dévoilé depuis tant de décennies ? Si Caillaux fut victime de *Golgotha*, il devait condamner l'infamie. Oui, Joseph Caillaux avait ce courage, cette audace, s'étonne Picard qui n'a pas oublié les éclats au Sénat du redoutable homme politique. À moins que la puissance de *Golgotha* n'ait empêché quiconque de lui résister... Et devant tant de questions, l'incompréhension se mêle à la fatigue.

Dans la chambre de l'*Alexanderplatz*, le climat s'est alourdi. Le sujet est grave, dramatique. Unbewust se tait. Picard ne peut tenir en place. Il fait les cent pas pour tenter d'évacuer ce malaise, ce doute et cette sorte de dégoût, cette salissure qui colle à ses mains depuis qu'il a lu, depuis qu'il connaît la nature exacte de ce qu'il possédait depuis tant d'années.

Unbewust se montre plus fataliste. Est-ce parce qu'il est pianiste que ce qu'il vient d'apprendre résonne comme une suite logique, un long accord dissonant débutant par la Première Guerre et se terminant aujourd'hui par la chute du mur de Berlin ? Le tempo donné, le morceau s'est déroulé. Et si *Golgotha* existe ou a existé, le monde lui doit la crise de 1929, Hitler, la Shoah, la guerre froide... Oui, tout cela est à la fois insoutenable et possible. Mais lui, l'ancien prisonnier, cela l'étonne-t-il ?

— Venez vous asseoir, finit-il par dire posément.

Picard se cale dans un fauteuil. Il réfléchit.

Pour concrétiser ce qu'il ressent, il tente d'esquisser le portrait des trois personnages, Anastasia Ivérovitch, Louis Chastelain et Heinrich von Mietzerdorf confiant au destin le secret qu'ils portaient. Soixante-dix années sont passées depuis qu'ils ont écrit et c'est un effort immense de les imaginer. Il faudrait aussi entreprendre des recherches, savoir ce qu'ils sont devenus, connaître leur histoire personnelle. Ont-ils de la famille, des enfants, des petits-enfants ? Et si oui, qu'en penseront-ils ? Picard pourrait regretter sa découverte. Mais déjà, d'autres émotions le gagnent. Il songe à la guerre, aux vrais coupables, aux criminels qui l'ont décidée. La rage se mêle à l'horreur. Le désespoir au chagrin. Est-il acceptable que ce désastre dont le siècle ne finit pas de subir, de payer les conséquences, s'explique aussi tragiquement et aussi *simplement* ?

— Est-ce pour cela que notre civilisation s'est déchirée ? chuchote l'ancien pianiste qui paraît deviner les interrogations du Français.

— Est-ce ce qui donna naissance à Hitler ? ajoute le philatéliste.

— Cela aussi, glisse l'Allemand... Et ce désastre humain aurait été voulu par un groupe d'intérêts financiers portant le nom de *Golgotha* ?

— C'est du moins ce qui est écrit, conclut Picard sans s'engager. Et rien ne peut dire s'il s'agit de la vérité.

— Oui, je vous comprends. Pourtant, au fond de moi, je suis prêt à jurer que leurs aveux sont sincères. Réalisez-vous combien il fut difficile, humiliant pour ces personnes d'avouer ce qu'elles ont commis ? Croyez-vous que l'on puisse mentir quand il s'agit de se nuire ? Je ne cesse de penser à eux, à ceux qui se sont confiés. Je n'imagine pas qu'un héros de la Première Guerre ait pu se prêter au jeu morbide de la mystification et qu'il l'ait partagé avec un Allemand qui fut déporté à Buchenwald ! Je connais l'histoire de cet homme qui ne fut d'ailleurs qu'un témoin et dont la moralité et le sens de l'honneur ne peuvent être mis en cause. Après la guerre, il offrit ses terres aux paysans. Je me suis renseigné en découvrant son existence dans les archives SS. Et que dire de sa résistance au nazisme ? Non, je ne peux pas croire qu'il soit complice d'un faux.

— N'ont-ils pas écrit pour minorer leur propre rôle ? tente alors Picard. Je veux dire qu'ils sont coupables, mais qu'ils regrettent leurs gestes. Alors, pour accepter leur vie, la rendre moins fautive en somme, pour surmonter leurs remords, ils se convainquent d'une cabale. Quoi de plus humain que de chercher à se disculper, au point d'inventer, et peut-être malgré soi ?

Il soupire et baisse la tête :

— Mon Dieu, comment savoir ?

— Puis-je vous aider à répondre à cette question ?

— Je vous en supplie, jette Picard en se levant d'un coup.

— Ils pourraient, en effet, être victimes plus ou moins conscientes de leur drame, mêlant à leur histoire, même involontairement, une sorte d'exagération pour se dédouaner. Oui, abusés par eux-mêmes. Mais il y a un bémol qui permet à un musicien d'écarter cette hypothèse.

— Et quel est donc ce *hic* ? s'emporte le Français.

— Si tout cela était faux, si rien n'était vrai, si *Golgotha* n'avait pas existé, si la guerre n'était qu'un accident imprévisible, s'il n'y avait eu ni orchestre ni chef, ce document – et il montre la confession – n'aurait aucun intérêt.

— Je vous suis, souffle Picard.

— Alors, comment expliquez-vous que je l'ai trouvé dans le coffre d'un nazi, dans les archives SS ? Non pas dans un dossier, mais, je le répète, dans un lieu bien fermé, à l'abri des regards, comme s'il méritait ou exigeait un traitement différent.

Derrière ses lunettes épaisses, Picard écarquille les yeux :

— Vous marquez un point, mon ami... Oui, il faut croire que cela a de l'importance et mon jugement s'en ressent. Il y a forcément du vrai dans cette révélation...

— Maintenant, c'est à moi de vous poser une question.

— Je vous écoute, glisse-t-il en s'asseyant.

— Si ce document est sincère, s'il dit la vérité, que devons-nous en faire ?

Picard, qui ne peut rester en place, s'est déjà forgé une opinion :

— Soit nous détenons un document appartenant à l'histoire, dont les causes et les effets sont éteints depuis longtemps. Et quel serait l'intérêt de réveiller le passé, de susciter rancœur et haine ?

— Je suis d'accord, acquiesce son interlocuteur.

— Mais, poursuit le Français, il se peut aussi que *Golgotha* existe toujours et que nous n'en sachions rien puisque cette obédience vit dans l'ombre.

— Et dans ce cas ? demande calmement Unbewust.

Picard ne répond pas. Il ne sait plus. Il est dépassé, comme tétanisé par la question redoutable qui vient de naître : si tout est vrai, comment ne pas imaginer que tout pourrait recommencer ?

PRINCIPE DE GOLGOTHA

Rapport du Dixième Décemvirat
Premier et Dernier Paragraphe

Puis, Chimère ayant tout dit, il s'éteint, à l'été 1980, dans cette île grecque qu'il aimait. Moi, l'Oracle, j'avais veillé longtemps sur lui; et alors qu'il mourait, je l'écoutais s'interroger sur les moyens dont il faudrait user pour le triomphe de Golgotha et de son Principe. J'avais un peu plus de trente ans et c'était jeune pour rejoindre le Décemvirat. Je me sentais orphelin, laissé au gré d'un gué d'une infinie longueur, au commencement lointain, et dont le point d'arrivée refusait encore de se montrer à moi. Pourtant, j'étais en train d'écrire le Dernier Paragraphe de Golgotha.

Mon Frère Chimère avait lâché ma main après avoir énuméré une dernière fois les dangers que je devrais affronter et les choix auxquels je serais confronté. Puis, souriant, et me suppliant d'en faire autant pour ne pas garder l'image de mon visage marqué par la peur de l'inconnu, il me laissa le soin d'avancer. De franchir seul le passage qui s'ouvrait sur le Dixième et Dernier Décemvirat, sachant qu'il n'y en aurait plus d'autre et que les décisions prises au nom de nos Frères déjà passés – et dont il était le prolongement, et moi, la fin –, seraient irréversibles.

La fin? Elle exigeait de se pencher sur les moyens appropriés. Elle serait ce que nous, les Très Hauts Magis-

trats, nous déciderions, menant Golgotha à son ultime étape, jusqu'à l'émouvante réunion de la multitude qui, au cours du temps, nous avait conduits ici, et nous abandonnait là, entre l'alpha et l'oméga d'un cycle dont le résultat s'annonçait incertain.

Alors que je portais en terre le corps de Chimère dans l'île où il voulait reposer, le vent joignit son étourdissante colère aux murmures de tous ceux qui, depuis le Premier Décemvirat, nous accompagnaient, et je crus les entendre. Étais-je le bon choix, le bien Nommé? Étais-je digne d'enterrer Chimère et de prendre la suite? On me demandait cela. Et je devais y répondre.

Dans cet état d'esprit, qui sans doute explique la suite, je rejoignis le Dixième Décemvirat afin de lire le rapport de Chimère aux Très Hauts Magistrats puis, de le détruire, selon notre Principe. Du moins, devais-je le faire.

Le récit de Chimère fut entendu dans le plus grand silence. Sa vie avait été longue et se nourrissait d'une époque hantée par la guerre. Mais en peu de temps, bien des choses changeaient, et Chimère l'avait deviné. Malgré les nombreuses menaces et les provocations entre l'Est et l'Ouest, la confrontation générale, la déflagration nucléaire, ne se produisaient pas. Les Blocs s'affrontaient, combinant des conflits marginaux et concédant leurs basses manœuvres aux États sous-développés ou secondaires. Peu à peu, l'Ouest l'emportait. L'Empire rouge craquait de toutes parts. Le Marché tambourinait à sa porte. Au moins sur ce point, le Décemvirat avait fait le bon choix. Restait la promesse faite à l'Archange : imposer notre philosophie à l'informatique pour gouverner le point de vue des hommes. Et bien que rien ne soit acquis, je répétais que le développement foudroyant de l'ordinateur personnel modifierait les comportements. Il favoriserait la religion du particulier, l'égoïsme. Ainsi, enfermé dans son moi misérable, ayant pour seul horizon le miroir de son âme renvoyée par un écran, l'homme refuserait bientôt de se battre pour un autre que lui, reconnaissant ainsi que la réponse collective était la moins bonne des solutions à ses problèmes individuels. Un nouveau jeu planétaire? J'en parlais de la sorte au Décemvirat. Pour moi, l'Oracle, l'informatique n'était donc pas un moyen, mais une fin en accord avec notre Principe. C'est pourquoi, à la différence de toutes les possessions de Golgotha, il ne fallait pas y penser comme à une arme, mais plutôt à la façon d'une transformation radicale des esprits.

Bientôt, l'informatique administrerait le monde. Et, en maîtrisant son architecture, il devenait possible d'influencer, d'agir directement sur les mœurs et les manières sociales, et c'était mieux que d'entreprendre de biais, en s'appuyant sur le concours imparfait des pions, ces serviteurs de Golgotha. Au cours des siècles précédents, Golgotha avait provoqué des guerres, avait corrompu les régimes politiques, manipulé l'opinion. Mais, au final, la puissance extraordinaire des moyens employés s'était diluée dans des combinaisons secrètes au résultat incertain. Qu'avions-nous réellement obtenu? Et ma remarque sonnait comme une révolte, une remise en cause du long commencement de Golgotha. Ma jeunesse ne pardonnait pas tout. Le Décemvirat se tendait. Mais je ne renonçais pas et j'interrogeais mes Pairs : en continuant ainsi, en ne changeant ni de méthode ni de moyens, le Principe, dont l'accomplissement justifiait depuis toujours notre existence, avait-il une chance de s'imposer? Je disais encore que l'informatique parviendrait à briser les chaînes des États sans qu'il soit nécessaire d'user de la force. Mais les Très Hauts Magistrats doutaient. J'étais juge et partie, plaçant, selon eux, plus haut que tout le consortium que je dirigeais. N'avais-je pas tendance à confondre mon action, ma réussite avec celle de Golgotha? Il est vrai que, pas à pas, je créais, par le contrôle occulte des principaux acteurs du secteur, une puissance industrielle mondiale dans l'informatique, et que je réussissais. Ce succès m'aveuglait-il? Il fallut beaucoup de sagesse et de patience pour me comprendre car, chaque fois que nous progressions, je demandais davantage, forçant le Décemvirat à consacrer des sommes considérables à l'achat ou à la corruption de compagnies qui docilement se rangeaient au modèle que j'avais conçu comme la plus pure application du Principe. Bientôt, promis-je aux Très Hauts Magistrats, Golgotha et l'informatique ne feraient qu'un. Ce n'était qu'une question de logiciels, de programmes, et ceux que nous réalisions supplanteraient l'organisation des États et produiraient leur mort. Porté par la réussite du Marché, peu à peu, j'espérais. Et il est vrai que le monde commun me donna raison.

D'abord, le Bloc de l'Est s'effondra. Et un souffle libertaire contamina ses peuples. Avaient-ils seulement rêvé un tel moment d'espérance? De la nuit des temps, surgissait l'âge d'or. Les fusées baissèrent le nez, le Marché s'ouvrit, l'idée de la guerre devint même, un moment, irréelle. Et Golgotha aurait perdu beaucoup si son action n'avait reposé que sur la force. Mais, pour me donner raison, il fallait aussi que l'informatique l'emporte. Et la lumière vint, dans les années quatre-vingt-dix, quand, non sans avoir usé de pressions, l'Internet se métamorphosa en un langage planétaire.

Dans le Net, affirmai-je à mes Frères de Golgotha, ce qui compte n'est pas le tuyau par lequel circule l'information, mais son contenu, son fonctionnement, sa philosophie. C'est ainsi que se façonne le point de vue des hommes. Et plus le monde communiquera, plus il diffusera le Principe puisque celui-ci gouverne l'Internet. Les hommes seront donc des pions, des milliards de pions dévoués, telle une vaste armée pacifiste besognant pour le profit de Golgotha : ni barrières ni lois. Ni État ni dogme. Ni bien ni mal. Ni morale ni règle. Ni faux ni vrai dans le virtuel. Simplement l'espèce humaine, livrée à elle-même, et à son état naturel. C'est donc, me demanda le Décemvirat, que la guerre n'aurait plus lieu d'être provoquée? Et moi, l'Oracle, je fis le rêve d'un monde enfin résigné à ne plus s'affronter et vivant selon le principe unique du marché.

Au cours de ces années quatre-vingt-dix, tout concourait à ce projet. Je relisais les derniers mots de l'Archange. Pour vaincre l'État, il fallait détruire ce qu'il promettait et Golgotha n'avait trouvé que la guerre, attisée par l'utopie des hommes. Se servant de la haine, de la patrie, de la religion, la guerre avait affaibli à un point considérable la vieille idée de Nation, mais sans parvenir à la détruire complètement. Et, avait imaginé Chimère, sans doute influencé par moi, surgissait le projet d'un monde charpenté par la communication cathodique qui, partageant la connaissance, éradiquait l'obscurantisme. La paix, disait notre Frère, n'était-ce pas mieux que la guerre? Désormais, tout convergeait vers cette prophétie.

Le monde se réunit pour bannir les conflits régionaux et, à l'exception de la haine sanguinaire des Balkans et de quelques ethnies du Sud, il devint flagrant que le désir de tuer reculait. La naissance d'un nouveau Millénaire, selon l'Occident, prenait valeur de symbole pour les peuples à qui l'on promit la quiétude. En 1998, les Nations proclamèrent les premières années du Vingt et Unième Siècle Décennie de la Paix et de la Non-Violence et, en y mêlant notre influence, en les noyautant, les organisations non gouvernementales se substituèrent aux États pour soutenir ces idées. Pour ajouter à ce tableau, le mondialisme progressa aussi en matière d'environnement, le monde réalisant que la planète ne pouvait être sauvée par l'autisme des États.

Moi, l'Oracle, il me fut facile de convaincre le Décemvirat de se mêler au sort des organisations non gouvernementales et d'y prendre le pouvoir. En peu d'années, elles devinrent les ennemis objectifs des États qu'elles supplantèrent dans les seuls sujets qui intéressaient les hommes : la santé, la misère, la faim. Elles seules, les ONG, furent capables de dépasser les frontières, de réunir autour d'une table les pires opposants, de faire taire les rancœurs ethniques, religieuses, nationales. Elles étaient le supplétif idéal des États et l'allié naturel du Marché auprès de qui elles tiraient leurs subsides. Surtout, elles échappaient au contrôle des États, offrant à Golgotha une opportunité historique. Bientôt, il n'en fut pas une où nous ne soyons représentés, la question de leurs choix charitables ne nous échappant plus. Grâce aux dons de Golgotha pris sur ses profits immenses, leur richesse et leur puissance dépassèrent alors celles des organisations étatiques et internationales.

Chimère pouvait être fier. Je l'entendais, mêlant sa voix au chœur des Frères qui nous avaient précédés, et m'assurant qu'ainsi le Principe avançait, et que le passage dont j'appréhendais le mystère et l'obscurité s'éclairait. Mais qu'avait-il encore dit, juste avant de fermer les yeux ? Je reprenais son rapport, je l'étudiais. Parmi les moyens dont avait usé le Décemvirat, il s'interrogeait à propos du secret. Et sur ce dernier point, il restait à se définir. La solidité de Golgotha devait-elle se satisfaire du Principe de l'opacité et de l'occulte ?

Cette question était d'autant plus cruciale que la promesse que je faisais au Décemvirat reposait sur l'informatique dont il était impossible de garantir la sécurité. Ce qu'un homme a inventé, un autre peut le comprendre. Si bien que tous les systèmes, tous les codes étaient cassables. Oxydables. Un pion, un seul, pouvait autant nous détruire qu'au temps de l'Archange ou de Chimère, quand le Décemvirat s'interrogeait sur ces trois lettres issues de la Première Guerre dont la menace ne s'était éteinte qu'avec le temps sans que rien ne puisse prouver que le dossier était réellement clos.

Aussi, j'en vins à croire que Chimère avait eu raison, qu'il fallait se libérer de ce danger – l'oxydation de notre système – en le transformant en arme. Et pour s'amender du poids du secret, je proposais au Décemvirat d'utiliser l'Internet, non pour révéler l'existence de Golgotha, mais pour convertir le Web à notre cause en y exposant ses principes jusqu'à éblouir la toile, l'aveugler au point qu'il lui semble possible d'avoir elle-même choisi ce que

Golgotha lui imposerait. Échanges, savoirs, connaissances, toutes les informations seraient orchestrées sur l'Internet selon les clefs sans foi ni loi de notre Principe. Alors, le premier et le second ne faisant qu'un, le succès de l'un assurerait celui de l'autre.

En juillet 2001, une décision favorable à mes thèses fut prise. Le Décemvirat ne considérait plus la guerre comme seul moyen d'action. Et je crus entrevoir l'autre bout du gué dont me parlait Chimère. Mais un pion, affirmait-il, un seul pouvait faire échouer Golgotha et son Principe. Et celui-ci jaillit, alors que nous ne l'attendions pas.

111

Ils se téléphonent quotidiennement pour prendre des nouvelles et s'informent d'abord de la santé de l'autre, remerciant le ciel de se sentir si solides à quatre-vingts ans passés. Aujourd'hui, le sujet est survolé car ils doivent parler du voyage en Italie qu'ils ont programmé. Selon les vœux du musicien, ils iront à Vérone, écouter Faust dans les arènes. Puis, ils visiteront Florence et la Toscane afin de profiter de la douceur automnale et des petites auberges nichées dans la campagne. L'Allemand a épluché méthodiquement le *Guide du Routard* que lui a expédié Picard. Il se déclare incollable. En se hâtant lentement, ils se dirigeront ensuite vers l'est pour séjourner à Venise. Rien ne presse. Ils procéderont *pianissimo* comme ils le font depuis dix ans. Il y a peu, ils étaient en Grèce. Après ? Qui vivra, verra ! lancent-ils en raccrochant. C'est leur cri de guerre.

Le 11 septembre 2001, Alfred Picard ne change pas ses habitudes. Debout à huit heures, il attaque un copieux petit déjeuner. À dix heures, il se rend à l'agence de voyages du boulevard Saint-Germain pour peaufiner certains détails avant son rendez-vous téléphonique avec Unbewust. Le sujet est important : combien de temps consacreront-ils à la tour de Pise ? Avant, il mangera sur le pouce, puis attaquera une grille de mots croisés, et ouvrira, une heure ou deux, le rideau du *Comptoir du Fin Philatéliste* dont il ne parvient pas à se séparer. Si bien qu'il est plus de seize heures quand il remonte dans son bureau pour composer le numéro de son ami allemand. Machinalement, il a allumé la télévision. Et tout de suite, aux flashs spéciaux, il réalise qu'un drame s'est produit. Les images tournent en boucle. On ne montre qu'elles, les tours de Manhattan, s'effondrant sur elles-mêmes. À New York, c'était l'heure de pointe, les gratte-ciel se remplissaient. Il aurait pu faire beau. Mais le ciel est gris, noyé dans la fumée. Les tours flambent et meurent.

Unbewust est aussi devant son poste. Tous deux restent ainsi, accrochés au combiné, et il y a comme de l'irréel dans ce moment où chacun dans le monde, parfois à des milliers de kilomètres, partage en direct les mêmes images de ces avions qui entrent d'un coup dans le cadre de l'écran, le violent, s'enfoncent dans les tours. Partout, on capte le choc, on s'en imprègne, sans en saisir encore le sens exact. Plus tard, quand le jour décline en Europe, la vérité pénètre dans les têtes. Les avions y sont et n'en bougent plus. Les tours sont tombées et font la une des journaux. L'information est répétée, et les mots sont partout les mêmes. Il s'agit d'un attentat, d'une attaque orchestrée contre les États-Unis.

— C'est peut-être le début d'une nouvelle guerre, finit par lâcher Unbewust qui a rappelé le Français en fin de journée.

L'un et l'autre s'enferment dans le silence, par peur d'avoir à faire ce qu'ils redoutent depuis tant d'années et à quoi ils espéraient échapper.

*
* *

En 1989, la réunion des trois lettres leur avait permis de déchiffrer la confession dont ils étaient les dépositaires. Mais aussitôt, les questions avaient surgi. Devaient-ils réveiller le passé ou l'enterrer ? Picard ne savait pas. Il se sentait débordé par la tâche et par le sujet. Pendant des heures, calfeutrés dans l'hôtel, ils avaient évoqué de nombreuses hypothèses dont la plus cruciale se résumait ainsi : quelle était la vraie nature de *Golgotha* et ce danger existait-il toujours ? Que le monde soit infesté d'engeances occultes, de réseaux néfastes animés d'intentions nuisibles constituait une évidence. L'argent sale, la puissance des ententes, la vocation nuisible des cartels sacrifiant le sort des peuples pour que triomphent leurs intérêts, se montraient chaque jour. Les armes, le pétrole, les richesses minières, ces trois sujets alimentaient les colonnes de la presse. Il n'y avait rien de neuf. Pourquoi ajouter une faible voix aux efforts de ceux qui, s'échinant à dénoncer le cynisme des hommes, obtenaient de bien pauvres résultats ?

Sommes-nous vraiment armés pour combattre ? Qu'apporte-t-on de nouveau avec cette confession ancienne datée d'une époque dont il ne reste guère de survivants ? Quels sont les éléments objectifs, concrets et actuels qui nous permettraient de dénoncer un complot permanent, une main criminelle planant encore sur le destin du monde ?

Les origines politiques d'Unbewust le poussaient à employer la dialectique. Un combat – une lutte – exigeait un ennemi. Qui était-il ? Picard, plus émotif, moins rationnel, avançait d'autres arguments :

— Au moins, ne doit-on pas, pour la mémoire d'Isaac Bernstein et d'Heinrich von Mietzerdorf, faire connaître cette histoire ?

— Leurs morts, supposa l'Allemand, ne sont pas dues à ces lettres. La cause, selon moi, en est le nazisme. Existe-t-il un lien entre Hitler et *Golgotha* ?

La confession écrite de 1919 ne pouvait évidemment pas répondre à cette question. Et Alfred Unbewust s'en tenait à sa théorie :

— Pour accuser, il faut tenir un coupable. Or, nous n'en avons pas. Ce qui a existé lors de la Première

Guerre a peut-être disparu. Je ne parle pas des criminels en général, des complices des guerres et des génocides. Mais je peux imaginer qu'ils se sont reproduits sous d'autres formes et que *Golgotha* n'est plus.

— Très bien, poursuivit Picard. Alors, servons-nous de ce que nous possédons comme d'une leçon destinée aux générations futures. Montrons combien il faut rester vigilant...

— S'il ne s'agit que d'un témoignage éclairant le passé, vous en limiterez la portée. Il ne dénoncera pas le présent. Votre lecteur conclura que l'humanité fut stupide et qu'il n'est pas question de se laisser prendre une nouvelle fois. L'Histoire ! Je sais combien elle est importante, mais aussi qu'elle ennuie, murmura le pianiste. Je vous parie que personne ne fera de lien avec l'actualité. Les menaces d'hier sont-elles celles du jour ?

Picard baissa la tête. Celui qui parlait avait été victime, par deux fois, d'exactions tyranniques. Son point de vue comptait plus que le sien.

— Je voudrais ajouter ceci, reprit doucement l'Allemand. Pour que notre action pèse, il faudrait que nous puissions livrer des faits, des noms. Mais plus encore, des visages.

Picard s'empara des lettres :

— Caillaux pour les victimes. Zaharoff pour les assassins. Et je peux encore citer Jaurès, le colonel Bontandier, cet Américain aviateur, Sturp... Et...

Unbewust leva une main :

— Tous morts. Témoins ou coupables, ils ont disparu. Qui voulez-vous appeler à la barre du tribunal de l'Histoire ? Des fantômes !

Le Français fut pris de découragement.

— Mais j'ai autre chose à vous proposer, sourit enfin Unbewust. Et c'est mon expérience et ma formation politique qui me donnent cette idée.

Il se frotta les yeux. Il semblait épuisé :

— Il ne faut dénoncer un ennemi que lorsque celui-ci est fort et qu'il fait peur. Il faut choisir le bon moment. Or, ce n'est pas le cas. Quel est le sujet ? La guerre. Croyez-vous qu'elle nous menace, alors que le mur de Berlin vient de tomber, que l'URSS bat de l'aile, que le monde espère et désire la paix ? Est-il possible qu'une puissance du mal parvienne à créer la guerre ? Soutenez cette thèse et l'on vous rira au nez. C'est pourquoi, si nous décidions de faire connaître ce que nous possédons, il existe un risque élevé que ce ne soit qu'un coup d'épée dans l'eau.

— Ainsi, vous prétendez qu'il faut se taire, enterrer à nouveau cette confession ? se désola le Français.

— Pour mieux la déterrer le moment venu... Oui, comme ses auteurs y ont sans doute songé, quand l'opinion sera prête à écouter. Oui, quand le monde aura peur de la guerre, il tendra l'oreille. Et que les obédiences imitant *Golgotha* se méfient, fit-il en tirant un maigre sourire, car nous montrerons la cruauté du passé et combien le présent, s'il n'y prend garde, pourrait lui ressembler. Alors, on étudiera autrement les faits, les paroles, les actes de ceux qui poussent les peuples à se détester. On s'interrogera. Qui veut manipuler qui ? Je crois, en effet, que ces lettres auront ainsi la légitimité qui leur manque à présent et qu'elles rempliront enfin le rôle voulu par leurs créateurs.

— Les utiliser s'il y a une nouvelle menace de conflit, et seulement dans ce cas, intervint Picard. C'est bien cela ?

Unbewust sourit :

— Leur valeur inestimable tient non pas dans le danger qu'elles évoquent, mais dans l'espoir qu'elles recèlent. Si personne n'en apprend jamais l'existence, cela voudra dire que le monde connaîtra la paix. Et, en échange de cette promesse, je préfère me taire aujourd'hui plutôt que de réveiller les souvenirs douloureux dont nos pays furent les victimes.

*

* *

L'idée du veilleur finit par séduire Alfred Picard. Il fut convaincu qu'ainsi, il respectait le passé, sans le renier. Les lettres enterrées étaient le signe, parfois vacillant, que la quiétude des hommes y gagnait. Le pire venant s'ils devaient les utiliser, il s'avérait logiquement souhaitable de les oublier. La conscience progressive de l'humanité d'un destin commun lié par l'environnement et l'explosion des outils de communication, comme l'informatique ou la télévision, lui laissait aussi penser qu'un changement radical s'engageait. Au fond, la seule vraie question concernait l'avenir des trois lettres quand leurs dépositaires seraient morts. Alfred Unbewust l'aborda en juin 2001 quand il apprit qu'il était atteint d'un cancer. À son âge, le cheminement de la maladie serait long. Cinq ans ? Six, tout au plus. Le diagnostic était tombé. Et ce voyage en Italie avait une valeur particulière, comme un des derniers plaisirs qu'ils voulaient partager. Là-bas, quand l'humeur leur viendrait, quand le temps le déciderait, ils aborderaient l'avenir de leur héritage. Mais brusquement, le 11 septembre 2001 bouleversait l'ordre des choses. Le danger avait un visage. Al-Qaïda, racontait-on, déclarait la guerre à l'Occident.

Les deux amis y pensaient pareillement. Était-ce la résurgence d'un *Golgotha* combinant, sous de nouveaux habits, la violence et le sang pour exciter les peuples et les jeter haineusement les uns contre les autres ?

*

* *

Leur voyage en Italie n'est en rien modifié. Picard et Unbewust prennent l'avion, se mêlent aux autres, s'interdisant de céder à la peur. Et puisqu'il leur semble, pour en avoir parlé, qu'un attentat n'est pas la guerre, ils décident de ne pas y mêler un traumatisme supplémentaire.

— Dans un conflit, soutient le doctrinaire Unbewust, alors qu'ils visitent la ville de Vérone désertée par les touristes, il faut deux ennemis définis. Armes, forces militaires, logistique, territoire, frontières... Ici, je ne vois pas ce qui pourrait être attaqué. Al-Qaïda n'est pas un pays, mais un état d'esprit, un ensemble insaisissable et j'ajouterai virtuel pour l'Occident. Y a-t-il un gouvernement à qui déclarer la guerre ? La Russie s'oppose-t-elle à l'Amérique ? Non, il n'existe pas de bloc, d'entente entre les Nations pour se jeter à l'assaut du vide, soutient-il, et ce n'est pas cet attentat qui peut transformer le monde en sanctuaire nucléarisé.

De sorte que les trois lettres restèrent là où elles se trouvent. La décision est prise à Venise, au *Harry's bar*. Et il en sera ainsi, tant que la menace ne deviendra pas planétaire.

Les armes chimiques et nucléaires de *l'axe du mal*, le choc des civilisations ? Ce n'est qu'après que ces questions se posèrent, quand l'attentat du World Trade Center accoucha d'une menace formidable qui ne vint pas de ceux qui avaient frappé les premiers. L'Amérique, cédant à la provocation, ouvrait elle-même les hostilités contre un ennemi invisible qui avait joué un pion, quand la première puissance du monde engageait ses meilleures forces pour avoir perdu ses tours. Et cette partie ressemblait fort aux échecs.

112

Leur décision est prise. Ils publieront les lettres, la confession de 1919. Ils le feront la semaine prochaine, et c'est celle qui vient, celle qui va arriver. Ils utiliseront l'Internet. Les deux vieux hommes s'y sont mis quand Alfred Unbewust a dû renoncer à se déplacer. Le cancer gagne la partie. Il ronge les intestins, le foie, le côlon, remonte et descend dans le système lymphatique. En 2001, le corps médical parlait de six ans. Et la prévision est aussi précise que celle d'un horloger suisse. Il n'y aura plus de rémission.

— Je vais mourir, avait confié quelques mois plus tôt Unbewust à son ami français. Il vous reviendra la tâche bien encombrante de garder notre secret.

Picard s'était insurgé, dénonçant un mensonge :

— C'est vous qui m'enterrerez !

Mais aucun n'y croyait.

— Et vous, reprit le pianiste, à qui confierez-vous cette... affaire ?

Picard avait tenté d'y réfléchir. À qui se fier ? Et qui comprendrait le sens profond de leur démarche ?

— À moins que nous ne décidions de nous soulager de ce poids, avait-il murmuré.

Unbewust ne l'aurait pas reconnu le premier, pour ne pas forcer le point de vue de son ami français, mais il y songeait aussi et non pas seulement à cause de sa mort. Depuis le début de l'année 2007, les nations avançaient vers le chaos. Il s'en persuadait. Sa théorie apaisante sur les effets limités de l'attentat du World Trade Center de septembre 2001 s'était envolée. L'Amérique s'embourbait dans la guerre et chaque jour ajoutait à la déraison d'un monde qui s'enflammait peu à peu. Ce matin encore, l'Irak comptait ses morts. Deux cents, la semaine passée, et cent de plus aujourd'hui. De son lit, il zappait sur les chaînes d'information d'où surgissaient les mêmes images, et toujours, les mêmes prédictions angoissantes. Il y a peu, c'était à propos de la Corée du Nord, pointant sur le monde ses têtes nucléaires, quand déjà les regards se braquaient sur l'Iran qui ne céderait jamais sur l'arme atomique. À croire que les deux camps étaient objectivement d'accord pour se pousser à bout. Si bien que l'hypothèse – martelée – d'une intervention militaire faisait son chemin. Les esprits s'y accommodaient. Recouvrir Téhéran d'un glacis macabre semblait depuis peu concevable. Y avait-on réfléchi ? Pouvait-on seulement se représenter la *chose* ? Un chef d'État avait évoqué cette *solution* devant la presse et la seule réaction des observateurs portait sur la définition d'une bévue. Ce vieux président européen avait lâché *off* ce qu'il n'aurait pas dû dire. On se gaussait, on le traitait de gaffeur. Mais ces paroles étaient-elles dues au hasard ? De fait, le pas était franchi. L'option nucléaire, celle de la mort totale, longtemps théorique, improbable, prenait vie. Ce n'étaient plus des faucons, des militaires qui théorisaient ; plus un cas d'école étudié par des états-majors, mais une idée *possible*. Plus loin, Beyrouth brûlait pour la énième fois. Kaboul cédait à la terreur. La Palestine saignait aussi. Au nord, au sud, et à l'est, où la Russie profitant du chaos revendiquait de nouveau sa place, la haine se montrait car, dans chaque camp, elle avait trouvé son égal. Et l'Europe n'échappait plus à ces attentats qui dressaient l'opinion contre des minorités pacifiques, immigrés et travailleurs, qui se sentaient rejetés par la faute d'une poignée de leurs frères et de leurs sœurs de croyance.

Oui, le moment était peut-être venu où les mots d'*escalade*, de *réplique*, de *juste retour des choses*, de *croisade*, d'*axe du mal*, de *guerre de religions*, de *conflit des cultures* se prenaient au jeu et se mettaient en action. Puisqu'on les voulait dos à dos, les hommes en viendraient alors à se faire face. À s'affronter. À s'entre-tuer de nouveau.

— Oui, souffla Unbewust, en repensant aux mots écrits par Heinrich von Mietzerdorf, voilà longtemps. Il faut peut-être faire appel à l'*Espérance* oubliée par *Pandore*.

*
* *

Ils se sont donné un mois pour y réfléchir. Et ce temps est passé. Quand ils reviennent l'un vers l'autre, c'est pour se dire qu'ils sont d'accord.

— Comment procède-t-on ? interroge Unbewust d'une voix éteinte.

— L'Internet ! jubile Picard. Et voici mon plan.

Le Français a bûché son sujet et l'on ne dirait pas un vieillard qui célèbre ses quatre-vingt-dix ans. Il a numérisé les trois lettres datant de 1919 – pour cela, il a fait un saut dans un grand magasin où un vendeur accort lui a fait une démonstration détaillée. Afin que son dossier soit argumenté, il a réalisé la copie de la correspondance d'Isaac Bernstein, d'Anastasia Ivérovitch, d'Heinrich von Mietzerdorf, de Louis Chastelain.

— Mais ce n'est pas tout, s'amuse-t-il en détaillant sa manœuvre à Unbewust qui l'écoute du fond de son lit. J'ai aussi scanné les timbres qui servent à authentifier les documents et à les dater.

Ensuite, il glissera le tout dans un fichier dont le titre pourrait être *Golgotha*. Il y joindra un texte d'explication où il sera raconté l'histoire de cette confession, son parcours, comment elle est parvenue jusqu'ici et, surtout, en quoi elle éclaire le présent.

— J'ai pris un rendez-vous avec un huissier pour qu'il certifie sur l'honneur que la copie est conforme à l'original. Je crois que je n'ai rien oublié. Qu'en pensez-vous ?

— C'est parfait, répond simplement l'Allemand.

— Je songe, reprend l'expert, à une lettre que nous signerions tous les deux, et dans laquelle il serait établi une sorte de rapprochement entre ce qu'on appelle aujourd'hui l'axe du mal et les mots employés avant le début de la Première Guerre mondiale. Vous verrez. C'est frappant. On dit la même chose : protéger ses intérêts, défendre ses valeurs, éteindre la menace. Exterminer... Qu'il s'agisse du pétrole ou du charbon, l'histoire se répète et elle ne bégaye même pas.

Il reprend sa respiration :

— Je crois aussi que l'article de Jaurès fera sensation. Mais qu'en pensez-vous ?

Unbewust reste muet. La douleur monte et il lui faut attendre avant de retrouver enfin la force de parler :

— Qu'en ferons-nous ?

— J'ai établi la liste des organes de presse de cent pays, glousse son ami dont l'énergie ne faiblit pas. Il suffit de chercher sur l'Internet. Mais j'y ajouterai les prix Nobel de la paix, les gouvernements en exercice, les partis démocratiques d'opposition, les organisations internationales, les leaders d'opinion, et même les ONG... Nous inonderons le monde !

Unbewust ne réagit pas. La douleur le cloue.

— Ne vous fatiguez pas, cher ami, reprend Picard. Le mieux est de vous envoyer tout cela par l'Internet. Dites-moi si la lettre que j'ai écrite vous convient. Ensuite, je n'aurai plus qu'à cliquer sur *envoi*... Ma liste de mails est prête.

— Et nous pourrons partir en ayant fait ce que nous pensions bien, expire l'Allemand. À demain, Alfred. Je dois me reposer... Je vous lirai dès que possible.

*

* *

Voilà trois jours, le message de Picard est parti par mail. Et toujours pas de réaction. La douleur est si vive qu'Unbewust ne peut pas répondre au téléphone. L'infirmière qui a décroché explique au Français qu'une hospitalisation dans un service de soins palliatifs est décidée. Ses phrases sont pudiques, ses mots choisis, mais le jugement se veut clair, définitif, sans retour. Aussitôt, Picard trouve assez d'énergie pour annoncer son arrivée. Demain, il se rendra à Berlin. Il est dix-sept heures. En pressant le pas, il aura le temps de passer à l'agence de voyages qui lui dénichera sûrement un billet d'avion. Et quand il descend de son bureau, rien ne dit son âge. Il attrape son manteau, le fouille pour y trouver les clefs. Il baissera le rideau plus tard. Si bien que, perdu dans ses pensées, il ouvre la porte sans prêter attention à l'activité de la rue de l'Odéon. Et il ne voit pas non plus l'homme élégant qui semble l'attendre devant l'entrée et qui, maintenant, lui fait barrage.

Il a cinquante ans, et présente un visage barbu éclairé par des yeux bleus affichant une étonnante sérénité. Ses cheveux sont longs et bouclés. Sa tenue se veut sobre. Un pantalon de flanelle, une chemise blanche cachée sous un pull de laine, une veste grise, ornée à la boutonnière d'une broche : une étoile en or à dix branches, sertie de diamants. Picard commet l'erreur de ne pas rapprocher immédiatement ce signe de celui évoqué et décrit dans la confession qu'il détient.

— Je suis désolé, bougonne-t-il. Je ferme. Une course urgente.

L'homme sourit :

— Pour presser un homme de votre âge, le sujet doit être grave.

Il s'exprime en français, mais d'une voix teintée d'un léger accent, américain peut-être.

— Il s'agit d'un ami, se croit obligé de préciser Picard pour décider le gêneur à le laisser passer. Il est très malade et je dois...

— Alfred Unbewust. Oui, je sais. Il n'en a plus pour longtemps.

Picard est d'abord surpris. Ce n'est qu'après qu'il prend peur.

— Comment pouvez-vous être au courant ? Qui êtes-vous ?

L'homme écarte doucement l'expert et entre dans la boutique. Il jette un regard circulaire, semble apprécier les lieux, voit l'escalier situé dans le fond de la pièce qui conduit à l'étage. Picard réalise alors qu'il n'a pas pris le temps de fermer son coffre.

— Je suis l'Oracle, dit l'homme. Je suis l'envoyé de *Golgotha*.

Les mots entrent, progressent, font des ravages dans le cerveau du vieillard où tout se bouscule. C'était donc vrai ?

— Que me voulez-vous ? parvient-il à expirer.

— Je viens vous libérer des lettres qui vous pèsent tant.

*
* *

L'Oracle est reparti sans se retourner. Il s'en est allé ainsi, après avoir parlé au philatéliste, et toujours d'une voix calme :

— Si vous doutiez de l'existence de *Golgotha*, vous voilà renseigné.

— Vous êtes donc le mal, avait bredouillé le vieillard.

— Ni le bien ni le mal, mais ce que les hommes sont.

— Pourquoi voulez-vous les détruire ? insista Picard.

— Pourquoi se détestent-ils ? rétorqua l'Oracle. Et d'où vient leur souffrance ? Pour répondre, observez-les. L'orgueil patriotique, la haine attisée par des États qui ont foi en leurs valeurs et les croient supérieures aux autres, la domination, la xénophobie. Rien ne change et voilà que tout flambe encore. Mais qu'en serait-il si cet ordre du monde, décadent et stérile, injuste et inefficace, n'existait plus ?

— Je ne sais pas, avait répondu l'expert, troublé par le calme de l'Oracle.

— Pourtant, en diffusant sur l'Internet votre secret, ne désiriez-vous pas rappeler au monde qu'il est en danger et qu'aujourd'hui, tel qu'hier, il suffit de peu pour l'assassiner ?

— Comment savez-vous cela ? murmura-t-il encore.

— L'Internet n'a aucun secret pour *Golgotha*, avait souri l'Oracle. Il ne fut pas difficile, grâce à nos moteurs de recherche, de retrouver votre trace au cœur des deux millions de références qui chaque jour évoquent notre nom. Vos lettres, vos timbres, le témoignage de Jaurès sont venus à moi puisque vous les avez envoyés à votre ami allemand. Il a suffi que vous appuyiez sur la touche *envoi* pour que je récupère le tout.

Il avait détaillé Picard, semblant ne lui vouloir ni bien ni mal :

— Je n'ai eu qu'à prendre l'avion. Et maintenant, je vous vois.

— Qu'allez-vous faire ? Me tuer et détruire ces lettres ? enragea le vieux philatéliste.

— Non. Je viens achever ce qui a été commencé. Bientôt, vous saurez pourquoi je suis votre héritier, et le dernier.

PRINCIPE DE GOLGOTHA

Rapport du Dixième Décemvirat Premier et Dernier Paragraphe (fin)

L'Archange l'avait dit à Chimère; Chimère l'avait dit à l'Oracle. Du fond de l'abysse, dans le ventre sombre du monde, au cœur de la mine où poussaient les frustrations et la haine de ceux que l'humanité rejetait, existaient les promesses d'une saine rébellion contre l'ordre établi et les conventions. L'Archange pensait à la religion, mère du fanatisme, et avouait qu'il avait hésité entre Chimère et un jeune religieux, alors qu'il cherchait celui qui le remplacerait au sein du Décemvirat.

La foi et ses dogmes forment, en effet, un pouvoir redoutable. Leurs germes destructeurs sont si puissants que, par le passé, Golgotha ne s'est pas privé d'employer la dévotion obscure pour nuire aux États. Parlant de l'acte terroriste et de l'attentat, sa forme naturelle, Chimère en avait décrit les nombreux avantages. Ce crime, aveugle, imprévisible et spectaculaire, déstabilisait les États, engendrait l'émotion de l'opinion, alimentait la haine et la compassion, s'orchestrait à façon. Enfin, on lui faisait dire ce que son commanditaire souhaitait. L'attentat fanatique, le crime terroriste était le bras armé du Principe et, de Caillaux à Sarajevo en passant par Jean Jaurès, pour ne citer que ceux qui avaient permis l'épanouissement de la Première Guerre du Vingtième Siècle, on ne trouvait pas mieux pour distiller l'embryon de la destruction dans le corps social. Mais ces méthodes appartenaient à un temps révolu depuis que les Très Hauts Magistrats avaient pris la décision de ne pas se servir du sang. Et à l'aube du troisième Millénaire, tout concourait à la réussite de la Prophétie. Golgotha, porté par un monde en paix et résolu à partager des valeurs communes fondées sur la liberté des échanges, voyait son Principe l'emporter chaque jour un peu plus. Puis, la nouvelle était tombée et le Décemvirat s'en trouvait marri. Un attentat – que les Très Hauts Magistrats appréciaient à l'aune du nombre de morts produits auparavant par les armées américaines – déchaîna les passions et réveilla l'hydre de la vengeance, argutie faisandée, arme discursive dont l'État se sert pour opposer le mal au bien et le martyr au criminel. La morale revint, suivie par son cortège d'accusateurs et de juges, de prêcheurs et de censeurs. Cela se produisit après le 11 septembre 2001. Les camps, les blocs, les communautés idéologiques se regroupèrent et se félicitèrent de ces retrouvailles. Elles s'excitaient à l'idée d'avoir des ennemis.

Et une colère infinie gagna le Décemvirat, car Golgotha n'y était pour rien, je l'assure aux Frères de la Terre. La guerre, nous y revenions, et les thèses que j'avais eu tant de mal à imposer se décomposèrent au fil des années qui suivirent l'irrésistible montée de l'intolérance. L'État dominant d'Amérique réorganisa ses alliances, créant autant de fractures entre les civilisations. Et le résultat est connu. La lente dissolution du monde est à nouveau engagée, prouvant que l'ordre international, voulu, décrété par un État n'existe pas. Il est impossible. Il ne mène qu'au déchirement.

Je n'eus donc aucun mal à approuver l'avis de l'Homme Debout, notre Très Haut Magistrat, quand il vint à proposer la destruction des États-Unis. Le Principe veut désormais que ce vestige des Blocs, héraut dévoyé de la loi du marché, vienne à mourir. Scélérat, dictatorial, menteur, dominateur, moralisateur, protectionniste, infecté par les opinions sectaires, aveuglé par l'orgueil et paralysé par la peur de perdre, l'Amérique a été condamnée. Cette sentence fut prise en 2005 et elle se prépare. L'attaque des États-Unis interviendra, cruelle ironie, avant la fin de la Décennie de la Paix. Elle sera inattendue et mortelle. Le Décemvirat se prépare et l'ensemble de ses consortiums est sollicité. Le chaos financier ou le choc atomique ? L'arme chimique ou alimentaire ? Une exécution massive ou une sélection des élites ? New York, Miami, Washington, Los Angeles, Détroit, Chicago ? Mais les villes ou le cœur du Middle West, le grenier de l'Amérique ? Et pourquoi pas le cyberterrorisme ? Les choix ne sont pas définitifs et je me garderai bien d'en annoncer davantage. Disons que le Décemvirat travaille. Et que rien n'oxydera son édifice, car l'action confiée à des pions œuvrant à couvert redevient un pilier du Principe. Les vocations fanatiques ne manquent pas. Les Frères Enrôleurs puisent sans relâche dans cette armée insondable et dévouée, aveuglée et soumise à sa cause : exterminer et devenir ainsi un preux, un brave, un indomptable. Nos intérêts sont équilibrés, objectivement reliés puisque, en échange de la soumission, nous offrons le statut de martyr. Ainsi, quand chaque pion agira, il sera trop tard. La déflagration commencera sans pouvoir s'arrêter.

En somme, sur tous les points, moi l'Oracle, j'ai perdu. Du moins, tout le laissait penser jusqu'à ces derniers jours, car un message venant de l'Internet ne m'a pas échappé puisque rien ne m'échappe, et c'est mon dernier espoir. Surgissant au plus improbable moment, il s'agit d'un récit très ancien, conservé par un vieillard, et révélant l'existence de Golgotha et de son ignominie. Il y est écrit que ce nom cache un pouvoir occulte qui provoqua la Première Guerre par le crime et la corruption, et tout est vrai. Mais pour comprendre la nature de Golgotha et du Décemvirat qui le gouverne, le mieux serait de lire le rapport d'un de ses Magistrats – Chimère, par exemple, dont les actes et les opinions sont si édifiants que, moi, l'Oracle, je devais le détruire. Mais je ne l'ai pas fait, préférant le livrer, ainsi que cette confession sincère remontant à la Première Guerre, aux Frères de la Terre pour qu'ils connaissent le Principe de Golgotha. Je le veux pour que tous mesurent notre puissance, qu'ils soient effrayés et qu'ils n'aient aucun doute : s'ils ne décident pas de mettre fin aux États, le Décemvirat provoquera un conflit planétaire dont l'Amérique et le monde ne se remettront pas. Car pour que les ensembles néfastes et nuisibles disparaissent, l'homme, son inventeur, subira une mortelle punition. Comment puis-je en être certain ? Ce qui précède devrait suffire pour qu'on me croie, mais le Décemvirat a décidé que ce n'était pas assez. Voilà pourquoi il n'a pas hésité, par la voix de l'Oracle, à apprendre aux Frères de la Terre que ce Dixième Décemvirat sera le Dernier. Et puisqu'il n'y en aura pas d'autre, qu'ils sachent que Golgotha ne renoncera pas à son Principe avant de retourner à l'oubli : la mort des États. Aussi, nous, les Très Hauts Magistrats, nous n'avons rien à craindre, rien à perdre, rien à redouter en engageant enfin notre dernier combat et en l'annonçant.

C'est aussi pourquoi j'ai pu assurer au vieillard qui gardait ce périlleux témoignage du passé qu'il n'avait pas agi en vain. Je lui ai promis d'être son héritier. Je l'ai fait bien volontiers, car ces lettres, ces timbres, cette confession, tout est vrai. Et leur existence si redoutée sert le Décemvirat en apportant la preuve que ce qui est annoncé se produira. Ainsi, en sondant les entrailles de Golgotha, en les contemplant, en craignant ses effets, les Frères de la Terre prendront la mesure de ce qui les menace.

Mais il faut en finir et voici ce que le Décemvirat m'a chargé de transmettre. Des hommes ou des États, de quoi le monde sera-t-il épargné ? La réponse viendra bientôt. Golgotha l'a promis.

Le récit débute par celui de Chimère qui succède à l'Archange et il s'achève par le mien, puisque je suis le Dernier. Il est arrivé, ce matin, via l'Internet. Il l'a inondé, racontant ce qui devrait avoir lieu. Et c'est une déclara-

tion de guerre pour laquelle le Décemvirat est prêt. L'enfer ou la délivrance? C'est aux Frères de la Terre de trancher en choisissant de se délivrer eux-mêmes des États ou de laisser parler Golgotha. Et il ne sera rien écrit de plus pour croire à sa Prophétie.

Remerciements

Mes remerciements s'adressent en tout premier lieu à mon éditeur, Thierry Billard, ami fidèle et indéfectible soutien, soucieux du détail qui fait mouche, ferment du bel ouvrage. Dans l'ensemble harmonieux dirigé par ce chef d'orchestre, je ne peux oublier le premier violon, Charles-Étienne Barrault, collaborateur talentueux dont l'œil scrupuleux s'est fixé pour seul dessein de viser l'excellence.

Dans ces conditions, quel fut le rôle exact de l'auteur ? Interroger l'Histoire pour en faire un roman et gémir quand un mot – le mot juste – refusait de se livrer. Aussi, dois-je remercier mes proches qui ont le mérite de supporter les affres d'un écrivain qui aime parler des autres pour mieux le faire de lui.

Enfin, il me faut m'incliner devant les hommes dont la dramaturgie dépasse souvent la fiction. Ce roman s'est glissé dans les plis sombres, les zones d'ombre de l'Histoire dès que tout devenait concevable. Ainsi, je me suis servi du possible, de l'hypothétique, n'étant pas historien de profession, pour écrire selon mon imagination, même si je mesure combien cet exercice peut parfois devenir délicat car le diable n'est pas seulement présent dans la guerre. Il se niche dans les détails et malgré toute l'attention que j'ai sincèrement portée à ce roman, j'ai conscience du poids d'une erreur ou d'un oubli pour lequel, ou lesquels, je demande l'indulgence de ceux qui, acteurs, témoins, ou victimes, ont subi ce siècle terrible. À tous, je veux exprimer mon plus grand respect et ma sincère affection.

Table

9032

Composition
NORD COMPO

Achevé d'imprimer en Espagne
par ROSES
le 2 août 2009.

Dépôt légal août 2009.
EAN 9782290011973

ÉDITIONS J'AI LU
87, quai Panhard-et-Levassor, 75013 Paris

Diffusion France et étranger : Flammarion